W9-DDP-133

OUI MON COMMANDANT !

ISBN 2-7427-0863-4

Illustration de couverture :
Dessin de Christine Le Bœuf

AMADOU HAMPÂTÉ BÂ

OUI MON COMMANDANT !

MÉMOIRES (II)

BABEL

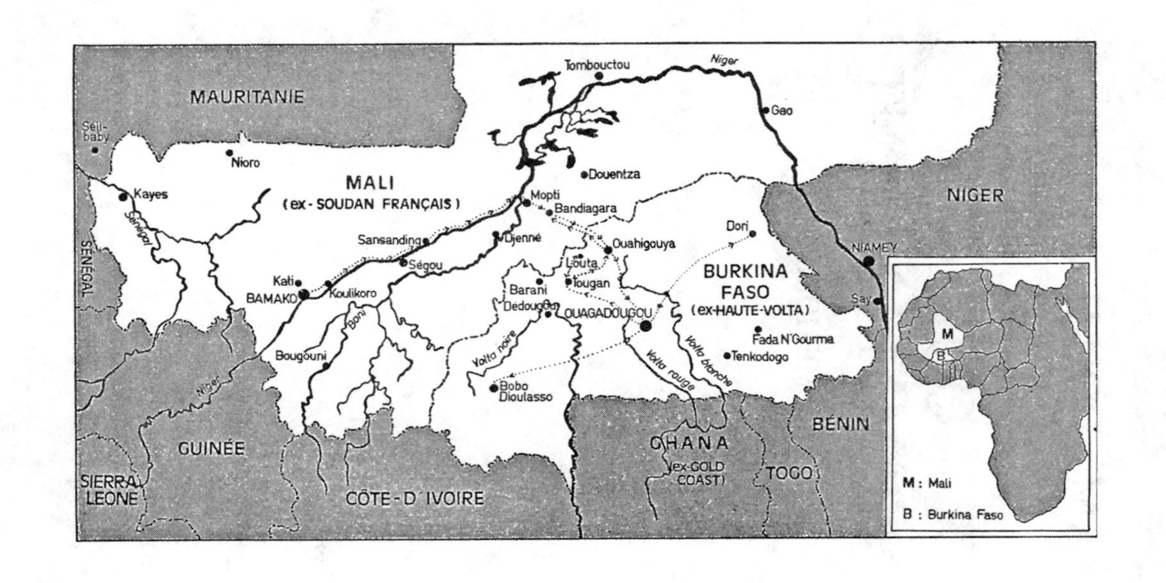
MAURITANIE
Séli-baby
Nioro
Kayes
Sénégal
SÉNÉGAL
MALI
(ex-SOUDAN FRANÇAIS)
Tombouctou
Niger
Gao
Douentza
Mopti
Bandiagara
Sansanding
Djenné
Ségou
Kati
BAMAKO
Koulikoro
Boni
Bougouni
Niger
NIGER
NIAMEY
Say
Dori
Ouahigouya
Louta
Tougan
Barani
Dédougou
OUAGADOUGOU
BURKINA
FASO
(ex-HAUTE-VOLTA)
Fada N'Gourma
Tenkodogo
Volta noire
Volta rouge
Volta blanche
Bobo
Dioulasso
GUINÉE
SIERRA
LEONE
CÔTE-D'IVOIRE
GHANA
(ex-GOLD
COAST)
TOGO
BÉNIN
M
B
M : Mali
B : Burkina Faso

RAPPEL…

Tout au long d'*Amkoullel, l'enfant peul*, Amadou Hampâté Bâ nous a fait cheminer avec lui sur les routes de son enfance et de son adolescence, dans un monde où s'installait peu à peu la présence française tandis que les cultures traditionnelles s'efforçaient de survivre.

Il nous a fait partager ses aventures et ses découvertes, cocasses ou dramatiques, nous a dévoilé la vie des associations enfantines et entraînés avec lui à "l'école des Blancs", déroulant pour nous au fil des jours le tableau de toute une époque saisie sur le vif tandis que revivaient devant nos yeux les personnages d'exception qui ont marqué ses jeunes années : sa mère, l'intrépide et courageuse Kadidja, son père adoptif Tidjani Thiam, ancien roi condamné à l'exil, Koullel, le grand "maître de la parole" dont il a reçu son surnom, et enfin Tierno Bokar, qui deviendra plus tard son maître spirituel.

A la fin de l'ouvrage, il est âgé de vingt-deux ans. Sa mère lui ayant interdit de rejoindre l'Ecole normale de Gorée (Sénégal) où il a été admis, il ne rejoint pas le groupe des élèves en partance. Pour le punir de son indiscipline, le gouverneur du Soudan français (Mali) l'affecte d'office loin de son pays, en Haute-Volta (Burkina-Faso), avec le titre enviable d'"écrivain temporaire essentiellement précaire et révocable"… Un garde est même chargé de l'accompagner pour veiller à ce qu'il ne s'échappe pas en route !

Après un dernier adieu à sa mère sur les rives du fleuve Niger, Amkoullel s'embarque, avec son garde, sur la pirogue qui le conduit vers l'est, vers le pays inconnu où l'attend “la grande aventure de sa vie d'homme”. C'est là que nous le retrouvons au début du présent ouvrage.

H. H.

I

LE VOYAGE

Portée par le courant, la pirogue avançait rapidement vers l'est, sur les eaux du grand fleuve qui semblait s'ouvrir en deux devant elle. Les eaux étaient si claires qu'on y voyait évoluer les poissons jusque sur le fond, comme dans un aquarium. Derrière nous, à l'ouest, le panorama de Koulikoro s'estompait. Les berges hautes, les arbres, les dunes de sable, le monticule derrière lequel avait disparu la silhouette de ma mère, tout semblait se précipiter vers l'ouest au secours de Koulikoro qui s'enfonçait dans le vide.

Durant une bonne demi-heure, les percheurs restèrent muets. Sans la régularité de l'ample mouvement qui tordait les muscles de leur corps, on aurait pu les prendre pour des statues de bois d'ébène. Soudain, perçant le grand silence dans lequel nous étions plongés, une voix puissante s'éleva : c'était l'un des piroguiers, virtuose de la chanson bozo*, qui venait d'attaquer *bourou den'nde*, un air d'encouragement au travail. Sa voix semblait emplir l'espace et rebondir sur la surface des eaux. Ses camarades lui répondirent par un refrain qu'ils reprenaient en chœur à la fin de chaque couplet. Cette musique joyeuse, dont

* Ethnie de pêcheurs et de chasseurs vivant dans la vallée du Niger, "maîtres de l'eau" traditionnels dans toute la région.

le rythme s'accordait au balancement de la pirogue, paraissait accompagner les eaux du Niger dans leur descente vers la mer.

Une leçon d'histoire

Le deuxième jour de notre voyage, nous arrivons à Niamina, grosse bourgade située sur la rive gauche du Niger et peuplée surtout de Markas et de Bambaras.

A peine avons-nous accosté que je vois se dépêcher vers nous un homme âgé d'une soixantaine d'années, vêtu d'un superbe boubou bleu lustré laissant apparaître un sous-boubou d'une blancheur immaculée et coiffé d'un bonnet blanc soigneusement empesé. Son pantalon bouffant tombe sur de belles babouches blanches qui complètent heureusement sa tenue.

De loin, il eût été bien difficile d'identifier la qualité de ce personnage s'il n'avait marché avec suffisance, portant ostensiblement en bandoulière sur son épaule droite une grosse guitare africaine à quatre cordes. Il n'y a pas à s'y tromper, c'est un griot, et un griot à l'affût des riches étrangers de passage. Il nous a repérés de loin et vient exercer sur nous son droit imprescriptible de griot de "taper" dans la bourse de tous les non-castés, dits "nobles", partout où il les rencontre, et cela sans considération de fortune.

Un griot a en effet le droit, reconnu par la coutume, de formuler à l'encontre du noble qui s'aviserait de lui fermer sa bourse les reproches les plus irrévérencieux, voire de répandre sur lui à travers la ville des accusations injurieuses, dont la moindre est sans doute d'avoir "la main attachée à son cou", symbole même de l'avarice ! Aussi les nobles s'empressent-ils généralement de combler le griot. *Si tu veux éviter que le chien ne te morde et ne te communique la rage, jette-lui un os*, dit un proverbe peul du Mali. Il ne faudrait cependant pas généraliser ; ce comportement n'est pas celui de tous, et il en est qui, aujourd'hui encore, méritent respect et reconnaissance pour avoir gardé vivante la mémoire de tant de générations passées. Je pense, en particulier, aux grands griots généalogistes, aux griots de Kéla, dépositaires de la tradition sacrée du Mandingue, ou simplement à tous ces griots musiciens et poètes qui, à travers l'histoire, épousèrent le destin, heureux ou malheureux, des familles auxquelles ils étaient attachés.

En échange de ses privilèges, le griot rend de nombreux services aux nobles. Il est tenu d'égayer ceux à qui il demande de l'argent. S'il s'agit d'étrangers de passage, il doit les informer de ce qu'il convient de faire ou d'éviter ; il se charge de leurs courses, les accompagne, au besoin les introduit auprès des notabilités de l'endroit. Tout à la fois animateur public, porte-parole et intermédiaire, le griot remplissait jadis une fonction essentielle dans la société traditionnelle de la savane, où toute relation était fondée sur la notion d'échange.

Pour me laisser le temps de savoir à qui j'ai affaire, je décide de remonter dans la pirogue et de me réfugier sous le rouf, d'où je pourrai observer discrètement le griot et entendre ses propos. Arrivé à la hauteur du garde Mamadou Koné qui est resté sur la rive, il pointe vers lui son bras gauche, la tête légèrement rejetée en arrière, puis, levant la main droite, amorce un mouvement tournant, campé dans l'attitude de celui qui s'apprête à lancer un projectile sur une cible – mais son projectile à lui c'est sa parole et les louanges dithyrambiques qu'il s'apprête à lancer au brave Mamadou Koné.

"Ohé, combattant bien troussé de l'invincible armée de la grande France de Napoléon Bonaparte ! commence-t-il. Ton allure me dit que tu as été formé à l'école de guerre des grands Blancs dont la virilité et la bravoure se matérialisent par une barbe drue et des moustaches touffues, signes qui ne trompent pas. La chéchia rouge écarlate et le complet kaki que tu portes n'ont certes pas été tissés dans la forêt ni ramassés dans un «village d'ordures». C'est une belle fille blonde qui en a filé le fil, et l'étoffe en a été tissée par un génie dont le métier est enfoui dans les profondeurs de l'océan*.

"Moi, Diêli Makan, de loin j'ai vu arriver votre pirogue. Sa proue fendait les eaux mieux que ne l'aurait fait *tonkonokou-misen*, le canard au long cou. Certes, me suis-je dit, une telle embarcation ne peut transporter que fortune précieuse ou personnalité de marque, à moins que ce ne soit les deux à la fois. Aussi me suis-je hâté avec la rapidité d'un coureur qui veut dépasser son ombre, car je tenais à être le premier à venir vous saluer. Me voici donc et je vous dis : Bonsoir ! Bonne arrivée ! Soyez les bienvenus à Niamina dont la célébrité a duré de son commencement jusqu'à ce jour, soit trois cent onze ans en compte bambara. Quel est ton nom de famille, ô combattant valeureux ?

— Je suis un Koné du clan des Diarra… répond le garde, flatté.

— Tu es donc un descendant de Monzon, le grand roi bambara de Ségou ?

— Non, je n'ai rien de commun avec lui, sinon le nom de clan.

* [Sur la légende de l'origine aquatique des premiers Blancs apparus en Afrique, cf. *Amkoullel, l'enfant peul* : p. 143, note 31, et coll. "Babel" : p. 186, note 31. – *Toutes les notes ou parties de notes entre crochets sont des notes additives d'Hélène Heckmann.*]

— Où te rends-tu ?

— A Mopti. J'escorte un «écrivan» (autrement dit un «plumitif», commis d'administration...) qui se rend en Haute-Volta pour se mettre au service du *gofornor* de ce pays.

— Est-ce une peau noire ou un mulet humain (un métis) ?

— Ni l'un ni l'autre. C'est une «oreille rouge», un Peul, un homme ni blanc ni noir.

— Est-il jeune, vieux, a-t-il de l'argent, aime-t-il les griots, les femmes, les marabouts ? Est-il d'un abord difficile ? Pardonne-moi de te poser toutes ces questions, mais j'ai besoin de savoir à quel taureau j'aurai affaire pour mieux me garer de ses cornes.

— Il est jeune. Il vient seulement d'être nommé, mais sa mère semble aisée ; elle a dû lui donner une bonne provision d'argent. Il aime écouter les épopées. Il sait lire le Coran et n'est pas licencieux. Il n'est pas distant, mais c'est un Peul... Comme on dit chez nous : *On ne peut pas savoir si un Peul dort ou s'il a seulement les yeux fermés...*"

Je profite de ce moment pour sortir du rouf :

"Mamadou Koné !

— Voilà moi, voilà moi, ma Patron !" s'écrie le garde, qui accourt vers la pirogue et m'aide à en sortir. Un piroguier (on disait à l'époque un "laptot") a déjà étalé une natte sur la rive et y a ouvert ma chaise longue – l'un des emblèmes de ma condition privilégiée de représentant de l'administration coloniale. Je m'y installe et attends la suite.

Le griot, malgré notre différence d'âge et sa tenue somptueuse, s'avance vers moi tête nue et pieds déchaussés en signe de respect, et vient s'accroupir humblement sur le sable à quelques mètres de ma natte.

"Ohé, Komikè, Homme-qui-écrit ! dit-il. Bonsoir ! Sois le bienvenu à Niamina, la ville où résident les plus habiles teinturières de tout le pays, celles qui vous demandent de choisir, parmi les nuages du ciel, la teinte que vous désirez. Oui, Komikè, sois le bienvenu à Niamina, la ville où vécut et mourut Dibi, le plus grand chantre du dieu Komo de tous les temps, la ville qui vit naître tant de saints chérifs, descendants de l'Envoyé de Dieu (le salut et la paix sur Lui !), et de marabouts auréolés de science ou de sainteté.

"Oui, Komikè, tu as quitté ton chez-toi où tu n'étais pas à l'étroit, mais ici tu seras encore chez toi, et tu y seras à l'aise. Notre air est pur et l'espace bien étendu. A Niamina les femmes sont jeunes, belles, accueillantes et modestes. Les hommes sont forts, honnêtes, serviables et compréhensifs. Ils relèvent, cela va sans dire, tout défi qu'on leur lance avec fanfaronnade, mais ils sont les moins jaloux du monde tant que ce n'est pas aux dépens de leur honneur.

"Je suis de l'âge de ton père, mais un griot n'a pas d'âge. Il est le camarade de tous les nobles, en même temps que leur serviteur et leur obligé. Je viens me mettre à ta gracieuse disposition, parce que je sais qu'à l'ombre de ta largesse ni ma femme ta griote, ni mes enfants tes petits griots, donc poussins de ta basse-cour, ne mourront ni de faim ni de soif. Ohé Komikè ! Dis-moi oui, afin que ma nuit sombre se transforme en pleine lune et que mes angoisses disparaissent comme brume au lever du soleil."

Abasourdi par cette tirade volubile et lyrique, je ne puis m'empêcher de me sentir tout à coup comme hissé au rang des grands. Le vieil homme, physionomiste et psychologue comme la plupart des griots, se rend vite compte que je ne suis pas insensible à son discours. Aussitôt, d'un preste mouvement il se relève et s'assoit en tailleur, et je ne sais comment sa guitare, accordée à l'avance, se retrouve nichée dans le creux de ses jambes entrecroisées. Il se met à jouer et à chanter *saygalaaré*, un air national peul qui a le don de transporter tout Peul dans les nues.

Enivré par la magie du verbe du vieux malin, je ne suis plus moi-même. Vais-je devenir entre ses mains tel un lièvre dans la gueule du boa ? Une recommandation de ma mère me revient en mémoire : "Ne te laisse jamais avaler par les flatteries des griots." Aussitôt j'émerge de ma griserie et reprends la direction des opérations :

"Grand griot ! lui dis-je. Je suis très content de ta visite, et ta musique a réjoui mes oreilles. Je t'en remercie. Ce que je voudrais maintenant, c'est que tu me contes comment débuta la gloire de Niamina.

— Tu me remplis de joie, répond-il, car je cherchais justement ce qui pouvait te plaire."

Reprenant sa guitare, il entame alors l'air approprié à ce type de récit et s'apprête à me le raconter. Des récits de ce genre, j'en entendrai un grand nombre au cours de mon périple ; si je rapporte celui-ci, c'est pour donner une idée de la façon dont, à l'époque, se transmettait l'histoire*.

"Mon père, commença le griot, l'a appris de son père qui l'avait entendu de son propre père, et la chaîne remonte ainsi jusqu'au grand-père de mon grand-père. Celui-ci conta qu'une nuit le dernier Mansa du Mandé (empereur du Mandé, ou Mali**), Mama Makan Keïta, s'éjecta comme un ressort de sa couchette. Drapé dans sa couverture, il sortit de sa chambre et se mit à arpenter

* Les récits recueillis au cours de mon voyage figurent dans mes archives.

** L'empire du Mandé, ou Mali (prononciations différentes selon les régions), fut fondé au XIIIe siècle par Soundiata Keïta.

la cour en criant comme un fou : «Biton Mamari Kouloubali ! Biton Mamari Kouloubali ! J'en ai assez d'entendre parler de ce jeune homme de Ségou qui veut jouer au caïman alors qu'il n'est qu'un lézard dont j'ai trop tardé à couper la queue ! J'ai toléré qu'il crée à Ségou-Sikoro une association de jeunes ayant pour but de cultiver des champs en commun pour les autres et de divertir la population après les récoltes par des danses et des chants. Cela, oui, je l'ai toléré. Mais de là à jouer au chef de guerre et à dicter des lois, il y a une distance que chacun peut apprécier. Ah ! Je me suis fait bien du tort à moi-même en n'étouffant pas dans son œuf, dès le jour de sa ponte, ce poussin d'une vieille poule fatiguée !»

"La reine, qui n'avait jamais vu son mari dans un pareil état, se demanda s'il n'avait pas été pris subitement d'une crise de folie furieuse. Tout portait à le croire. Le Mansa criait, bavait, donnait des coups de poing dans le vide, frappait la terre de ses pieds comme s'il avait voulu la défoncer. «Qu'on aille me chercher le grand griot de la cour ! Qu'on fasse venir les vénérables de la cité, les chefs d'armée de l'infanterie et de la cavalerie ! Que mes captifs grands démolisseurs de murailles, armés de leurs haches et de leurs pilons, soient prêts à se rendre à Ségou-Sikoro pour ramener au ras du sol les murs, murailles et murettes de la ville ! Je veux que tout soit nivelé comme une tête rasée et que plus tard nul ne puisse reconnaître les lieux et dire : "Ségou-Sikoro était là."»

"A l'aube, le Mansa refusa de prendre son petit déjeuner. Au milieu du jour, il refusa également de déjeuner. La reine et ses servantes se demandèrent même s'il accepterait de souper le soir venu… Le monarque tout-puissant du Mandé, rester un jour sans manger ? Le ciel allait-il tomber sur la terre, ou le Niger rebrousser chemin et retourner dans le ventre de sa mère ?

"Un captif s'empara de la baguette du tambour de guerre. Il commença à battre le tam-tam en une succession de coups forts et saccadés. Le tambour vomit avec rage ses notes d'alarme ; le vent les emporta et l'écho les répandit partout aux alentours. Quelques minutes plus tard, le vestibule impérial était envahi par une foule de gens, les uns hagards, d'autres la mine pensive ou grave, mais tous également curieux : Qu'était-il arrivé ? Qu'avait donc appris le Mansa ? Qui avait osé l'irriter ? Qu'allait-il dire ou ordonner ?

"Le doyen d'âge de la ville s'avança dans la cour, suivi du grand griot de la couronne. Le Mansa, épuisé, s'était effondré dans un coin. Les yeux fixes, la bouche à demi ouverte, il semblait guetter on ne savait quelle apparition. Quand il aperçut les deux hommes, il se leva et marcha vers eux tout tremblant, épuisé de n'avoir rien mangé depuis la veille et d'avoir vidé toute son énergie dans sa colère.

"Le premier geste du grand griot fut de saisir son souverain dans ses bras et de l'entraîner dans sa chambre. «A quoi ressembles-tu dans cet état ? lui dit-il. A un couard lâché par ses nerfs, à un fou excité ! Je t'en prie, ne donne pas à tes ennemis une occasion de se réjouir à tes dépens, ni à tes amis une raison de s'attrister. Biton Kouloubali, rejeton mal venu dont la naissance a étonné même sa mère, ne vaut pas que tu vocifères ainsi contre lui. Laisse ce soin à tes chiens. Ils aboieront, ils lui donneront la chasse, ils le cerneront, le mordront et le tueront par un jour de grand soleil. Il sera vendu ou pendu, et sa tête sera accrochée sur la place du marché !»

"Le Mansa eut l'impression de se réveiller d'un sommeil dans lequel le fantôme de Biton Kouloubali le narguait, le tourmentait et l'affolait. «O grand griot ! fit-il entre deux quintes de toux. Dis au doyen du conseil impérial de réunir immédiatement les membres de l'assemblée. Qu'ils discutent entre eux, puis que l'on vienne me proposer le plus rapidement possible une action à envisager contre Biton Kouloubali. Je ne veux pas revivre cette nuit un tel cauchemar !»

"Le doyen n'avait pas attendu que lui soient transmis les ordres du Mansa. Dès que le grand griot avait entraîné ce dernier dans sa chambre, il avait convoqué l'assemblée des vénérables et tenait avec eux à ce moment même un conseil de guerre. Quand il leur eut exposé l'objet de la réunion et décrit l'état dans lequel on avait trouvé le Mansa, tout le monde fut d'avis qu'il fallait envoyer immédiatement une expédition punitive contre Biton Kouloubali, le capturer, l'amarrer et l'amener devant son suzerain afin qu'il lui lèche les pieds ! Tout le monde sauf un. Tel n'était pas l'avis, en effet, d'un membre influent de l'assemblée, Tiémogonin Tiédiougou, «le petit-vieillard-laid», réputé pour son caractère difficile et sa témérité. S'il ne partageait pas un avis il le combattait, fût-ce celui du doyen ou du roi lui-même !

"Une discussion, presque une altercation, l'opposa au doyen. Si tout ce que l'on disait sur Ségou et sur l'organisation de ses forces était vrai, alors il déconseillait vivement l'envoi d'une expédition improvisée contre Biton Kouloubali. «Si le Mansa attaque Ségou et échoue, expliqua-t-il, c'en sera fait non seulement de sa réputation, mais aussi des jours de l'empire ! Voici ce que je conseille : qu'un griot et trois hommes intelligents soient dépêchés à Ségou. Ils diront à Biton Kouloubali que le Mansa l'invite à Mali, sa capitale, pour la semaine de festivités en l'honneur du nouvel an, et qu'il peut y venir accompagné d'autant de notables et de guerriers qu'il voudra. Les membres de cette délégation profiteront de leur séjour à Ségou pour observer la situation locale et se renseigner sur les forces réelles de la ville. Si la chance abandonne Biton Kouloubali et lui fait répondre oui à l'invitation du Mansa, alors il sera facile à celui-ci, quand Biton viendra dans sa ville, de le livrer à la nuit qui le mangera sans bruit.»

"Tiémogonin Tiédiougou ajouta : «Certes, il faut exécuter les ordres du roi, mais à condition que ces ordres ne risquent pas de détruire le Fa-so, la "maison de nos pères", autrement dit le pays. En effet, le grand Mansa Baramandana Keïta a dit : "Le Fa-so d'abord, le Mansa ensuite." Or, si notre suzerain s'amuse à attaquer Biton Kouloubali sans préparation, cela reviendra à jouer le sort de l'empire au hasard.»

"Finalement, le doyen, le grand griot et plusieurs membres du conseil des vénérables se laissèrent convaincre par les arguments de Tiémogonin Tiédiougou. Mais comment faire entendre raison au Mansa, dont le grand défaut était de négliger les choses jusqu'à ce qu'elles pourrissent, puis de vouloir tout arranger et purifier en un seul jour, comme d'un coup de baguette magique ? Chaque fois qu'on lui avait parlé de la puissante association de jeunes créée à Ségou par Biton, il s'était emporté : «Qu'on cesse de me casser les tympans avec ces histoires de gamins ! Ce ne seront jamais que des enfantillages !»

"Oui, mais voilà que la gaminerie avait accouché d'une situation grave qui coupait sommeil et appétit à Sa Majesté impériale, et l'on ne savait comment la régler, tout comme une idole étrangère à laquelle on ne sait comment ni quoi sacrifier !

"Le grand griot, le doyen du conseil et Tiémogonin Tiédiougou se rendirent auprès du Mansa. «Ah ! s'écria celui-ci. Vous venez certainement me dire que je ne tarderai pas à voir arriver ce petit manant de Biton avec une charge de bois sur la tête pour me demander pardon !…» Personne ne répondit. «Que se passe-t-il ?» Les trois hommes, très embarrassés, demeuraient muets. «Qu'est-ce qui vous fige ainsi comme du beurre de karité en saison froide ?» tonna le roi.

"Tiémogonin Tiédiougou, qui s'était tu par respect pour le doyen, prit alors la parole. «Grand Mansa, dit-il, tu veux envoyer une colonne contre Biton Kouloubali pour l'obliger à dissoudre son armée. Moi, Tiémogonin Tiédiougou, je n'approuve pas cette mesure. Je viens te proposer d'envoyer d'abord une délégation à Biton pour l'inviter à venir fêter le jour de l'an auprès de toi. Tes émissaires te ramèneront soit Biton lui-même, soit des renseignements précieux sur sa force armée réelle.

— Rengaine ton avis qui ne vaut pas plus qu'un vieux couteau rouillé, répliqua le Mansa, et va te montrer sur l'autre rive du fleuve ! J'ai décidé d'aller à Ségou punir Biton Kouloubali, et j'irai. Je partirai après-demain matin. Que des ordres soient donnés en conséquence !»

"Tiémogonin Tiédiougou, le doyen et le grand griot ne savaient plus où se mettre. Ils s'empressèrent de quitter le palais.

"Mama Makan Keïta, le grand Mansa du Mandé, partit donc le surlendemain matin à la tête de son armée. Il traversa le Niger pour circonvenir Ségou, persuadé de n'avoir affaire qu'à une horde de jeunes gens qu'une ou deux salves mettraient en fuite comme une détonation de fusil disperse une volée d'oiseaux mange-mil.

"Grande fut sa surprise de découvrir Ségou entourée d'une haute muraille que les chevaux ne pouvaient franchir d'un bond, que les balles ne pouvaient transpercer ni les haches et pilons abattre sans effort ; mais sa surprise fut à son comble quand il vit une imposante armée de combattants, cavaliers et fantassins, sortir de la ville en bon ordre et foncer sur ses propres troupes avec la rage d'une lionne-mère qui défend ses petits. Le choc fut violent et meurtrier. Force fut pour le roi de reculer jusqu'à Konodimini et d'y camper pour reposer ses hommes et soigner ses blessés. Un deuxième, puis un troisième engagement furent tout aussi décevants. Chaque fois, la victoire penchait beaucoup plus vers Ségou que vers la «Force du Mandé», comme on appelait alors le Mansa.

"Vexé on ne peut plus, ce dernier résolut de mettre le siège devant Ségou et de réduire la ville par la famine. Mais il ne pouvait surveiller que son côté ouest ; les trois autres côtés échappaient à son contrôle. Bien approvisionnée, Ségou ne souffrit donc pas trop. A la longue, c'est l'armée du Mansa qui connut des difficultés de ravitaillement.

"Le siège dura trois ans. Peu à peu, la fortune de guerre avait tourné le dos au Mansa. A chaque rencontre, Biton prenait le dessus et le moral des assiégeants baissait avec la régularité d'un fleuve en décrue. Le Mansa comprit que si les choses continuaient à ce train, au lieu de prendre Ségou c'est lui-même qui serait pris par Biton. Aussi, une nuit, profita-t-il de l'obscurité pour lever discrètement le siège et regagner sa capitale.

"Biton Mamari Kouloubali ne s'en aperçut que deux jours plus tard. Fonçant avec ses troupes, il rejoignit l'armée impériale avant qu'elle ne retraverse le fleuve. Il décima ses forces arrière, fit beaucoup de prisonniers et récolta un important butin.

"Le Mansa traversa le Niger juste à temps. En sécurité sur la rive gauche, il put enfin échapper à celui qu'il traitait de lézard et de manant. Il rentra chez lui, rongé par une honte qui l'empêchait de lever la tête et de regarder qui que ce soit en face. Quelques jours plus tard, il apprit avec horreur que Biton Kouloubali, à la tête de son armée, campait en face de lui sur la rive droite du Niger et qu'il s'apprêtait à investir sa capitale, pour lui rendre tout le mal qui avait été fait à Ségou.

"Le Mansa réunit son conseil de guerre et demanda conseil aux vénérables. Ceux-ci gardant le silence, Tiémogonin Tiédiougou prit la parole sans l'avoir demandée. «O Mansa ! dit-il. A la veille de cette guerre tu m'as ordonné d'aller me faire voir sur l'autre rive du fleuve. Je n'en ai rien fait, car ce n'était pas le moment d'y aller et il n'y avait personne pour m'y voir. Aujourd'hui il y a toute une foule, et même une poudrière prête à sauter pour nous anéantir. C'est donc aujourd'hui que je vais aller m'y faire voir, avec ta permission.» Force fut pour le roi d'encaisser la juste mais irrévérencieuse boutade.

"Le vieil homme traversa effectivement le fleuve et se rendit tout droit dans le campement de Biton Kouloubali. Ce dernier le reçut comme un plénipotentiaire du Mansa et lui accorda un long tête-à-tête. Tiémogonin Tiédiougou lui conseilla de ne pas épuiser ses forces contre un empire moribond alors qu'il en aurait besoin pour fonder un royaume qui ferait parler de lui. Il lui prédit en outre que Mama Makan Keïta serait le dernier Mansa du Mandé.

"Biton fut d'autant plus impressionné par les propos du vieil homme que celui-ci ne parlait pas de son propre chef, mais interprétait les données d'un thème géomantique qu'il venait de dresser devant eux sur le sol. Biton n'était pas homme à mépriser la voix des augures. Sa mère, à qui on avait prédit sa naissance, savait à quoi s'en tenir.

«Comment aurai-je la garantie que le Mansa ne m'attaquera pas ? s'inquiéta-t-il.

— Demande-lui de transférer sa capitale à Kangaba, où elle était située lors de la fondation de l'empire du Mandé, et de jurer qu'il n'exercera plus aucun pouvoir en aval de la ville de Niamina.»

"Biton Mamari Kouloubali accepta la suggestion de Tiémogonin Tiédiougou et s'y conforma. Il rencontra son adversaire le Mansa, et tout fut dit et fait.

"Voilà, rapidement conté, comment commença la popularité de Niamina, la ville où, depuis lors, on se trouve à la fois dans les empires du Mali et de Ségou."

Après un dernier accord sur sa guitare pour souligner la fin du récit, le griot se tut. Je le remerciai vivement pour cet intéressant cours d'histoire. Comme je désirais aller saluer l'imam et le chef de village, il m'accompagna. Au sortir de ces visites je lui donnai une pièce de cinq francs, et le garde Mamadou Koné deux francs, somme qui correspondait à une bonne semaine de dépenses pour l'entretien de toute sa famille. Nous revînmes à la pirogue, et il ne nous quitta que fort tard dans la soirée.

Le lendemain matin, au premier chant du coq, la voix de Mamadou Koné donnant aux laptots l'ordre de s'apprêter pour le départ me tira d'un sommeil profond et réparateur. Je sortis ma tête du rouf. A l'est, comme posé sur les eaux, le disque pâle du soleil émergeait à peine de l'horizon. Le fleuve, telle une large route pavée de lames scintillantes, serpentait vers lui comme pour lui servir de passerelle.

Le village à demi réveillé ne bruissait pas encore. Seuls quelques aboiements de chiens, auxquels répondait le braiment des ânes, signalaient que la vie reprenait ses droits. Notre pirogue s'éloigna doucement de la rive et reprit son chemin vers l'est, où le soleil levant semblait nous appeler.

Le lendemain, dans l'après-midi, nous arrivons en vue des premières maisons de Ségou. A cet endroit, le lit du Niger s'évase jusqu'à atteindre un kilomètre et demi de largeur, au point que l'on a l'impression de sortir d'un bras de fleuve pour entrer dans un grand lac. La ville, bâtie sur la haute berge de la rive droite, surplombe le fleuve et s'allonge démesurément avec lui. La teinte ocrée de ses maisons, faites de briques de pisé séchées au soleil, se marie agréablement avec les diverses nuances de verdure des grands arbres qui, aujourd'hui encore, ombragent les rues et les grandes places de cette belle cité.

Notre pirogue avance doucement vers une zone dépourvue d'embarcations où la rive est tapissée de sable. De cette position un peu en retrait, nous pouvons tout voir sans trop nous faire remarquer. Le bord du fleuve est très animé. Des femmes s'y baignent, d'autres y lavent leur linge ou leurs ustensiles de ménage, des pêcheurs débarquent leurs prises, des voyageurs en partance se pressent pour monter dans de grandes pirogues tandis que d'autres en descendent leurs bagages… le tout dans un concert de cris, de rires et de chants.

Une sorte de marché secondaire se tient sur la rive. On vient y acheter en gros des articles ou des denrées importés de l'extérieur que l'on revend ensuite au détail dans les marchés de la ville. Pour tout dire, l'immense rive de Ségou est comme un caravansérail à ciel ouvert. C'est aussi un lieu de promenade où certaines jeunes femmes trouvent une occasion facile et discrète de faire des rencontres galantes sans courir le risque d'être prises en faute…

Je revêts mon costume des grands jours, prends mes pièces justificatives et sors de la pirogue pour me rendre à la résidence du commandant de cercle. Mamadou Koné marche fièrement devant moi pour m'ouvrir le chemin. Comme tous les gardes de cercle, il est vêtu d'un veston droit bleu marine aux boutons de cuivre jaune et d'un pantalon de treillis blanc serré par des bandes molletières bleues. Avec son ceinturon de cuir clair à boucle dorée et sa chéchia écarlate dont le gland bleu clair se balance à chacun de ses pas, il a vraiment belle allure !

Quant à moi, jeune "intellectuel" et tout nouveau fonctionnaire, je n'ai pas de tenue spéciale prévue par le règlement mais, en tant que "Noir civilisé" et bon imitateur, je me dois de m'habiller à la manière de nos civilisateurs. Tout vêtu de blanc, je porte donc une chemise de percale, une veste à col droit et un pantalon en toile *drill*, le tout généreusement empesé avec de l'amidon extrait de farine de manioc bouillie. Suprême raffinement, par-dessus des chaussettes à flèche je porte des souliers vernis à bout pointu, à vrai dire plus luxueux que confortables. Un casque colonial blanc, qui a vaguement la forme d'une crête de casoar, complète ma toilette dont je suis très fier.

Les bureaux du cercle ne sont pas très éloignés de la rive. Une sentinelle, postée à l'entrée, nous indique le chemin pour accéder aux services. La cour baigne dans l'ombre de plusieurs grands flamboyants dont les longs fruits pendent comme des lames de sabre.

Devant les escaliers de l'entrée principale, un garde de cercle reconnaissable à sa tenue vient au-devant de nous. Il salue son camarade de corps d'une poignée de main rapide, puis se fige au garde-à-vous pour m'honorer d'un impeccable salut militaire. Je lui réponds en portant ma main droite à la lisière de mon casque et dis d'un ton sec, comme je l'ai vu faire aux chefs blancs :

"Bonjour, garde de cercle !

— Missié y demander qui ?

— Je viens me présenter au commandant de cercle.

— Toi voir d'abord le grand interprète. Lui y connaît manière."

Le "grand interprète" de Ségou (c'est-à-dire l'interprète du "grand commandant" et non de l'adjoint au commandant qui, lui, est surnommé "petit commandant") est assis derrière une table sous la véranda, à côté de l'entrée du bureau du commandant. C'est un homme aux cheveux grisonnants, dont le long visage se termine par une barbe bien fournie. Il porte trois boubous brodés superposés par ordre de grandeur croissante. A notre arrivée, il est plongé dans l'examen d'un gros registre qu'il feuillette machinalement. Je m'avance vers lui : "Bonjour, monsieur le grand interprète !" et je lui tends la main. Il prend un air surpris, me serre la main tout en restant assis, puis son visage s'éclaire d'un large sourire :

"Ah, bonjour ! As-tu fait un bon voyage ?" Avant que j'aie pu répondre il ajoute : "Comment t'appelles-tu ? D'où viens-tu ? Où vas-tu, et que veux-tu ? Excuse cette pluie de questions, mais tu connais l'adage : *Celui qui demande trop peut être agaçant, mais il ne mourra pas ignorant !*

— Tu es tout excusé, d'autant que tu es mon aîné. Je me nomme Amadou, fils de Hampâté, du clan des Bâ. J'ai fait un excellent voyage. J'ai été nommé fonctionnaire à Ouagadougou et je rejoins mon poste via Bandiagara. Je viens me présenter au commandant de cercle par déférence, mais je voudrais aussi lui demander de faire viser mes papiers et de me fournir le moyen de continuer ma route.

— C'est clair et net !"

Tout à coup la voix du commandant résonne : "Interprète !

— Oui mon commandant !" L'interprète franchit d'un bond les deux ou trois pas qui le séparent du bureau dans lequel il s'engouffre, les boubous gonflés comme une voile.

Un brigadier-planton se tenait assis de l'autre côté de la porte du commandant. Il se lève brusquement, comme soulevé de sa chaise par le souffle d'air que viennent de déplacer les boubous du grand interprète. Il ajuste sa veste, son ceinturon, sa chéchia, prêt à bondir au premier appel du commandant... On ne saurait être plus attentif ni plus prévenant. Il est vrai que la devise des soldats, gardes, goumiers et spahis africains était à cette époque : "Service-service ! Toujours prêt pour service ! Jamais fatigué, jamais manquer, même malade jamais dire non !"

L'attente se fait assez longue, au point que je me demande si le commandant acceptera de me recevoir. Je prépare dans ma tête ce que je devrai lui dire pour me présenter.

Enfin, l'interprète ouvre la porte : "Amadou Bâ ! Le grand commandant te demande d'entrer", et il s'efface pour me laisser passer. Subitement, je me sens envahi par un sentiment où le plaisir se mêle à l'angoisse. Je n'ai que vingt-deux ans, et c'est ma première visite officielle au titre de mes nouvelles fonctions.

Je tends machinalement mon casque au brigadier. Il le reçoit des deux mains, comme avec respect, puis le passe à mon garde qui attend quelques pas plus loin. Je pénètre dans le bureau du commandant. Celui-ci est assis derrière sa table de travail. Je le salue par une grande inclinaison du buste, puis me redresse. Il me scrute longuement, comme pour découvrir on ne sait quoi de caché en moi. "Mon commandant, lui dis-je, étant de passage à Ségou pour rejoindre mon poste à Ouagadougou, je suis venu vous présenter mes devoirs respectueux. Je viens aussi vous demander une nouvelle pirogue pour aller jusqu'à Mopti, en relève de celle que j'ai utilisée jusqu'ici et qui doit retourner à Koulikoro.

— Je vois que tu as reçu une bonne éducation à l'école française, fait-il. Qui était ton maître ?

— Frédéric Assomption, mon commandant." Son visage s'éclaire :

"Ah, mais c'est un vieil ami !..." Aussitôt il appelle : "Interprète ! interprète !

— Oui mon commandant !" s'écrie ce dernier, propulsé comme par magie au milieu du bureau.

"Occupe-toi de ce jeune commis et veille à ce qu'il ne manque de rien. Fais également signer ses pièces." Il me tend la main : "Bon voyage, mon garçon, et reste fidèle à la France !" Je le salue d'une nouvelle révérence, et, le cœur soulagé, sors du bureau avec l'interprète.

Celui-ci me fait conduire dans sa propre maison, où l'on m'installe confortablement. Quant à mon garde, il l'envoie loger chez le brigadier : "Les fauves d'une même espèce entrent ensemble dans le même trou, me dit-il. Donc le garde doit aller chez un garde comme lui."

Le grand interprète avait un griot attaché à sa personne et qui s'appelait Namissé Sissoko. Ce griot, beau comme un prince, jouait de la guitare avec une dextérité qui tenait du génie. Si je ne m'abuse, il était petit-fils ou petit-neveu de Namissé Sissoko, le guitariste de Madani Amadou Tall, fils d'Ahmadou Cheikou et héritier de la couronne toucouleure de Ségou. Si les dix doigts de Namissé étaient inégalables dans le maniement des cordes, sa connaissance de l'histoire de Ségou depuis sa fondation jusqu'à son occupation par les troupes françaises ne l'était pas moins. Personne ne se lassait de l'écouter conter ou chanter les hauts faits des guerriers et des rois, des marabouts célèbres ou des chantres des dieux bambaras. Et selon ce qu'il contait, il pouvait modifier à volonté le timbre de sa voix, la rendre caverneuse pour les choses lugubres, tonnante pour imiter un dieu en colère, sourde et cassée pour exprimer la douleur, hésitante et voilée pour mimer la peur ou la prudence.

Dès que le grand interprète m'eut présenté à son phénomène de griot en disant que j'étais natif de Bandiagara et descendant des Hamsalah du Fakala, Namissé s'empara de ma main droite, la serra dans ses deux mains et s'exclama : "Hayyoo ! Hayyoo ! Amadou, fils de Hampâté et de Kadidja Pâté, apprends que j'ai grandi à Bandiagara dans la famille du grand griot Kaou Diêli Sissoko. Je connais bien tes parents, car j'appartenais à l'association dont ton oncle maternel Bokar Pâté était le chef, et je couchais dans le dortoir qui se trouvait dans la maison même de ton grand-père Pâté Poullo."

Sans nul doute, c'était là un homme qui me connaissait, moi et ma famille, sous toutes les coutures. Un propos de ma mère me revint aussitôt en mémoire : "Amadou mon fils, m'avait-elle dit un jour, si tu vas à l'étranger et que tu y rencontres un homme qui te connaisse, sois plus prudent avec lui que tu ne le serais avec un ennemi, car les ennuis qu'il pourrait te créer risquent d'être bien plus grands et plus nuisibles que ceux qui pourraient te venir d'un ennemi." – "C'est plus que jamais l'occasion de me surveiller, me dis-je, et cela jusqu'à mon départ de Ségou." Je pris donc la décision de rester sobre de paroles et de mesurer mes gestes jusque dans le plus petit détail. Ce serait pour moi l'occasion d'exercer l'art d'être ouvert et disponible sans être pénétrable pour autant, art que ma mère m'avait enseigné avec soin.

"O Namissé ! lui répondis-je. Combien je suis heureux de tomber sur un oncle, et cela au moment où je m'y attendais le moins ! Puisque tu étais le camarade d'âge de mon oncle Bokar Pâté, je me dois en effet de te considérer comme mon oncle. Eh bien ! J'espère que mon oncle voudra bien me conter ce soir l'histoire de Ségou, qui fut tour à tour capitale des empires bambara et toucouleur…

— Il le fera, et ce sera son cadeau de bienvenue !" décida le grand interprète.

Après un excellent dîner composé de couscous de mouton et de lait frais, le grand interprète alla s'étendre sur sa chaise longue au milieu de la cour. Une autre chaise longue avait été placée pour moi en face de la sienne.

Namissé Sissoko, assis en tailleur sur une natte historiée entre deux coussins de cuir recouverts d'arabesques, prit en main la grande guitare à quatre cordes que venait de lui apporter son épouse. Il l'accorda un instant, puis attaqua, avec une virtuosité stupéfiante, l'air guerrier traditionnel appelé *poye*. Il joua cet air durant près de cinq minutes en l'accompagnant d'onomatopées et de sons rythmés qui imitaient à la perfection les sons de l'instrument. On aurait dit deux guitares jouant ensemble. Nous étions si fascinés que personne ne bougeait plus. Le domestique qui préparait le thé, saisi comme nous tous, se mit à verser son eau chaude non dans la théière mais à côté, dans une cuvette en émail. Malheureusement, elle était emplie de sucre. Tout le monde éclata de rire. Namissé en profita pour annoncer : "Il est temps maintenant que je vous parle de Ségou, la cité bâtie sous un bosquet d'arbres à beurre de karité et d'arbres à mordant*."

* Le mordant est un produit acide utilisé pour fixer les teintures.

La coutume veut que le musicien, qu'il soit chanteur ou déclamateur, commence par réciter la devise du morceau qu'il joue, c'est-à-dire sa définition poétique avec l'énoncé de ses qualités et de ses vertus. Namissé, qui n'était pas homme à violer les règles qui régissent les esprits de la musique, n'allait pas enfreindre cette loi. Il commença donc par nous déclamer la devise de l'air traditionnel *poye* ; puis il soupira profondément, tendit l'oreille comme pour écouter lui-même l'air qu'il était en train de jouer, et enchaîna :

"Amadou, fils de Hampâté et de Kadidja Pâté ! Avec l'accord de mon maître le grand interprète, serviteur confident du grand commandant de cercle qui est le chef actuel du pays, je tiendrai ma séance de cette nuit en ton honneur afin que tu n'oublies plus Ségou, la cité qui fut la capitale des Bambaras avant de devenir celle des Toucouleurs.

"Aujourd'hui, la cité de Ségou est placée sous la domination de la France, pays représenté par un grand fétiche composé de trois bandes d'étoffe tricolores : une bleue, une blanche et une rouge. Ce curieux fétiche ne demande pas qu'on lui sacrifie du gros ou du menu bétail, et moins encore des vies humaines, non ! Mais il exige d'être salué chaque fois que l'on passe devant lui ou qu'on le sort en public, et chaque matin des guerriers en armes doivent le hisser au sommet d'une longue perche plantée sur la partie la plus haute de la toiture des bureaux. Les mêmes guerriers doivent d'ailleurs le redescendre chaque soir, et la cérémonie se déroule au son de cornes de cuivre jaune.

"O Amadou, fils de Hampâté ! Sais-tu comment les tondjons, ces soldats bambaras de l'empire de Ségou connus pour leur libertinage et leur franc-parler, désignaient chacun des trois esprits du grand fétiche de la France ? Ils appelaient le premier *bakagué*, le bleu, et prétendaient qu'il surveille le ciel bleu pour essayer d'empêcher Dieu d'intervenir dans les affaires des Noirs. Ils disaient que le deuxième, *gnegué*, le blanc, répand une tache blanche sur la cornée des yeux des «sujets français» pour mieux les aveugler. Quant au troisième, *torowoulen*, le rouge, pour eux il était chargé de répandre le sang des ennemis et des indisciplinés.

"Ce fétiche triplet de la France s'est révélé plus fort que le chapelet à cent grains, fétiche des marabouts toucouleurs, et plus efficace que les douze grands dieux du panthéon *banmana* (bambara) de Ségou. Oui, le fétiche français a supplanté tous les fétiches locaux et il occupe leur place. Voilà trente et un ans que cela dure, et Dieu seul sait combien de temps cela durera encore !

"Amadou, fils de Hampâté, il va sans dire que mon bon maître le grand interprète, oreille docile du grand commandant, n'a rien entendu de tout ce que je viens de dire de la France. Si d'aventure il n'en était rien, je me hâte de préciser que ces propos ne sont pas de moi mais qu'ils m'ont été transmis par feu Dayematien, l'un des grands captifs du roi bambara Da Monzon, et qui était sans ambages un ennemi déclaré de la France. Heureusement pour lui, on ne peut plus ni le frapper ni le mettre en prison puisqu'il est mort…"

Le grand interprète éclata de rire : "Espèce de vaurien ! Demain à la première heure je dirai au grand commandant de te foutre en prison !

— Garde-toi de le faire, mon bon maître, car tu te priverais de ma belle musique et tu me priverais moi de ton bon couscous. D'ailleurs, où a-t-on jamais vu mettre un griot en prison ?…

— Laisse la France tranquille, et conte-nous ce que tu sais des Bambaras en général et de l'empire de Ségou en particulier", ordonna le grand interprète.

Reprenant sa guitare, Namissé évoqua alors pour nous la naissance de la ville et la succession de ses rois jusqu'au règne d'Ahmadou Cheikou, fils aîné et successeur d'El Hadj Omar*. Arrivé à ce point de sa narration, il jeta un regard suppliant vers le grand interprète comme pour lui demander la permission de s'arrêter.

"Il est tard, dit notre hôte. Tes doigts et ton gosier doivent être fatigués. Nous te remercions de nous avoir si bien instruits et divertis, mais nous en resterons là pour cette nuit.

— Sois tranquille, mon bon maître ! répliqua Namissé. Mes doigts et mon gosier ne cesseront de fonctionner que le jour où mes narines cesseront de respirer ! Mais avant d'aller ranger ma guitare je jouerai quelques minutes encore, le temps d'exécuter les deux airs composés à la gloire des Tall et, par extension, de tous les Toucouleurs de l'obédience d'El Hadj Omar."

Il joua les célèbres airs *bawdi*, puis *tara*…

Et ce fut la fin de la soirée.

Le lendemain, je rendis une visite de déférence à Mountaga Tall, petit-fils d'El Hadj Omar. L'administration l'avait assigné en résidence obligatoire à Ségou, ancienne capitale des Etats de son père le sultan Ahmadou Cheikou, mais, comme dit l'adage, il s'y trouvait telle une grenouille que l'on jetterait dans l'eau d'une mare pour la punir…

Le grand interprète profita de la foire hebdomadaire du lundi pour réquisitionner une grande pirogue bien

* [Fondateur d'un empire islamique toucouleur qui s'étendait de l'est de la Guinée jusqu'à Tombouctou, El Hadj Omar mourut en 1864. Il était Grand maître pour l'Afrique noire de la confrérie tidjani (cf. *Amkoullel, l'enfant peul*, p. 21-27 – coll. "Babel", p. 23-33). Sur la confrérie tidjani, ou "Tidjaniya", *ibid.*, note 4, et *Vie et enseignement de Tierno Bokar*, p. 219 à la fin.]

aménagée. Elle avait un double rouf, et six laptots pour la mener.

Je quittai Ségou avec regret. J'aurais bien aimé entendre Namissé conter la suite de l'histoire de la cité sous le règne des Toucouleurs, et dire comment la réaction bambara s'était exercée contre les occupants de leur pays. Vingt-deux ans plus tard, en 1944, j'aurai l'occasion, grâce à mes fonctions à l'IFAN (l'Institut français d'Afrique noire à Dakar, fondé et dirigé par le professeur Théodore Monod), de revenir récolter non seulement l'histoire de Ségou mais aussi des renseignements de toutes sortes sur la Boucle du Niger, de Koulikoro à Gao…

Pour l'heure, nous longions la rive droite du Niger. Je m'occupais à retranscrire les récits recueillis dans le grand registre où je consignais jour après jour tous les éléments de tradition orale que je récoltais en cours de route – comme je ne cesserai de le faire tout au long de ma vie. Dès le début de mon voyage pour Ouagadougou, j'avais pris l'habitude de tout noter par écrit. Il était d'usage, en effet, que les fonctionnaires en déplacement tiennent une sorte de journal de route ou "état de voyage". Pour ma part, j'utilisais surtout mon grand registre pour y inscrire tous les récits que j'entendais et que ma mémoire, entraînée à cet exercice depuis l'enfance, me restituait fidèlement dès que je me retrouvais seul. Quand je le pouvais, je prenais aussi quelques notes en écoutant mon informateur.

On m'a parfois demandé quand j'avais commencé à recueillir des traditions orales. En fait je n'ai jamais cessé de le faire dès que ma mémoire fut en âge de fonctionner, c'est-à-dire dès l'enfance, ma famille ayant été pour moi, comme je l'ai déjà dit, une sorte de grande école permanente pour tout ce qui concernait l'histoire, les contes et les traditions africaines. Dans ce domaine de la culture traditionnelle, mes quelques années de formation à l'école française (interrompues deux années seulement après le certificat d'études) furent sans incidence. A l'école nous apprenions surtout – avec des maîtres remarquables, il est vrai – les rudiments de l'arithmétique, l'écriture et la langue française, un peu de littérature classique, et surtout l'histoire de France et une certaine version de l'histoire coloniale. Ces quelques années eurent cependant l'immense mérite de me fournir pour l'avenir, en plus d'une bonne formation de base pour mon travail administratif, l'outil inestimable de l'écriture et de l'expression dans une langue de communication universelle.

Pour ce qui est des traditions orales, de ma petite enfance jusqu'à vingt-deux ans je me suis contenté d'accumuler dans ma mémoire tout ce que j'entendais. Je n'ai commencé à utiliser l'écriture qu'à l'occasion de ce grand voyage pour Ouagadougou et de la nécessité de tenir mon journal. Je notais alors au fur et à mesure en français, en peul ou en bambara – en transcrivant d'une façon rudimentaire ces deux dernières langues en caractères latins – tout ce que je recueillais au hasard de mes rencontres. Ce n'est qu'à partir de mon affectation à l'IFAN, en 1942, que j'acquerrai une réelle méthode d'investigation et commencerai à mener sur le terrain des enquêtes spécifiques – tout en continuant par ailleurs, comme j'ai toujours conseillé aux jeunes de le faire, de récolter les données en vrac, quitte à les classer ensuite en vue d'une exploitation rationnelle.

Le vieux pêcheur

A la hauteur du village de Markadougouba, j'aperçus sur la rive un vieux pêcheur de l'ethnie somono. Assis sur le sol, il réparait ses filets à l'ombre d'un arbre *minngon*, sorte de prunier sauvage. Notre pirogue accosta. Je débarquai et me dirigeai vers lui, suivi de Mamadou Koné. Le pauvre homme n'était pas rassuré, car mon costume européen faisait de moi un "représentant de l'autorité", lequel était toujours une énigme et vaguement une menace pour le *fantan*, le "sans force", l'homme du peuple. Son inquiétude était d'autant plus grande que je portais mon casque colonial et que j'étais accompagné par un garde de cercle armé d'une cravache en peau d'hippopotame... Ses questions se lisaient presque sur son visage : "Que vient-il me demander ?... Une partie de ma prise de cette nuit ?... Mon fils pour remplacer un de ses piroguiers ou augmenter leur nombre ?... Ma fille pour lui servir de cuisinière et de masseuse aux heures de repos ?..." C'étaient là en effet des pratiques courantes parmi les prérogatives que s'arrogeaient certains Africains agents de l'autorité dès qu'ils étaient livrés à eux-mêmes. Ils aimaient jouer au roi quand celui-ci était absent...

Les yeux du vieux pêcheur s'arrondirent de surprise quand, arrivé auprès de lui, je lui tendis ma tabatière pleine du rarissime tabac en poudre de Kati : "Tiens, *Maa-Koro*, Vieil homme ! Voici la tabatière que t'offre «ton étranger*». Puisse Dieu faire que sa poudre plaise à ton goût et te fasse verser des larmes de plaisir. Je me nomme Amadou, fils de Hampâté, et je suis un Bâ."

Le vieux, visiblement ému, rangea son filet et tendit ses deux mains, qui tremblaient un peu, pour recevoir

* Le voyageur de passage qui descend chez un logeur est "son étranger". Ce titre crée un lien entre le voyageur et son hôte, et, pour ce dernier, un devoir d'entretien et d'assistance presque sans limites en Afrique ancienne. En employant ici ce terme, surtout accompagné des cadeaux d'usage, j'honorais le vieux pêcheur et créais d'emblée entre nous une relation fondée sur la confiance.

la tabatière. “O merci, merci bien, fils béni de ses engendreurs ! Je m’appelle Badoulaye Kané…” Sans attendre il ouvrit la tabatière, y saisit une pincée de poudre entre le pouce et l’index et l’aspira une narine après l’autre, la tête légèrement inclinée vers la gauche. Sous la force du tabac, deux grosses larmes coulèrent de ses yeux et allèrent se perdre dans les poils de sa barbe. Il poussa un profond soupir – de soulagement ou de satisfaction, je ne sais – puis il appela sa femme, à qui il demanda d’apporter une natte et de venir saluer ses deux hôtes “porte-bonheur”.

Avant de nous installer, le garde Mamadou Koné offrit de son côté une belle noix de cola rose au vieux pêcheur, ce qui acheva de le combler. Nous étions adoptés, nous étions chez nous. Il nous demanda de passer le reste de la journée avec lui, mais nous ne pouvions accepter faute de temps. Il nous pria alors d’attendre au moins que sa femme ait préparé de la nourriture à emporter pour nous et pour nos piroguiers. Un petit geste de déférence et de respect permet ainsi souvent, en Afrique, d’obtenir en retour beaucoup plus que ce que l’on a donné.

Il faisait bon sous le *minngon*, et ses fruits parfumaient agréablement l’atmosphère. L’ombre y était dense et le souffle qui venait du fleuve la rendait plus fraîche encore. Après un moment de silence tranquille, le vieux pêcheur dit : “C’est la première fois que je rencontre des lions qui ne font pas de mal au gibier, et vous m’en voyez tout abasourdi.” Je lui expliquai que j’aurais beaucoup aimé aller visiter la cité de Markadougouba, mais que je ne pouvais le faire faute de temps.

“Je suis moi-même originaire de cette cité-fétiche, dit-il, ainsi que mon père et mon grand-père.

— Accepterais-tu, *Maa-Koro*, de me parler de ta ville, en attendant que Dieu me permette de la visiter un jour ?

— Pourquoi pas…”

Il me narra alors l'histoire de cette "cité-fétiche", héritière du bois sacré sur lequel elle avait été fondée, où vint un jour s'installer Kaladian, futur fondateur de la dynastie des Kouloubali de Ségou, et où la future mère de Biton Kouloubali lui-même était venue demander au ciel de lui donner un enfant après vingt-cinq années de mariage stérile. Il me donna également de nombreuses informations sur toute la région de Ségou, son histoire, ses coutumes et ses mœurs*.

Quand la femme du vieux pêcheur vint nous apporter nos provisions de voyage, je pris congé de notre hôte. Avant de le quitter je lui remis une lampe tempête, un paquet d'allumettes et un foulard de tête pour sa femme. A son tour il nous donna un panier de riz, une charge de poisson séché, un panier de manioc doux, des racines de jeune rônier et, cadeau particulièrement précieux, une charge de bois de cuisine. Il était visiblement heureux de cette visite, qu'il n'oublierait pas de sitôt. Mais j'avais le sentiment profond que j'y avais gagné beaucoup plus que lui.

Escale à Sansanding

Au village de Kirango, je rencontrai un vieux Bambara qui avait des difficultés à trouver une pirogue pour se

* Les griots ne sont pas, comme on le croit parfois en Europe, les seuls dépositaires de la mémoire historique dans "l'Afrique de la Savane" s'étendant au sud du Sahara. Les vieux "connaisseurs" ou "traditionalistes", c'est-à-dire les héritiers des connaissances traditionnelles de l'époque (qu'il s'agisse d'histoire, de sciences naturelles et humaines, de religion, d'initiation, de coutumes, etc.), qu'ils soient pêcheurs, chasseurs, forgerons, tisserands, nobles ou autres, sont des informateurs tout aussi précieux, et dans les domaines les plus variés.

rendre à Sansanding, notre prochaine escale. Je lui proposai de l'amener avec moi.

"Combien devrai-je payer ? demanda-t-il.

— Rien du tout. Mais si tu veux bien me raconter durant le trajet tout ce que tu sais des événements passés de Kirango, je t'écouterai avec intérêt. Je suis un passionné d'histoire."

Il accepta, et vint s'installer dans le rouf.

"Etant donné le peu de temps que nous avons devant nous, dit-il, je ne puis te raconter toute l'histoire de Kirango, mais je vais réciter pour toi ce que les griots chantent en guise de louange de cette ville..."

Quand il eut fini, je lui demandai de me parler de l'histoire de Sansanding, cette ancienne capitale du royaume de Mademba Sy, l'ancien postier devenu roi par la grâce de la République française et décédé quelques années auparavant.

"*On ne rase pas la tête d'une personne en son absence*, me répondit-il. Quand nous arriverons à Sansanding, amarre ta pirogue en face de la maison du chef bozo de la ville et va le questionner. Il te renseignera mieux que moi.

— Acceptera-t-il de le faire ?

— Tel que je viens de te connaître, la pierre elle-même te parlerait si tu le lui demandais !..."

A Sansanding, je trouvai le chef bozo assis dans un hamac, à l'ombre d'un hangar. Il était entouré d'une dizaine de personnes. Dès qu'il nous aperçut, le chef descendit de son hamac et se tint debout, son bonnet à la main, imité par tous ses compagnons. Ils s'avancèrent à notre rencontre, visiblement mal à l'aise. "Sy ! Sy ! me lança le chef pour me saluer. Sois le bienvenu !" Je dissipai le malentendu : "Je ne suis pas un descendant du roi Mademba Sy. Je ne suis même pas un Sy, je suis un Bâ du Macina."

Aussitôt les visages s'éclairèrent. Je sentis refluer la grande peur que j'avais inspirée, comme une vague qui se retire. La grande ombre du *Fama** Mademba Sy, nommé par la République française "roi de Sansanding" et décédé depuis peu, continuait à couvrir le pays et à inquiéter ses habitants. Je mesurai du coup combien avait dû être terrifiant le joug du "roi postier" – surnommé par la population "le pharaon de la Boucle du Niger" – pour que l'on craigne encore, même après sa mort, un représentant de sa famille, surtout vêtu à l'européenne !

Le chef bozo m'offrit de m'asseoir dans son hamac. Je refusai par respect traditionnel, la coutume ne permettant pas à un homme jeune, fût-il un grand chef, d'occuper la place d'un vieux. Je me gardai de lui offrir ma tabatière comme au vieux pêcheur, car j'avais reconnu à son bonnet et à son chapelet qu'il était affilié à la congrégation islamique tidjani, laquelle interdit formellement le tabac à ses adeptes ; mais Mamadou Koné lui offrit dix belles noix de cola en mon nom.

Je lui demandai s'il pouvait me parler de l'histoire de Sansanding ou me mettre en rapport avec un griot ou un traditionaliste à même de le faire. Après m'avoir lui-même parlé du passé de son pays, il m'annonça qu'il allait faire chercher un griot nommé Diéliba Danté qui pourrait me chanter la devise de Sansanding. Ce dernier me rejoindrait dans ma pirogue une heure plus tard.

Dès que Diéliba Danté approcha de la pirogue, il commença à donner de la voix pour crier des louanges en mon honneur, comme les griots ont coutume de le faire en guise de salutation. Or, par nature, j'ai horreur des cris de louange des griots. Je sortis ma tête du rouf et braquai sur lui des yeux menaçants. Plaquant énergiquement les

* *Fama* : "roi" en bambara.

doigts de ma main droite sur ma bouche, de la main gauche je lui fis signe d'entrer dans le rouf. Il comprit qu'il devait s'exécuter en silence, mais il était si troublé qu'il ne put s'empêcher de gémir en bambara : "Aye aye aye ! Ça tourne à l'affaire toubab ! O mon Dieu, fais que j'en sorte par la bonne porte !" – C'est dire combien, à l'époque, on craignait les "toubabs" (les Blancs en général) et leurs agents. "Sortir par la bonne porte", c'est en effet sortir indemne d'un accident grave.

Le griot s'installa dans le rouf, mais il restait ramassé sur lui-même, les yeux hors des orbites, posant son regard partout sans le fixer nulle part. Manifestement, il avait pris peur et se demandait ce qui l'attendait. Je souris et dis à Mamadou Koné :

"Mamadou, le griot du chef bozo est venu nous visiter pour nous réciter la devise de Sansanding. C'est un Danté, donc un membre de la famille du grand Tiétiguiba Danté, le griot favori du roi Da Monzon de Ségou. Tout à l'heure, il voulait déclamer la devise des Peuls et je l'en ai empêché. C'est pour qu'il soit bien entendu qu'ici il ne s'agit que de Sansanding, et rien que de Sansanding !

— O homme peul ! s'exclama le griot avec soulagement. Tu fais bien de me dire tout de suite pourquoi tu m'as imposé silence ! J'étais aussi inquiet qu'un homme qui vient de blasphémer Dieu et qui se demande dans lequel des sept puits de l'enfer musulman il va être jeté. Pour te dire la vérité, mon gros intestin avait commencé à me lâcher…"

Tout le monde éclata de rire. Rasséréné, à nouveau dans son élément, le griot rajusta sa position et se mit à l'aise : "O homme peul ! J'imagine que tu as dans tes bagages un de ces rasoirs-toubabs effilés au point de couper le vent ? Eh bien, sors-le ! Et si je m'écarte d'un mot de la devise de Sansanding que je vais te conter maintenant, saisis ma langue et coupe-la jusqu'à la racine de la luette !" Les rires fusèrent à nouveau. Ces propos bouffons dont sont coutumiers les griots et autres amuseurs publics, et qui ne choquent personne, ont pour but de dérider les renfrognés et d'apaiser éventuellement la colère des puissants. Voyant que sa boutade avait rempli son rôle, Diéliba Danté commença à déclamer.

Après avoir évoqué tous les grands personnages qui, à certains moments de son histoire, illustrèrent la cité de Sansanding, il termina par l'évocation des deux fils les plus célèbres du roi Mademba : Racine Mademba Sy, qui fut le premier ingénieur soudanais, et Abdel Kader Mademba Sy, le premier chef de bataillon noir dont j'ai raconté précédemment l'histoire, deux titres qui, conclut-il, tranchent à notre époque de toubabs quand ils sont portés par des nègres…

"Homme peul ! J'en ai fini avec la devise que tu m'as demandé de te rapporter. J'en ai attrapé des fourmis dans les fesses et des fourmillements dans les jambes. Ce qui me rassure, c'est que je sens la paume de ma main droite me démanger agréablement. Un Peul aussi intelligent que toi, bien né et bien éduqué, n'ignore pas ce que cela présage, n'est-ce pas, mon bon maître ?

— Cela présage, lui dis-je en souriant, que tu vas recevoir cinq francs pour toi, un flacon de parfum pour ta femme et un paquet de poudre de tabac pour ton vieux père, le tout enveloppé dans l'interdiction de crier mes louanges et de dire merci."

Mamadou Koné remit mes cadeaux au griot, qui les reçut de ses deux mains ouvertes. "O bon garde de cercle ! lui dit-il. Sache que ton patron est un grand embarras pour les griots. En effet, donner quelque chose à un griot et lui interdire de crier merci, c'est tout simplement lui donner à manger et lui interdire de roter et de déféquer. Eh bien, au revoir ! J'irai déféquer ailleurs..." Tout le monde éclata de rire pour la troisième fois. Diéliba Danté remonta sur la berge et s'éloigna.

Avant de poursuivre ma route, je me renseignai pour savoir si Ben Daoud Mademba Sy, ce fils du roi Mademba avec qui j'avais lié amitié quelques années auparavant sur le bateau *Le Mage*, était à Sansanding, car j'aurais été heureux de le revoir. Ayant appris qu'il ne résidait pas dans la ville, je décidai de repartir.

La leçon du marabout kounta

Le lendemain matin de bonne heure, notre pirogue reprenait le fil du fleuve. L'escale suivante était le gros village peul de Diafarabé, fondé par Sammodi à l'endroit où le Niger se sépare en deux branches. Là, j'étais en pays de connaissance. Ma grand-mère maternelle Anta N'Diobdi, cette femme si fière qui tenait tête même aux rois, était une nièce du roi Sammodi. Et je n'avais pas besoin de griots pour savoir que Diafarabé avait été de tout temps un haut lieu où Peuls pasteurs et Bozos pêcheurs avaient sacrifié, chacun selon ses rites, aux dieux des terres et des eaux. Ce que je ne pouvais prévoir, c'est que vingt-neuf ans plus tard je reviendrais à Diafarabé pour y servir pendant trois ans au laboratoire d'hydrobiologie créé par l'IFAN, que j'y terminerais sur place ma longue enquête d'au moins quinze années sur l'histoire des Peuls et des Toucouleurs du Macina et que j'y écrirais, avec mon chef Jacques Daget, le premier tome d'un livre entièrement fondé sur les traditions orales et retraçant cette histoire : *L'Empire peul du Macina*.

Après une journée consacrée aux visites d'usage, le lendemain, juste avant mon départ, voici qu'un de mes cousins vient me demander de lui rendre un grand service. Il s'agit de transporter à Mopti "son étranger", un marabout nommé Sidi Mohammed Lamine Kounta, qui n'a pas trouvé de pirogue. Il appartient à la branche des Kountas, grande famille maraboutique de la région de Tombouctou que l'autorité française ménage, en reconnaissance de la protection que Cheikh Ahmed el Bekkay, chef des Kountas et seigneur de Tombouctou, a accordée à certains explorateurs européens, en particulier au Français René Caillé.

J'accepte de prendre le marabout avec nous. C'est un homme de haute taille, mince, le front dégagé et le nez bien droit. Il prend place dans le rouf réservé à Mamadou Koné. Intrigué, je constate que ce dernier perd toute contenance devant notre passager. Ecrasé de respect, il va se blottir dans le coin le plus éloigné du rouf, au milieu des bagages des laptots, avec tout l'air d'un chien de garde qui veille sur son maître. Au moindre geste du Kounta, le voilà qui s'émeut, s'anime, comme si toutes ses forces intérieures s'ébranlaient pour chercher à deviner les désirs du marabout. Manifestement, je ne suis plus "Monsieur Patron". Sidi Mohammed m'a supplanté, et je dois reconnaître qu'il joue le rôle beaucoup mieux que moi, avec aisance et assurance. Plus je vois mon garde s'empêtrer dans une attitude de servilité envers le Kounta et plus je garde mes distances avec celui-ci, pour éviter de créer entre nous une familiarité qui lui donnerait, étant donné notre différence d'âge, des idées de me dominer.

A l'approche du village de Moura, Sidi Mohammed me demande d'y accoster ; il souhaite, dit-il, y accomplir un devoir pieux et me prie de l'accompagner. Mamadou Koné se précipite, s'empare de la bouilloire à ablutions, de la peau de prière et des babouches du marabout et lui présente son épaule pour lui servir d'appui au sortir de la pirogue.

Nous devons traverser une assez grande étendue de sable mou avant d'arriver aux premières maisons de Moura, à demi dissimulées dans un bosquet de rôniers. Une file de femmes avance vers nous, chacune portant gracieusement en équilibre sur la tête une grande calebasse chargée de linge ou d'ustensiles de ménage qu'elle va sans doute laver dans le fleuve. L'une d'elles arrive à notre hauteur avant ses camarades. Ayant reconnu le marabout kounta, elle pousse immédiatement un *you-you* strident et module d'une voix aiguë le "nom-devise" de notre voyageur : "Sidi Mohammed Lamine ! Diawiyakoy ! Diawiyakoy !" A ce cri, les autres femmes répondent par un véritable chœur de *you-you*. Rebroussant chemin, elles s'élancent vers le village : "Ohé, hommes, femmes, nobles et captifs de Moura ! Sidi Mohammed Lamine vient vers nous. Sortez tous pour l'accueillir, il est certainement précédé par la grâce du Prophète de Dieu et suivi par celle de Cheikh Mouktar el Kabir* !"

A son appel, semblant sortir de partout à la fois, des hommes, des femmes et des enfants, clamant le "nom-devise" du marabout, se précipitent au-devant de lui, l'entourent, l'entraînent, et nous en séparent. Mamadou Koné ne sait comment on lui a arraché la bouilloire et la peau de prière qu'il portait si dévotement. Nous sommes littéralement portés par la foule vers le village, jusqu'à l'entrée d'une vaste concession. Devant la porte du vestibule défendant l'accès de la cour se tiennent deux hommes bien musclés, chacun muni d'un gourdin assez gros pour assommer un lion. Sans doute le marabout, déjà installé à l'intérieur, a-t-il donné des ordres nous

* Saint homme de la tribu maure des Kountas.

concernant, car dès notre arrivée les deux gardiens nous dégagent et nous font entrer.

Une natte finement tissée a été apprêtée pour nous recevoir. Nous nous y installons et observons silencieusement la scène. Les visiteurs défilent. A tour de rôle, chacun vient s'accroupir devant Sidi Mohammed, s'incline et lui présente le sommet de son crâne, sur lequel le marabout pose cérémonieusement sa main droite. Tous les visiteurs, sans distinction de sexe ni d'âge, reçoivent cette imposition de la main, ce qui, pour les marabouts kountas, est leur manière de bénir leurs ouailles. La cérémonie dure jusqu'à l'heure du déjeuner, que nous prenons en commun.

Après le repas, Sidi Mohammed me dit : "Nous allons effectuer maintenant la visite pieuse pour laquelle je t'ai demandé de m'accompagner." Cette déclaration me surprend un peu, car j'avais supposé que la bénédiction si largement distribuée était le seul but de cette escale.

Un vieux captif peul, âgé d'au moins quatre-vingts ans, s'approche : "Tout est prêt, ô Diawiyakoy !" Le marabout se tourne vers moi :

"Etes-vous en état d'ablution rituelle, ton garde et toi ?

— Pour quelle raison ? demandai-je.

— Pour aller, si vous le désirez, prier sur la tombe d'un grand martyr tué et enterré ici il y a trente-trois ans. Nous devons tous être en état de propreté rituelle, car on ne doit pas approcher de la tombe d'un saint en portant sur soi ne serait-ce qu'une trace de souillure corporelle."

Ma curiosité naturelle, plus que la piété je dois le dire, pique mon esprit. Je veux savoir qui repose à Moura et pourquoi les habitants de ce village vénèrent Sidi Mohammed avec tant de ferveur et d'empressement. Pour arriver à mes fins, le meilleur moyen est encore de suivre le conseil de notre hôte. Je procède à mes ablutions à l'aide d'une bouilloire d'eau fraîche que l'on nous a apportée, puis la passe à Mamadou Koné. Nous voilà purifiés et prêts à visiter la tombe du saint inconnu.

Nous suivons Sidi Mohammed, accompagnés du chef de village, de l'imam, d'un maître d'école coranique et du vieux captif peul, qui se révèle être le gardien de la tombe. Celle-ci se trouve à l'intérieur d'une case où nous introduit le gardien. Elle est recouverte par une grande termitière qui s'élève jusqu'au plafond et occupe les deux tiers de la pièce. A sept, nous avons du mal à trouver de la place. Installés comme nous le pouvons, nous écoutons la prière que Sidi Mohammed récite à une vitesse telle que j'arrive à peine à en distinguer les paroles. La prière dure fort longtemps. Mais même si nous n'en comprenons pas tout, il se dégage de cet instant une impression de ferveur émouvante qui ne laisse pas de me toucher.

A notre sortie du mausolée, je demande à Sidi Mohammed qui est l'homme de Dieu qui est couché là. "C'est mon oncle Abidine, fils d'Ahmed el Bekkay", me répond-il. A l'énoncé de ce nom, une violente émotion m'envahit. Ma vue se voile, mes oreilles perçoivent comme des stridulations aiguës d'insectes. Heureusement pour moi, ce phénomène désagréable ne dure que quelques secondes. Pourquoi un tel bouleversement ? Parce que Bandiagara ma ville natale, ancienne capitale du royaume toucouleur du Macina, et les souverains qui y ont régné n'ont pas trouvé en face d'eux un ennemi plus dangereux ni plus courageux qu'Abidine Ahmed el Bekkay, fils d'Ahmed el Bekkay, seigneur de la tribu maure des Kountas. Je connais par cœur les exploits de ce héros kounta pour les avoir entendu commenter, conter et reconter par les historiens et les griots toucouleurs de la cour de mon père adoptif Tidjani Thiam, ancien roi de Louta. Youkoullé Magassa, chef de guerre toucouleur et ami de ma famille, avait fait partie de la brigade que Mounirou, l'un des fils d'El Hadj Omar, avait envoyée contre les troupes kountas commandées par Abidine. La rencontre avait eu lieu en 1889, précisément à Moura. Les Toucouleurs y avaient remporté la victoire et, ce jour-là, Abidine avait perdu la vie pour sauver son honneur.

Sidi Mohammed, qui a remarqué l'altération de mon visage, se rapproche de moi : "Bien que te sachant originaire de Bandiagara, me dit-il, j'ai accepté de prendre place dans ta pirogue. Certains membres de ma famille n'y auraient consenti pour rien au monde, mais je ne partage pas leur attitude. Pour moi, les différends qui nous opposent, et qui n'ont d'autre source que les conflits et convoitises de ce bas monde – conflits que l'on maquille, pour les justifier, aux couleurs de l'honneur ou de la piété religieuse – sont des erreurs regrettables qui ne devraient jamais opposer des croyants entre eux. Dieu a dit dans le saint Coran : «Les croyants sont des frères.» Pour moi, tu ne peux donc être un ennemi. Je te considère comme un ami, et cela d'autant plus que par ton père naturel Hampâté tu es du Fakala, dont les habitants sont traditionnellement des amis ou des adeptes des Kountas."

Pendant que je médite ces paroles, Sidi Mohammed prend congé de ses adeptes de Moura. Nous redescendons silencieusement au bord du fleuve, accompagnés par toute la population. A la demande de notre passager, nous accostons ensuite à Saré Dina où nous visitons la tombe de Cheikh Ahmed el Bekkay, le père d'Abidine. Finalement, Sidi Mohammed décide de rester quelques jours encore auprès de la tombe de son grand-père, et nous nous embarquons sans lui pour Mopti.

Les paroles du marabout kounta m'avaient profondément remué. C'est à partir de ce jour que commença à se former vaguement en moi le souhait d'une réconciliation entre les trois grandes familles maraboutiques de mon pays, déchirées par trop de souvenirs de guerre, de massacres et de malédictions mutuelles : les Kountas de Tombouctou, les Peuls Cissé du Macina et les Tall, descendants d'El Hadj Omar. Cet espoir ne trouvera son accomplissement que cinquante-cinq ans plus tard, dans la nuit du 20 au 21 juin 1977. En cette nuit mémorable, consacrée à la prière et à la lecture du Coran, les délégations représentatives des trois grandes familles maraboutiques, en présence de milliers de personnes et du chef de l'Etat lui-même, se rencontreront sur les ruines de la grande mosquée de Hamdallaye, l'ancienne capitale dévastée de l'empire peul du Macina, et s'y donneront la main en gage de réconciliation et de pardon solennel…

Le colosse borgne

Je continue mon voyage en côtoyant la rive droite du fleuve. Nous naviguons vers le village de Kouakourou, situé non loin du lieu où un bras du Bani vient se jeter dans le Niger. Nous y arrivons assez tôt dans la matinée. Pourtant, devant le port du village, la berge est déjà bondée de pirogues chargées de marchandises de toutes sortes. On y voit des produits provenant de la pêche, de la culture, de la cueillette, de l'artisanat, et même des marchandises de traite venant d'Europe par bateau jusqu'à Kayes, ville bordant le fleuve Sénégal, ou descendant d'Afrique du Nord par voie de caravanes. Il n'y a pas à s'y tromper, c'est le jour de la foire, et Kouakourou compte alors au nombre des grandes foires du territoire du Haut-Sénégal-Niger !

Tout est plein. Pas la moindre place où amarrer notre pirogue ! Enfin j'aperçois un emplacement libre, mais, curieusement, toutes les pirogues qui arrivent et toutes celles qui manœuvrent s'en détournent aussi vite qu'un féticheur s'éloignant de son interdit. Faute d'une autre solution, je donne ordre à mon chef laptot d'y accoster.

Dès que le nez de notre pirogue pointe vers la place libre, des cris de mise en garde s'élèvent de partout : "Ohé ! Où allez-vous ? Revenez ! N'allez pas vous fourrer dans la gueule du méchant crocodile à la queue écourtée* ! Revenez avant que son gardien borgne ne vous ait vus !"

Pendant que la foule crie ces paroles bizarres et nous adjure de nous en retourner, une espèce de colosse armé d'un énorme gourdin et d'une hache apparaît en haut de la berge. Nous ne sommes plus qu'à quelques mètres du quai. Dès qu'il aperçoit notre pirogue, le colosse dévale la pente en courant, agitant ses armes redoutables. Vêtu d'une vieille veste de tirailleur élimée jusqu'à la corde et d'un pantalon bouffant comme celui des zouaves, il a sans nul doute appartenu au corps des spahis indigènes, ceux que nous appelions "les grands sabreurs de l'armée coloniale". Des médailles, non identifiables à cause de la décoloration de leurs rubans, pendent sur la poitrine de cet homme terrifiant qui, pour l'heure, son œil unique rougi par la colère, charge comme un taureau furieux contre notre pirogue. Malheureusement pour nous, Mamadou Koné et moi sommes alors en tenue africaine.

Mon chef laptot a déjà sauté sur le sol et commence à y enfoncer le pieu sur lequel arrimer notre corde. Sans attendre qu'il ait fini, le colosse passe derrière lui

* Les crocodiles à la queue écourtée sont réputés les plus agressifs. Leur nom a donné naissance à un surnom désignant des personnages particulièrement méchants.

et, alors que le malheureux se tient baissé à demi, lui administre un terrible coup de pied dans le derrière : "Tiens ! aboie-t-il, voilà de quoi réduire tes bourses en bouillie, et t'apprendre que seul M. Vandenheim, le grand commerçant propriétaire des boutiques de la ville, a le droit d'accoster ici !"

Le chef laptot bondit comme un lièvre surpris dans sa tanière. Il veut courir, mais le pied lui glisse et il va s'écrouler dans la boue jaunâtre qui tapisse la rive à cet endroit. Il se relève tout maculé de cet enduit gluant et malodorant.

Indigné, Mamadou Koné s'avance : "Hé, toi, bonhomme mal fagoté ! Sais-tu ce qu'il va t'en coûter de ton geste de fou furieux ?" Le colosse éclate de rire et brandit sa hache : "Espèce de malappris de sa mère et d'imbécile de son père, je n'ai pas besoin de savoir ce que me vaudra ta menace, mais je vais te dire tout de suite comment je vais refaire de toi un incirconcis et remettre à sa place le prépuce qui recouvrait le gland de ton pénis !"

Je rappelle Mamadou Koné : "Viens ici, va passer ta tenue et laisse-moi faire." Il obéit et rentre dans le rouf. Pendant ce temps, le colosse borgne continue de déverser sur nous un torrent d'injures et de menaces : "Je vais compter jusqu'à trente-trois ! Si vous ne foutez pas le camp d'ici, je réduirai en pièces la proue de votre pirogue. M. Vandenheim vous fera ligoter et vous enverra au commandant de cercle qui vous jettera en prison. Vous y pourrirez comme un cadavre puant dans sa tombe !"

Il commence à compter : "Un... deux... trois..."

Je vais me placer à la proue de la pirogue et l'apostrophe : "Eh, vieux spahi, écoute-moi ! Quand tu sauras qui nous sommes, et quelle bêtise tu as faite, tu ne te contenteras pas de te mordre l'index jusqu'à la deuxième phalange, tu avaleras tes dix doigts sans même t'en apercevoir !"

Un instant troublé, le colosse retrouve vite son assurance et me lance en crânant :

“Eh, toi, le rougeâtre ! Serais-tu un Sy descendant du roi Mademba ou un Tall descendant du roi Aguibou, tu ne me ferais pas peur !

— Je ne suis ni un Sy ni un Tall, mais j’appartiens à la maison du gouverneur, et celui que tu as si grossièrement insulté est un garde de cercle.”

Complètement désarmé, le colosse balbutie : “Mais si tu es de la maison du gouverneur, où est ton casque ? Et si l’autre est un garde, où est sa tenue ?”

Au lieu de répondre, je reviens tranquillement vers le rouf, puis me retourne : “Continue ton compte ! Et quand tu en arriveras à trente-trois, brise ma pirogue à coups de hache et mets le feu à nos bagages, ne te gêne surtout pas !” Et je disparais dans le rouf.

Mamadou Koné a fini d’endosser sa tenue. Pendant que je me coiffe de mon casque, emblème de mon statut de “blanc-noir*”, il prend son fusil et enfile ses cartouchières ; ainsi équipés, nous sortons sur la proue. A ce moment, le colosse nous tourne le dos. Je fais signe à Mamadou Koné : “Tire un coup de fusil en l’air.” Au bruit de la détonation, le colosse sursaute plus haut encore que ne l’avait fait tout à l’heure mon malheureux chef laptot. Tout à coup, à notre stupéfaction, il se jette à terre, à même la boue, criant : “O ma mère ! O mon père ! A moi, je suis mort ! Ils m’ont fusillé, je suis blessé, je suis mort !…”

Avant qu’il ne revienne de sa peur et ne se relève, je saute à terre et vais me placer à côté de lui, suivi de Mamadou Koné. Le colosse, couché à plat ventre la face contre le sol, se retourne doucement. Le visage

* Noir imitant les Blancs, autrement dit “un Blanc de couleur noire”, un faux Blanc.

dégoulinant de boue, il ouvre son œil unique et nous fixe longuement. Il gémit :

“Non, ce n’est pas vrai, je ne rêve pas ? Je n’ai pas insulté un garde de cercle et un commis ?…

— Si, lui dis-je, tu as insulté un commis et un garde. Tu as même frappé mon chef laptot en disant que tu exécutais les ordres de M. Vandenheim. Je me rends aujourd’hui à Mopti. Sois certain que le commandant de cercle t’enverra chercher, car je déposerai contre toi une plainte écrite pour coups et blessures, menaces et injures infamantes envers des agents de l’administration. Nous verrons finalement qui de nous va subir une opération chirurgicale de son membre viril !”

Les forains qui assistaient à la scène sont pris d’un grand fou rire. “O commis, crient-ils, fais amarrer le borgne ! Il a rendu la vie impossible à tout le monde dans ce port. Beaucoup de commerçants ont cessé de venir ici à cause de lui… Amarre-le, envoie-le enchaîné au commandant de cercle !…”

Le colosse, qui s’est relevé, porte ses mains sur sa tête comme un combattant qui se rend à l’ennemi et se met à monologuer d’une voix plaintive : “Oh ! Quel mauvais jour pour moi ! Maudit soit mon cœur qui me pousse à frapper, à insulter, et même à vouloir tuer ! C’est là un reste malheureux des habitudes que la guerre a gravées en moi. Si le commis me pardonne, je jure par mon père et ma mère que je ne recommencerai plus !…”

Tout à coup il s’élance vers le chef laptot, se penche, lui présente son derrière et lui dit : “Tiens, prends ta revanche ! Je laverai moi-même ton boubou. Dis-moi combien tu veux d’argent et je te le donnerai. J’en ai plein une cassette enfouie sous terre. Bon chef laptot, intercède en ma faveur !… Dis au garde, dis au commis que je ne suis qu’un imbécile de son père et de sa mère, un cerveau dérangé par le tonnerre des canons, le crépitement des mitrailleuses, le vrombissement des avions… O *Quatoze-dizuit* ! Tu m'as montré ce que je n'avais aucune raison ni aucune envie de voir. J'ai rapporté de cette guerre plusieurs médailles, mais hélas j'y ai laissé mon œil droit…"

Ce monologue, mélodramatique mais touchant, désarme tout le monde. La foule cesse de rire et de réclamer un châtiment pour le colosse borgne. Le chef laptot va le prendre par la main et l'amène vers moi. "Monsieur Patron, dit-il, laissons tomber cette affaire. C'est un début d'incendie allumé par Satan. Nous devons l'éteindre au lieu de l'alimenter."

Un sentiment de compassion pour l'ancien spahi m'envahit moi aussi. J'interroge Mamadou Koné du regard. "Monsieur Patron, fait-il, je ne saurais tenir rigueur au vieux spahi. Moi aussi j'ai fait la guerre *Quatoze-dizuit.* Beaucoup de camarades y ont perdu le contrôle de leurs nerfs. Ils agissent souvent comme des fous à la moindre contrariété."

Tout était dit. Ce jour-là nous laissâmes partir le colosse borgne, notre pirogue resta où elle était, et le quai Vandenheim se trouva violé pour la première fois.

Cet événement m'avait troublé. Comment, me demandai-je, un homme qui a plus d'une fois donné froidement la mort en la risquant lui-même, un homme dont la poitrine est constellée de médailles preuves de sa bravoure, peut-il être effrayé par un seul coup de fusil et une tenue, au point de perdre toute dignité ? Le tempérament d'un homme peut-il se modifier selon qu'il est en état de guerre ou en état de paix ? Comment des hommes qui furent braves au feu peuvent-ils devenir des peureux dans la paix ?

Par ailleurs, le fait que M. Vandenheim, simple commerçant blanc qui n'était même pas de nationalité française, puisse se réserver un large espace de débarquement et l'interdire aux nègres par la force m'indignait. Sans doute méritait-il bien son surnom de "crocodile à la queue écourtée" évoquant les plus méchants de ces animaux. Je réalisai soudain combien l'Africain était privé de droits dans son propre pays. A l'époque, la garantie la plus sûre pour tout obtenir sans peine et se permettre tous les abus sans punition, c'était d'avoir la peau blanche – et aussi, il faut le reconnaître, mais dans une moindre mesure, le fait d'être un "blanc-noir", c'est-à-dire un représentant de l'administration coloniale.

Quelle était donc l'origine de l'injustice sociale ? Pourquoi existait-elle ? Quelles étaient ses autres manifestations dans le monde ? Cesserait-elle un jour ?... Une foule de questions sans réponse sur la vie, le monde, les relations entre les hommes, envahissait pour la première fois mon esprit. Après la leçon de tolérance reçue du marabout kounta à notre étape précédente, voilà qu'une dimension nouvelle venait s'offrir à mes réflexions. Décidément, ce voyage se révélait riche de surprises et d'enseignements.

Après avoir acheté à la foire de Kouakourou les provisions dont nous avions besoin, Mamadou Koné, mes laptots et moi reprîmes le cours du fleuve, laissant derrière nous une nouvelle histoire à raconter dans les veillées, celle du jour où l'on vit pleurer et se rouler dans la boue le colosse borgne, serviteur du méchant crocodile à la queue écourtée !

Notre prochaine escale était Mopti. Ce serait aussi la dernière, car là s'arrêtait mon voyage par pirogue ; je devrais effectuer le reste du trajet à pied.

A Mopti, j'étais pour ainsi dire chez moi. Parents et amis ne m'y manquaient pas, et bien des souvenirs, heureux ou dramatiques, m'attachaient à cette ville depuis ma plus tendre enfance. Elle avait toujours été le point de départ de mes embarquements pour des pays plus ou moins éloignés, d'abord avec ma mère alors que nous rejoignions mon second père en exil, puis en tant qu'écolier, quand je commençai à découvrir le monde.

La perspective de revenir dans la ville avec mon titre tout neuf de fonctionnaire et mon casque colonial sur la tête me remplit pendant un moment d'une certaine joie, mais elle fut vite altérée à la pensée de devoir me séparer de mon brave Mamadou Koné. Placé au départ auprès de moi pour me surveiller et m'empêcher de m'échapper, il était, en fait, devenu un soutien fidèle et un compagnon précieux, pour ne pas dire un ami. Sa mission auprès de moi s'arrêtait à Mopti. J'eus beau retourner dans ma tête toutes les astuces possibles pour la lui faire prolonger par les autorités et pouvoir continuer de voyager avec lui, hélas, je ne trouvai aucune solution…

J'en étais là de mes réflexions quand j'entendis la voix du chef laptot : "Ouvrez vos paquets et jetez dans le fleuve un peu de toutes les denrées ou nourritures que vous possédez. Nous allons traverser Denndamaaré." La première fois que j'avais dû sacrifier à ce rite, c'était lors de mon premier voyage d'écolier, sur le chemin de Djenné. Denndamaaré était en effet la demeure de la déesse d'eau Mariama (ou Maïrama), fille de Gaa, la reine-mère de tous les dieux et esprits de l'eau du bassin du Niger, demeure située au point de rencontre des eaux du “fleuve noir”, le Bani, avec les eaux du “fleuve blanc”, le Niger. En ce lieu s’opère la réunion de toutes les eaux descendues des monts guinéens, sierra-léoniens et ivoiriens pour constituer un seul fleuve : le Grand Niger. En amorçant sa courbe pour descendre vers la mer, il enserre dans sa vaste boucle un territoire où fusionnent elles aussi de multiples races d’origines diverses, plus ou moins noires et plus ou moins blanches, lesquelles à leur tour, riches de leurs cultures respectives, vont former un grand peuple.

La coutume veut que l’on ne cache rien à Maïrama et qu’avant de quitter les eaux blanches pour entrer dans les eaux noires, ou l’inverse, on lui offre en sacrifice un peu de tout ce que l’on possède, comme en une dîme rituelle. Il ne serait venu à l’idée d’aucun d’entre nous de désobéir aux ordres de notre chef laptot à cette occasion précise, car en tant que Bozo c’était un “maître de l’eau”, un sacrificateur aux dieux d’eau, et il était sur son élément, donc le seul qualifié pour faire franchir à notre pirogue ce passage délicat.

Dans la tradition africaine ancienne, un chef, si puissant soit-il, ne détenait jamais à lui seul tous les pouvoirs entre ses mains. Dans tous les pays où il y avait des “maîtres de la terre”, des “maîtres des eaux”, de la pêche ou des pâturages, c’étaient eux qui détenaient l’autorité religieuse traditionnelle vis-à-vis de ces éléments et qui pouvaient en accorder le droit d’usage, et non le roi. La terre étant censée n’appartenir qu’à Dieu, le droit de propriété n’existait pas. Nul ne pouvait décider de cultiver un terrain ou de s’y installer si le “maître de la terre” de l’endroit ne l’y autorisait en procédant à la cérémonie requise, comme l’avait fait à Bougouni le chef Tiemokodjian lorsqu’il avait concédé un terrain à ma mère. Certes, il incombait à ces chefs traditionnels de récolter éventuellement des redevances pour le roi, mais ce dernier ne pouvait leur imposer ses désirs.

Arrivés à Mopti, notre chef laptot nous fit débarquer au quai Simon. Je me rendis tout droit chez Tiébessé, l'amie d'enfance de ma mère chez qui nous étions descendus si souvent lors de nos passages dans cette ville. Après les salutations d'usage, elle m'apprit une nouvelle qui me serra le cœur : "O Amkoullel ! me dit-elle, ton père Koullel est ici, à Mopti, et il a été malade toute l'année. Il y a même eu un moment, le mois dernier, où personne n'a pensé qu'il survivrait. Il a déliré pendant trois jours, et pendant son délire il n'avait qu'un seul nom à la bouche : «Amkoullel ! Amkoullel !» Il te parlait comme s'il te voyait en face de lui. Un jour, il a maudit les Français et leur école qui vous avaient séparés. Depuis, il s'est un peu rétabli, mais il n'a pas de forces. Ta vue sera certainement pour lui un grand remède."

Je devais me présenter au cercle avec Mamadou Koné pour y faire viser mes papiers, mais je repoussai cette visite à l'après-midi. Accompagné de Tiébessé, je me rendis immédiatement chez mon père Koullel, l'ami de toujours de ma famille, le camarade d'enfance de Tierno Bokar et de mon oncle Bokar Pâté. Ce grand magicien du Verbe, conteur, historien, poète et savant traditionaliste, qui m'avait entouré de son affection depuis ma plus tendre enfance et qui avait veillé sur ma formation traditionnelle, qui avait donné tant d'éclat aux soirées récréatives de mes parents et qui nous avait transmis tant de connaissances, cet homme dont on m'avait donné le nom et qui, d'une certaine façon, a été à l'origine de ma vocation, gisait là sur sa couchette, amaigri, les paupières fermées, dans un état qui aurait arraché des larmes à une pierre. "Soulébo, Soulébo !" l'appela Tiébessé, utilisant son nom personnel ("Koullel" était son surnom, son nom d'usage). "Amkoullel est venu..." Des larmes coulèrent doucement des yeux fermés du vieil homme. Moi je pleurais comme un enfant, que d'ailleurs pour lui je ne cesserais d'être ma vie durant.

Je m'assis sur le lit en y allongeant mes jambes, soulevai Koullel dans mes bras et le couchai en posant sa tête sur mes jambes, dans cette position qui, en Afrique, exprime l'intimité et la confiance les plus totales. Je commençai à le masser doucement. Il luttait pour soulever ses paupières, comme pour vérifier de ses yeux que c'était bien moi, que Tiébessé n'avait pas menti... mais elles retombaient constamment. Enfin, à ma plus grande joie, il parvint à ouvrir ses yeux. "Amkoullel ! Amkoullel ! fit-il d'une voix mal assurée. C'est bien toi, mon Amkoullel ?

— Oui, père ! Je suis bien ton Amkoullel. Je suis venu de Bamako. Poullo ma mère et Naaba* mon père te saluent.

— Merci, dit-il en essayant de sourire. Et merci, mon Dieu, de m'avoir permis de revoir mon fils avant de quitter ce bas monde !..."

Il saisit ma main et essaya de la serrer, mais il n'en avait pas la force. Il se contenta de laisser glisser la paume de sa main sur le dos de la mienne. "Tu as vite grandi, mon fils, reprit-il de sa voix faible. J'en suis heureux. Tu pourras te défendre dans la vie. Tu n'auras plus besoin de moi, je peux m'en aller tranquillement."

* *Poullo* (peul, ou peule, au sens de "noble") : surnom affectueux donné à ma mère Kadidja par son époux et adopté par la famille. *Naaba* ("roi" en langue mossi) : surnom familier de mon père adoptif Tidjani, ancien chef (ou "roi") de la province de Louta.

Ces paroles me tordirent les entrailles. “Père, m’écriai-je, ne dis plus ce mot. Il est trop cruel pour moi, je ne veux pas l’entendre. Si tu m’aimes, ne le dis plus.”

Il sourit : “Je sens déjà comme une amélioration de mon état. Allez, recouche-moi, va faire tes courses et ne reviens que demain matin. Je crois que je vais bien dormir.” Je fis venir un matelas neuf pour remplacer celui sur lequel je l’avais trouvé et l’y installai de mes mains. Son visage était souriant. Je sortis, comme il me l’avait demandé.

En Afrique traditionnelle, les amis intimes d’un homme ou d’une femme pouvaient ainsi aimer les enfants de leurs amis comme s’ils étaient les leurs, et s’y attacher profondément. De mon côté, je ne sentais pas de grande différence entre Koullel et mon père adoptif Tidjani Thiam, le second époux de ma mère. L’usage du mot “père” aidait encore à renforcer ce lien, car les mots ont une force que nos anciens connaissaient bien. Nombre de mes camarades vivaient des relations du même genre. La règle était générale, c’est le contraire qui eût été exceptionnel.

De retour à la maison, je donnai à Tiébessé l’argent nécessaire pour acheter tout ce qui manquait dans la maison de mon père Koullel en fait de commodités. Puis je me rendis au cercle, où m’attendait mon brave Mamadou Koné.

Je me présentai tout d’abord au “grand interprète” de Mopti, qui s’appelait Oumar Sy. Il ne descendait pas du roi Mademba Sy, mais de Hammadi Koumba Kettiel Sy, l’interprète du colonel Archinard, le grand conquérant du Soudan français.

Il m’annonça au commandant de cercle. Celui-ci étant en train de tenir une grande palabre avec tous les chefs du pays, c’est le “petit commandant” – c’est-à-dire l’adjoint au commandant de cercle – qui me reçut. Son interprète (appelé comme il se devait "petit interprète") m'avertit en peul : "Fais bien attention ! Le petit commandant ne gobe pas les Toucouleurs, particulièrement ceux de Bandiagara. Ne t'attends à rien d'agréable de sa part. Il cherchera ses propres poux dans tes cheveux. Et ne t'étonne pas de l'entendre proférer des paroles désagréables et des allusions blessantes ; il nous en abreuve copieusement tous les jours."

Je présentai au petit commandant mes papiers et ceux de Mamadou Koné. Il mit les papiers de Mamadou Koné de côté, puis examina les miens qui comprenaient une copie de ma décision de nomination, mon ordre de route, mon certificat de situation de solde et un état des avances perçues. On aurait dit qu'il y cherchait quelque irrégularité pour pouvoir me la reprocher. Après les avoir tournés, retournés, feuilletés et refeuilletés, il eut une sorte de contraction des muscles de son visage, ce qui donna à sa physionomie, barrée par une moustache tombante en forme de cornes de bœuf musqué, un aspect à vrai dire plus grotesque que terrifiant.

Il leva les yeux sur moi et me regarda dédaigneusement, bougonnant je ne sais quoi à mi-voix. "Un homme prévenu en vaut deux", me dis-je. Je sentais l'orage prêt à éclater mais me préparai à le recevoir, en pasteur habitué à affronter la tornade avec calme. Cela ne tarda pas :

"Quelle connerie as-tu commise pour qu'on ait eu besoin de te flanquer un garde au cul ?

— Si mon commandant veut bien examiner mes papiers ou ceux du garde, il y trouvera certainement la réponse à sa question, répliquai-je, en faisant une demi-révérence.

— Eh, mon garçon, doucement ! Je suis le «petit commandant» de cette région. Ne t'avise surtout pas de faire de l'esprit avec moi, tu ne tarderais pas à t'en repentir." Il tapa de la main sur la table : "Je t'ai posé une question et j'attends une réponse !

— Oui mon commandant ! Mais que mon commandant m'excuse, je ne sais quoi lui répondre.

— Pourquoi vas-tu servir au diable dans un pays étranger, alors que ton pays n'a pas suffisamment de fonctionnaires ?

— Je demande bien pardon à mon commandant, mais je vais servir dans un territoire français qui, il y a deux ans seulement, faisait encore partie intégrante de mon pays, le Soudan. Je ne vais donc pas «à l'étranger» comme le dit mon commandant."

A ce moment un garde entra brusquement dans le bureau. Il se mit au garde-à-vous : "Ma coumandan ! Le grand coumandan y demander vous véni toussuite dans bureau !"

Le petit commandant ne se le fit pas répéter deux fois. Il se leva aussitôt, rajusta ses habits, passa sa main dans ses cheveux embroussaillés et se dirigea vers la porte. En passant, l'air mauvais, il me bouscula légèrement : "Ote-toi de mon chemin !"

Un commis expéditionnaire, secrétaire du grand commandant, avait entendu le dialogue depuis son bureau. Il sortit et vint me rejoindre. Par chance, c'était l'un des fils du grand chef peul Amadou Kisso chez qui j'avais logé lorsque j'étais écolier à Djenné. Il s'appelait Alfadi Cissé. Il entra dans le bureau du petit commandant, jeta un coup d'œil rapide sur sa table et s'empara de mes papiers, y laissant ceux de Mamadou Koné. Il me prit par la main : "Viens mon frère ! Cet imbécile de mal blanchi se fait toujours un plaisir de provoquer les nègres, et plus particulièrement leurs intellectuels. Il devrait savoir que *tant que Dieu sera Dieu, le lionceau ne mangera pas de l'herbe** !"

* Adage signifiant que la Providence divine viendra toujours au secours des opprimés ou des déshérités.

Il m'installa dans son propre bureau et disparut avec mes papiers, plus quelques autres qu'il avait tapés à la machine. Quelques minutes plus tard, il était de retour :

"Tiens, me dit-il, voilà tes papiers. Ils sont visés. Le chef de village de Mopti mettra à ta disposition un porteur quand tu le lui demanderas. Le grand commandant te souhaite un bon voyage." Je le remerciai, mais m'inquiétai de savoir si sa démarche ne lui causerait pas d'ennuis.

"Sois tranquille, répondit-il, le petit commandant comprendra la leçon. Il n'a aucun droit de te parler comme il l'a fait, car tu ne dépends de lui en aucune façon. Comme c'est le grand commandant qui a signé tes papiers, il se tiendra tranquille.

— Comment as-tu fait pour réussir ce coup, si salutaire pour moi ?

— J'avais des documents urgents à faire signer par le commandant. J'en ai profité pour lui demander de viser également tes papiers, ajoutant que tu étais mon cousin et que cela t'éviterait de séjourner trop longtemps à Mopti. Et le tour fut joué !"

Je compris alors combien un secrétaire, ou un interprète, pouvait changer la tournure d'une affaire. En fait, grâce à lui j'avais échappé à un grand danger, car si j'avais dû revoir le petit commandant, celui-ci aurait sans doute – comme cela se produisait fréquemment – essayé de me faire sortir de mes gonds en me disant les choses les plus désagréables, voire insultantes, jusqu'à ce que je profère une impolitesse ou des paroles imprudentes. Et là, il aurait eu un prétexte pour me causer les plus grands ennuis.

Je quittai mon ami et rentrai chez Tiébessé. Le lendemain matin, Mamadou Koné se présenta de bonne heure : il venait prendre congé de moi. Je le remerciai sincèrement pour son agréable compagnie et tous les services qu'il m'avait rendus pendant notre voyage, et lui remis, comme il se devait, un bon cadeau en gage de reconnaissance. Nous regrettions beaucoup l'un et l'autre de ne pouvoir continuer la route ensemble, et nous nous quittâmes en nous souhaitant bonne chance. Je n'ai jamais oublié Mamadou Koné, le "garde surveillant" qui était devenu mon ami.

Dans la matinée, je me rendis chez mon père Koullel. Je le trouvai bien mieux que la veille. Je restai avec lui trois jours, mais à la fin c'est lui-même qui m'ordonna de poursuivre mon voyage. Je partis le lendemain matin pour Bandiagara. La certitude qu'il allait mieux et qu'il allait se remettre atténuait un peu ma peine de le quitter. En fait, il ne devait pas survivre plus d'un mois à mon départ, mais je n'appris son décès que beaucoup plus tard. Ma consolation fut de l'avoir revu avant son départ de ce monde éphémère.

Je quittai Mopti à l'aube avec le porteur qui m'avait été affecté. Nous avions soixante-dix kilomètres à faire à pied avant d'atteindre Bandiagara. Il nous fallut déjà presque trois heures pour franchir la longue digue de douze kilomètres qui relie Mopti à la terre ferme pendant la période des hautes eaux qui inondent toute la région. Cette digue, véritable travail de titan, était l'œuvre d'Alfa Maki Tall, fils du roi Aguibou Tall et chef de Bandiagara après la mort de son père, celui-là même qui avait donné son petit garçon pour remplacer mon frère le jour où nous avions été réquisitionnés d'office pour l'école française. Alfa Maki Tall, qui avait des dons innés pour les travaux de construction, avait trouvé là l'occasion d'exercer son talent. Certes, cette digue a subi depuis des réparations et des améliorations, mais elle est toujours là et sert de support à une route très fréquentée.

Entre Sévaré et Waylirdé, nous fûmes rejoints par un superbe cavalier. Il chevauchait un cheval sahélien au ventre avalé comme celui d'un lévrier, la robe alezan doré, les pieds lavés et le front étoilé*. Le harnachement était celui d'un prince. Quant au cavalier, il tenait à la main en travers de sa monture un long bâton sculpté en bois d'ébène.

Arrivé à ma hauteur, estimant sans doute à ma tenue que j'étais un agent de l'autorité, il me salua et me demanda mon nom. Je le lui dis. Alors, fichant son bâton en terre sans descendre de selle, il fit danser et caracoler son cheval sur un rayon de cinq mètres, lui faisant accomplir presque tous les mouvements équestres classiques, tout en déclamant en langue peule un poème de sa composition en l'honneur du Prophète Mohammad. Pour clore son chant, il fit faire une grande courbette à son cheval et déclara : "Amadou, fils de Hampâté, petit-fils des Bâ et des Hamsalah du Macina, je me nomme Sandji Amadou, et suis un troubadour de l'Envoyé de Dieu."

Très ému, je lui demandai de me faire crédit de ce que j'aurais dû lui donner pour une telle rencontre. "Je m'en acquitterai plus tard", lui dis-je. Il releva sa monture, rangea son bâton et sourit : *"On ne doit pas dire à un pêcheur «donne-moi un poisson» avant qu'il ne soit allé à la pêche."* Et il ajouta : *"Le talon et le serpent se meuvent tous deux à même le sol ; leur rencontre n'est donc pas impossible"* – ou, comme on dit en français : "Il n'y a que les montagnes qui ne se rencontrent pas." Il nous salua, et poursuivant son chemin il s'éloigna au petit trot.

* "Pieds lavés" : pieds blancs ; "front étoilé" : front marqué d'un cercle blanc.

C'était la première fois que je rencontrais ce grand poète, né à Sokoura dans le Kounari (région de Mopti). Dans toutes les régions peules de la Boucle du Niger, on chante encore ses poèmes à l'occasion des fêtes et des grandes cérémonies religieuses.

Après un bref repos à Doundou, je repris la route dès treize heures car toute la zone comprise entre Doundou et Goundaka, l'ancienne capitale des rois du Kounari, était alors infestée de lions. Mon plan de route m'imposait de passer la nuit au campement de Fiko, non loin de Goundaka. Il fallait à tout prix atteindre ce campement avant le coucher du soleil afin de nous mettre à l'abri des fauves. A la fourche de la route, juste avant l'entrée de Goundaka, une grande pancarte annonçait : "Méfiez-vous des lions." Cet avertissement stimula sufisamment nos forces pour nous permettre d'accomplir au pas de course le reste du trajet. Nous arrivâmes au camp vers quinze heures ; nous avions le temps de nous y installer et de bien nous barricader.

Le campement était situé dans la plaine, juste sous un village dogon qui, lui, était niché sur la falaise. Un veilleur dogon se tenait sur la première corniche de la falaise pour entendre l'appel que les fonctionnaires de passage devaient lancer pour signaler leur arrivée. Mon premier soin fut de pousser à pleins poumons le cri conventionnel. Je montai sur l'élévation aménagée à cet effet en dehors du campement et criai : "Courrier ! Courrier ! Courrier !" Puis j'attendis, pour savoir si le veilleur avait perçu mon appel. J'eus de la chance ; l'écho m'apporta presque immédiatement sa réponse : "Yooo ! Yooo !"

Une demi-heure plus tard, le chef de village, accompagné de deux personnes, se présenta au campement. Il me trouva confortablement installé dans ma chaise longue, emblème indiscutable de mon rang social ; à l'époque, un homme occupant une chaise longue ne pouvait être qu'un agent de l'autorité ou le fils d'un grand chef, en tout cas un homme fortuné. Il prit une attitude humble, me salua et, malgré son âge, vint s'accroupir au pied de mon siège avec ses deux compagnons, attendant mes ordres. "Je dois passer la nuit ici avec mon porteur, lui dis-je. Il faut m'envoyer un repas et du lait." C'était là ce que l'on appelait alors le "droit du casque" s'il s'agissait d'un fonctionnaire colonial, ou "de la chéchia rouge" s'il s'agissait de gardes de cercle, de goumiers ou de spahis.

Sans doute ma demande ne parut-elle pas excessive au chef dogon, car il sourit largement, apparemment soulagé : "Tu seras servi avant que le muezzin n'appelle à la cinquième prière du jour !" Il fit un signe de tête au plus jeune de ses compagnons, qui partit comme une flèche. Je le priai de se relever et de s'asseoir ainsi que son compagnon, ce qui eut pour effet de dissiper toutes leurs craintes. Le chef se mit à me poser des questions sur les blancs-blancs de Bamako et me demanda s'il était vrai que cette ville était éclairée la nuit au moyen de lampes sans huile ni mèche, des lampes qui, disait-on, brillaient comme de petits soleils… Je le lui confirmai, mais je ne suis pas sûr qu'il me crut. Il marmonna entre ses dents quelques mots que je ne compris pas.

Une heure plus tard, trois jeunes femmes apparurent, portant chacune une calebasse sur la tête. La première calebasse contenait de la pâte de mil, la deuxième une sauce onctueuse à base de viande de poulet, la troisième environ quatre litres de lait frais. Les récipients furent déposés devant moi. Par discrétion, le chef prit congé et regagna son village. Je n'eus à lui donner qu'une poignée de main en échange de son hospitalité.

Je dînai seul, et donnai les restes à mon porteur. Celui-ci mangea à sa faim, et à son tour porta les restes à deux voyageurs qui étaient arrivés après nous. La nourriture ne se mesure pas en Afrique. Quand on en fait pour un, soyez sûr qu'il y en aura toujours pour quatre, ou même davantage !

Le lendemain, dès le lever du soleil, je quittai Fiko et pris la route de Bandiagara. Cette dernière étape était longue et accidentée. Il fallait franchir la grande colline dite "Balewal Kori", effort d'autant plus pénible que nous étions déjà exténués par une marche de près de vingt kilomètres et par la crainte des fauves qui pullulaient dans cette région déserte et giboyeuse. Heureusement, de l'autre côté de la colline se trouvait le campement du village de Kori-Kori, à environ quinze kilomètres de Bandiagara. Les campements, surveillés par des gérants, étaient alors des sortes de gîtes mis en place par l'administration tous les vingt-cinq ou trente kilomètres en bordure des villages pour loger les fonctionnaires de passage. On y trouvait des cases de terre, généralement doubles, coiffées d'une toiture de chaume.

Retour à Bandiagara

Après un petit repos on nous servit un déjeuner, et je repris immédiatement la route, suivi de mon porteur. La chaleur était écrasante, mais je ne la sentais pas. Mon cœur battait de joie, mes jambes me portaient, ma tête chantait, car ma prochaine halte serait Bandiagara, ma ville natale où s'étaient écoulées les plus heureuses années de ma jeunesse. J'allais retrouver mes parents, mes amis d'enfance, la rivière qui avait retenti de nos jeux et de nos cris, et tous les lieux où je m'étais tant amusé dans la poussière, sur le sable ou sur les grandes dalles naturelles que nous appelions "nattes de pierre".

Je me mis à chanter la devise de Bandiagara et celle de ma mère.

Vers dix-sept heures, j'aperçus le dôme gigantesque du grand baobab du cimetière de Bandiagara, qui domine la plaine et surplombe le grand bosquet à l'ombre duquel Bandiagara fut bâtie par Tidjani Amadou Seydou Tall, neveu d'El Hadj Omar.

A l'entrée de la ville, j'empruntai des ruelles que je savais peu fréquentées. Je voulais en effet surprendre Beydari Hampâté et tous ceux qui constituaient maintenant ma "famille paternelle*". Ils ne savaient pas que j'étais en route pour Ouagadougou. Je pus atteindre la maison sans me faire repérer. Ceux qui me rencontraient dans les ruelles s'effaçaient de mon chemin plutôt que de chercher à me dévisager, autant par discrétion naturelle que, sans doute, par crainte de ma tenue. Mon porteur franchit le premier le seuil du vestibule et y déposa mes bagages ; puis il prit congé de moi et reprit le chemin de Mopti.

Les membres de la maisonnée – au moins vingt personnes assises dans le vestibule ou dans la cour – restaient figés, attendant l'annonce de l'identité du voyageur. J'entrai à mon tour, mais ne fus reconnu qu'après avoir ôté mon casque et mes lunettes noires. Un grand cri de joie éclata : "Amkoullel ! C'est Amkoullel ! Seïdi Bâ ! Seïdi

* Je rappelle que Beydari avait été racheté, enfant, par mon père naturel Hampâté, pour l'arracher à un maître qui le maltraitait. Mon père l'avait élevé comme un fils et, sur son lit de mort, l'avait désigné comme seul héritier et chef de notre famille, alors composée de mon frère aîné Hammadoun – décédé depuis –, de moi-même et des autres "captifs" recueillis par mon père (ma mère Kadidja, dont il était divorcé, s'était entre-temps remariée de son côté à Tidjani Thiam). Sa maisonnée et moi-même constituions maintenant la "Famille Hampâté" [cf. *Amkoullel*, p. 43 et suiv. et p. 57 – coll. "Babel" p. 53 et suiv. et p. 72].

Bâ ! Amkoullel est venu !..." Le cri se répercuta dans la rue : "Amkoullel est venu ! Amkoullel est venu !" Il se répandit comme une traînée de poudre dans tout le quartier, jusqu'au marché qui se tenait à quelque cent mètres de là.

Chaque femme se précipita sur son canari d'eau, à qui me servirait la première l'eau de bienvenue. Dinkadi, l'épouse de mon grand frère Beydari Hampâté, était en train de prier dans sa chambre. Avertie par les cris, elle se précipita au-dehors, chantant et dansant l'air *n'daa mi seyiima* :

N'daa ! Vois ma joie, ohé, vois ma joie !
Oh ! je suis joyeuse, d'une joie qui me vient de Dieu...

Elle me serra fort dans ses bras, puis m'entraîna sous le hangar où elle fit installer plusieurs belles nattes pour accueillir les visiteurs qui n'allaient pas tarder à arriver. En quelques minutes, la cour se remplit de monde.

Beydari, qui se trouvait au marché, avait appris mon arrivée par la rumeur qui roulait comme une vague à travers le quartier. Il plia son étal et rentra en courant. Quand il me vit, il fondit en larmes et me serra contre lui. Nous pleurions de joie tous les deux. Nous ne nous étions pas vus depuis plus de trois ans.

On m'installa dans la chambre même de Beydari. De tous côtés arrivaient à la maison des plats envoyés par des parents ou des amis : viande rôtie, couscous, lait, noix de cola, etc. La coutume voulant que le retour du fils du maître soit une occasion de réjouissances et de largesses, parents et captifs mirent tout en œuvre afin que cette première nuit soit aussi somptueuse qu'une nuit de mariage. Trente camarades, sur les soixante-dix qui composaient jadis l'association dont j'étais le chef, vinrent m'entourer. Des griots guitaristes d'abord, puis des chanteurs religieux animèrent la soirée. Nous ne nous séparâmes que tard dans la nuit.

Tôt levé le lendemain matin, à sept heures je me rendis à la résidence du commandant de cercle de Bandiagara. Je fus d'abord reçu par son interprète Seydou Harouna, un homme à vrai dire peu ordinaire. Ancien captif peul du Djelgodji (région du Burkina), non seulement il se vantait sans complexe de son statut, mais encore il l'affichait ostensiblement en portant constamment sur lui une flûte en bambou percée de cinq trous, dont seuls jouaient les captifs dans la société poullo-toucouleure, les nobles n'ayant pas le droit de jouer d'un instrument de musique. Lorsqu'il se déplaçait à cheval, il accrochait sa flûte à sa selle ; et lorsqu'il entrait dans les bureaux de la résidence tous boubous déployés, il la portait suspendue à son épaule.

Mais là ne s'arrêtait pas son originalité. Bien qu'extrêmement riche, à l'occasion des grandes fêtes de fin d'année Seydou Harouna s'armait de sa flûte de captif et se rendait de porte en porte à travers la ville, perpétuant la coutume des captifs, pour réclamer aux familles nobles le cadeau qui lui était dû. Il recevait un franc par-ci, deux francs par-là, un boubou, voire quelques noix de cola… Il ne faisait aucune exception dans sa tournée, même pour les familles nobles très pauvres que, par ailleurs, il aidait charitablement à vivre ; Seydou Harouna entretenait en effet, par générosité (comme l'avait fait longtemps avant lui son prédécesseur "Wangrin"), plus de trente familles pauvres de Bandiagara. Cette façon d'être était d'autant plus étonnante qu'à l'époque le "grand interprète" du commandant passait avant tous les Noirs, y compris les chefs indigènes ; c'était véritablement le deuxième personnage du cercle, plus puissant, parfois, que le "petit commandant" lui-même. De la part de Seydou Harouna, il ne s'agissait ni d'une plaisanterie ni d'une provocation : simplement, sans tenir aucun compte des nouvelles hiérarchies sociales créées par la colonisation, il appliquait, avec une sympathique simplicité, la tradition qu'il avait toujours connue.

Après les salutations d'usage, Seydou Harouna me fit asseoir auprès de lui. Il me posa les questions habituelles sur mon identité, ma situation, le but de mon voyage, puis il me dit : "Amadou Hampâté, je suis un captif peul. Donc, tu es mon maître. Ton captif Beydari Hampâté, qui vit ici à Bandiagara, est mon ami et mon égal, et c'est d'ailleurs toujours lui qui me fournit en viande. Je t'en prie, utilise-moi comme tu l'utiliserais lui-même. Surtout ne te gêne pas !

— Eh bien, lui dis-je, j'ai justement un problème à résoudre ! Avant de continuer mon voyage sur Ouagadougou où je suis affecté, je souhaiterais passer toute une semaine à Bandiagara, mais je ne sais quel motif invoquer pour que le grand commandant m'accorde un arrêt aussi long.

— Qu'à cela ne tienne ! répondit-il en se levant. Laisse-moi faire !"

Il prit mes papiers et entra dans le bureau du commandant. Cinq minutes plus tard, il réapparaissait dans l'entrebâillement de la porte : "Amadou Hampâté ! Le grand commandant t'attend. Viens vite !" En passant, il me glissa rapidement à l'oreille, en langue peule : "Contente-toi de répondre «oui» à tout ce qu'il te demandera..." Je n'avais pas le temps de réfléchir, et moins encore de lui demander des explications. Une crainte me traversa cependant l'esprit : "Pourvu que ce vieux renard ne m'ait pas tendu un traquenard !" Il n'était pas rare, en effet, que de vieux interprètes illettrés, voyant dans les jeunes fonctionnaires instruits des remplaçants possibles, donc des rivaux dangereux, leur tendent des pièges pour les éliminer.

Quoi qu'il en soit, il était trop tard ; j'étais déjà dans le bureau du commandant. Penché sur sa table, il était en train d'écrire. J'ôtai mon casque, le serrai des deux mains contre ma poitrine et m'inclinai profondément : "Bonjour, mon commandant ! Je suis venu vous présenter mes devoirs respectueux..." Avant que je puisse ajouter un mot, il s'exclama : "Ah ! Voici donc le prince du Fakala !" – déclaration qui me plongea dans la perplexité... "Alors, il paraît que la coutume ne permet pas à un descendant des Hamsalah d'aller s'amuser avec n'importe quelle fille, et qu'il faut le marier de bonne heure, n'est-ce pas ?

— Oui mon commandant !...

— Et l'on veut faire l'école buissonnière à Bandiagara pour s'y choisir une petite fiancée, n'est-ce pas ?

— Oui mon commandant !...

— Eh bien, mon gars ! Contrairement aux règlements en vigueur, je prends sur moi de permettre à un jeune fonctionnaire en déplacement réglementaire de suspendre sa marche pour se fiancer. Je te donne dix jours de permission !" Le soulagement dilata ma poitrine :

"Oh ! Merci mille fois, mon commandant !

— Ce n'est pas moi qu'il faut remercier, jeune homme, mais Seydou Harouna. Il m'a expliqué votre coutume et m'a dit combien il serait grave pour toi et les tiens que tu n'obtiennes pas une autorisation de dix jours pour régler cette affaire de famille. Certes, j'exige qu'on aime et respecte la France que je représente ici, mais je me fais un devoir de respecter les coutumes de mes administrés – tant qu'elles ne vont pas, bien sûr, à l'encontre des intérêts et du prestige de la France.

— Encore merci, mon commandant ! Merci au grand interprète Seydou Harouna, et vive la France !"

Je sortis du bureau tout heureux et remerciai l'interprète comme il se devait, mais non sans un sentiment de gêne ; ma conscience me gourmandait de lui avoir prêté une mauvaise intention alors que, pour m'aider, il était allé jusqu'à mentir à son chef. J'avais oublié de mettre en pratique le conseil donné à Hammadi dans le conte initiatique *Kaïdara* : *N'agis jamais par soupçon...*

La vie s'appelle "lâcher" !

Au même moment, la recommandation que ma mère m'avait faite lors de notre séparation à Koulikoro me revint en mémoire, et me causa un choc : "Avant toute chose, dès que tu seras à Bandiagara, va voir Tierno Bokar !" Or je n'en avais rien fait. Très mal à mon aise, je rentrai à la maison et réfléchis. "En tant que chef d'association, me dis-je, j'ai beaucoup d'obligations et d'amusements en perspective. Si je vais voir Tierno maintenant, il va me parler de prières, de «ne fais pas ceci !», et «ne fais pas cela !»..." Cela m'ennuyait un peu d'aller le voir – j'étais un jeune fonctionnaire, je prenais mes airs... – mais cela m'ennuyait encore plus de ne pas y aller. Une idée lumineuse me vint à l'esprit : "Puisque Tierno Bokar est, comme on dit, la «lessive des âmes», mieux vaut que je me consacre à mes obligations pendant toute cette semaine et que j'aille le voir la veille de mon départ. Je quitterai ainsi Bandiagara bien propre et bien lavé..." Je fixai mon départ au lundi matin suivant.

Durant toute la semaine, ce fut un tourbillon d'invitations, d'expéditions avec mes anciens camarades, de courses de chevaux, de séances de guitaristes et de visites de courtoisie galante aux jeunes femmes qui avaient été les "Valentines" de notre association, aujourd'hui toutes mariées et souvent mères de famille, mais dont, jadis, nous avions chanté la beauté et pour qui nous avions livré des combats mémorables !

La journée du dimanche se passa à prendre congé de mes parents et amis. Après la tombée du jour, je demandai à mon ami d'enfance le griot Mouktar Kaou (l'ancien porte-parole de notre association) de m'accompagner chez Tierno Bokar, dont l'école coranique était toujours, à Bandiagara, un foyer de haute spiritualité.

Mouktar Kaou se montra réticent. Les jeunes gens de Bandiagara, dont la religion n'était pas la première préoccupation, évitaient en général d'aller chez le saint homme. "On ne va pas chez Tierno Bokar comme on va aux bains, me dit-il. Cet homme lit dans les cœurs, on ne peut rien lui cacher. Dès que tu t'assois devant lui, il voit toutes tes fautes. Je ne tiens pas du tout à ce qu'il me révèle les miennes !

— Ma mère veut que j'aille voir Tierno Bokar, je n'ai plus que cette nuit pour le faire et nous le ferons ensemble ! Allez, va t'habiller et viens. Et tant mieux si Tierno Bokar voit jusque dans l'appendice de nos intestins !"

En tant que griot et ancien camarade d'association, Mouktar ne pouvait refuser. Il partit changer de tenue. A son retour, j'étais prêt. Je portais un boubou lustré teint à l'indigo, une culotte bouffante blanche, une belle paire de chaussures de Djenné et une petite calotte blanche "mode Tidjani". Suivi d'un Mouktar à la mine boudeuse, je me dirigeai vers le quartier haoussa où se trouvait la maison de Tierno Bokar.

A notre arrivée, il est près de neuf heures. La cour est vide. Tierno a déjà regagné ses appartements, et les élèves leurs dortoirs. Nous restons quelques instants dans le vestibule, ne sachant que faire. Une petite fille de la maison âgée d'environ cinq ans, la petite Gaboulé, nous a entendus parler. Elle vient vers nous : "Qu'est-ce que vous faites là ? Papa Mosquée* est déjà rentré dans la case de tante Néné. Revenez demain matin, vous pourrez déjeuner avec Papa Mosquée. Vous savez, dans sa bouillie du matin, on met du sucre ! Allez, partez, partez !

— Ma petite Gaboulé, écoute-moi. Va trouver Papa Mosquée, et dis-lui que son fils Amkoullel est là et demande à le voir.

— C'est toi Amkoullel ?

— Oui, c'est moi. Tiens, voici une pièce de cinq centimes pour t'acheter demain du jus de jujube. Maintenant, va vite !"

La fillette s'élance en criant à tue-tête : "Amkoullel est arrivé ! Amkoullel est arrivé ! Il est dans le vestibule !" Alerté par ses cris, Tierno sort de sa case et s'avance vers nous, le visage rayonnant. Mon esprit sort comme d'une brume. Comment ai-je pu ne pas me précipiter vers lui dès mon retour ! Il me prend dans ses bras, me serre sur son cœur et m'embrasse, ce qui n'est pas courant en Afrique. Puis il salue Mouktar et lui serre la main. Il ne cesse de répéter la formule rituelle de salutation : "*Bissimillâhi ! Bissimillâhi !* Au nom de Dieu ! Bienvenue ! Soyez à l'aise !"

* Surnom affectueux donné par les enfants à Tierno Bokar.

Il nous amène sous l'auvent qui abrite le devant de la case de tante Néné, son épouse. En passant à côté de la case de sa mère, il l'appelle : "Ayya ! Ton petit-fils Amkoullel est là !" A peine sommes-nous installés que la vieille Ayya, douce et sainte femme qui fut la grand-mère de tous les enfants de l'école, vient nous souhaiter la bienvenue. Après les questions d'usage sur mes parents, mon voyage, ma santé… elle me donne sa bénédiction, que je reçois avec émotion. Puis elle prend congé de nous, non sans m'avoir encore souhaité un bon voyage, une carrière réussie et une longévité heureuse !

Tierno Bokar se tourne alors vers moi. Il me regarde et se met à rire silencieusement, si fort que ses épaules en sont toutes secouées :

"Eh bien, Amadou ! dit-il enfin. Voilà une semaine que tu es là, et c'est seulement ce soir, la veille de ton départ, que tu as songé à venir me voir ?" Plein de confusion, je baisse les yeux :

"Oui Tierno…

— Non, pas d'explications ! Je ne veux pas que tu mentes. Tu n'as pas de justification. Et tu n'as pas suivi les conseils que ta maman a dû te donner."

Ça y est ! me dis-je. Non seulement il lit dans les cœurs, mais maintenant il lit à distance. Comment peut-il savoir ce que ma mère m'a dit à Koulikoro ? Mouktar a bien raison, on ne peut lutter avec un tel homme. Le plus sage est de lui dire toute la vérité :

"Tierno, tu as raison. Ma mère m'avait bien recommandé de venir te voir dès mon arrivée à Bandiagara, mais mes amis se sont si bien emparés de moi qu'au début j'ai oublié les paroles de ma mère. Après, quand je m'en suis souvenu, j'ai décidé de me distraire d'abord et de te réserver ma dernière visite, afin que tu laves mon âme avant mon départ et que tes conseils restent gravés dans mon esprit et dans mon cœur."

Tierno Bokar sourit : "Et qu'a dit ta mère à mon intention ?

— Elle a dit : «Tu réserveras ta première visite à Tierno Bokar et tu lui diras ceci de ma part : ta petite sœur, ma mère, me commande de venir me remettre entre les mains de Dieu par ton entremise.»

— Ah ! s'exclame-t-il, voilà bien le langage de ma petite sœur bien-aimée et bénie Kadidja Pâté !"

Il me fait alors asseoir en face de lui, et garde un long moment les yeux fixés sur moi. "Voilà ! me dis-je. Il est en train de scruter mon intérieur." Quant à Mouktar Kaou, il se tient coi et se fait tout petit dans un coin, comme s'il voulait se faire oublier.

Je ne sais comment je trouve le courage de soutenir le regard du maître : "Tierno, lui dis-je, je viens me remettre entre les mains de Dieu par ton entremise."

Il pousse un soupir heureux : "Que Dieu t'entende ! Et qu'il nous agrée tous ensemble !" Son expression se fait alors plus grave :

"Ecoute, Amadou ! Maintenant tu n'es plus un enfant, il faut que nous parlions d'homme à homme." Il se tourne vers Mouktar : "Mouktar Kaou ! J'aurais souhaité qu'Amadou vienne tout seul, mais Dieu en a décidé autrement. Ce que je vais dire, je le dis à moi-même, chez moi, et uniquement pour Amadou. Je ne te demande pas de nous laisser seuls, mais je veux que mes paroles ne sortent pas d'ici.

— Je promets que je n'en dirai rien à personne ! assure Mouktar.

— Bien !" fait Tierno. Il me regarde à nouveau. Je me sens comme saisi par quelque chose de puissant. Tout mon être est suspendu, en attente de je ne sais quoi.

“Es-tu en état de pureté rituelle ? me demande-t-il.
— Non, Tierno !” Je suis un peu vexé, car j’aurais dû penser à faire mes ablutions avant de venir chez cet homme si méticuleux en matière de religion. Il me montre une bouilloire emplie d’eau et je vais prendre mes ablutions dans le coin de la cour réservé à cet usage. Mouktar en fait autant, puis nous revenons nous asseoir sous l’auvent.

Tierno est assis en face de moi. “Celui qui veut se convertir à Dieu, dit-il, comme celui qui veut lui confier les secrets de son cœur, s’y prépare en se purifiant par les ablutions rituelles. Tu viens de le faire correctement, j’en suis content.” Il s’adresse à moi comme si Mouktar n’existait pas.

“Amadou ! dit-il. Tu sais que dans cette vie d’ici-bas, que tu en prennes un petit peu, tu lâcheras ! Que tu en prennes plein les mains, tu lâcheras ! Cette vie s’appelle «lâcher» ! Alors, il ne faudrait pas attendre le jour où la vieillesse arrive, quand le pied ne peut plus se lever, que l’œil ne voit plus clair et que la bouche n’a plus de dents, pour revenir à Dieu. Dieu Lui aussi aime les belles fleurs. Si l’on attend d’avoir dépassé l’âge mûr pour revenir à Lui, ce n’est pas un homme qui revient, mais un impuissant. Bien souvent, d’ailleurs, on ne le fait que par crainte de la mort et de l’enfer ; mais il ne faut pas adorer Dieu par peur de l’enfer ou désir du paradis, il faut l’adorer pour Lui-même.

“Maintenant, Amadou, apprends que la meilleure partie du corps pour suspendre l’or, c’est le lobe de l’oreille. Or, l’or que je possède, je ne vois pas d’oreille où le suspendre mieux qu’à la tienne. Avec ton défunt frère Hammadoun et la petite Dikoré, vous avez été le premier foyer de cette école, les trois pierres sur lesquelles on pose la marmite pour nourrir la famille. Alors aujourd’hui,

Amadou, je voudrais que tu te convertisses à l'Islam." Sur ces mots il se tait, comme attendant une réponse.

"Mais, Tierno, je suis déjà musulman !

— Non ! Tu es né musulman, mais cela ne suffit pas pour l'être vraiment. Chaque être humain devrait pouvoir, à sa majorité, se décider en pleine conscience. Maintenant que tu vas partir pour Ouagadougou pour y mener ta vie d'homme, moi je te propose l'Islam. A toi de réfléchir. Si tu veux suivre cette voie, je continuerai à t'aider, je t'enverrai des lettres. Et si tu veux en suivre une autre, je prierai pour que Dieu t'aide..." Il se tait à nouveau, son regard toujours posé sur moi.

"Tierno, lui dis-je, je choisis la voie de l'Islam." Il se penche vers moi : "Donne-moi tes mains." Je les lui tends, paumes ouvertes vers le haut, dans la position de celui qui reçoit. "Chaque personne née musulmane, ajoute-t-il, devrait, à l'âge adulte, se convertir à Dieu de son plein gré en prononçant la *Shahada*, la double formule de profession de foi, comme si c'était la première fois."

Il me fait alors réciter la *Shahada* : "*Lâ ilâha ill'Allâh, oua Mohammad rassoul-Allâh.* Il n'y a de dieu que Dieu, et Mohammad est l'Envoyé de Dieu*."

"O Dieu ! dit-il. Accepte Amadou, et nous avec lui, parmi les tiens et les compagnons de ton saint Envoyé Mohammad – que le salut et la paix soient sur lui !" Puis, posant ses doigts sur mes mains ouvertes, il récite la Fatiha, première sourate du Coran**, et l'oraison tidjanienne consacrée au Prophète appelée *Salâtoul fatihi.* A la fin il dit "*Amin !*" et, dans le geste traditionnel de

* [Cf. *Amkoullel*, note 33.]

** Cette sourate, composée de sept versets et dont le nom signifie "Celle qui ouvre", sert de base à toutes les prières musulmanes ainsi qu'à toutes les actions de consécration ou de bénédiction.

réceptivité après une prière ou une bénédiction, passe ses mains en descendant sur son visage, puis sur sa poitrine. J'en fais autant.

Après un moment de recueillement, il rompt le silence : "Amadou, tu viens de prononcer cette profession de foi en toute connaissance de cause, et sans aucune contrainte de quelque ordre que ce soit, ni héréditaire, ni familiale, ni extérieure. A partir de ce moment, tu es vraiment musulman, fils de musulmans. Je souhaite que, plus tard, tu veuilles adhérer à la Voie tidjani à laquelle j'appartiens moi-même, et le moment venu, si tu le désires, je pourrai te l'enseigner. Mais ne te crois pas obligé de m'emboîter le pas. Comme il est dit dans le Coran : «Pas de contrainte en religion !»

"En attendant ce jour, sache que tu viens d'inhumer l'enfant que tu étais et d'exhumer l'homme que tu vas devenir. Désormais, tu es responsable de tes actes et de tes paroles. Surveille-toi comme un avare veille sur sa fortune. Ton cœur, ta langue et ton sexe sont les trois organes à surveiller.

"Le meilleur des cœurs est celui qui conserve le mieux en lui-même la reconnaissance. Mais celui qui rapproche le plus l'âme des vertus essentielles que sont l'amour et la charité, c'est le cœur sur lequel l'égoïsme, le mensonge, l'envie, l'orgueil et l'intolérance n'ont pas de prise.

"En Islam, pour maintenir ardent en nous le feu de la foi, il faut accomplir chaque jour les vingt-deux rekkats* qui composent les mouvements de base des cinq prières cardinales. Elles sont comme autant d'entraves pour juguler la

* Une *rekkat* (mot arabe, pluriel *roukkou*) représente la séquence des attitudes qui, dans la prière musulmane, vont de la position debout à la position prosternée. Chaque prière est composée de deux rekkats au minimum, et de quatre au maximum.

fougue de la langue et l'empêcher de nous jeter dans le péché par la parole.

"Quant à ton organe sexuel, n'en fais pas un instrument de jouissance dépravée. Garde-toi des relations hors mariage, et méfie-toi des femmes de mœurs faciles qui se vendent par cupidité ou se donnent à tout venant.

"Enfin, garde-toi des jeux de hasard, de la viande de porc, de l'alcool et du tabac, du tabac, et encore du tabac !..."

A ce mot "tabac", répété trois fois par Tierno avec tant de vigueur, mon sang ne fait qu'un tour et je me sens empli de fourmillements... Je garde en effet, tout au fond de ma poche, une tabatière en forme de bourse emplie de poudre de tabac. J'ai appris à Kati, avec les enfants des tirailleurs, à priser du tabac à la manière des Africains, mais je ne le fais qu'à l'insu de mes parents car, dans la Tidjaniya, l'usage du tabac est formellement interdit. S'ils l'avaient su, ils auraient été capables, surtout mon père adoptif, de refuser de manger avec moi dans le même plat. On m'aurait servi à part, chose impensable en Afrique ! C'eût été me ravaler au rang d'un chien.

Persuadé que Tierno voit ma tabatière à travers mes vêtements, je ne sais plus comment me tenir. Je me mets à me trémousser, à tortiller mon boubou. Deux fois, l'idée me vient de sortir carrément ma tabatière et de la donner à Tierno, mais je n'en ai pas le courage. Finalement je reste là, et ma tête retombe lourdement sur ma poitrine.

Tierno a vu mon embarras : "Amadou !

— Oui Tierno ?

— Lève la tête."

Je relève la tête, mais garde les yeux baissés.

"Regarde-moi dans les yeux." Je le regarde.

Il sourit largement : "Mon fils, sache que Dieu est miséricordieux, et que l'amplitude de Sa miséricorde est plus vaste que celle de nos péchés. Quand on se convertit à Lui ou que l'on revient sincèrement vers Lui, Il pardonne tous les péchés antérieurs*. Inutile, donc, de ressasser tes fautes passées. Veille seulement à ne plus les commettre." Je me sens libéré d'un grand poids.

Il est près de minuit. Tierno nous parle encore un peu, puis, selon la formule d'usage, il nous "donne la route". Il nous raccompagne jusqu'à la porte. Là, il me fait tourner vers l'est, c'est-à-dire vers La Mecque, et se place en face de moi. Tout en me regardant fixement dans les yeux, il me donne sa dernière bénédiction, puis il me serre encore contre sa poitrine. Il donne une poignée de main à Mouktar. "Bonne route, dit-il, et que la Paix soit devant vous, avec vous et derrière vous !"

Je m'engage avec Mouktar dans la ruelle. Je me sens devenu un autre homme. Je suis frais, léger et dispos comme au sortir d'un bain réparateur. Au moment de tourner dans une autre ruelle, je me retourne. Tierno est toujours là, debout devant sa porte, mais il ne me fait aucun signe. C'est l'une des visions qui sont demeurées à jamais vivantes dans mon âme, avec celle de ma mère disparaissant derrière la dune de Koulikoro, et, beaucoup plus tard, la vision que j'aurai à nouveau de Tierno à Bamako, le jour de mon départ en chemin de fer pour Dakar, quand, pour la dernière fois, je verrai s'éloigner sa silhouette blanche sur le quai de la gare…

Tout emplis des paroles du maître, Mouktar et moi marchons silencieusement à travers la ville endormie. Mouktar prend congé de moi devant la maison familiale.

* Tierno exprime là non une opinion personnelle, mais l'un des enseignements coraniques.

Dès son départ, je sors ma tabatière de ma poche et vais la vider dans la fosse des toilettes. Puis je la déchire et la jette elle-même dans la fosse.

Une fois rentré dans ma chambre, je reste en prière jusqu'à l'aube.

Sur la route de Ouagadougou

Le lendemain matin de bonne heure, je me rends au cercle pour signaler que mes affaires sont réglées et que je suis prêt à quitter Bandiagara le jour même. Le grand interprète m'introduit dans le bureau du commandant où se trouvent déjà deux sous-officiers français, les sergents Autexier et Mayclaire ; j'apprends que nous allons voyager ensemble jusqu'à Ouagadougou.

"Alors ! fait le commandant. La fiancée est-elle trouvée ?

— Oui mon commandant !" Le plus beau est que je ne mens pas. Quatre jours après mon arrivée, mes fiançailles avec ma cousine Baya Diallo, qui se trouve présentement dans une autre région et que je n'ai pas revue depuis près de six ans, ont effectivement été "nouées" par les représentants de nos deux familles.

Notre départ a lieu deux heures plus tard. Les deux sergents, qui ont eu droit chacun à un cheval et à huit porteurs, sont accompagnés d'un cuisinier, de deux palefreniers et d'un petit boy. Je les suis à pied, après avoir confié ma malle à l'un de leurs porteurs. Notre convoi, fort de vingt-trois personnes et de deux chevaux, quitte Bandiagara pour Kanikombolé, première grande étape sur la route de Ouagadougou. Jusqu'alors, j'avais voyagé en terrain de connaissance ; chaque pouce du chemin parcouru évoquait le souvenir des expériences, heureuses ou dramatiques, qui avaient façonné mon enfance et mon adolescence. A partir de maintenant, je tourne le dos au pays natal pour m'enfoncer vers le sud-est, vers un pays inconnu où m'attend, loin des miens, une carrière incertaine.

Quelques kilomètres après le village de Diombolo, nous commençons à gravir la pente de la grande colline de Kani. La falaise est recouverte d'arbres fruitiers sauvages d'un vert chatoyant. Les strates pierreuses superposées qui la constituent, et dont le soleil avive encore les différentes nuances de couleur, lui donnent, de loin, l'aspect de grandes maisons étagées entre terre et ciel.

La route qui serpente en épousant les méandres de la colline est due, comme la digue de Mopti-Sévaré dont j'ai parlé précédemment, au génie constructif d'Alfa Maki Tall, fils du défunt roi Aguibou Tall. La gravir jusqu'au sommet ne se fait pas sans peine ; mais là, comme pour nous récompenser de tous nos efforts, un tableau grandiose et sauvage s'offre à notre vue. Alors que, sur son versant nord, la colline s'élève plus ou moins progressivement, ici, côté sud, elle s'interrompt abruptement, comme taillée par un gigantesque et grossier coup de hache, et tombe en un à-pic de plus de cent mètres de hauteur. Cette véritable muraille de pierres domine une plaine sablonneuse vaste comme un océan, parsemée de loin en loin par des arbres dont les dômes arrondis ressemblent, vus d'en haut, à des îles vertes serties dans l'immensité des sables jaunes.

Après avoir rassasié nos yeux de ce tableau, nous nous préparons à la descente, qui s'annonce périlleuse. Le chemin est étroit. Le moindre faux pas risque d'envoyer dans le ravin hommes, bêtes et bagages. Un guide, placé là en permanence par les autorités afin d'aider les voyageurs, vient nous proposer ses services. "En route !" s'écrie-t-il. Et il prend les devants, suivi des deux palefreniers qui tiennent les chevaux par la bride ; viennent ensuite les seize porteurs, le cuisinier, le boy, moi-même, et les deux sergents blancs qui ferment la marche. Notre file indienne attaque la descente, réglant sa marche sur celle du guide. Il nous faut près de trois heures pour venir à bout du sentier de trois kilomètres qui se faufile à travers les failles de la falaise.

De retour sur le terrain plat, une petite halte nous permet de nous détendre et de faire souffler nos chevaux avant de prendre le chemin qui mène au campement administratif du village de Kanikombolé. Ce village présente la particularité d'être construit à l'intérieur d'une immense caverne ouverte comme une bouche dans le flanc de la montagne, et dont la lèvre supérieure pétrifiée avance si loin vers l'avant que les cases n'ont pas besoin de toiture pour se garantir des pluies. On l'appelle d'ailleurs "le village dont les maisons n'ont qu'une seule toiture".

A l'entrée du campement, le guide prend congé de nous en nous promettant d'aller aviser le chef de village de notre arrivée. Celui-ci se présente peu après, accompagné de quelques notables. Il nous souhaite la bienvenue et demande ce que nous attendons de lui. Je traduis ses propos à mes compagnons.

Le sergent Autexier, plus ancien dans le grade que le sergent Mayclaire, est en fait le véritable chef du convoi. Il me demande de continuer de lui servir d'interprète auprès du chef de village : "Dis-lui de nous faire envoyer deux petites poules, des œufs, du lait, du beurre de vache, du bois de cuisine, du fourrage et un panier de mil pour deux chevaux, et de la nourriture pour les vingt et un indigènes de ma caravane." Je transmets sa commande. "Et toi, interprète, que désires-tu ?" me demande le chef. – "Je te laisse le choix de ce que tu feras préparer pour moi."

Le chef nous quitte et retourne au village. Un peu plus tard, il nous fait envoyer tout ce que le sergent a commandé, à l'exception du repas des hommes qu'il promet de nous faire servir vers vingt heures.

Pendant que le cuisinier prépare le dîner des deux sergents, Autexier m'appelle : "Amadou Bâ ! Mon ami et moi t'invitons à dîner." Je ne m'y attendais nullement, car manger à la table d'un Blanc était, à l'époque, une chose impensable pour un nègre. Cela m'était déjà arrivé une fois en 1915 à bord du vapeur *Le Mage*, dans des circonstances exceptionnelles que j'ai racontées précédemment, et j'en avais gardé un souvenir très flatteur ; mais je n'imaginais pas que cela pût se renouveler un jour.

Nous bavardons un moment, puis le cuisinier vient préparer la table. Il s'empare d'une vieille caisse qui a servi au transport de bouteilles d'alcool, la renverse, la recouvre d'une pièce de toile en guise de nappe et y place trois assiettes en fer-blanc, trois verres et trois couverts des plus ordinaires. "A table !" crie le sergent Autexier. Nous nous asseyons tous les trois sur le sol autour de notre table improvisée, à laquelle il ne manque que des pieds...

Le cuisinier pose cérémonieusement devant nous trois bouteilles de vin rouge et un pot à eau. Il prend une serviette, la jette sur son bras gauche replié en équerre, puis sort de la case et se dirige cérémonieusement vers le coin cuisine en criant : "La suite !", ce qui a le don de déclencher notre fou rire.

Il faut savoir en effet que, dans les premiers bâtiments coloniaux, la cuisine était toujours construite à quinze ou vingt mètres de la maison d'habitation où se trouvait la salle à manger des Blancs. Le boy qui venait de servir le premier plat à ses patrons sortait du bâtiment en criant “la suite !” afin de prévenir le cuisinier qu’il venait chercher le deuxième plat. Ce cri était pour ainsi dire entré dans les usages domestiques. Notre hilarité ne troubla nullement notre cuisinier qui, ce jour-là comme tous les autres jours, ne manqua jamais, à chaque repas, de sortir de la case en se criant imperturbablement à lui-même : “La suite !”

Le dîner fut fort gai. Je quittai mes compagnons assez tard et me dirigeai machinalement vers un coin du campement où nos porteurs venaient d’organiser une danse. Soudain je m’entendis appeler : “Interprète ! Interprète !” Je me retournai. C’était le chef de village et quelques notables qui venaient me voir. Je les conduisis jusqu’à ma case où ma chaise longue m’attendait. Ils s’installèrent autour de moi.

“Interprète ! dit le chef, nous sommes venus te remercier de ta bonne entremise, car sans elle les deux militaires nous auraient sûrement rendu la vie impossible, comme l’ont fait les trois caporaux blancs qui ont transité par ici le mois dernier. Nous avons vu que tu n’avais pas de cheval. Demain, nous t’en prêterons un pour aller jusqu’à Kri, l’un des derniers villages du territoire avant la Haute-Volta. Le palefrenier nous le ramènera. Un interprète comme toi ne doit pas marcher à pied !” J’essayai de les convaincre que je n’étais nullement intervenu auprès de mes compagnons blancs en leur faveur, mais en pure perte. Ils restèrent persuadés de me devoir la modération des demandes du sergent Autexier. Sans doute la nourriture de vingt-trois personnes au pied levé leur paraissait-elle une vétille à côté de ce que l’on exigeait habituellement d’eux ? Nous bavardâmes un bon moment, puis ils s’en retournèrent.

Le lendemain matin, avant le lever du soleil, le chef était devant ma case. Un joli cheval harnaché attendait dans la cour, tenu par un jeune palefrenier qui portait en bandoulière un sac en peau de bouc. Je ne pouvais dominer ma joie à l'idée que je n'aurais pas à marcher à pied pour franchir la longue plaine sablonneuse. Je n'avais pas fini de remercier le chef de son obligeance que retentit le coup de sifflet du sergent Autexier. C'était le signal du départ. Les porteurs se précipitèrent sur les bagages, et les palefreniers amenèrent les chevaux. Le chef de village avança vers les deux sous-officiers, son bonnet à la main. Il les salua et, par mon intermédiaire, les remercia d'avoir honoré son village de leur "présence française"...

"Dis donc, Amadou ! s'écria le sergent Mayclaire. Tu as maintenant un cheval, à ce que je vois !

— Est-ce que le commandant de Bandiagara ne nous a pas dit qu'Amadou était un prince de je ne sais quel foutu patelin ? ajouta Autexier. Il faut bien qu'on lui évite de «faire son pied la route» !" Il éclata de rire. "Allez, à cheval ! Et urge !..."

Chacun de nous serra à tour de rôle la main du chef, puis nous montâmes en selle et le convoi prit la route de Bankassi, notre prochaine halte réglementaire.

Au temps de l'empire toucouleur, la ville de Bankassi, située à la fourche des routes qui mènent l'une à Ouahigouya en pays mossi, l'autre à Louta en pays samo (l'ancienne province jadis commandée par mon père adoptif Tidjani Thiam avant sa destitution), était un chef-lieu de région militaire. Nous y arrivâmes vers treize heures. Comme il se devait, notre convoi se dirigea vers le campement réservé aux Européens. Lorsqu'il s'agissait d'un gros bourg situé au bord d'une route importante, il y avait en général deux campements : un pour les indigènes et un autre pour les Blancs, ouvert exceptionnellement aux fonctionnaires africains.

Les chefs des communautés toucouleure et dogon de la ville, accompagnés chacun d'une délégation, vinrent nous saluer et nous offrir leurs services. Mes deux compagnons, qui étaient des hommes mesurés, n'exigèrent rien de plus que ce qu'ils avaient demandé à Kanikombolé.

Quant à moi, jugeant que le village de Kri était encore trop éloigné pour garder plus longtemps le cheval qui m'avait été si aimablement prêté à Kanikombolé, je le libérai et le rendis à son palefrenier, auquel je donnai cinq cents cauris – ces petits coquillages blancs décoratifs qui servaient encore de monnaie à l'époque. Chez les Toucouleurs de Bankassi, j'étais comme en famille ; je demandai donc à leur chef de prévoir pour moi un autre cheval, que je lui renverrais ultérieurement.

Ainsi, sur ce long voyage de près de mille kilomètres que le gouverneur en colère m'avait au début imposé de faire à pied, en fait, après le trajet accompli en pirogue, je n'avais marché que pendant environ deux cents kilomètres : de Mopti à Kanikombolé. J'en avais fait bien plus dans mon enfance ! Finalement, je ne m'en tirais pas si mal…

Après Bankassi nous campâmes tour à tour à Kro et à Kri, deux gros villages qui étaient des hauts lieux de la tradition dogon, puis à Tou, dernier village du territoire du Soudan français avant la Haute-Volta, où l'on parlait le dogon et le moré, langue des Mossis, l'une des principales ethnies de ce territoire.

Un prince peu ordinaire

Le sixième matin après notre départ de Bandiagara, quelques kilomètres après Tou, notre route pénétra dans un vallonnement où le fourrage poussait en abondance. De grands troupeaux s'y déplaçaient, conduits par de jeunes bergers peuls au teint cuivré, musclés comme des athlètes et armés comme des combattants. Ils chantaient des poèmes bucoliques célébrant les beautés de la nature ou les exploits de leurs anciens, ces marcheurs infatigables venus d'on ne savait où et qui, à la tête de leurs troupeaux, s'enfonçaient vers on ne savait quoi pourvu qu'il y ait de l'eau, de l'herbe et pas de mouches !

A l'extrémité du vallonnement se dressait une petite colline que la route devait franchir, heureusement en pente assez douce. De l'autre côté, dans la plaine, s'étendait une grosse bourgade où se côtoyaient des maisons à terrasses en pisé de style dit "soudanais" et des huttes rondes ou cylindriques surmontées de toitures coniques, dans une anarchie architecturale qui n'était pas dépourvue de charme. C'était la ville de Tiw, ancien chef-lieu de la province des Peuls djalloubés au sein du royaume mossi du Yatenga.

Cette ville entra dans l'histoire à partir de 1880, année où, à la surprise de tous, elle infligea une cruelle défaite à l'armée toucouleure qui avait été envoyée par Tidjani Tall, neveu d'El Hadj Omar et premier roi de Bandiagara, pour conquérir l'empire du Yatenga.

Depuis l'occupation française, un très grand chef peul, Djibril Mamadou Ala-Atchi, avait développé l'économie de son pays en encourageant l'élevage et l'agriculture. A sa mort, survenue quelques années auparavant, il avait laissé un cheptel estimé à plus de deux cent mille têtes de bétail – on n'avait jamais réussi à les dénombrer exactement. Mais j'aurai à reparler de lui.

Notre caravane, conduite par le sergent Autexier, traversait lentement la ville, accueillie par les aboiements peu hospitaliers des chiens de garde. Les hommes, eux, nous saluaient respectueusement, tandis que les femmes poussaient des *you-you* stridents et que les enfants, piaillant d'excitation, gambadaient et sautaient autour de nous comme un troupeau de cabris.

C'est précédés, suivis et flanqués des deux côtés par les gamins du village que nous arrivâmes au campement de Tiw. Devant la grande porte d'entrée, notre garde d'honneur enfantine se dispersa comme une volée de moineaux. Ce campement était le plus beau, le plus vaste et le mieux entretenu de tous ceux où nous avions séjourné jusqu'alors. Les deux sergents allèrent occuper deux cases jumelées par un grand hangar où les porteurs déposèrent leurs bagages. Le cuisinier alla inspecter son domaine. Quant à moi, bien que "non blanc" de toute évidence, je me permis d'aller m'installer dans l'une des autres cases jumelées du même camp.

Une file de jeunes femmes s'approcha. Elles portaient des calebasses emplies de nourritures de toutes sortes, des canaris d'eau fraîche, des chasse-mouches, des nattes et des coussins. Elles déposèrent le tout devant les cases occupées par les deux sergents. L'homme qui les escortait vint me demander d'aller présenter aux Blancs ces cadeaux de bienvenue que leur offrait son maître le prince Lolo, fils aîné du grand chef défunt Djibril Mamadou Ala-Atchi. Cet homme, qui s'appelait Goffo, était lui-même un *dîmadjo*, c'est-à-dire un "captif de case" peul, ou serviteur attaché à une famille depuis des générations*. Il était "grand captif", c'est-à-dire le chef de tous les captifs attachés à la famille du prince Lolo et qui constituaient à la fois un corps de serviteurs et une sorte de garde d'honneur.

Accompagné de Goffo, je me rendis auprès du sergent Autexier et lui fis part du message de bienvenue du prince.

* [Cf. *Amkoullel*, note 8.]

"Eh bien, s'exclama Autexier, on est fantastique ici ! Nos souhaits sont exaucés avant même d'avoir été formulés. Fais dire au prince que nous le remercions et que nous serions heureux de le rencontrer." Avant même que je ne commence à traduire, Goffo ajouta : "Le prince est en train de prendre son bain. Dès qu'il aura fini, il viendra se présenter." Je transmis la nouvelle au sergent.

En attendant, les nattes, canaris d'eau, coussins et chasse-mouches furent répartis entre nos cases par les porteurs, qui allèrent ensuite s'installer dans le campement réservé aux indigènes, alors élégamment appelé "campement des bougnoules". Quant au cuisinier, après avoir récupéré la nourriture, il alla camper dans la case-cuisine. Les palefreniers, eux, restèrent auprès des chevaux dans le hangar-écurie.

Une demi-heure plus tard, un nuage de poussière s'éleva en tourbillon au-dessus de la route. Le martèlement des tam-tams se fit entendre, accompagné de chants modulés sur divers thèmes traditionnels. C'était le prince Lolo qui arrivait, entouré par ses courtisans et ses griots, tous à cheval, et suivi par une garde aussi armée que pour aller à l'attaque d'une fortification ennemie. Quand le cortège ne fut plus qu'à une vingtaine de mètres, je distinguai le prince Lolo. Il montait un superbe cheval blanc, nerveux, frémissant, dont le harnachement de cuir brodé était de fabrication marocaine, et les étriers en argent. Le prince lui-même portait des bottes européennes qui rehaussaient encore la beauté de sa tenue africaine. Son turban n'avait pas le volume excessif des turbans haoussas ; de proportions harmonieuses, il faisait penser aux turbans des lanciers hindous bengalis, que j'avais vus dans des illustrations.

Comme je devais l'apprendre un peu plus tard, le prince Lolo, avant la mort de son père le chef Djibril, avait fait la guerre en France de 1916 à 1918. Il en était revenu avec le grade de sergent-chef (du corps indigène, cela va sans dire) et trois belles médailles qu'il portait présentement sur sa poitrine : la médaille militaire, la Croix de guerre à deux palmes et la médaille de sauvetage.

Le cortège entra bruyamment dans le campement. Des coups de fusil tirés à blanc crépitèrent. Tous les cavaliers mirent pied à terre, sauf Lolo qui resta en selle. Cette attitude m'intrigua. J'interrogeai Goffo, qui était resté auprès de moi :

"Pourquoi le prince reste-t-il à cheval ?

— O mon maître Amadou ! Comme dit l'adage : *Si tu trouves un jour une belle génisse abandonnée par des Peuls dans un vieux parc, ne t'en empare pas, ce ne peut être qu'une guignarde.* Je ne saurais te dire pourquoi mon maître Lolo reste en selle. Sans doute ne le sait-il pas lui-même..." Je restai sur ces paroles énigmatiques.

Les sergents Autexier et Mayclaire s'avancèrent vers le prince. Quand ils furent à quelques mètres de son cheval, Lolo se mit à crier comme un fou : "Gaaarde-à-vous !" Et aussitôt il se dressa sur ses étriers, raide, la tête haute, le bras droit relevé et les doigts de la main appliqués sur sa tempe droite, en un impeccable salut militaire !... Les deux sergents, médusés, ne savaient que dire. Lolo restait figé sur ses étriers comme une statue de bronze, les yeux fixés sur on ne savait quel horizon... Le silence commençant à devenir gênant, l'un des compagnons du prince s'écria en français d'une voix puissante : "Sergent-chef de l'infanterie Lolo Djibril Mamadou Ala-Atchi... Repos !"

Comme par magie, le prince revint à une position normale. Il reprit en main les rênes qu'il avait abandonnées pour saluer, manœuvra son cheval et lui fit exécuter avec une habileté consommée une série de mouvements combinés : sauts de mouton, voltes et virevoltes. Il termina son exhibition en faisant s'incliner sa monture sur ses pattes avant en une courbette d'une élégance qui m'arracha un cri d'admiration. Quel cavalier c'était ! Je devais d'ailleurs apprendre par la suite que le prince était cité parmi les meilleurs cavaliers de toute la Haute-Volta, qui en comptait des milliers !

Les captifs et les griots poussèrent un chœur d'exclamations louangeuses. Trois d'entre eux allèrent se placer à côté du cheval, toujours incliné sur ses pattes avant. D'un habile maniement des rênes conjugué avec de discrets mouvements de pied, Lolo redressa son cheval. Puis, à notre stupéfaction, tel un parfait voltigeur il sauta de sa selle pour aller retomber dans les bras tendus des trois hommes. Ceux-ci le portèrent en triomphe, et passant devant nous à vive allure, allèrent le déposer sous le hangar qui réunissait les cases des deux sergents. Abasourdis, nous fîmes demi-tour pour rejoindre le hangar où Lolo, déjà princièrement installé dans une chaise longue apportée par son porte-siège, nous attendait. Les rôles étaient renversés. C'était maintenant Lolo qui, sous leur propre hangar, allait recevoir les deux sergents...

Pendant que nous avancions vers le hangar, Goffo, regardant son maître avec tristesse, me dit en peul : "Crois-tu, ô mon maître Amadou, qu'un prince digne de ce nom se permettrait de telles acrobaties ? Si elles prouvent de façon éclatante les qualités équestres de mon maître, elles n'honorent pas le turban de dauphin du trône des Djalloubés. Un prince se doit d'être réservé. Or mon maître Lolo ne l'est pas, et de plus il est intempérant ; tu t'en rendras compte avant de quitter la ville. C'est d'ailleurs son manque de sérieux qui l'a empêché d'être intronisé à la place de son père." Je ne savais que dire à un homme qui portait un jugement si sévère sur son prince que par ailleurs, j'en étais sûr, il était prêt à défendre au prix de sa vie. J'ignorais encore que Lolo était coutumier de ce genre de fantaisies, et que l'abus des boissons alcoolisées y était pour quelque chose.

Nous étions arrivés sous le hangar. Le prince, sans se lever de sa chaise, s'adressa à moi en peul : "O fils de mon père* ! Dis aux deux fils de la grande France pour laquelle j'ai versé mon sang et ma sueur comme si elle était le pays des Djalloubés eux-mêmes qu'ils sont les bienvenus. J'ai ici pour eux nourriture, boissons, poitrines fermes et fesses souples et arrondies. Ils ne manqueront de rien. Et s'ils veulent se baigner dans du lait, je ferai venir autant de vaches laitières qu'il en faudra pour les satisfaire. Je vais d'ailleurs faire immoler en leur honneur deux bœufs de dix ans et cinq gros moutons de case, afin que tout le monde se régale !" Je traduisis son discours aux deux sergents, qui n'en croyaient pas leurs oreilles…

"Eh ben mon colon ! s'exclama Autexier. Viens, Mayclaire. Nous n'avons plus qu'à nous asseoir et à écouter ce phénomène de l'hospitalité africaine !"

On nous avança trois coussins, et nous prîmes place en face du prince. Autexier me chargea de le remercier de sa générosité, de le féliciter pour son art équestre et de lui dire qu'il était digne d'aller disputer leur prix aux cadets de l'Ecole de Saumur en France. Lolo éclata de rire, et répondit directement en français :

"En 1917, j'ai passé une permission de détente de quinze jours à Saumur. J'y ai vu les élèves de la cavalerie. Ils sont très forts, et montent de très beaux chevaux de

* Façon plus solennelle de dire "mon frère", à la fois pour honorer et pour souligner le lien de parenté qui existe plus ou moins entre deux Peuls se rencontrant à l'étranger, à plus forte raison entre un Bâ et un Diallo, liés par l'alliance de la *dendiraku*, "parenté à plaisanterie".

grande taille. J'avais pensé en ramener un à Tiw pour la reproduction, mais personne ne m'a pris au sérieux ; mon capitaine m'a même interdit d'en parler ! Mais c'est à Saumur que j'ai bu le meilleur champagne..."

Sans transition, Lolo demanda aux deux sous-officiers s'ils avaient apporté avec eux des liqueurs fortes. Il était prêt à les leur payer le prix qu'ils en voudraient.

"Nous ne sommes pas des commerçants, répondit le sergent Autexier, mais nous pouvons néanmoins te servir un très bon vin.

— Je préférerais un verre de Pernod-Fils, de Berger ou de bitter, dit Lolo. Le vin est une boisson pour les femmes et les garçonnets. Moi, je suis un poilu qui connaît les talus et les tranchées de France !" Il secoua son boubou et fit tinter ses trois médailles, qu'il désigna du doigt une à une : "O pièces frappées pour glorifier ceux qui savent charger sans peur les colonnes ennemies ou recevoir sans broncher la charge de leurs baïonnettes ! Vous ne tinterez jamais sur la poitrine des couards qui pissent de terreur quand les canons font entendre leur tonnerre ou quand les mitrailleuses égrènent leur chapelet dont chaque grain peut vous donner la mort !"

Autexier fit sortir de la caisse à provisions un litre de Pernod-Fils et trois verres. Il y versa la liqueur pure à peine étendue d'eau, tendit un verre au prince, l'autre au sergent Mayclaire et prit le troisième. Tous trois levèrent le coude en criant : "A votre santé !" Après une seule gorgée, les deux Français déposèrent leur verre sur le sol. Lolo vida le sien d'un trait, rota bruyamment et le tendit à Autexier en disant : "Encore, sergent ! Encore de cette femme verte dont le parfum enivre même celui qui aurait perdu son odorat le jour de sa naissance ! Verses-en, oui, verses-en beaucoup dans mon verre ! Oh, je sais, les marabouts me reprochent ma pratique alcoolique... Ils ignorent que cela me permet de noyer les soucis que l'injustice a semés dans ma tête, d'où leurs prières n'ont pas su les extirper !"

Autexier versa dans le verre une bonne rasade d'alcool, y ajouta de l'eau et le tendit au prince. Celui-ci l'avala d'un coup, puis se leva et lança d'une voix forte : "Vive l'absinthe ! A bas la loi qui en interdit la vente ! Et gloire aux contrebandiers qui nous procurent Pernod-Fils, rhum et bitter ! Allons, sergent, encore un verre !" Cette fois-ci, Autexier augmenta la proportion d'eau, tout en glissant à l'oreille de Mayclaire : "Si avec ça le mec tient encore debout, alors chapeau ! Nous saurons à qui nous avons affaire !" Lolo vida son verre, puis retomba assis dans sa chaise longue. Sa tête tomba lourdement sur sa poitrine. Au bout d'un moment, Autexier le crut terrassé par l'alcool : "Ça y est ! L'animal a son compte !" Lolo se secoua, leva brusquement la tête et éclata de rire : "Non, sergent, je n'ai pas encore mon compte ! Je l'aurai quand ce qui reste de ta pauvre bouteille sera transvasé dans la cuvette de mon estomac ! Allez, encore une rasade, et cette fois-ci verse plus d'alcool que d'eau, cette boisson faite pour les poissons et les grenouilles !...

— Ça suffit comme ça !" l'arrêta Autexier.

Complètement ivre, Lolo se mit à chanter *la Madelon*, à la manière pittoresque des tirailleurs indigènes qui avaient ramené en Afrique la chanson mascotte des poilus de 14-18... Il fallut toute l'autorité affectueuse de Goffo pour nous débarrasser de ce prince à la fois généreux et pitoyable.

Pourquoi Lolo, dauphin d'une des plus grandes provinces de la Haute-Volta, qui avait hérité d'un cheptel si vaste que personne ne pouvait en dénombrer les têtes, dont le palais regorgeait d'or, d'argent, de caisses d'ambre pur et de coraux de première qualité, et qui avait à son service plus de mille captifs prêts à mourir pour lui, était-il devenu une telle épave humaine ? C'était une longue histoire que Goffo, le chef de ses captifs, me conta en pleurant, et que je rapporte ici parce qu'elle apporte des lumières nouvelles sur un épisode rocambolesque de la vie de "Wangrin" que j'ai raconté dans mon livre *l'Etrange Destin de Wangrin*, au chapitre intitulé "La mort d'un grand chef et ce qui s'ensuivit". Il va sans dire qu'à l'époque où se situe le présent épisode, n'ayant pas encore retrouvé Wangrin, j'ignorais tout de cette histoire. Voici ce que me conta Goffo :

"En tant que fils aîné, Lolo aurait dû être intronisé à la place de son père. C'est d'ailleurs en tant que dauphin que ce dernier l'offrit en 1916 au gouvernement français pour aider la France à se défendre contre les troupes du roi Guillaume II qui l'avaient attaquée. Lolo se conduisit à la guerre de manière à ne faire honte ni à son père ni aux Peuls du monde entier ! Il se battit si vaillamment qu'il obtint le grade de sergent-chef et trois grandes médailles de preux. Hélas, il n'apprit pas seulement à faire la guerre, il apprit également à fréquenter les maisonnettes où boivent les Blancs, et à boire comme eux. Mais avec sa manie de vouloir toujours briller plus que les autres, il se mit à boire plus que les Blancs les plus buveurs. Il oublia Allâh, il oublia Mohammad... Il cessa d'être musulman et se convertit avec fougue à la religion de l'alcool. Un camarade de beuverie lui apprit un jour le nom du dieu qui souffle l'ivresse dans le cœur des hommes. Il s'est converti à ce dieu. Et c'est ainsi que Lolo nous revint le cœur vidé d'Allâh et empli de l'esprit de «Bakisso» (Bacchus), le dieu de l'ivrognerie.

"Malgré sa brillante conduite à la guerre et ses titres de gloire, son comportement attrista son père. Tous deux s'éloignèrent l'un de l'autre. Les marabouts et les notables manquèrent à leur devoir en laissant empirer une situation qui mettait tout le monde mal à l'aise sous le ciel des Djalloubés.

"Le prince fonda alors une association de jeunes buveurs composée de quarante-cinq vauriens. Il leur donna à chacun un cheval et une tenue similaire, une lance solide, un casse-tête et un sabre tranchant. Leur groupe commença à sillonner le pays en se livrant à des séances de beuverie dans tous les villages où se tenaient des foires hebdomadaires. En l'espace de dix mois, Lolo avait épuisé l'immense fortune que son père et ses oncles maternels lui avaient donnée. Pour continuer d'entretenir les membres de son association, il contracta d'énormes dettes. Ses créanciers, fatigués d'attendre, allèrent trouver son père. Celui-ci régla tout le monde, mais pour y parvenir il dut vendre deux cent vingt taureaux, cinquante génisses et dix kilos d'or.

"Le même mois, rongé de chagrin, le chef Djibril tomba malade. Sa maladie fut de courte durée. Il mourut sans que son fils ait changé de conduite ni demandé son pardon. Lolo passa ainsi à côté de la chance qu'il ne rattraperait jamais plus. Malheur de malheur !..." En évoquant la triste mort du chef Djibril qu'il aimait comme un fils, le pauvre Goffo pleurait à chaudes larmes.

"A la mort du chef Djibril, continua-t-il, Lolo hérita d'une partie de ses biens et ambitionna d'occuper sa place. Mais il avait compté sans les intrigues de son oncle paternel Boukari Salihou, puîné de son père, et surtout il n'avait pas mesuré l'impopularité de sa conduite auprès des anciens et des marabouts. Pour évincer Lolo du turban de Tiw, son oncle Boukari Salihou acheta très cher la connivence de «Wangrin», le grand interprète du commandant de cercle, qui était venu représenter ce dernier aux funérailles du chef Djibril. Lolo fut donc frustré du commandement, et peu s'en fallut qu'il ne fût obligé de céder à son oncle la fortune laissée par son défunt père !..." (Goffo cita Wangrin, bien sûr, sous son véritable nom. C'était la première fois que j'entendais parler de lui depuis mon entrée en Haute-Volta ; cela me donna l'espoir de le retrouver un jour dans une ville ou une autre du pays, car depuis mon enfance à Bandiagara, je le considérais toujours comme "mon oncle".)

Quand Goffo eut terminé son récit, je me demandai en mon for intérieur si l'éventualité qu'il venait d'évoquer pour le prince n'aurait pas été préférable pour toute la famille du défunt, car Lolo était visiblement en train de dilapider l'immense fortune dont il avait hérité. Je ne lui donnais pas deux ans pour tout engloutir dans la boisson et les excentricités dont il avait fait sa raison de vivre.

A ce moment, Goffo gémit doucement comme un chien malade. Il prit congé de moi et rentra au village. Il était vingt-trois heures passées lorsque je regagnai ma couchette ; mais je ne pus m'endormir avant des heures, retournant cette histoire dans ma tête et méditant sur les méfaits de la boisson. Je ne me doutais pas que six ans plus tard, en 1928, je retrouverais "Wangrin", l'interprète responsable de l'éviction de Lolo, et qu'entre autres histoires il me conterait en détail les péripéties mouvementées de cette mémorable succession, et comment il avait réussi à se sortir à son avantage de l'intrigue la plus "carabinée" qu'il ait jamais montée dans sa carrière, pourtant fertile en "wangrineries" de toutes sortes* !

* [Cf. *L'Etrange Destin de Wangrin* (voir p. 525 "Du même auteur").]

Le "grand interprète" Moro Sidibé

Le lendemain matin, notre convoi s'ébranla en direction du bourg de Bango, nouveau chef-lieu de la province des Djalloubés, dirigé par l'oncle de Lolo, le chef Boukari Salihou. L'étape suivante était Ouahigouya, chef-lieu de la circonscription administrative du Yatenga, ville importante où cohabitaient et le commandant de cercle représentant l'autorité française, et le "Yatenga Naaba", empereur mossi du pays de Yatenga.

Dès notre arrivée à Ouahigouya, après avoir déposé nos bagages dans le campement, j'accompagnai les deux sergents jusqu'à la résidence du cercle où nous devions faire viser nos papiers et demander le renouvellement de nos porteurs. Ceux-ci devaient en effet retourner à Bandiagara où ils avaient été, selon l'usage, réquisitionnés d'office au titre des "prestations de travail obligatoires", et de ce fait obligés d'abandonner qui son petit commerce, qui la récolte de son champ ou ses obligations familiales.

Dans le bureau du cercle, je fis la connaissance du "grand interprète" du commandant, un Peul du Wassoulou qui s'appelait Moro Sidibé et qui, apparemment, méritait bien son titre : il mesurait au moins deux mètres de haut et sa corpulence était impressionnante ! En tant que compatriote, il me proposa très cordialement de venir prendre mes repas chez lui durant nos deux jours d'arrêt. Comme tous les anciens tirailleurs, il parlait ce français pittoresque et imagé que nous appelions *forofifon naspa*, mais en peul et en bambara sa langue était irréprochable. La cour de sa concession était aussi achalandée que celle de l'empereur, et chaque soir s'y tenait une grande séance de musique et de causerie où conteurs et traditionalistes rivalisaient de connaissances. Accompagnés par d'éminents guitaristes, ils narraient à tour de rôle ce qu'ils avaient appris des anciens.

De tous ceux qui venaient égayer la cour de Moro Sidibé, Sidi – de la caste des cordonniers – était le plus versé dans l'histoire du Yatenga. Il connaissait sur le bout des doigts la remarquable organisation administrative de l'empire avant la pénétration française. Voyant mon intérêt pour ces questions, Moro Sidibé organisa en mon honneur pour le lendemain une soirée récréative où il ne convoqua que Sidi et deux guitaristes, afin que nous ne soyons pas gênés par le bruit et que nous puissions écouter Sidi tout à notre aise.

J'arrivai vers vingt heures. Moro Sidibé était encore dans les appartements de ses épouses. On m'introduisit dans une petite cour privée de la concession. Deux très belles jeunes filles étaient en train d'y étaler des nattes de style haoussa. Je pris place dans une chaise longue préparée à mon intention, mais je n'eus pas longtemps à attendre. Bientôt mon hôte apparut, tout habillé de blanc, haut comme un pilier et épais comme un taurillon. La croix de la Légion d'honneur accrochée à sa poitrine donnait à sa tenue, en ce lieu privé, un aspect solennel qui me laissait rêveur. Majestueux, il avançait vers moi à pas lents. Je me levai. Il me serra la main en souriant très largement et prit place dans sa chaise longue.

"Assieds-toi, me dit-il, nous allons dîner. Nos convives attendent dans la grande cour que nous ayons fini notre repas." Il agita une petite clochette. Aussitôt les deux jeunes filles réapparurent, apportant de quoi nous laver les mains. Puis ce fut un défilé des plats les plus variés. Nous n'étions que deux, mais il y avait à manger pour dix… C'était bien africain. Le dîner terminé, quand les jeunes filles eurent débarrassé nos nattes, Moro Sidibé fit introduire

Sidi et ses deux guitaristes qui attendaient dans la grande cour. Après les salutations d'usage, Sidi et ses compagnons prirent place sur une grande natte qui nous faisait face. Les deux guitaristes commencèrent par accorder leurs instruments, puis, comme le voulait la coutume, ils jouèrent en l'honneur des Peuls l'air traditionnel *njarou* que tout griot musicien doit à un Peul lorsqu'il lui rend visite, comme une sorte de tribut.

Pendant que les guitaristes jouaient, Sidi se recueillait, cherchant visiblement dans les archives de sa mémoire quel récit en extraire pour nous le rapporter. Moro Sidibé le tira d'embarras : "O Sidi ! Raconte-nous donc comment fut fondé l'empire du Yatenga."

Tout heureux, mis à son aise, Sidi commença :

"O Sidibé ! En Afrique, parler d'un pays sans parler de son chef, ou parler d'un homme sans parler de ses ascendants, c'est commettre une bévue impardonnable. De même que l'arbre doit sa force et son envergure à ses racines, l'homme doit d'être ce qu'il est à sa naissance, c'est-à-dire aux germes qui lui viennent de ses parents. Quant au pays, il doit sa paix et sa prospérité à l'intelligence et à la bonne administration de son chef.

"Je m'en vais donc conter pour vous ce que mon père me conta en me disant l'avoir appris de son propre père, qui avait connu l'empereur Naaba Kango et avait vécu à sa cour. Comme dit l'adage : *«J'ai entendu» est plus proche de l'erreur que «j'ai vécu»*. Voici donc le récit que je dois à mon père..."

Il nous conta alors l'histoire très très ancienne d'une princesse amazone mossi qu'un jour son cheval emporta ventre à terre jusqu'au cœur d'une profonde forêt où vivait un chasseur solitaire, qui n'était autre qu'un prince *malinké** en exil. Il nous conta comment l'amour, qui n'obéit à aucune loi et que rien ne peut expliquer, s'empara du cœur des deux jeunes gens et comment vint au monde l'enfant que l'on nomma Ouédraogo ("cheval mâle") en mémoire de l'étalon fougueux qui avait amené sa maman jusque devant la hutte de son futur papa. Ses descendants allaient devenir les empereurs des divers Etats du grand pays mossi. Ya-Diga serait le vrai fondateur de l'empire de Ouahigouya, auquel il donna le nom de Yatenga**.

Voulant en savoir davantage sur l'organisation traditionnelle du pays, je lui demandai comment l'empire du Yatenga était administré.

"L'empire, me répondit-il, était, et est toujours, administré selon une stricte hiérarchie dont les niveaux sont superposés comme dans une maison à étages, et que l'on retrouve dans tous les autres empires frères, y compris celui du grand Moro Naba de Ouagadougou.

"Au sommet, à l'étage supérieur, trône l'empereur ; à Ouahigouya, c'est le *Moro Naba Yatenga*.

"A l'étage suivant, on trouve les grands dignitaires du palais qui siègent au Conseil de l'empire en présence du Moro Naba. Ce sont :

– le *Baloum Naba*, maître du palais, introducteur des visiteurs et plaignants de toutes sortes ; les pages, les palefreniers, les femmes et les eunuques de l'empereur relèvent de son autorité ;

– le *Togou Naba*, porte-voix de l'empereur, qui répète à voix haute ce que l'empereur dit tout bas ; il administre les villages relevant directement de l'empereur et donne l'investiture au successeur de celui-ci ;

* Mandingue, c'est-à-dire du Mandé, ou Mali.

** [Sur la fondation des empires mossis, cf. *infra*, p. 166 et suiv.]

– le *Ouidi Naba*, chef de la cavalerie ; il gouverne les villages commandés par les fils de l'empereur et les provinces peules de l'empire ;

– le *Rassoum Naba*, qui gouverne le trésor impérial, les prisons et les exécuteurs des hautes œuvres ;

– le *Diaka Naba*, gardien des amulettes impériales, sacrificateur aux dieux et aux mânes des ancêtres, qui a pour coadjuteur le *Yaogo Naba*, gardien des sépulcres et musées impériaux ;

– le *Samandé Naba*, coadjuteur du *Rassoum Naba*, qui commande aux fantassins.

"Voilà les six grands dignitaires du palais. Indépendamment des visites de déférence qu'ils rendent assez souvent à l'empereur, ils ont chacun un jour de permanence complet par semaine pour traiter avec lui des affaires de leurs départements respectifs.

"Au troisième étage viennent les dignitaires de l'Etat :

– le *Soloum Naba*, chef des provinces ;

– le *Tenga Naba*, chef des villages ;

– le *Bagaré Naba*, chef des captifs et responsable du cheptel royal ;

– le *Saga Naba*, chef des forgerons et des artisans ;

– le *Tenga Soba*, chef de la terre (ou «maître de la terre» traditionnel), véritable représentant des populations et dont l'avis est toujours prédominant.

"Un système de transmission des nouvelles par réseaux de tam-tams permet à l'autorité centrale de communiquer rapidement avec les villages environnants et les régions.

"Enfin, tout en bas de l'édifice, vient le peuple qu'on piétine et qu'on pressure mais que l'on ne peut empêcher de chanter, de danser et de juger ses chefs !"

Après cette véhémente tirade, Sidi leva soudain ses bras qu'il étira au-dessus de sa tête. Il entrelaça ses doigts, poussa un gémissement de grande lassitude et dit :

"O, Moro, du clan des Sidibé ! Tes griots ont sommeil. Ils voudraient que tu leur donnes la route."

Je plongeai ma main dans ma poche afin de lui donner quelque chose. Moro Sidibé saisit mon bras : "Laisse, dit-il, tu es mon invité. C'est à moi de donner les cadeaux d'usage."

Il distribua entre Sidi et ses compagnons quinze francs, trois gros moutons de case et trois boubous. Tout le monde était content, et moi plus encore ! Car non seulement j'avais beaucoup appris sur ce pays nouveau pour moi, mais le geste de Moro Sidibé me mettait à l'aise : ce que j'avais eu l'intention de donner aux griots eût été bien dérisoire, en effet, par rapport aux cadeaux du grand interprète !...

Je ne pouvais imaginer cette nuit-là que lorsque, en 1928, je retrouverais mon "oncle Wangrin", il me raconterait en long et en large l'histoire rocambolesque de ses démêlés avec ce même "grand interprète", et que ce dernier me confierait à son tour, lors de mon retour à Ouahigouya en 1932, sa propre version des événements.

Pour l'heure, tout heureux de ma soirée, je pris congé de Moro en le remerciant chaleureusement de son accueil.

Le lendemain matin, mes compagnons et moi reprenions la route. A raison d'environ vingt-cinq kilomètres par jour sauf le dimanche, consacré au repos et à la distraction, nous comptions mettre une huitaine de jours pour arriver à Ouagadougou, terme de notre voyage.

Un surveillant féroce

A partir de Ouahigouya, je me sentis dépaysé. Je ne parlais pas le moré, la langue des Mossis. Quant à la langue peule, elle n'était pas courante dans le pays, et d'ailleurs pour rien au monde les Mossis n'acceptaient de s'en servir ; ils n'aimaient ni les Peuls, ni leur langue, ni leur lait sacro-saint, auquel ils préféraient de loin la bonne bière de mil appelée dolo. Pour les Mossis, un Peul n'est pas un homme : c'est un singe rouge de la savane jaune. De leur côté, il faut le dire, les Peuls ne sont pas plus tendres à l'égard des Mossis qu'ils considèrent comme des orangs-outangs balafrés, malpropres et puant l'alcool, et dont le pays a souvent été considéré par eux comme une pépinière d'esclaves… Sur le plan des relations individuelles, toutefois, ces appellations traditionnelles peuvent devenir un sujet de plaisanterie mutuelle et de moquerie amicale, comme on peut en rencontrer entre Peuls et Bambaras ou Peuls et Dogons.

Je pénétrais là vraiment en terre inconnue, sans soutien, loin des miens, et les paroles de M. Sinibaldi, qui m'avait dit à Bamako qu'il ne savait "à quelle sauce je serais mangé", me revenaient en mémoire. Je chassai cette pensée angoissante et consacrai toute mon attention aux régions que nous traversions.

Parmi les étapes qui nous séparaient de Ouagadougou se trouvait Yako, chef-lieu d'une principauté qui, jadis, s'était glorieusement illustrée dans les annales des Etats mossis mais où, lors de notre passage, demeurait encore vivant le souvenir moins glorieux d'un féroce "surveillant des travaux publics" qui avait sévi à travers le pays. Il s'appelait Bara Dem, et c'était un Toucouleur venu du Sénégal dans les bagages des conquérants français. L'anecdote qui le concerne n'est pas sans intérêt dans la mesure où elle illustre comment, à l'époque, étaient réalisés par la population certains grands travaux déclarés "d'intérêt général" pour le développement de la colonie, et comment certains Africains se firent parfois les instruments dévoués, voire cruels, de cette politique.

Bara Dem, comme Alfa Maki Tall, chef des Toucouleurs de Bandiagara, s'était spécialisé dans la construction des routes et des ponts, mais avec une méthode de recrutement et de travail qui lui était toute particulière. Les grands travaux qu'il faisait exécuter nécessitaient une main-d'œuvre considérable, la plupart du temps réticente, qu'il n'hésitait pas à recruter par la force. Les Mossis refusaient de s'offrir sans résistance pour un travail qu'ils jugeaient dégradant et inutile. Pour eux, le conquérant blanc avait inventé ces histoires de routes larges de huit à douze coudées qu'il fallait ouvrir à travers la forêt, creuser dans la rocaille puis damer à la main pour en durcir la surface, uniquement pour tracasser le peuple et lui prouver sa vassalité. Les empereurs mossis et leurs dignitaires partageaient ce point de vue. Ils encourageaient en sous-main leurs sujets à saboter les travaux, et il n'était pas rare que les responsables des chantiers soient retrouvés empoisonnés ou descendus froidement par les habitants.

Bara Dem étant connu pour son courage mâle, sa force physique redoutable et son cœur sans pitié, l'autorité administrative coloniale du pays lui avait proposé les fonctions périlleuses de "surveillant des travaux publics". Il accepta, mais sous trois conditions :

– *un* : il recruterait lui-même de force tous les manœuvres dont il aurait besoin, avec droit de punir séance tenante toute résistance ou connivence de sabotage qu'il constaterait ou même soupçonnerait ;

– *deux* : il se ferait assister par dix hommes qu'il choisirait lui-même ;

– *trois* : lui et ses auxiliaires seraient armés et auraient le droit de faire usage de leurs armes pour se défendre légitimement.

C'était à prendre ou à laisser… Etant donné l'intérêt que représentait la réalisation de routes à travers les territoires, aussi bien pour le déplacement des représentants de l'autorité que pour l'acheminement des marchandises et des matières premières au profit des grosses sociétés commerciales françaises de la place, Bara Dem fut investi de tous les pouvoirs qu'il avait demandés.

De toutes les routes à créer, celle qui reliait Ouahigouya à Ouagadougou en passant par Yako était la plus urgente en raison d'un voyage envisagé par le gouverneur du Soudan, mais aussi la plus difficile à réaliser. Les habitants de Yako n'avaient jamais été des tendres. Ils refusèrent catégoriquement de livrer la main-d'œuvre et envoyèrent dire à Bara Dem de ne point s'aviser de venir à Yako pour quelque motif que ce soit, et surtout pour y créer une route fantaisiste dont ils n'avaient nul besoin. Les chemins existants leur suffisaient.

Bara Dem porta le fait à la connaissance du commandant de cercle, puis, malgré la menace, il partit pour Yako. Là, installé dans le campement qu'il avait fait bâtir lui-même quelques mois auparavant, il fit convoquer le chef du village et les notables pour le lendemain matin à sept heures. A huit heures, personne ne s'était encore montré. Le message était clair.

Accompagné de ses dix gaillards armés de mousquetons à répétition, Bara Dem se rendit droit chez le chef du village. Celui-ci lui expliqua qu'il ne serait pas facile de trouver des manœuvres, tous les jeunes gens de Yako s'étant enfuis dans les villages voisins. Bara Dem lui ordonna de l'accompagner au campement où ils pourraient tous les deux étudier la question. Le chef tenta de regimber, mais Bara Dem, le regard menaçant, lui saisit le poignet et le serra d'une main de fer. Le chef comprit que le Toucouleur était homme à n'avoir besoin de personne pour venir à bout d'un adversaire, et que c'était un téméraire qui ne reculerait devant rien. Mieux valait composer avec lui. Il accepta de le suivre jusqu'au campement.

Ils étaient encore en route que déjà la nouvelle s'était répandue à travers la ville. De tous côtés les notables accouraient vers le campement pour assister leur chef. Quand ils furent assez nombreux, Bara Dem déclara :

"Le grand gouverneur du Soudan, qui réside sur la colline de Koulouba, au-dessus de Bamako, va venir visiter Ouahigouya, puis Ouagadougou. La grande route que nous ouvrons pour lui passe nécessairement par Yako. Or, vous le savez, votre ville est située sur une élévation qui surplombe un vallon, lequel se transforme en une vaste mare pendant la saison d'hivernage. Il faudra donc réaliser une digue large et solide en travers du vallon. Pour ce travail, la province de Yako doit me fournir cinq cents manœuvres et assurer quotidiennement leur nourriture. Aucun de vous, y compris votre chef, ne quittera ce campement avant que les cinq cents manœuvres ne soient ici au complet. Faites transmettre des ordres en conséquence. Et celui d'entre vous qui essaiera de sortir pour rentrer chez lui, je le suspendrai à un piquet comme une vulgaire outre d'eau."

Un notable de Yako, réputé pour ses fanfaronnades, s'écria :

"Est-ce que tu n'exagères pas un peu ? Comment pourrais-tu suspendre un homme comme une outre d'eau ?"

Bara Dem éclata de rire : "Je m'appelle Bara Dem, je suis toucouleur et j'appartiens à une ethnie guerrière. Or, les miens ont un principe, c'est de faire voir aux énergumènes de ton espèce exactement ce qu'ils demandent à voir. Tu veux voir comment on suspend un homme comme une outre d'eau ? Très bien, tu l'auras voulu !"

Bara Dem se saisit de la main droite du notable, la tordit et la lui renversa dans le dos. L'homme tenta de riposter en levant son bras gauche, mais Bara Dem s'en saisit et lui fit subir le même sort. Il lui ligota alors solidement les deux mains dans le dos, puis ordonna à l'un de ses auxiliaires de lui ligoter également les pieds. Quand le pauvre fanfaron fut ainsi pieds et poings liés, Bara Dem le fit suspendre horizontalement à une traverse posée sur deux grosses fourches fichées en terre, la corde de suspension passant dans son dos entre ses mains et ses pieds. Le malheureux, qui avait effectivement tout l'air d'une grosse outre d'eau suspendue, devait souffrir horriblement, les bras ainsi tirés en arrière sous le poids du corps.

"Faites feu sur quiconque tenterait de le délivrer !" ordonna Bara Dem à ses hommes.

Ce spectacle donna froid dans le dos à tous ceux qui nourrissaient encore quelque velléité de résistance ou qui envisageaient de saboter la réalisation de la digue. La sécurité des leurs était en jeu, et à quel prix ! Bara Dem laissa le pauvre notable suspendu jusqu'au moment où, n'en pouvant plus, il demanda pardon et jura de l'aider à réaliser ses travaux. Ce traitement brutal équivalait, jadis, à une éloquente mise en garde : il signifiait que le détenteur de l'autorité ne souffrirait aucune contradiction. Le message fut entendu.

Bara Dem était considéré, dans tout le pays, comme la terreur même. Tous les chefs, y compris le grand Moro Naba de Ouagadougou, redoutaient cet homme, qui, certes, réussissait à faire construire des routes, des ponts et des campements, mais pour qui la vie d'un Mossi ne valait pas plus que celle d'un poulet…

Le sort voulut que Bara Dem connut une mort atroce, dans des circonstances assez stupides. Alors qu'il était à cheval, il se pencha en avant pour réajuster la fixation de son chasse-mouche ; mais tandis qu'il était penché l'animal releva brusquement la tête, lui donnant sur le front un coup d'une violence telle qu'il lui en ouvrit la boîte crânienne. Son agonie fut longue et très pénible.

L'histoire ne dit pas ce qu'en pensèrent les populations voltaïques, qui virent tant des leurs arrachés de force à leur famille ou à leur champ pour des corvées dont ils ne comprenaient pas la raison, ou envoyés en masse dans des pays limitrophes au climat humide pour y réaliser des travaux gigantesques, dont la plupart ne revenaient pas…

II

JEUNE FONCTIONNAIRE EN HAUTE-VOLTA

Enfin Ouagadougou !

Le 10 février 1922, huit jours après notre départ de Ouahigouya, nous arrivions enfin à Ouagadougou. J'avais quitté Bamako un mois et onze jours auparavant. Il était environ onze heures.

Je m'attendais à traverser une grande ville aux maisons serrées comme à Ségou, Mopti, Tiw ou Ouahigouya, mais il n'en était rien. Ouagadougou était constituée d'une multitude de petits hameaux séparés les uns des autres par des champs de mil, le tout s'étendant sur une sorte de vaste surface circulaire de huit à dix kilomètres de largeur. Au centre de cette circonférence se dressait le palais de l'empereur Naba Kom II, Moro Naba de Ouagadougou.

Notre convoi s'arrêta devant la résidence du commandant de cercle, séparée du camp militaire par une grande place ombragée qui avait servi de marché avant l'occupation du pays par les Français. C'est là que nous devions nous quitter. Les sergents Autexier et Mayclaire étaient des garçons sympathiques qui avaient beaucoup contribué à rendre mon voyage agréable. Nous étions devenus de bons compagnons, et nos adieux furent empreints de chaleur. Je ne devais jamais les revoir. Sans doute furent-ils affectés en brousse, dans quelque poste éloigné des grandes cités.

Après nos adieux, je me renseignai pour savoir où se trouvait la maison de Tidjani Tall, un Toucouleur descendant d'El Hadj Omar qui avait été mon camarade d'école à Djenné entre 1913 et 1915. J'avais appris qu'il exerçait maintenant les fonctions d'écrivain expéditionnaire au cabinet du gouverneur à Ouagadougou. En tant que compatriote et ancien camarade d'école, il se devait de m'héberger.

Sa maison était située non loin du nouveau marché de Ouagadougou. Je fus reçu par sa femme, qui m'installa dans le vestibule en attendant le retour de son mari, lequel, me dit-elle, était encore au bureau mais ne devait pas tarder. Il arriva en effet peu après. Tout heureux de nous retrouver, nous nous tapions dans les mains en riant de joie. Après avoir échangé des nouvelles du pays, je lui appris ce que je venais faire à Ouagadougou. "Amadou, sois le bienvenu ! me dit-il. Tu es ici chez toi. Sache que ta venue me sortira de l'isolement dans lequel je me trouve au milieu des Mossis, ces balafrés qui se croient tous fils de Dieu et qui ne sont polis qu'avec ceux qui leur bottent le derrière. Tu es prévenu, prépare ta botte et achète-toi une cravache !" Il éclata de rire, comme s'il venait de me faire une bonne farce.

Il me faut ici ouvrir une petite parenthèse, pour signaler un phénomène psychologique né de la colonisation et que j'avais constaté à diverses reprises. A l'époque, certains ressortissants des premiers pays africains colonisés s'estimaient supérieurs aux autres en raison même de l'antériorité de leur contact avec les colonisateurs. Bien des Saint-Louisiens, par exemple, indépendamment du fait qu'ils jouissaient de la citoyenneté française (comme leurs compatriotes des trois autres villes sénégalaises à statut privilégié, Dakar, Rufisque et Gorée), se croyaient les phénix des nègres de l'Afrique parce qu'ils avaient été les premiers à entrer en contact avec les Européens en 1558. C'est à Saint-Louis que fut fondé le 1er régiment de tirailleurs sénégalais qui forma le gros de l'armée coloniale et permit la conquête du Soudan français, où ces tirailleurs se comportèrent comme en pays conquis. Le fait de botter les fesses de l'habitant était alors considéré par eux comme un privilège de droit. Lorsque le 2e régiment de tirailleurs sénégalais fut créé à Kati (Mali) avec des éléments soudanais, ceux-ci participèrent à leur tour à la conquête de la Guinée, de la Haute-Volta, etc., où l'on assista au même phénomène. Après l'invasion militaire, ce fut l'invasion administrative, les fonctionnaires des anciennes colonies allant occuper des postes dans les nouvelles colonies. Ainsi, par un phénomène plus ou moins consacré par l'histoire, les auxiliaires des conquérants se considéraient comme des conquérants eux-mêmes, et s'estimaient supérieurs aux vaincus. Pour certains Africains de l'époque, cela devint une sorte de tradition – or en tradition, comme chacun sait, les anciens esclaves priment les nouveaux ! Sans doute mon ami Tidjani Tall, que j'aimais beaucoup, avait-il hérité sans s'en rendre compte de ce phénomène généralisé…

Il me montra à l'intérieur de sa concession une case ronde inoccupée. "Meuble-la, me dit-il, et loges-y tant que tu voudras !"

Le lendemain matin, je me présentai au chef du service où j'avais été affecté : c'était M. Jean Sylvandre, receveur de l'Enregistrement et des domaines, dont j'avais fait la connaissance l'été précédent lorsque je travaillais dans un service similaire à Bamako. Son bureau et son domicile étaient situés dans le même bâtiment. Il me reçut avec un grand sourire, semblable au souvenir que j'en avais gardé : svelte, la peau claire, très beau, et d'un port plein de dignité. Il eut l'amabilité de me présenter à sa femme. "Eh bien, mon brave Amadou ! me dit-il. Installe-toi, fais connaissance avec la ville et remets-toi des fatigues du voyage. Tu as trois jours de repos pour cela. Et si tu as besoin de quoi que ce soit, fais-le-moi savoir." Toutes mes craintes s'envolèrent. Finalement, la "sauce à laquelle je serais mangé" ne serait peut-être pas si désagréable…

Le lendemain, après m'être bien reposé, mon ami Tidjani Tall m'emmena au cabinet du gouverneur pour me présenter à Demba Sadio Diallo, le premier secrétaire indigène du gouverneur. C'était un compatriote, un Peul du Khasso (pays de Kayes, au Mali). Il appartenait à la famille du roi Semballa Diallo. Son père, Sadio Semballa Diallo, était le chef de la province de Koniakary. Sans la colonisation française, Demba Sadio en eût été le dauphin.

Il m'accueillit avec chaleur. "Dimanche prochain, dit-il à Tidjani, je donnerai une grande invitation en l'honneur de notre parent !"

Pendant mes trois jours de repos, je rendis, sur les conseils de Tidjani, plusieurs visites de courtoisie à des personnages influents de la ville.

Le premier, Babali Hawoli Bâ, se trouvait être, par chance, un de mes oncles éloignés. Ayant eu des démêlés à Bandiagara avec le roi Aguibou Tall, il avait quitté la ville en 1897 et était venu se réfugier auprès de l'empereur de Ouagadougou qui était alors le Moro Naba Kouka. Celui-ci l'avait pris en si grande estime qu'il l'avait admis à sa cour comme "conseiller musulman et secrétaire pour la langue arabe et les relations arabes". Son successeur, le Moro Naba Kom II (qui fut couronné en 1906 et que je trouvai en place à mon arrivée), garda mon oncle auprès de lui et augmenta même ses prérogatives. Il ajouta à son prestige en lui donnant une de ses sœurs en mariage.

Babali Hawoli Bâ était considéré comme le marabout le plus lettré et le plus savant de toute la Haute-Volta, et le respect dont il jouissait dépassait largement les frontières du territoire. Il était l'objet d'une grande considération de la part du gouvernement français, et le gouverneur Edouard Hesling lui attribua même une pension viagère de cinquante francs par mois, somme considérable à une époque où, par ailleurs, l'administration coloniale donnait la chasse aux marabouts afin de comprimer l'avance de l'Islam.

Ma deuxième visite fut pour Moulaye Haïdara, un chérif – c'est-à-dire un descendant du Prophète – originaire de la ville sainte de Oualata (Mali), et qui était venu s'installer à Ouagadougou. En plus de quelques activités commerciales, il exerçait les fonctions de marabout ; il enseignait la grammaire et le droit musulman.

Puis j'allai saluer "Amadou Sidiki teint clair" et "Amadou Sidiki teint noir", deux homonymes, tous deux éminents coranistes et bons arabisants, que l'on différenciait par la couleur de leur teint.

Tidjani me conseilla d'aller visiter également Moussa Sissoko et Allaye Massinanké, deux commerçants soudanais revendeurs de pacotilles et de bimbeloteries, mais très bien informés sur tout ce qui se passait dans le pays.

Enfin j'allai voir Hady Cissé, un vieux berger qui avait été le conducteur des bœufs des troupes d'occupation. Il s'était fixé finalement à Ouagadougou où il était devenu le logeur des commerçants dioulas soudanais qui faisaient l'aller et retour avec la Gold Coast (actuel Ghana).

Aucun fonctionnaire africain résidant à Ouagadougou ne pouvait alors se passer de ces sept personnages, sortes de manitous africains de la Haute-Volta, et y vivre en paix. Ce tribut de politesse dûment payé, je pouvais commencer à m'installer.

Après mes trois jours de congé, je pris mon service au bureau de l'Enregistrement et des domaines, que M. Jean Sylvandre avait reçu pour mission d'organiser. Je rappelle qu'après la scission du territoire du "Haut-Sénégal-Niger" intervenue en mars 1919, l'ex-"pays mossi" avait accédé au statut de colonie autonome sous le nom de "Haute-Volta", le reste du territoire reprenant son ancien nom de "Soudan français". M. Jean Sylvandre avait alors été nommé receveur de l'Enregistrement et des domaines de la nouvelle colonie et chargé de mettre le nouveau service en route*. Je l'avais rencontré à Bamako au cours de l'été 1921, lorsqu'il était venu au bureau de l'Enregistrement et des domaines dirigé par M. Bourgeois en vue d'organiser le transfert des documents d'archives concernant les circonscriptions de Haute-Volta. J'effectuais alors, ainsi que d'autres camarades d'école, un stage de travail à ce bureau pendant les vacances, et à la demande de M. Bourgeois j'avais été spécialement initié au fonctionnement des divers services afin de suppléer l'absence de l'un de ses agents, en congé de longue durée.

De même que le bureau de l'Enregistrement et des domaines de Bamako, celui de Ouagadougou comprenait : l'enregistrement proprement dit des actes officiels

* En 1946, il sera élu député à l'Assemblée nationale à Paris.

et des actes sous seing privé, les domaines, la conservation foncière, la curatelle aux biens vacants, les timbres, enfin l'administration des biens des fonctionnaires mourant à la colonie sans y laisser d'héritier. Je connaissais déjà plus ou moins le fonctionnement de ces différentes sections, mais M. Sylvandre compléta ma formation en m'initiant à tous les rouages de ces services compliqués et délicats où se trouvait rassemblée une masse de renseignements de nature souvent très confidentielle. Pour y travailler, il fallait être d'une honnêteté rigoureuse et discret comme un confesseur.

Le premier dimanche qui suivit ma prise de service, Demba Sadio donna en mon honneur la grande invitation qu'il avait annoncée. Il y convia tous les fonctionnaires africains de marque, lesquels avaient à peu près le même âge que nous, à quelques années près. C'est à cette occasion que je fis la connaissance de Dim Delopsom, Mama Passam, Noraogo Iloudo, Elie Zirouvène Taoré, Jean Paligré, Aloïs Pitrouvapa, Jean Grata, Fernand Ouédraogo, Moussa Keïta, Boukardari Sissoko, Monaco Adama, N'Diouga N'Diaye et Georges Kane, contractuel au service des finances, le seul Africain qui gagnait mille francs par mois ! Il est vrai qu'il était saint-louisien…

Ma première solde me permit d'acquérir une literie indigène garnie d'une moustiquaire, plus une table et deux chaises qu'un menuisier réalisa pour moi avec des planches en bois blanc provenant de vieilles caisses d'emballage de la SCOA, une des plus grosses maisons commerciales européennes de la place.

La "Blanche de l'acacia"

Tidjani Tall logeait également chez lui un jeune homme, Kola Sidi. C'était le premier fils du grand historien et généalogiste Sidi, de la caste des cordonniers, qui m'avait fait bénéficier de ses connaissances sur les traditions de l'empire mossi au cours d'une soirée mémorable à Ouahigouya, chez le grand interprète Moro Sidibé. Kola n'était pas moins éloquent que son père, auprès duquel il avait appris toute l'histoire du pays mossi, et son long séjour à Ouagadougou lui avait permis d'approfondir encore ses connaissances. C'est à lui que je dois en grande partie les renseignements précieux que j'obtiendrai sur l'empire mossi de Ouagadougou, et dont je parlerai plus loin.

Tidjani Tall étant plus âgé que moi, je ne pouvais, par respect, me promener à travers la ville avec lui. Je me laissai donc entraîner par Kola Sidi avec qui j'apprenais toujours quelque chose. Un jour – c'était deux ou trois mois après mon arrivée – il me conduisit chez Aïssata Banngaro, une femme qui avait été en son temps la plus belle dame de Ouagadougou. Elle était marchande de colas et de tabac, deux articles fort recherchés par les jeunes gens. Auparavant, elle tenait un étal au marché à l'ombre d'un grand *balanza* – ou acacia – ce qui lui avait valu, de la part des Peuls, le surnom de *danewal tiaïki*, la "Blanche de l'acacia". Lorsque le vieux marché avait été désaffecté et transformé en place des fêtes, elle avait pris l'habitude de vendre ses marchandises chez elle. Peu à peu, sa demeure était devenue un véritable "cercle" où, de toutes les régions de la Haute-Volta, venaient des jeunes femmes en quête d'une aventure à Ouagadougou, cette *toubaboudougou*, "ville des Blancs", où la tradition avait perdu tous ses droits ou presque, et où tout un chacun pouvait dire et faire ce qu'il voulait sans risquer des représailles traditionnelles.

On ne saurait aller jusqu'à dire que la demeure d'Aïssata Banngaro était devenue une "maison de tolérance" – le proxénétisme étant alors inconnu en Afrique occidentale – mais c'était une sorte de lieu de rendez-vous où de jeunes galants pouvaient rencontrer des jeunes femmes en vue de nouer ultérieurement avec elles un badinage platonique ou une aventure passagère, ou même, si le cœur leur en disait, une union légale et définitive... Mais il ne serait venu à l'idée de personne de demander à Aïssata Banngaro de lui prêter une pièce de sa maison pour s'y isoler avec une jeune femme rencontrée chez elle ; l'idée même en eût été choquante. La coutume en la matière voulait alors que chacun emmène sa chacune dans sa chacunière, et non chez une tierce personne.

Quand je la vis pour la première fois, Aïssata Banngaro avait près de quarante ans, mais elle paraissait n'en avoir que trente. Dès notre première rencontre, elle s'exclama en riant :

"Vraiment, le fils de Sidi est un grand vaurien pour t'avoir amené à moi avec vingt ans de retard !

— Pourquoi ? demandai-je naïvement.

— Je vais sur mes quarante ans, répondit-elle avec franchise. Mais si je t'avais rencontré quand j'avais vingt ans de moins, je t'aurais pris pour moi, et rien n'aurait pu m'en empêcher : ni prières, ni envoûtements, ni sorts, ni sortilèges ! Aujourd'hui, le respect que je te dois, et surtout que je me dois à moi-même, font de toi un interdit pour moi. C'est une question de dignité."

Complètement sous le charme, et extrêmement flatté par cette déclaration d'une femme que des hommes de tous âges et de toutes conditions continuaient de courtiser vainement, je lui fis une réponse galante, sans réfléchir sur l'instant aux conséquences possibles de mes paroles :

"Nous sommes musulmans, lui dis-je, et l'Islam ne fait pas de la différence d'âge une cause d'interdiction en matière de mariage. Le Prophète lui-même n'avait-il pas quinze ans de moins que notre mère Khadidja lorsqu'il l'épousa ? Et pourtant ils furent très heureux, eurent de nombreux enfants, et jusqu'à la mort de Khadidja le Prophète n'épousa aucune autre femme. Qui sait, nous pourrions peut-être rééditer cet exploit ?..."

Elle me lança un long regard qui m'électrisa de la tête aux pieds : "Si toi, dit-elle, tu as le courage de notre modèle l'Envoyé de Dieu pour m'accepter telle que je suis, moi je ne suis pas aussi courageuse que notre mère Khadidja. Si je t'épousais, vu mon âge et le tien, je ne t'apporterais pour dot que la condamnation populaire et un lot d'injures et de critiques acerbes. Or on ne doit pas laisser traîner dans la boue quelqu'un que l'on aime bien, et je t'aime bien. Non, Amadou. Tu seras comme mon fils, ou plutôt comme mon petit frère, mais ni mon amant ni mon mari. Y consens-tu ?

— Oui, bien sûr ! Nous serons grande sœur et petit frère..." répliquai-je machinalement.

Presque aussitôt mon "esprit de l'escalier", souvent en retard d'une marche, quand ce n'était pas davantage, commença à réagir. Il fit surgir devant mon esprit le gouffre dans lequel ma proposition, qui n'était qu'une boutade galante, m'aurait jeté si Aïssata Banngaro m'avait pris au mot. Ce n'était pas la première fois que des paroles imprudentes de ma part me plaçaient en difficulté. Je vis à quel point j'étais vulnérable, et le sol incertain sous mes pas. Une grande tristesse m'envahit ; mon visage s'assombrit, mes traits s'étirèrent. Kola, qui s'en était rendu compte, intervint : "Viens, dit-il. Il y a à quelques pas d'ici une femme qui vend du toosi. C'est une boisson-remède. Son goût et son odeur ne sont pas des plus agréables, mais elle chasse soucis et angoisses et revigore le corps épuisé par la fatigue. Beaucoup de grands marabouts en prennent.”

J’avais vraiment besoin d’un remontant. Nous nous levâmes et prîmes congé d’Aïssata. Je suivis Kola dans une maison qui n’était ni plus ni moins qu’une sorte de cabaret où il venait boire clandestinement à l’insu de notre logeur Tidjani Tall, mais sur le moment je ne m’en rendis pas compte. La propriétaire du lieu, qui s’appelait Pougoubila, nous installa dans sa propre case, à l’écart des consommateurs bruyants. “Ceux que tu vois dans la cour et sous le hangar, me dit Kola pour mieux me tromper, boivent du dolo, la boisson fermentée des Mossis faite à partir de gros mil, et qui est formellement interdite aux musulmans. Mais nous, ici, nous allons consommer du toosi. C’est fabriqué aussi à partir de gros mil, mais ce n’est pas du dolo.” Seul le dolo étant, à ma connaissance, interdit chez les musulmans, je ne me méfiai donc pas.

Pougoubila avait l’habitude de ce qu’il fallait servir à Kola. Elle apporta un petit vase en terre d’environ deux litres et le déposa devant nous avec deux gobelets en fer-blanc. Kola lui régla cinquante centimes. Puis il emplit les deux gobelets et m’en tendit un. Je le vidai, sans me douter que je buvais un dolo des plus raffinés, uniquement réservé aux grands amateurs. L’odeur et le goût ne m’en parurent pas aussi désagréables que l’avait laissé entendre Kola.

L’effet du toosi sur moi ne se fit pas attendre. Tout à coup, je me sentis comme balancé doucement dans une sorte de hamac invisible. Ma tristesse fondit et s’écoula de moi par des voies inconnues, tandis qu’un filet de joie inexplicable me pénétrait peu à peu. Ma langue se délia. Je ne pouvais plus m’empêcher de parler. Je disais n’importe quoi, et surtout je vantais les charmes d'Aïssata Banngaro : sa taille élancée, ses longs doigts fuselés, ses lèvres minces fermant la plus belle bouche que j'avais jamais vue... enfin mille choses dont je n'aurais jamais osé parler dans mon état normal.

"Tu vois, mon ami, dit Kola, que le toosi est un antidote à la tristesse et à la fatigue. En vérité, comme je te l'ai dit, beaucoup de gens en prennent, même de grands marabouts, aussi bien pour se délasser que pour noyer leurs soucis.

— Est-ce que Tidjani Tall aussi boit du toosi ?

— Chut ! fit Kola en mettant un doigt sur ses lèvres. N'en parle jamais tout haut. Il veut que personne d'autre que moi ne le sache. Je ne t'ai rien dit, n'est-ce pas ?"

J'eus la vague impression que Kola mentait, mais je refoulai ce sentiment. Après tout, si Tidjani Tall, un descendant du Grand maître El Hadj Omar, prenait lui-même du toosi, pourquoi moi, qui n'étais qu'un simple futur disciple, n'en boirais-je pas ? Rassuré par ce raisonnement lumineux, j'avalai tranquillement deux gobelets de plus. Quand je voulus me lever, à ma grande surprise mes jambes ne me supportaient plus. Je titubai et serais sûrement tombé si Kola ne m'avait reçu dans ses bras. Je me rendis vaguement compte qu'il demandait à Pougoubila de l'aider à me coucher sur une natte qui était étendue dans un coin de la case. A peine étendu, je sombrai dans un sommeil profond.

Je ne me réveillai qu'au milieu de l'après-midi. Ma tête était aussi lourde que si l'on y avait versé du plomb. Je regagnai la maison. Tidjani et Kola m'y attendaient pour partager avec moi un goûter préparé par Mme Tidjani. Très mal à mon aise, je feignis d'avoir une poussée de fièvre – ce qui n'était pas invraisemblable pour les paludéens chroniques que nous étions – et rentrai me coucher dans ma chambre.

Le lendemain, j'étais dans un état bizarre... L'envie de boire du toosi pour me revigorer me reprit avec force. Je demandai à Kola s'il ne voulait pas m'accompagner. Il accepta avec empressement, les yeux brillants, quelque peu goguenards. Désormais, il était assuré que je paierais la consommation pour lui et pour moi. N'était-il pas cordonnier de caste, et moi un Peul horon, un noble, donc plus ou moins tenu de l'entretenir ? Ne lui avais-je pas déjà remboursé ses cinquante centimes de la veille ?

Il m'accompagna donc, et il en alla ainsi pendant quelques semaines. Je pris l'habitude de rendre visite à Aïssata Banngaro et de fréquenter la maison de Pougoubila.

Sans être misogyne, je ne voulais approcher aucune femme. D'aucuns en vinrent à penser que Aïssata Banngaro, depuis longtemps devenue intouchable, avait repris goût à la vie et filait le parfait amour avec moi ; c'était d'autant plus vraisemblable que je la visitais assidûment et qu'elle-même avait, à mon insu, dressé une barrière entre les filles qui fréquentaient sa maison et moi. Elle avait fait de moi "Monsieur-n'y-touchez-pas !".

Un jour, je croisai sur mon chemin une jeune femme peule d'une très grande beauté. Elle m'arrêta.

"Où va-t-il comme cela à grands pas, mon cousin au teint clair ?

— Chez Aïssata Banngaro, répondis-je ingénument.

— Toutes les jeunes femmes peules de Tenkodogo, de Fada N'Gourma, de Yatenga, de Djelgodji ou d'ailleurs seraient-elles mortes ? Ou sont-elles devenues fades au point qu'un garçon peul de ta qualité aille avec une vieille femme qui, certes, a été belle, mais que le soleil des années a fanée ? O mon beau cousin, éloigne-toi d'une pièce restée longtemps fermée : elle ne peut que contenir du moisi et sentir le renfermé !" Et elle éclata de rire, me fixant hardiment du regard.

Assommé par cette sortie imprévue, très osée pour une femme peule, je mis un moment à réagir. Puis un violent sentiment monta en moi et m'envahit au point de m'aveugler. Mortellement vexé, indigné par la fausse accusation, j'éprouvai une envie presque incontrôlable de me jeter sur cette impertinente et de la rouer de coups jusqu'à ce qu'elle se dédise et demande pardon. Heureusement, l'adage me revint en mémoire : *Seuls les fous et les vauriens parmi les hommes peuvent frapper une femme.* Je repris mes esprits, et me souvins alors d'un autre adage : *La boutade de la femme peule est plus blessante qu'une lance chauffée à blanc, et l'homme qui l'encaisse avec calme est comparable à un chevalier qui peut faire face à une troupe armée de flèches empoisonnées.*

Je connaissais la règle : quand une personne fait ou dit quelque chose pour blesser son prochain, si celui-ci s'en montre blessé il donne pleine satisfaction à son provocateur, tandis que s'il demeure insensible, comme non concerné, c'est l'agresseur lui-même qui va recevoir la blessure, comme un choc en retour du coup qu'il a donné. "Allons ! me dis-je. Ridiculiser son provocateur est certainement la façon la plus élégante de riposter." Je souris :

"O ma cousine ! Il est vraiment dommage qu'une aussi jolie bouche aux lèvres délicatement bleuies, bien faite pour émouvoir l'homme le moins inflammable, ne s'ouvre que pour proférer des grossièretés et des mensonges. Ne sais-tu pas que le mensonge est plus puant encore que la moisissure et le renfermé ? Quant aux femmes peules des quatre horizons de la Haute-Volta, rassure-toi, elles sont bien vivantes. Mais toi désormais tu es morte pour moi, je t'en donne ma parole de Bâ ! Maintenant, va trouver le grand imam du quartier et dis-lui de nous convoquer, Aïssata Banngaro et moi, pour nous faire jurer sur le Coran que nous n'avons jamais eu et n'aurons jamais de relations sexuelles. Va ! Je te le demande expressément ! Sache que Aïssata Banngaro et moi sommes comme frère et sœur de mêmes parents. Je porte le pantalon du père de Aïssata, et elle le pagne de ma mère*. Maintenant, écarte-toi de mon chemin !..."

Incapable de relever ce défi, auquel elle ne s'attendait nullement, la pauvrette poussa un cri de rage et prit la fuite, gémissant : "Tu m'as tuée ! Tu m'as tuée !"

Immédiatement, par un revirement dont j'étais coutumier, je regrettai mes paroles. Ma conscience, ce censeur rigoureux auquel je n'ai jamais pu échapper, me réprimanda : "Tu n'as pas du tout été charitable. Ta langue a été dure et méchante. Certes, tu as satisfait ta *nafs*, ton «âme passionnelle», orgueilleuse et mauvaise conseillère, mais ta réaction te met sur le même pied que ta provocatrice. Chacun de vous est méchant à sa manière." Je réalisai qu'au lieu de riposter en ridiculisant la jeune femme, même élégamment, le mieux eût été, comme le voulait la bonne éducation africaine, de dédaigner ses accusations et de passer sans répondre.

Dès mon arrivée, Aïssata Banngaro lut ma contrariété sur mon visage. Elle me pressa tant de questions que je finis par lui conter mon aventure. Elle me fit décrire la jeune femme. Au lieu d'entrer dans une violente colère contre celle qui nous avait calomniés et dont je ne connaissais même pas le nom, elle s'exclama : "Pauvre Aminata ! De toutes les jeunes femmes peules qui m'ont demandé en vain de te jeter dans leurs bras, c'est elle qui a été la plus tenace. Il a fallu que je la menace de lui couper

* Expressions signifiant qu'il y a interdit de relations sexuelles.

les tresses et les lobes des oreilles* pour qu'elle cesse de m'importuner à ton sujet. Sans doute a-t-elle pensé, comme beaucoup d'autres, que je te gardais pour moi-même… Il est vrai que je te garde, mais c'est pour ma petite sœur Baya Diallo avec qui tu t'es fiancé à Bandiagara. Allons ! Je verrai demain Aminata pour la conseiller et la consoler. Elle doit en avoir besoin…"

Il m'arrivait aussi, après la journée de travail, d'accompagner mes nouveaux amis ou collègues sur la place du nouveau marché. Chaque fin d'après-midi, à la sortie des bureaux, les jeunes fonctionnaires indigènes, les sous-officiers et quelques petits fonctionnaires civils européens aimaient s'y promener pour admirer ou rencontrer les belles jeunes femmes qui venaient y flâner, revêtues de leurs plus beaux atours. Elles déambulaient gracieusement sur la place ou allaient s'asseoir en face des boutiques de la SCOA, de la FAO ou de la compagnie du Niger français, apparemment dans l'attente de quelque prince charmant. Vers dix-sept heures, la place du marché était envahie par des musiciens, des griots ou les désœuvrés de la ville ; mais c'était aussi le rendez-vous permanent des Dioulas aux prises avec la douane, des indigènes qui venaient solliciter une intervention pour une affaire en justice, des candidats à une chefferie vacante cherchant une protection, des marabouts persécutés par les autorités coloniales, bref de tous ceux qui avaient un silence ou une protection à acheter, une transaction commerciale à passer, une combinaison à monter, une dénonciation à faire. La place du marché de Ouagadougou était un véritable théâtre à ciel ouvert.

* Les lobes des oreilles sont très importants pour la coquetterie féminine, particulièrement peule, puisque c'est l'endroit où l'on suspend ses plus beaux bijoux.

La saison sèche touchait à sa fin. Les premières pluies avaient bien arrosé la terre. La verdure se mit à pousser partout à travers la ville. Ouagadougou devint comme une immense pelouse au gazon mal taillé.

Un soir, vers dix-sept heures trente, comme je quittai le bureau, le ciel se couvrit de gros nuages sombres qui traversaient l'espace, se bousculant comme des marchands affairés dans une foire. De sourds grondements roulaient au loin. Voulant rentrer chez moi avant d'être trempé par la pluie qui s'annonçait imminente, je me mis à courir, mais il me fallait lutter contre le vent qui s'engouffrait dans mon boubou. Partout autour de moi je ne voyais que boubous gonflés comme des vessies pleines d'air. Les cultivateurs revenaient en hâte avec leurs troupeaux ; le petit bétail rentrant du pâturage s'affolait et se dispersait, chacun cherchant à rejoindre au plus vite son bercail. Le vent retroussait les plumes des oiseaux et transformait les queues des poules en éventails. Par-ci par-là des toitures en chaume mal ajustées s'ébouriffaient.

Je réussis à atteindre la maison avant la tombée de la pluie. Des éclairs furieux, suivis de grondements plus assourdissants que le roulement de mille tambours royaux, zébraient la nue d'arabesques anguleuses ou explosaient en d'aveuglantes arborescences. Dans la cour, à chaque coup de tonnerre le petit chien de Tidjani passait sa queue entre ses pattes, baissait les oreilles et penchait la tête en gémissant comme si le bruit lui labourait les entrailles. Les habitants de la basse-cour avaient regagné leur logis, immobiles, frissonnants, semblant attendre ce que le ciel préparait contre la terre.

Je m'engouffrai dans ma case et m'y enfermai. Pas question de ressortir ce soir : mieux valait attendre la fin de la tornade qui venait d'éclater avec la violence d'un volcan en éruption. Tout à coup, une rafale de vent se déchaîna, semant le branle-bas dans la cour, faisant voler les ustensiles et les petits objets oubliés, poussant et entrechoquant tout ce qu'elle ne pouvait emporter. Cette agitation confuse ne cessa que lorsque le ciel commença à vomir ses eaux. Pendant quelques secondes, de grosses gouttes espacées tombèrent en giclées hargneuses, puis ce fut la grande ouverture des cataractes du ciel. L'averse torrentielle dura plus d'une heure et demie. La terre et le ciel étaient confondus dans une obscurité profonde, où seul régnait le vacarme des trombes d'eau s'écrasant sur la ville. Je m'étais allongé sur mon lit. J'aimais bien m'étendre quand il pleuvait au-dehors ; j'en profitais pour réfléchir sur l'origine de ces phénomènes naturels, ou tout simplement pour laisser mon esprit au repos.

Le fracas finit par s'apaiser. La pluie avait répandu dans l'atmosphère une fraîcheur parfumée à la fois agréable et soporifique. Allongé sur mon lit, j'en étais si imprégné que je ne pouvais dire si je dormais ou si je somnolais. Tout à coup, je fus ramené à la réalité par un éclair éblouissant qui traversa la toiture de chaume et illumina l'intérieur de ma case. La lumière était si intense que le toit me sembla s'être envolé, et j'eus l'impression de contempler le fond même de l'abîme céleste.

Aussitôt, une détonation à assourdir un éléphant explosa. Je ne sais comment je me retrouvai sur le sol, tremblant de tout mon corps. Je cherchai en vain un abri où me réfugier. C'est alors seulement, à ce moment précis, que je me souvins de Tierno Bokar et des conseils qu'il m'avait donnés à Bandiagara. Tout me revint en mémoire dans le moindre détail, j'entendais chacune de ses paroles. Je commençai à m'interroger : d'où est venue cette lumière ? Pourquoi n'ai-je pas été écrasé sous son poids ? Qu'est-ce qui m'a préservé ? Quelle force peut donc ainsi, par un simple éclair, illuminer le ciel, traverser le toit et venir me chercher jusque sur mon lit pour ouvrir mon cœur ? Il n'y avait plus de peur, seulement le choc que m'avait causé la vision de cette lumière, où il m'avait semblé voir le fond même du ciel. Pourquoi cela m'était-il arrivé à moi, ici, dans cette case, et pas ailleurs ? En toute certitude, je ressentis cet événement comme m'étant personnellement adressé : comme une sorte d'avertissement ou de mise en garde.

Je vis ce qu'était devenue ma vie et j'eus honte de moi-même. Je constatai mon erreur avec lucidité et me condamnai sans faiblesse. "Je dois tenir mes engagements, me dis-je. Il me faut devenir un vrai musulman, et cesser de n'être qu'un musulman de naissance, un musulman par le nom et non par la conscience."

Malgré la pluie, je sortis pour aller faire mes ablutions rituelles au-dehors. Je revins tout trempé. Je changeai de vêtements et me mis à prier. Je restai là, à prier et à méditer, jusqu'au petit matin. Ce fut la nuit de ma vraie conversion.

Le lendemain matin, avant même d'aller au bureau, je me rendis chez le célèbre coraniste Alfa Ismaïla Cissé et lui demandai de me guider dans mes études coraniques, que je désirais reprendre. Il me donna une grande et belle planchette. Je préparai moi-même mon encre et taillai mes plumes dans des tiges de paille, choses que j'avais appris à faire depuis mon enfance. Et chaque jour, pendant l'interruption du déjeuner, il m'enseignait pendant une heure ; mais ce n'était pas suffisant pour rattraper le grand temps que j'avais perdu quant à mes études islamiques. Aussi allai-je trouver mon oncle le vieux Babali

Hawoli Bâ, le marabout le plus savant de l'époque, également fin connaisseur en histoire, qui était venu s'installer en pays mossi pour les raisons que j'ai expliquées précédemment. Je lui demandai de m'enseigner la Rissalat, le livre de base de la liturgie et du droit islamique selon l'école malikite*.

En 1922, il allait sur ses quatre-vingts ans et n'y voyait presque plus. Cela ne l'empêchait pas d'enseigner. Il pouvait écrire sur une tablette toute une leçon sans enchevêtrer ses lignes. Cet homme extraordinaire connaissait par cœur presque tous les livres religieux de base, particulièrement ceux de l'école malikite. Son grand miracle fut d'avoir, lui quasiment aveugle, enseigné à son fils Ibrahima Bâ, qui était sourd comme un pot. Celui-ci devint un éminent juriste, poète et grammairien de langue arabe.

Mon oncle décida de me réserver la matinée de chaque dimanche, de neuf heures à douze heures, non seulement pour m'enseigner la Rissalat, mais aussi pour m'initier à l'enseignement spirituel et ésotérique de l'Islam communément appelé "soufisme", particulièrement celui de l'ordre tidjani dont il était l'un des maîtres.

Dès ce jour, j'entamai une correspondance régulière avec Tierno Bokar pour lui faire part de mes réflexions,

* L'Islam connaît quatre grandes écoles juridiques, du nom de leurs fondateurs : l'école malikite (de l'imam Malik ibn Anas), l'école shafi'ite (de l'imam ash-Shafi'y), l'école hanafite (de l'imam Abou Hanifa), et l'école hanbalite (de l'imam Ahmad ibn Hanbal). Chacune présente un précis juridique et rituel émanant de son fondateur. Les différences qui les séparent sont minimes et ne portent que sur des points de détail : position des bras pendant la prière (croisés sur la poitrine ou ballant le long du corps), quelques points relatifs à la succession, etc. C'est donc improprement qu'on les appelle parfois "rites", car elles ne modifient en rien les rites de base de l'Islam qui sont les mêmes pour tous les musulmans.

de mes expériences sur le plan spirituel, et lui poser des questions. Mes lettres, écrites en français, lui étaient lues à Bandiagara par un jeune instituteur, Mamadou Sissoko, qui les lui traduisait en peul. Ce dernier m'envoyait ses réponses, traduites en français par ses soins.

Je ne visitais plus Aïssata Banngaro qu'une fois par semaine, le dimanche après dîner. Quant à Pougoubila et son toosi, je les avais oubliés aussi complètement que ma première culotte…

Désormais, seuls comptaient pour moi mon travail, mes études, mes prières et mes méditations. Je me mis à vivre comme un ascète. Je ne fréquentais plus la foule et n'assistais plus à aucune réjouissance profane. Je tenais constamment mon chapelet à la main, de manière à pouvoir mentionner le nom de Dieu et celui de son Prophète chaque fois que j'avais quelques minutes creuses.

Le vieux Babali Hawoli Bâ me prescrivit de réciter, en guise de prière propitiatoire, un minimum de cent mille fois la 112e sourate du Coran appelée Ikhlass ("Pureté", ou encore "sourate de l'Unité"). Cette sourate, qui est l'une des trois dernières du Coran, est composée de quatre versets :

Au nom de Dieu (Allâh), *le Clément, le Miséricordieux !*
Dis : Lui, Dieu, est Unique (Un)
Dieu, l'Impénétrable (ou "l'Absolu", "l'Immuable")
Non engendreur, non engendré
Nul n'est égal à Lui. (Litt. : "Nul n'est, comme Lui, Un.")

J'étais si enthousiaste et disponible qu'au lieu de cent mille fois je la récitai trois cent mille fois, à la cadence de dix mille par jour. Mais c'est seulement onze ans plus tard, lors du long séjour que j'effectuerai auprès de Tierno Bokar à Bandiagara, que ce dernier m'expliquera le sens ésotérique profond de cette sourate, source de la théologie musulmane. En elle résident en effet les secrets se rapportant à l'immuabilité et à la densité divines, à la dissemblance de Dieu d'avec tout ce qui n'est pas Lui-même, à l'impénétrabilité de Son Essence et la non-divisibilité de Son Unité. Si, pour les chrétiens, la Réalité divine est Trinité : Père, Fils et Saint-Esprit, pour le musulman elle est Réalité une et souveraine, non engendrée, non engendrante*.

Un traquenard coquin

Pendant que je m'enivrais de versets coraniques et de connaissances ésotériques, une campagne qui portait atteinte à mes qualités viriles se répandait de bouche à oreille dans la ville de Ouagadougou.

Le Peul Demba Sadio Diallo, premier secrétaire du gouverneur, était devenu l'un de mes meilleurs amis. Il eut connaissance d'un bruit qui courait en ville : je ne m'étais réfugié dans la religion, disait-on, que pour cacher la défectuosité de mon membre viril, lequel ne me servait plus que de gouttière pour écouler mes urines. Il me rapporta ce bruit en me demandant ce qui pouvait être vrai dans cette histoire qui le contrariait. "Au cas où tu serais impuissant, me dit-il, il y a de bons guérisseurs en Haute-Volta. Nous en trouverons pour te soigner convenablement. S'il s'agit d'argent, ne t'en fais pas. J'en gagne assez, je pourrai te donner ce qu'il faut."

* D'autres passages coraniques ou tirés des *hadith* (paroles du Prophète) évoquent, en symétrie, Sa présence immanente : *"Où que vous tourniez vos regards, là est la Face de Dieu"* (sourate 2, v. 115), *"Il est plus près de vous que votre veine jugulaire"* (sourate 50, v. 16), etc.

Ses paroles me touchèrent : “Rassure-toi mon bon frère. Ma virilité n'est nullement en danger, mais je n'éprouve aucune envie de fréquenter des filles qui s'exposent au marché comme de la marchandise à vendre à la criée. La seule femme qui me dit quelque chose est non seulement trop âgée pour moi, mais en plus elle est volontairement, je ne sais pourquoi, «descendue du lit». C'est Aïssata Banngaro, la «Blanche de l'acacia».”

Derrière cette belle contenance, en fait j'étais mortellement vexé, et mon orgueil d'homme durement blessé. Comment confondre mes calomniateurs, sinon en me transformant en étalon de village et en “tombant” toutes les femmes rencontrées sur mon chemin, comme l'ouragan renverse les tiges de mil et les arbrisseaux ?

La voix de Demba Sadio me tira brusquement de mes pensées. “Que comptes-tu faire ?

— Je ne sais pas. Je vais y réfléchir.”

A mon retour à la maison, je demandai à Kola Sidi de s'informer pour voir qui était à l'origine de cette campagne menée contre moi.

Pendant ce temps, je continuais ma vie de néophyte zélé et de fonctionnaire ponctuel, mais je n'avais plus la quiétude intérieure qui faisait auparavant de moi un garçon sans problème et toujours souriant. Il suffisait que quelqu'un me regarde fixement pour que je le soupçonne de penser à ma prétendue impuissance, et il me fallait toute ma force pour m'empêcher de lui demander pourquoi il me regardait ainsi.

Je profitai d'un dimanche pour exposer à mon oncle Babali Hawoli Bâ la peine que me causaient ces suppositions malveillantes.

“Estime-toi heureux, me dit-il, car beaucoup de saints ont été calomniés de la même manière dans leur jeunesse. Méprise avec force cette calomnie, et surtout garde-toi d'écouter le «mauvais suggestionneur» (Satan) qui va t'inciter malicieusement à te choisir des amantes pour prouver ta virilité. Si tu faisais cela, tu tomberais dans le grand gouffre de l'impudicité d'où l'on ne remonte que très difficilement. Désormais, après chacune des cinq prières de la journée, tu réciteras onze fois les deux sourates de protection qui figurent à la fin du Coran. Leurs onze versets ont la vertu de chasser de nos cœurs les mauvaises pensées, de nous garantir contre les envoûtements et de neutraliser les effets des philtres qu'on nous ferait prendre à notre insu.

"Opposer un royal mépris aux cancans est le meilleur moyen d'émousser leur tranchant. Si tu continues à t'imaginer que tous les sourires, les moues et les murmures que font les gens quand tu passes s'adressent à toi, tu tomberas d'abord dans l'orgueil de te croire le centre du monde, puis dans un état de mélancolie, prélude à la folie. Puisque tu es sûr d'être physiquement normal, que t'importent les déclarations mensongères de gens sans aveu, oui, sans aveu ! car répandre ou répercuter un mensonge n'est ni plus ni moins qu'un manque avéré de moralité. Quant à toi, fais comme la caravane des arabes : les chiens aboient, la caravane passe* ! Réfugie-toi en la grâce d'Allâh dont seule la Miséricorde peut nous purifier, et laisse les méchants jaser. Le jour où tu te marieras, autant ils avaient éprouvé de plaisir à dire du mal de toi, autant ils seront embarrassés et éhontés de voir briller ta réputation qu'ils avaient voulu ternir."

Cette exhortation me calma et je retrouvai mon entrain habituel. De ce jour j'appris à tourner mon regard et mon écoute vers moi-même, pour voir ce qui se déroulait en mon "intérieur". Je réussis à m'ériger en

* Ce proverbe arabe était très connu chez nous.

arbitre entre mon âme passionnelle, qui m'invitait aux plaisirs matériels et égoïstes, et mon esprit qui me mettait en garde contre mes appétits. La lutte entre ces deux parties de mon être était âpre, et en fait, sous une forme ou sous une autre, elle n'a jamais cessé de l'être.

A cette époque un état spirituel très profond, presque permanent, me recouvrit comme un manteau. Sans que ce fût orgueil ou mépris, je ne voyais ni ne sentais plus mon entourage ; je vivais parmi les hommes, certes, mais sans être concerné ni par eux ni par les événements qui se déroulaient autour de moi. Je commençais à comprendre le sens mystique des expressions "mourir au monde matériel" et "ressusciter dans le monde spirituel". Je ne cessais de penser à Dieu, au Prophète et aux grands maîtres et saints de notre lignée spirituelle : Cheikh Ahmed Tidjani, le fondateur de l'ordre (*tariqa* : "Voie") auquel appartenait toute ma famille ; Cheikh Muhammad el Ghali, le maître d'El Hadj Omar à Médine ; El Hadj Omar lui-même, Grand maître de la Tidjaniya en Afrique noire, dont les écrits spirituels sont, hélas, moins connus que les exploits guerriers ; et enfin mon maître Tierno Bokar. Ils étaient les quatre points cardinaux, le zénith et le nadir de mon univers spirituel.

Une nuit, alors que je me trouvais dans un état qui n'était ni celui du sommeil profond ni celui de la veille normale, je me sentis transporté dans un monde indescriptible, comme au cœur des espaces célestes. Une opération mystérieuse s'exerça-t-elle sur moi pendant que j'étais dans cet état ? Je ne saurais le dire, mais dès le lendemain je constatai que mon esprit avait découvert une veine de poésie mystique. Dès la première semaine, je composai un long poème en langue peule en l'honneur du Prophète, que j'intitulai *Mi y etoyan laamiido* : "Je louerai l'Omnipotent". Entre la fin de l'année 1922 et le premier trimestre de 1923, je composai quatre autres longs poèmes, dont l'un en l'honneur de Cheikh Ahmed Tidjani.

Cette explosion poétique me valut l'affection spontanée des marabouts, des étudiants d'écoles coraniques et de tous les musulmans fervents de Ouagadougou, surtout de langue peule. Ils devinrent aussitôt mes défenseurs et déclaraient à qui voulait les entendre : "On ne peut pas être à la fois inspiré de Dieu et du diable ! Quand on est habité par la poésie mystique, on ne peut être obsédé par les hanches des femmes galantes !"

En croyant convaincu, je ne doutais pas que Dieu lui-même m'était venu en aide.

Pendant que la riposte s'exerçait en faveur de ma bonne réputation, la ligue des filles de joie et des femmes légères de Ouagadougou – à qui je devais, comme je l'appris entre-temps, la calomnie me taxant d'impuissance – passa à la contre-attaque. C'est Kola Sidi qui découvrit le nouveau complot.

Dès qu'elles furent informées par Aminata Sidibé que je n'étais pas l'amant de Aïssata Banngaro, la "Blanche de l'acacia", elles jurèrent de tout mettre en œuvre pour me faire trébucher, afin de me prouver qu'un homme seul ne saurait tenir tête à une cohorte de jeunes femmes âgées de moins de trente ans. Pour elles, ma réserve n'était rien d'autre qu'un défi méprisant et insultant qu'il fallait relever à tout prix. Elles décidèrent que la fille qui réussirait à me faire tomber serait élue "cheffesse des femmes"… Une véritable chasse à l'homme fut ouverte contre moi par toutes les vendeuses d'amour de Ouagadougou. Et chacune se jura de me conquérir, quel qu'en soit le prix !

Un adjudant hors cadre des télécommunications de l'armée, M. Sourgens, avait été affecté à Ouagadougou comme chef comptable à la direction des Postes. Maigre comme un clou, il avait les fesses si plates que, lorsqu'il marchait, le fond de son pantalon se balançait derrière lui comme une musette à grains ballottant sous la tête d'un cheval. Son visage allongé, barré d'une longue moustache et prolongé par une barbe drue, achevait de lui donner une allure caractéristique. Les jeunes blancs-noirs de la ville l'avaient irrévérencieusement baptisé "Fil de fer habillé".

Demba Sadio et moi avions fait la connaissance de "Fil de fer habillé". En fait, c'était un homme juste, droit, sans complexe, et qui s'efforçait toujours de rendre service aux Africains qui le lui demandaient. Nous l'avions rebaptisé "Canne à sucre", car de sa forme allongée il ne sortait que choses douces et agréables.

"Canne à sucre" avait deux grandes passions : la chasse, qui le tenait parfois éloigné de chez lui pendant des journées entières, et la photographie. Il nous avait promis, à Demba Sadio et à moi-même, de tirer de nous une photo dès qu'il aurait reçu un lot de pellicules qu'il avait commandé. Nous brûlions d'impatience, car cette photo de nous serait la première de notre vie !

Or, l'adjudant avait ramené de Côte-d'Ivoire, où il était affecté auparavant, une jeune femme baoulé* très coquette, mais aussi très coquine. De formes plutôt généreuses, sa silhouette contrastait si fort avec celle de "Canne à sucre" que les jeunes fonctionnaires blancs-noirs de la ville, toujours insolents et moqueurs, l'avaient

* Ethnie du nord de la Côte-d'Ivoire, appartenant au groupe akan. Cette ethnie est celle du président Félix Houphouët-Boigny.

baptisée “Gros melon”, ce qui était tout de même excessif.

Un dimanche, alors que nous étions en plein mois de ramadan, je pris mon vélo pour me rendre au bureau, car c’était mon tour d’assurer la permanence. A un certain endroit, la route m’obligeait à contourner la villa occupée par l’adjudant et son “épouse coloniale*”. Je pédalais tranquillement quand, arrivé à la hauteur de la villa, je m’entendis héler par une fillette. Je m’arrêtai. La fillette avança en courant et vint s’accroupir auprès de moi en signe de politesse. Emu par cette preuve de bonne éducation, je lui demandai :

“Que me veux-tu, ma fille ?

— Moi je ne veux rien. C’est Monsieur qui m’envoie pour vous dire de venir le voir. Il veut vous charger d’une commission pour papa Demba Sadio à propos d’une photo.”

Je ne doutais pas un instant que l’adjudant m’appelait pour me parler de cette photo que Demba Sadio et moi attendions comme des enfants attendent le Père Noël. Je descendis de ma bicyclette, la posai contre la murette d’enceinte et suivis la fillette dans la cour. Je gravis derrière elle les marches de la véranda et pénétrai dans un grand salon où se trouvait non l’adjudant mais Madame Gros melon en personne, habillée négligemment et sa gorge généreuse presque à nu. Elle me sourit, me tendit la main dans un geste gracieux et me

* Mariage coutumier provisoire, non légal, contracté par des officiers, administrateurs des colonies ou fonctionnaires français pour la durée de leur séjour à la colonie avec des femmes du pays, et sur lequel les autorités françaises fermaient les yeux. [Cf. *Amkoullel*, note 22.]

dit : “L’adjudant t’attend dans son laboratoire photo. Suis-moi, je vais te montrer le chemin.” Et prenant les devants, elle marcha doucement devant moi, balançant tout son corps en un mouvement voluptueux des plus provocateurs.

Un peu étonné, je la suivis docilement, comme un mouton de case*. Pour arriver au cabinet noir où l’adjudant était censé travailler à ses clichés, il fallait traverser toute la chambre à coucher ; c’était dans l’ordre des choses possibles, aussi me laissai-je guider sans inquiétude. Arrivée au milieu de la pièce, elle se retourna et me désigna une porte fermée : “C’est là.” Pendant que j’avançais vers la porte, elle ramena doucement le battant de la porte de la chambre à coucher et le boucla d’un tour de clé. J’étais fait comme un rat dans une souricière. J’essayai d’ouvrir la porte du cabinet noir, mais en vain. Elle aussi était fermée à clé. Bêtement j’appelai : “Mon adjudant ! Mon adjudant !”

Madame Gros melon éclata de rire : “Ton adjudant n’est pas là ! Il est parti à la chasse, il ne reviendra que dans la nuit. Ce n’est pas lui qui t’a fait appeler, c’est moi. Tu as devant toi une femme qui t’aime et qui veut te le prouver tout de suite.” Et tout en parlant, elle se débarrassait peu à peu de ses boubous et de ses pagnes, pour ne garder finalement sur elle qu’un petit pagne qui lui couvrait le corps de la taille aux genoux. Médusé, je ne savais plus si j’étais éveillé ou si je rêvais. Je ne pus que bégayer : “Mais… mais…” Elle s’accroupit alors à mes pieds, prit mes deux mains dans les siennes et me dit en langue bambara, d’une voix charmeuse qui

* Mouton vivant dans une concession comme un animal familier, particulièrement bien traité, et ne pouvant être sacrifié que pour des circonstances exceptionnelles.

contrastait avec ses paroles : “Homme peul, viens avec moi sur ce grand lit, et nous serons heureux en toute impunité ! Sinon je déchirerai mes vêtements et enverrai ma petite servante au-dehors crier et appeler au secours, et je dirai que tu as pénétré jusque dans ma chambre à coucher pour me violer !” Elle appela alors sa petite servante dont le visage se présenta à la fenêtre grillagée, et lui parla en baoulé. Jamais piège ne fut plus adroitement disposé, et pour une prise bien bonne…

Ma surprise première fit place à une peur indescriptible de ce qui m'attendait si cette femme réussissait à me faire surprendre chez elle, dans sa propre chambre, et avec des habits en lambeaux. Si elle ameutait la foule, je passerais sans aucun doute possible pour un voleur ou un violeur de femme mariée, de surcroît épouse d'un Blanc ! Comment qualifier le crime d'un blanc-noir se permettant de violer le domicile d'un blanc-blanc pour tenter de coucher avec sa femme ou de voler ses affaires ? Ce serait presque un crime contre la République française ! A l'époque, en effet, le plus petit des Français n'était pas “Jean”, “Jacques”, “Paul” ou “Pierre” mais “la France” elle-même… Je me voyais déjà traîné devant les assises des tribunaux français avec la corde au cou. Je pensai à ma mère, à ma famille, à ma fiancée Baya Diallo que je risquais de perdre à tout jamais… Et quelle serait ma face devant les femmes peules si moqueuses de la ville ?

Les pensées se bousculaient dans ma tête. Pour sauver mon honneur public et m'éviter un désastre, je n'avais pas le choix : il fallait me déshonorer avec cette mâtine… Je la regardai fixement. Ainsi à moitié dévêtue et assise sur ses talons teints au henné, on aurait dit quelque statue d'ébène sombre. Tout à coup, la nudité de son corps et le parfum de *yan-yan* et de *madia** qui s'en exhalait m'enivra. Je perdis tout mon contrôle. Je la relevai et l'attirai vers moi quand ma voix intérieure s'écria : "Malheureux, tu vas commettre le plus abominable des péchés ! Non seulement tu es en état de jeûne pendant le mois sacré de ramadan**, mais tu vas coucher avec la femme d'autrui, dans la maison de son mari et sur son propre lit conjugal ! Réfugie-toi auprès de Dieu qui sauva Joseph de la femme de son maître, lorsque celle-ci l'attira dans sa chambre et lui dit : «Je suis à toi»." Tout cela se présenta à mon esprit en un éclair et provoqua en moi comme un choc électrique. Je continuai de trembler, non plus de désir cette fois-ci, mais de la peur du péché que j'allais commettre et dont le souvenir honteux risquait de troubler toute mon existence.

Je me souvins sur-le-champ d'une formule islamique que Tierno Bokar m'avait enseignée, à réciter dans les cas graves : "O Seigneur ! Je suis vaincu, viens à mon secours*** !" Et alors que je tenais la jeune femme haletante dans mes bras, je récitai à mi-voix cette formule, de toute la force de ma conviction intérieure. La flamme qui me brûlait un instant auparavant s'éteignit d'un seul coup, comme soufflée par le vent. La jeune femme, qui s'abandonnait dans mes bras les yeux fermés, un sourire aux lèvres, comme perdue dans un

* Racines odoriférantes et aphrodisiaques.
** Pendant toute la durée du jeûne quotidien rituel du ramadan, c'est-à-dire depuis l'aube jusqu'au coucher du soleil, le musulman doit s'abstenir non seulement de toute nourriture ou boisson, mais aussi de toute colère, de toute mauvaise parole et de tout acte sexuel.
*** Traduction littérale du texte arabe : "Seigneur (Maître) ! Certes, je suis vaincu, à toi (seul appartient) la victoire."

sommeil bienheureux, perdit soudain tout attrait pour moi ; j'avais l'impression de soutenir une sorte de corps cadavérique.

Brusquement, j'eus l'inspiration d'un subterfuge qui me permettrait de me sortir de cette situation apparemment sans issue.

J'éclatai de rire. Tirée de sa béatitude, la femme me fixa de ses grands yeux fendus en amande. Peut-être me crut-elle devenu fou, et pensa-t-elle que j'allais lui plonger un poignard dans la poitrine ?... Les Peuls passent pour être très irritables, orgueilleux et jouant facilement du couteau quand on les offense. Je lui dis alors, d'une voix si douce que j'en étais étonné moi-même :

"Vraiment, le devenir de l'homme est insondable ! Comment, toi, dans mes bras ? Jamais je n'aurais pu imaginer qu'un tel bonheur m'arriverait, et cela si facilement ! Depuis que je suis à Ouagadougou, tu es la seule femme qui ait ébloui mes yeux et rempli mon cœur de désir ; mais je redoutais ton mari, et plus encore ton refus. Ce qui vient de se passer me donne une idée de la femme que tu es, et du bonheur que tu vas me faire connaître. Mes vœux les plus intimes se trouvent exaucés... Mais il est une chose que tu n'ignores certainement pas : je suis de la tribu peule des Bâ, et notre interdit le plus rigoureux est de coucher avec une femme mariée sur le lit de son époux, et sous son propre toit. La foudre de Dieu tomberait la même année sur la tête des deux amants qui commettraient un tel acte ! Or je demande à Dieu de nous laisser vivre longtemps, afin que je puisse être heureux avec toi et, peut-être, te demander en mariage quand l'adjudant rentrera en métropole...

"Et puis je ne voudrais pas que notre première union soit comme celle d'un coq et d'une poule, qui ne dure que le temps d'un clignement de paupières. Malheureusement je suis de permanence aujourd'hui, et je suis déjà en retard. Tout le monde sait que mon chef de ser vice ne badine pas avec la ponctualité ; si je tarde davantage, il va me punir sévèrement. Est-ce ce que tu veux ?

— Non, non ! protesta-t-elle.

— Si tu m'aimes comme je t'aime, laisse-moi partir aujourd'hui, et préparons comme il faut notre nouvelle rencontre."

Elle s'écarta de moi, pinça sa lèvre inférieure et me regarda fixement. Je retenais mon souffle, attendant sa réaction. Finalement elle desserra les dents et se détendit :

"Que comptes-tu faire ? demanda-t-elle.

— Donnons-nous rendez-vous ici dimanche prochain, et arrange-toi pour que ton mari soit absent toute la journée. Arrange un lit dans l'une des maisonnettes annexes à votre villa. Je viendrai dès dix heures du matin, et nous resterons ensemble jusqu'au soir. Tu auras de moi ce qu'aucune femme de Ouagadougou n'a pu obtenir, et pour cause !"

Toute joyeuse, Gros melon m'étreignit dans ses bras parfumés et me pressa contre sa vaste et moelleuse poitrine. "Je n'ai pas besoin de ruser, dit-elle ; à partir de mercredi prochain mon mari va effectuer une tournée de vérification dans les bureaux des PTT du Nord. Il en aura pour quinze ou vingt jours."

Pour toute réponse, je levai les bras en l'air comme quelqu'un qui se réjouit, puis les posai sur ses épaules – ce qui, en Afrique où le baiser n'était pas courant, était déjà un geste d'une grande intimité. Je la fixai dans les yeux et m'exclamai, avec une sincérité qui ne laissait aucun doute : "Dieu est avec moi, et il vient de me le prouver. Qu'il en soit loué à jamais !" Se méprenant sur le sens de ces paroles, la jeune femme tout heureuse me donna son mouchoir, sa bague, un flacon de parfum et cinquante francs. Je lui rendis son argent : "Achète plutôt avec cela quelques bonnes friandises pour dimanche prochain, et surtout fais-moi une bonne purée d'igname avec une sauce au mouton !"

Souriante, elle ouvrit la porte de la chambre et s'effaça pour me livrer passage. Je n'en croyais ni mes yeux ni mes oreilles et dus faire appel à tout mon contrôle de moi-même pour ne pas prendre mes jambes à mon cou. Je réussis à sortir dignement de la villa, traversai la cour avec la rapidité de l'éclair et regagnai la route. Comme je me retournai, je vis Mme l'adjudant debout sur les marches de sa véranda, qui me faisait des signes avec sa main droite. Je lui répondis de la main gauche. Si elle avait été une fille peule, à ce simple geste elle aurait compris que nous étions en total désaccord…

Avec la sensation d'un prisonnier franchissant le seuil de sa prison, je sautai sur la selle de ma bicyclette et me mis à pédaler avec la vigueur d'un coureur aspirant au maillot jaune, poursuivi par toute la colonne de ses concurrents… Je ne m'arrêtai que devant mon bureau.

Je ne sais comment j'arrivai à travailler correctement ce jour-là, mais une chose était sûre : jamais on ne m'y reprendrait !

Le dimanche suivant, jour du rendez-vous, arriva. Je m'habillai en tenue de fête : grand boubou de basin riche orné de broderies raffinées, chemise blanche en popeline, gilet en drap couleur chocolat, culotte bouffante en drap de même couleur que le gilet et agrémentée de ganses en soie, chaussettes noires, souliers vernis et chéchia fez petit modèle.

Je ne savais pas trop encore, à ce moment-là, quelle attitude adopter. Une lutte se livrait en moi-même. Devais-je aller jusque devant la porte de la jeune femme, la narguer et lui dire une méchanceté bien sentie, ou bien la laisser attendre en vain ? Ou encore me contenter d'envoyer quelqu'un lui dire de ne pas m'attendre, car je ne viendrais chez elle ni ce dimanche ni aucun autre dimanche suivant ? La première solution me parut davantage de nature à lui donner une bonne leçon ; c'était aussi un moyen d'assouvir l'indignation qui m'emplissait encore contre le guet-apens qu'elle m'avait tendu et sa cynique tentative de me salir en m'accusant à tort.

Finalement, l'inclination vengeresse de mon âme l'emporta. J'enfourchai mon vélo et pris la route qui passait devant la maison de l'adjudant. La petite servante, postée près du mur pour me guetter, m'aperçut de loin. Je la vis franchir les marches de la véranda et entrer dans le salon. Immédiatement, parée comme une nouvelle mariée, la silhouette plantureuse de sa maîtresse se dessina dans l'ouverture en arcade cintrée de la véranda. Je continuai de pédaler, baissant la tête comme pour me protéger du vent, et passai devant la porte d'entrée sans m'y arrêter. Elle me fit signe que je me trompais. Je lui répondis non de la tête et de la main. Pensant que j'allais entrer un peu plus loin, après le tournant de la rue, en sautant par-dessus la murette qui entourait la concession, elle traversa la cour presque en courant et vint à ma rencontre. Je m'arrêtai, tout en restant sur mon vélo.

“Pourquoi veux-tu sauter par-dessus le mur au lieu de passer par la porte ? me demanda-t-elle. Par souci de discrétion ?

— Je ne vais pas sauter le mur.

— Ah bon ? Et comment feras-tu alors pour entrer chez moi ?

— Je n'en ferai rien, ni aujourd'hui ni demain, car je ne reviendrai plus jamais chez toi. Et ne viens pas me dire encore que tu m'aimes ! continuai-je en m'échauffant. Tu n'es rien d'autre qu'une gourmande sexuelle doublée d'une belle prétentieuse. Si tu as voulu me forcer à coucher avec toi, c'était uniquement pour pouvoir te vanter partout d'avoir réussi là où les autres filles de Ouagadougou avaient échoué… Ton piège était savant, je le reconnais, mais il était laid, déloyal et perfide. Je ne suis pas au-dessus des rapports sexuels, la nature ne m'a pas fait différent des autres, mais il me répugne de m'y livrer avec une «Madame tout le monde». Tu m'as menacé d'ameuter le quartier et de crier que j'étais allé forcer ta porte pour te violer ?… Eh bien, vas-y ! Crie, hurle, ne te gêne pas !"

Je posai mon pied sur la pédale : "Et si jamais je te retrouve encore sur mon chemin, j'écrirai à ton mari pour lui dire qui tu es et comment tu le bafoues. Il est vraiment dommage qu'une belle créature comme toi soit aussi dévergondée ! Adieu !…"

Et je repris la route, laissant la pauvre Gros melon pétrifiée sur place. Enfin mon âme était assouvie, toute à la joie d'avoir blessé celle qui avait voulu ma honte et la destruction de ma carrière, sinon de ma vie tout entière !

Une fois revenu chez moi, la voix de mon esprit, que j'avais réussi à étouffer tout au long de cette scène, reprit le dessus, comme à son habitude : "Eh bien, me dit-elle, en quoi le méchant langage que tu as tenu à cette pauvre femme t'a-t-il avantagé ? Tu oublies que celui qui aboie contre un chien parce que ce dernier a aboyé contre lui vaut moins que le chien lui-même, parce que le chien, lui, ne fait que suivre sa nature. Et puis, est-ce toi qui t'es tiré tout seul des griffes de cette femme, ou Dieu qui est venu à ton aide ? L'homme qui veut aller vers Dieu doit aimer toutes ses créatures, à commencer par l'être humain. Tu ne dois donc en flétrir aucune. Ton âme s'est pâmée de plaisir parce que tu t'es vengé, mais moi je m'attriste parce que tu as manqué de charité. Dieu s'est montré miséricordieux pour toi, alors que toi tu ne l'as pas été pour cette femme. Souviens-toi de l'adage : *On ne doit pas se servir d'une souillure pour en laver une autre.*"

Autant j'avais éprouvé de plaisir à voir la perfide Gros melon écrasée sous le poids de mes paroles, autant je me sentis étreint par les réprimandes de mon esprit. Certes, je n'avais pas à retourner chez la jeune femme, mais pourquoi l'insulter ? Le Seigneur n'a-t-il pas dit dans le Coran : "Ma Miséricorde embrasse tout" ? De toute évidence, aucun être ne saurait être exclu de ce tout universel… Aujourd'hui encore, je continue de regretter cet acte irréfléchi de mon jeune âge.

Toute la journée, je restai enfermé dans ma chambre, à réfléchir sur ma conduite. Je n'en sortis que le lendemain pour me rendre au bureau.

La femme de l'adjudant entreprit une nouvelle campagne de calomnie contre moi à travers la ville, déclarant partout que mon abstinence n'était due ni à ma piété ni à ma fierté, mais à une tare congénitale. Mon aventure se trouva donc ébruitée. Mes amis s'inquiétèrent à nouveau pour moi. Aïssata Banngaro me manda chez elle pour lui confirmer ce qui s'était réellement passé. N'ayant rien à cacher à celle qui était devenue une vraie grande sœur pour moi, je lui racontai tout. Jamais je ne la vis rire autant !

Le dimanche suivant, je me rendis chez mon oncle Babali Hawoli Bâ pour prendre ma leçon. Dès que je fus assis en face de lui, le vieux marabout me dit :

"Amadou, j'ai appris ce qui s'est passé entre toi et une femme qui t'avait attiré chez elle. Tu en es sorti par la bonne porte. J'ai cependant un conseil à te donner : écris tout de suite à Tierno Bokar et à Beydari Hampâté de bénir ton mariage à Bandiagara et de t'envoyer ta femme sans tarder. Un célibataire, homme ou femme, est un potager sans clôture, à la merci des animaux qui divaguent. Etant donné ta jeunesse et ta situation, les filles des rues ne s'écarteront pas de ton chemin jusqu'à ce que tu sois marié."

J'envoyai immédiatement un courrier à Tierno Bokar et à Beydari Hampâté à Bandiagara, afin qu'ils avertissent ma belle-famille que je voulais faire bénir au plus tôt mon mariage religieux avec ma cousine Baya. Je précisais que je la ferais venir à Ouagadougou le plus rapidement possible, dès que je serais en état de la recevoir dans une maison digne d'elle. Les sept jours de fête traditionnelle africaine qui suivent la consommation du mariage auraient lieu à Ouagadougou après son arrivée.

Le mariage

La cause fut entendue avec une bonne oreille et mon mariage religieux, "attaché" dans les formes à Bandiagara en présence des hommes représentant les deux familles et de quelques notables qui servaient de témoins publics, fut béni par Tierno Bokar. Je rappelle qu'en Afrique musulmane, une fois les deux familles d'accord, le mariage islamique est "noué", ou "attaché", au cours d'une cérémonie très simple, qui suffit pour valider l'union : un marabout récite la Fatiha* et les prières de circonstance en présence des témoins (uniquement masculins), la dot est donnée par la famille du mari, les modalités du contrat éventuel de mariage précisées, et tout est dit. Les "noix de cola de mariage" sont distribuées à travers la ville pour officialiser l'événement.

Les jeunes époux n'assistent jamais à cette cérémonie. J'étais moi-même retenu par mes fonctions à Ouagadougou, et Baya se trouvait alors à Douentza, au nord-est de Bandiagara. En revanche la grande fête traditionnelle, héritage de la coutume africaine, commence le jour de la consommation du mariage et dure généralement une semaine, durée de la retraite des deux époux.

La bénédiction de mon mariage à Bandiagara me sortait du rang des célibataires et faisait de moi un chef de famille. Je ne pouvais donc continuer d'être logé chez Tidjani Tall. Il me fallait une concession.

A l'époque, rien n'était plus facile que de se faire construire une habitation à Ouagadougou : les terres étaient vacantes et n'appartenaient à personne. Il n'y avait pas encore de cadastre pour le quartier des noirs-noirs, qui était aussi celui des blancs-noirs. Derrière la maison de Tidjani se trouvait un terrain vague qui me convenait. Je le pris pour en faire ma concession et décidai d'y construire ma demeure. Il me fallait deux grandes cases rondes jumelées par un grand hangar pour ma propre famille, trois cases rondes isolées pour les parents et amis de passage, une cuisine et une case-toilette, le tout entouré d'une palissade.

Au cercle de Ouagadougou, un service spécial était chargé de faciliter la construction d'habitations pour le

* Voir note p. 80.

personnel indigène. A l'époque, le cercle n'était pas seulement une subdivision administrative (comparable à un arrondissement en France), c'était aussi un magasin, voire une usine, et un centre de recrutements en tous genres, les travailleurs étant soit payés, soit recrutés au titre des "prestations de travail obligatoires". Le fonctionnaire, qu'il soit blanc ou noir, étant "au service de la France", il la représentait ; il avait donc droit à toutes les facilités. Le cercle recrutait un "chef de travaux", sorte d'entrepreneur local, et fournissait travailleurs et matériaux. La facture était établie sous forme d'un "contrat administratif", généralement payable à tempérament.

Je formulai, à l'adresse du commandant de cercle, une demande officielle de construction d'habitation, en indiquant la liste des matériaux nécessaires. Ma requête fut transmise par M. Jean Sylvandre avec avis favorable. Trois jours plus tard, je recevais l'avis de rester à la maison pour réceptionner la livraison.

Le chef de travaux désigné par le cercle mesura le terrain et fit des croquis. "J'en ai pour vingt jours de travail, dit-il. Cela te coûtera cent cinquante francs, payables en trois tranches. Si tu es d'accord, tu signes le contrat administratif que voici et tu verses immédiatement la somme de cinquante francs représentant le montant du premier paiement exigé. L'étanchéité des toitures en chaume est garantie pour un hivernage."

Je ne pouvais en croire mes oreilles ! Ainsi, dans vingt jours, j'aurais une concession à moi, regroupant une famille dont je serais le chef ?

Sans réfléchir, je signai immédiatement le contrat que me présentait le chef de travaux. A peine l'avais-je fait que je regrettai ma précipitation. "En signant ton contrat avant d'avoir obtenu l'avis de mon grand frère Tidjani Tall, lui dis-je, je viens de commettre une faute traditionnelle. Comment vais-je faire pour réparer cette omission… ?

— J'ai été moi-même l'élève de Tidjani Tall quand il était encore moniteur de l'enseignement, me répondit-il. Je lui dois donc respect et obéissance autant que toi, et nous partageons le manque de courtoisie commis envers un aîné. Voici ce que nous allons faire : allons le trouver, expose-lui les faits comme si rien n'était décidé et demande-lui son avis."

Le soir même il m'accompagna chez Tidjani. Je parlai à ce dernier du projet, de son coût, et lui montrai le croquis des pièces à bâtir. Il l'examina, puis leva les yeux vers le chef de travaux, qui s'appelait, je crois, François Ouédraogo : "Ah, petit brigand ! Si tu fais payer à mon frère le même prix que tu exiges des Européens quand ils te font construire des habitations pour leurs épouses indigènes, je vais te tirer les oreilles !"

Instinctivement, comme mû par un vieux réflexe, Ouédraogo rentra le cou et porta la main vers son oreille. "Maître, dit-il, je vous demande pardon, mais ce n'est pas moi qui fixe les prix. La direction des Travaux publics a établi un barème, et je suis obligé de le respecter.

— Alors peux-tu faire quelque chose en plus pour mon frère sans le lui faire payer ?

— Je peux faire damer* sa cour, peindre ses murs et lui aménager une toilette privée avec puits perdu.

— Merci mon petit !" s'écria Tidjani. Il se tourna vers moi : "Tu peux signer le contrat que François te soumettra. As-tu les cinquante francs demandés ? Sinon je te les avancerai.

* Niveler et compacter le sol en le frappant à coups de "dame", sorte de pelle de bois à l'extrémité aplatie.

— Merci *deedé* (grand frère), mais je dispose de cette somme.

— En tant que grand frère, j'en prendrai néanmoins le cinquième à mon compte. C'est dit..."

En ce temps-là, une hiérarchie naturelle, fondée sur l'âge, la naissance ou les qualités, régissait encore toute la vie africaine traditionnelle et déterminait les comportements : égards, courtoisie et obéissance envers les aînés, soutien et assistance de la part de ces derniers. Chacun avait le sens de son devoir et l'accomplissait sans contrainte, presque religieusement.

Vingt jours plus tard, le terrain vague avait fait place comme par enchantement à une belle concession aux cases rondes et spacieuses, peintes en ocre jaune sur plinthes bleu ciel et recouvertes de chaume gris.

Beydari Hampâté, que j'avais prévenu de la date approximative de fin des travaux, me fit envoyer une lettre pour me donner la composition du convoi qui accompagnerait ma femme et m'indiquer la somme nécessaire aux dépenses.

L'escorte de Baya était composée de :

– Djénéba Sera, présidente d'honneur de son association de jeunesse ;

– Dinkadi Karambé, épouse de mon "captif-tuteur" Beydari Hampâté ;

– Diko Dassi Bocoum, une Diawando* attachée à ma famille ;

– et Sangorou Ali Niamoy Touré, une amie de la famille de Baya.

* Ethnie foulaphone (de langue peule) vivant auprès des Peuls depuis des temps très anciens. Extrêmement intelligents et grands hommes d'affaires, les *diawambe* (pluriel de *diawando*) jouent souvent auprès des Peuls un rôle d'intermédiaires ou de porte-parole.

Ces dames étaient précédées par mon ami d'enfance le griot Mouktar Kaou, qui avait été mon témoin à Bandiagara chez Tierno Bokar, le soir de ma conversion.

Ma famille assurait le transport jusqu'à Ouahigouya, après quoi je devais prendre le relais. Je rédigeai aussitôt une lettre par laquelle je demandai à l'administration la mise à ma disposition de seize porteurs, trois chevaux et un goumier d'escorte, de Ouahigouya à Ouagadougou.

Le voyage s'effectua sans inconvénient. A Ouahigouya, le cortège fut hébergé chez Mamadou Konaré, "écrivain expéditionnaire" comme moi, ami de Tidjani Tall. Dès qu'il me télégraphia le départ du cortège nuptial, j'adressai une circulaire de faire-part aux autorités religieuses musulmanes de Ouagadougou, à tous les blancs-noirs de la ville ainsi qu'aux commerçants et notables locaux. Quatre chanteurs sillonnèrent les rues pour annoncer mon mariage et inviter hommes et femmes à venir danser et manger en l'honneur de la nouvelle mariée.

La nouvelle fit d'autant plus de bruit que, jusque-là, j'avais réussi à tenir secret tout ce qui avait trait à mon mariage...

Quand le convoi arriva à sept kilomètres de Ouagadougou, Mouktar Kaou le fit camper et vint lui-même nous aviser de l'arrivée de Baya et de son escorte. Mon épouse devait nécessairement arriver à Ouagadougou un jeudi soir, afin d'entrer au domicile conjugal dans la nuit sacrée de jeudi à vendredi*. La coutume voulant

* La veille du vendredi, appelée "nuit du vendredi", est une nuit sacrée en Islam. Les musulmans ont coutume de réciter cette nuit-là des prières particulières, et d'y placer de préférence certains événements importants.

que des amis du mari aillent au-devant de la nouvelle mariée pour lui souhaiter la bienvenue et la conduire en pompe au domicile conjugal, le jour venu près de quarante cavaliers, réunissant mes propres amis et ceux de Tidjani Tall, se portèrent à cheval au-devant du cortège.

Avant le départ, Djénéba Sera et Diko Dassi firent prendre à Baya le bain nuptial selon les rites. Elles la vêtirent de blanc, puis la recouvrirent d'un grand pagne également blanc qui ne devait laisser voir aucune partie de son corps. Mon ami Mama Passam la prit en croupe, les autres chevaux entourèrent sa monture, puis ils s'ébranlèrent vers Ouagadougou où le gros du cortège parti de Bandiagara les avait devancés.

Pendant ce temps, un groupe de sept marabouts avait béni ma concession. Ils y avaient récité la totalité du Coran, brûlé des encens et formé des vœux de bonheur pour la future famille.

Afin de me dépouiller symboliquement de ma "peau de célibataire", le marabout Amadou Sidiki "teint noir" m'avait fait prendre à moi aussi un bain rituel. Mes bagues, mes vêtements et tout ce que je portais sur moi devaient être donnés aux pauvres. Il m'habilla de blanc et plaça sur moi une grande pièce d'étoffe blanche qui devait me recouvrir comme un burnous de la tête aux pieds ; mais contrairement à la nouvelle mariée, mes mains, mes pieds et mon visage pouvaient rester découverts. On me ceignit d'une bande d'étoffe rayée de rouge, noir, jaune et blanc, couleurs des quatre clans peuls correspondant aux couleurs de base des robes des bovins. Un sabre était suspendu à mon épaule gauche, et je tenais une grande lance de ma main droite. Ainsi rituellement préparé, je fus conduis dans la cour de Tidjani Tall. On me fit asseoir à sa droite, au milieu d'une compagnie d'honneur de douze camarades. Des chaises et des nattes avaient été disposées sur la place qui s'étendait devant la maison ; une centaine de personnes, hommes et femmes, venues de tous les quartiers de Ouagadougou, y étaient déjà installées. Des musiciens jouaient de leurs instruments, des griots chantaient, dansaient, ou déclamaient les devises des nobles qu'ils apercevaient dans la foule.

Comme le voulait la coutume, le convoi nuptial, flanqué d'une quarantaine de chevaux, attendit le coucher du soleil et la célébration de la prière du crépuscule *(maghreb)* pour entrer en ville. La "nuit de vendredi" venait de commencer. Tous les cavaliers et les porteurs allumèrent des torches. En les voyant approcher de loin, on aurait presque dit la retraite aux flambeaux du 14 Juillet…

Quand Mama Passam, qui portait ma femme en croupe, et sa cavalerie d'escorte arrivèrent devant la porte de Tidjani, le griot Mouktar Kaou s'avança et cria d'une voix forte :

"O Tidjani Tall, fils de Amadou Tall, de Hady, El Hadj Omar, Seydou et Ousmane Tall ! Le cortège parti de Bandiagara et convoyant Baya Fatoumata Diallo, fille de Amadou Diallo de Kakagna, cousine et épouse de Amadou, fils de Hampâté, Hammadoun, N'Djobdi, Bakari et Hamsalah, est là devant ta maison. Je t'apporte le salut de Tierno Bokar, de Beydari Hampâté et de Tidjani Tall le chef de Bandiagara. Enfin je t'apporte, unis en un faisceau amical, les saluts parfumés de tous les habitants de Bandiagara de toutes classes, autochtones et étrangers, croyants et incrédules." Tidjani exprima ses remerciements et ses souhaits de bienvenue par la bouche de son griot, Sori Babbarou.

On descendit Baya du cheval pour la placer sur le dos de Dinkadi Karambé, l'épouse de Beydari Hampâté.

Elle se débattait, poussant les cris traditionnels de protestation de la jeune épousée pour exprimer sa tristesse de quitter sa famille et ses amies d'enfance. La portant dans le dos comme on porte un enfant, Dinkadi Karambé amena Baya jusque devant Tidjani. Mouktar Kaou s'écria encore : "Tidjani Tall ! Voici Baya Amadou Diallo, épouse de ton petit frère Amadou Hampâté Bâ, donc ta «femme platonique*». Je te la confie !"

Par l'intermédiaire de son griot, Tidjani souhaita la bienvenue à "sa femme" et annonça que, pour l'honorer, il lui offrait une vache laitière allaitant une génisse de trois mois. Il ajoutait quinze francs pour Dinkadi Karambé, la captive qui l'avait portée, "afin de se payer des ingrédients défatigants". Immédiatement, les cadeaux de bienvenue affluèrent de partout. Les chefs des cantons peuls de Kourougou et de Barakoundouba avaient envoyé quatre taureaux pour nourrir les invités pendant les sept jours de réjouissance. Le Moro Naba Kom II, empereur des Mossis et beau-frère de mon oncle Babali Hawoli Bâ, envoya dix paniers de riz blanc, deux gros moutons de case et la somme de cinq cents francs. Chacun des quatre grands ministres du Naba envoya du riz, des poulets et une somme d'argent. Mes plus proches amis, Demba Sadio Diallo, Mama Passam et quelques autres, apportèrent eux aussi leur contribution.

* Les beaux-frères et les amis du mari sont considérés comme les "maris platoniques" de la femme de ce dernier. Ils sont unis à elle par l'alliance appelée *dendiraku* en peul et *sanankunya* en bambara (traduite en français par "parenté à plaisanterie"), ce qui leur donne le droit de parler assez librement avec elle – en s'arrêtant aux limites de la bienséance et du respect dû à une femme mariée. En revanche, ils lui doivent soutien, conseil et assistance. Les relations entre un mari et les sœurs et amies de sa femme sont identiques.

En peu de temps, la somme fabuleuse de deux mille francs se trouva réunie sur la natte de Tidjani Tall ; on alla la déposer sur le seuil de la chambre de Tidjani. On ordonna à Baya d'enjamber la somme et de rentrer dans la chambre. Tout cet argent devait être entièrement distribué le septième jour après le mariage, jour où Baya porterait pour la première fois sa coiffure de femme.

On servit à manger à tout le monde. Vers vingt-deux heures, on transféra Baya dans la chambre nuptiale de ma concession. Nous devions y rester cloîtrés pendant toute une semaine. Le lendemain matin, selon la coutume, les preuves de la virginité de mon épouse furent rendues publiques – preuves qui, traditionnellement, lui donnaient beaucoup de droits sur son époux.

La tradition veut que durant sept jours, tandis qu'au-dehors se poursuit la fête, les deux époux restent enfermés dans la chambre nuptiale. Le mari, toujours revêtu de son drap blanc, peut sortir dans la journée sur le devant de la chambre et parler avec ses amis, mais personne ne doit voir son épouse.

Le septième jour, Baya sortit de la chambre. Quand elle eut terminé les trois mois de demi-retraite pendant lesquels elle ne devait pas trop s'éloigner de la concession, elle revêtit des boubous de fine étoffe brodée, orna ses tempes, ses oreilles et sa poitrine de ses plus beaux bijoux, se drapa adroitement une coiffure savante, puis, flanquée de ses quatre compagnes, toutes parées comme des déesses, elle alla rendre une visite de courtoisie à toutes les familles qui l'avaient reçue à son arrivée.

Au retour, elle passa par la place du marché, où sa beauté fit sensation. On en parla longtemps en ville. Sa seule apparition avait suffi pour justifier ma longue attente, et les ragots qui avaient couru sur mon compte s'évanouirent comme brume au soleil.

A partir de ce jour, les filles de Ouagadougou me laissèrent en paix. Pour elles, j'étais devenu un fonctionnaire pas tout à fait comme les autres : "le fonctionnaire marabout". Plutôt que de me proposer leurs charmes, elles venaient me demander des prières ou des conseils. Je prenais très au sérieux cette qualité de marabout qu'on me prêtait, et que je préférais de beaucoup à celle de "commis expéditionnaire". La preuve ? Je marchais, parlais, mangeais, regardais, riais et m'habillais comme je l'avais vu faire aux grands marabouts. En un mot, je les singeais avec beaucoup de sérieux et d'application. A l'époque, Tierno Bokar ne m'avait pas encore suffisamment pris en main ; je n'avais pas appris à faire la différence entre "paraître" et "être".

Une séance mémorable

Grâce à ma parenté avec le vieux Babali Hawoli Bâ et à mes liens d'amitié avec Kola Sidi, fils du grand traditionaliste Sidi de Ouahigouya, il m'a été donné de rencontrer des traditionalistes mossis qui m'ont transmis de précieuses informations sur l'histoire de l'empire du Yadiga, dont la capitale était Ouagadougou, et sur l'organisation interne de la cour de l'empereur de cet Etat.

Un jour, je demandai à Kola Sidi ce qu'il fallait faire pour connaître de bonne source l'histoire de l'empire du Yadiga. "Je vais t'amener le «roudouga» en chef du Moro Naba, me dit-il – autrement dit le violoniste royal. C'est son chanteur généalogiste personnel et le chef de ses soixante musiciens. Tu lui offriras en cadeau de quoi s'acheter une tenue mossi complète, mais tu ne lui demanderas rien, pas même de jouer un peu de musique pour toi. Nous sommes tous trop petits pour demander à un musicien royal de venir jouer pour nous ; mais lui, s'il veut honorer quelqu'un, peut venir le voir de sa propre volonté et dire, par exemple : «Le Moro Naba nous envoie te saluer.»"

Je suivis les conseils de Kola. Quand il m'amena le violoniste royal, je donnai à celui-ci vingt francs : "Voici un cadeau pour t'acheter une tenue en souvenir de notre rencontre." Le roudouga parut touché de ma largesse. Il me remercia, et resta un bon moment avec nous à parler de choses et d'autres. Puis il prit congé et rentra chez lui, sans avoir touché à son instrument ni évoqué une autre rencontre. Kola l'accompagna et l'entraîna chez Pougoubila où il lui offrit un petit canari de bon toosi.

Une deuxième fois, Kola fit venir le musicien à la maison. Toujours sur son conseil, je donnai à ce dernier cinq francs, mais, cette fois-ci, "en l'honneur du Moro Naba !". Il en fut visiblement ému, et je lus sur son visage une joie plus grande que lors de notre première rencontre, malgré la modicité de ce dernier cadeau. Pour lui, l'hommage rendu au Moro Naba avait plus de valeur que n'importe quoi au monde ; cela me donna une idée de l'attachement des Mossis à leur empereur, qu'ils aimaient plus qu'eux-mêmes.

Le roudouga me remercia plus chaleureusement que la fois précédente, puis il prit congé et rentra chez lui.

Une troisième fois Kola l'amena à la maison. Ce jour-là, le roudouga était accompagné de son assistant, lui aussi violoniste du Moro Naba. Après un moment de conversation, je lui donnai à nouveau une somme de cinq francs, mais je précisai alors : "en l'honneur du

Naba Oubri qui a été le vrai fondateur de l'empire mossi de Ouagadougou". Les deux roudougas poussèrent un long cri de joie, puis, dans l'attitude traditionnelle des Mossis, ils se jetèrent genoux à terre pour me remercier, frappant à plusieurs reprises le sol de leurs avant-bras.

Quand ils se remirent sur leur séant, ils me "demandèrent la route" – c'est-à-dire l'autorisation de se retirer. Au moment de nous séparer, le chef roudouga se tourna vers moi : "Tu viens de mériter notre confiance et notre amitié, me dit-il. Tu es digne d'entendre la devise de Ouagadougou. Nous viendrons te la réciter au cours d'une séance récréative que nous donnerons dans ta maison dans la nuit de samedi à dimanche prochain. Prépare-nous une place en conséquence." Et ils s'en allèrent.

Kola Sidi exultait de plaisir ! Il venait d'obtenir pour moi une faveur que les violonistes impériaux n'accordaient que très rarement aux non-Mossis. J'en parlai à Tidjani Tall. "Une telle séance se doit d'être une très grande fête, me dit-il, car elle ne peut se donner qu'avec le consentement explicite de l'empereur. C'est la première fois que je la verrai donner chez un fonctionnaire non mossi, à plus forte raison chez un Peul !" Je me rendis chez le vieux Babali Hawoli Bâ pour l'informer de l'affaire et lui demander ce qu'il en pensait. "C'est une occasion à ne pas manquer, me dit-il, surtout pour un Peul !"

Je ne pouvais, à moi seul, faire face dignement aux frais qu'une telle veillée musicale allait entraîner. Demba Sadio et Mama Passam promirent de partager la dépense avec moi.

Le bruit se répandit partout en ville que les roudougas de la couronne impériale allaient donner une veillée musicale chez le commis Amadou Hampâté Bâ. Kola Sidi se mit en campagne. Il sensibilisa tous les commerçants non mossis, et réussit à faire de la réussite de cette veillée une question d'honneur pour tous les résidents étrangers.

Dès le samedi matin, Aïssata Banngaro amena dix jeunes femmes peules pour aider Baya à cuisiner les plats destinés au festin. A titre d'aide personnelle, elle m'offrit un mouton de case presque aussi gros qu'un jeune veau et un grand panier empli de condiments précieux. Tidjani Tall offrit un taureau et vingt-cinq kilos de riz. De mon côté j'achetai un taureau, cinquante kilos de riz et cent kilos de mil. Demba Sadio et Mama Passam tinrent largement leur parole. L'aide générale fut si considérable qu'avant l'ouverture de la séance une somme d'environ deux mille deux cents francs était réunie. Je n'avais donc aucun souci d'ordre financier.

La séance commença par la consommation d'un dîner somptueux. Il y avait au moins cent assistants, qui débordaient jusque dans la rue. Le grand roudouga était venu accompagné de quatre autres violonistes. On les servit à part. Dès leur repas terminé, ils allèrent s'installer sur deux grandes nattes étendues au milieu de la cour. En quelques minutes, les invités formèrent un cercle autour d'eux. Le silence s'établit.

Quand tout le monde fut confortablement installé, le grand roudouga donna ordre aux deux calebassiers de jouer le prélude rythmique habituel. Ceux-ci poussèrent un long cri et attaquèrent leurs instruments ; il s'agissait de vastes calebasses renversées sur le sol, plus ou moins emplies de tissus ou de vêtements afin d'atténuer leur sonorité, et sur lesquelles on frappait comme sur un tambour. Battant des doigts et de la paume avec une dextérité étonnante, d'un mouvement si rapide qu'on le distinguait à peine, ils arrachèrent à leurs instruments des cascades de notes précipitées que venaient scander des tonalités plus graves. La matité du son n'empêchait point les notes de répandre au loin leur rythme irrésistiblement enivrant. Puis ils s'arrêtèrent. Le silence était total. Chacun tenait ses yeux fixés sur les musiciens, particulièrement sur les violonistes.

Tout à coup, le grand roudouga jeta en l'air son archet. Il le rattrapa au vol et s'en servit pour racler les cordes de son violon qui émit un court et profond gémissement. Ses trois compagnons l'imitèrent, puis tous trois attaquèrent leur thème avec un ensemble qui prouvait combien ils avaient la main précise et sûre, et une expérience consommée de leur art.

A tout seigneur tout honneur, les musiciens entamèrent le thème de l'hymne impérial de Ouagadougou intitulé *manyaare*, "L'Etalon gris", du nom du cheval du Moro Naba. Après dix bonnes minutes de musique sans paroles, le grand roudouga, tout en continuant de jouer, commença à déclamer. De sa voix sonore et bien timbrée, tour à tour il étirait les sons ou précipitait le débit, faisant chanter les phrases poétiques qui semblaient portées par la musique comme une pirogue épousant le cours d'un fleuve. Ne pouvant traduire le récit dans l'intégralité de ses détails et de ses images poétiques, je n'en donnerai ici que la trame essentielle, où l'on retrouvera, sous une forme plus développée, certains des éléments que j'avais déjà entendus à Ouahigouya.

"Honneur et gloire à Naba Oubri, fils de Naba Zoungrana, fils de Ouédraogo ! Ouédraogo, le grand confluent humain des Dagombas du Sud et des Mandingues des rives supérieures du fleuve Niger, naquit il y a de cela bien longtemps, un temps d'une longueur non pas de mille jours ou de mille mois, mais de mille hivernages* ; il vit le jour à l'orée des forêts touffues et giboyeuses du bassin central de la Volta, en un lieu nommé Bitou.

"Sa mère, la princesse Niennega ou «Svelte gracieuse», avait été une amazone intrépide. En ce temps-là elle avait fait reculer bien loin les frontières des Etats de son père Nédéga, roi des Dagombas de Gambaga.

"Quant à Riyallé, père de Ouédraogo, c'était un prince venu du pays mandingue. Evincé par les siens, il avait quitté son pays et s'était mis à errer d'ouest en est, au gré des points d'eau et du gros gibier. Il se fixa dans la jungle de Yanga où, tel un roi, il imposait son joug à tous les animaux, même aux lions les plus féroces.

"Un jour, fuyant la cour de son père, la belle Niennega fut emportée par son étalon blanc «Ouédraogo» jusqu'à la jungle où régnait sans partage le chasseur Riyallé. Ils s'épousèrent, et baptisèrent leur premier fils du nom de l'étalon providentiel.

"Ainsi Ouédraogo, rejeton d'une princesse guerrière et d'un prince chasseur et guerrier, hérita-t-il des qualités nécessaires pour fonder un empire. Celui qu'il fonda était immense, et Tenkodogo, la ville-mère, en fut la capitale.

"Ouédraogo, qui prit le titre de «Tenkodogo Naba» (roi de Tenkodogo), engendra trois fils : Zoungrana,

* Les historiens situent ces événements vers le XIe siècle ; pour la tradition orale, ils seraient beaucoup plus anciens. Le mot "mille" ne correspond toutefois à aucune mesure de temps précise, c'est simplement l'évocation poétique d'une période très longue.

Raoua et Diaba. Il en fit des rois et les plaça à la tête de trois Etats de son vaste empire. Ces trois Etats furent appelés empires de l'Ouest, du Nord et de l'Est, en fonction de leur situation par rapport à Tenkodogo.

"L'empire de l'Ouest échut à l'aîné, Zoungrana ; ce sera plus tard l'empire de Ouagadougou où régnera le grand Moro Naba. Raoua, le puîné, reçut en partage l'empire du Nord, qui deviendra l'empire du Yatenga et dont Ouahigouya sera la capitale. Quant à Diaba, le cadet, il régna sur l'empire de l'Est, ou empire de Gourma, avec Fada N'Gourma pour capitale."

Après de nouveaux développements historiques, poétiques et musicaux, le grand roudouga se tut un moment, comme s'il voulait apprécier l'effet produit sur son auditoire. Aussitôt, des exclamations rompirent le silence :

"Roudouga ! *Cennde ! Cennde !* Roudouga ! Salut ! Salut !

— Merci à vous tous, répondit-il. Maintenant, je me dois de vous dire pourquoi nous avons proposé de plein gré de donner cette séance. Nous l'avons fait pour ne pas être en reste avec le commis Amadou, fils de Hampâté, du clan peul Bâ. Il a spontanément honoré Naba Kom et Naba Oubri. Or pour nous Mossis, et particulièrement pour nous, violonistes et généalogistes du trône, si Wounam, le dieu suprême, est au ciel, Moro Naba est sur la terre. C'est lui qui détient les clés du pouvoir sacré et des sciences secrètes de la terre, comme ses ancêtres détiennent, depuis leur mort, les clés des sciences célestes."

Le roudouga se racla la gorge et reprit sa déclamation, accordant sa voix à la musique des violons, déroulant de son ton chantant le fil du récit, dans un langage poétique et rythmé qu'aucune traduction, même littérale, ne saurait rendre...

"Naba Oubri, petit-fils de Ouédraogo le chasseur qui fonda un empire, fut un grand conquérant. Il passait plus de temps à cheval, assis entre le troussequin et le pommeau de sa selle et les pieds dans ses étriers, que couché dans son lit aux côtés de sa femme. Il fonda Oubritenga, «la ville de Oubri», et en fit la capitale de l'Etat mossi de l'Ouest. Il prit le Lâ, réputé imprenable. Il conquit le Gangado qui avait voulu le défier. Il attaqua Yako le téméraire, défit ses guerriers qui n'avaient jamais été battus et fit de son pays une province vassale, vassale mais toujours redoutable. Boussouma broncha, Boulsa se rebella, mais Oubri le héros, qui chevauchait son grand étalon gris légendaire, marcha contre eux et les réduisit.

"Quand Zoungrana, le grand Naba de l'Ouest qui résidait dans la capitale originelle Tenkodogo, mourut, Naba Oubri fut intronisé à sa place. Il devenait ainsi le suzerain de ses deux oncles paternels, Raoua le roi du Nord et Diaba le roi de l'Est, ainsi que de son frère Séré qui régnait sur Tenkodogo.

"Laissant Tenkodogo à son frère Séré, Naba Oubri resta à Oubritenga. Il conquit le pays de l'actuel Ouagadougou, qui appartenait aux Noniossés et aux Nounoumas, en vue d'y transférer sa résidence. Après quarante années de règne, il mourut à Koudougou, sans avoir jamais résidé à Ouagadougou. L'idée de faire de Ouagadougou une capitale avait été conçue par Naba Oubri lui-même, mais il avait omis de demander le consentement des dieux et l'aide des mânes des ancêtres qui l'avaient précédé sur le trône. Aussi son idée resta-t-elle suspendue dans son propre «vouloir» comme dans celui de ses successeurs, et elle resta ainsi suspendue entre terre et ciel durant deux cent trente années !

"Plus tard, quand Naba Niandeffo fut intronisé à la place de son père Naba Zettembousma, il fit demander aux dieux et aux mânes des ancêtres de lui épargner le sort de son père, lequel n'avait jamais eu de résidence nulle part dans son vaste empire où il errait comme un nomade, au point qu'on l'avait surnommé «le Naba errant».

"Les devins et les grands sacrificateurs consultèrent l'occulte. Inspirés par les forces tutélaires, ils conçurent une constitution fondée sur les lois du royaume invisible dont le Moro Naba est la matérialisation sur la terre des hommes et le dépositaire de ses pouvoirs."

Ici le roudouga déploya pour nous toute la structure hiérarchique des Nabas, ou dignitaires, du grand empire de Ouagadougou. Il développa la nature de leurs fonctions dans le domaine temporel comme dans celui de l'occulte, alors qu'à Ouahigouya le cordonnier Sidi s'était contenté d'évoquer leur rôle administratif au sein de l'empire du Yatenga. Je crois utile d'en rapporter ici le schéma simplifié, afin de donner au moins un aperçu de la richesse et de la complexité des structures du pouvoir dans certains anciens empires africains.

"Le Moro Naba, nous dit-il, communique avec l'invisible par seize portes dont chacune est symboliquement gardée par l'un des seize dignitaires qui constituent les membres de la cour impériale administrant le pays. Le premier groupe est composé de quatre dignitaires :

– le *Laralle Naba*, maître des cérémonies sépulcrales et gardien des tombes impériales ;

– le *Ouidi Naba*, «chef des chevaux» et maître de la cavalerie, ministre chargé des affaires intérieures de l'Etat ;

– le *Gounga Naba*, maître de l'infanterie et de la jeunesse ;

– enfin le *Kamsoro Naba*, chef des eunuques et gardien du harem, responsable de la vie des femmes, enfants et gens de la maison impériale.

"Ces quatre grands dignitaires symbolisent les forces des quatre éléments : la terre, l'eau, l'air et le feu. Ils veillent sur les quatre grandes portes par lesquelles le Moro Naba entre en relation avec les forces tutélaires. En vertu des forces qu'ils représentent et qui sont appelées «forces-mères», ils ont le droit de décider, en réunion secrète, qui sera le Moro Naba suivant*.

"Puis vient le deuxième groupe, composé lui aussi de quatre dignitaires :

– le *Baloum Naba*, intendant impérial, chef des pages et serviteurs,

– le *Tapsoba Naba*, chef de l'armée, maintenu «en sommeil» en périodes de paix,

– le *Samande Naba*, chef de la garde impériale,

– et le *Poé Naba*, chef des devins.

"Ces quatre dignitaires gardent les quatre portes secondaires par lesquelles entrent ou sortent les enfants impériaux.

"Les dignitaires du groupe suivant :

– le *Gande Naba*, maître des sacrifices,

– le *Dapouï Naba*, chef des serviteurs,

– le *Kambo Naba*, coadjuteur du *Dapouï Naba*,

– et le *Benderé Naba*, chef de l'orchestre impérial, veillent sur les quatre portes dites «de témoignage» par

* Quand la place du Moro Naba est vacante, tous les descendants de Ouédraogo peuvent présenter leur candidature.

lesquelles demandeurs et défendeurs accèdent à l'audience de l'empereur.

"Les deux dignitaires suivants :

– le *Nemdo Naba*, chef des abattoirs,

– et le *Ouïdianga*, chef des écuries et des étables, sont responsables des deux portes par lesquelles entrent les témoins à charge et à décharge des procès en cours devant l'empereur.

– Le *Daré Naba*, chef des percepteurs et collecteurs, surveille la porte par laquelle entre le juge.

– Enfin le *Yarh Naba*, chef des musulmans du pays*, surveille la seizième et dernière porte par laquelle entre le grand juge dont le verdict est sans appel. Le Moro Naba lui-même entre toujours par cette porte, qui se trouve à part des quinze autres portes."

Telle était la trame de base du grand récitatif traditionnel que le roudouga du trône déclama pour nous au son des instruments royaux, avec quelques autres récits que je n'ai pu rapporter ici.

Cette nuit fut plus éclatante encore que celle de mon mariage. Dès le lendemain, je n'étais plus un anonyme *nassaara seblaga* (blanc-noir), titre donné par les Mossis à tous les Africains lettrés ou travaillant dans des bureaux, mais un *naba zuwa*, un "ami du Naba", dont le nom se répandit à Ouagadougou et, m'assura-t-on, dans tout le pays mossi…

* L'Islam est en effet représenté dans la cour du Moro Naba. Il y a toujours une mosquée dans la cour du palais. L'imam fait partie des hommes qui ne font pas le salut du *kantiga*, où l'on frappe le sol de ses avant-bras.

Le commandant "Porte-baobab"

Arrivé début février au bureau de l'Enregistrement et des domaines en tant qu'"écrivain temporaire à titre essentiellement précaire et révocable", je n'avais pas tardé à laisser derrière moi ce titre original mais plutôt aléatoire. Dès le 10 mars 1922, grâce à un concours interne, j'étais entré dans le cadre local des fonctionnaires indigènes de la Haute-Volta avec le titre prometteur d'"écrivain expéditionnaire de 3e classe", première marche vers le cadre envié des "commis expéditionnaires", alors sommet de la hiérarchie administrative indigène !

Après six mois de travail intensif aux côtés de M. Jean Sylvandre pour ouvrir, puis faire fonctionner les nouveaux services composant le bureau de l'Enregistrement et des domaines, j'étais devenu un vrai professionnel. M. Sylvandre m'accorda son entière confiance, allant même jusqu'à me déléguer certaines signatures. Je travaillai ainsi sous ses ordres pendant toute l'année 1922.

M. Sylvandre fut alors désigné pour occuper le poste de receveur de l'Enregistrement et des domaines à Bamako afin d'y remplacer M. Gaston Bourgeois. Ce dernier, auquel je devais ma formation initiale dans le métier, venait en effet d'être nommé inspecteur et avait été affecté au ministère des Colonies à Paris.

A l'époque, l'administration de l'AOF (ex-Afrique occidentale française) ne regorgeait pas de receveurs de l'Enregistrement. Faute de trouver un homme du métier pour remplacer M. Sylvandre à Ouagadougou, le gouvernement de la Haute-Volta désigna à titre provisoire l'administrateur adjoint des colonies Teyssier, qui conservait par ailleurs ses fonctions d'adjoint au commandant de cercle de Ouagadougou.

L'administrateur Teyssier n'était pas un homme commode. Il n'était tendre ni pour lui-même ni pour les autres. Grand bâtisseur, il s'était spécialisé dans la construction des routes et des ponts, tâche qui requérait énergie et autorité. On savait ce qu'à l'époque ces réalisations coûtaient en travail et en souffrances aux travailleurs locaux, plus souvent menés à la chicotte qu'à coups de bonnes paroles, et qui devaient s'estimer heureux quand les lanières des chicottes n'étaient pas nouées avec du fil de fer qui leur labourait la peau. Teyssier ne manquait ni de l'énergie ni de la poigne nécessaires, mais il faut reconnaître qu'il ne se ménageait guère lui-même. Plus d'une fois on l'avait vu rester toute une journée sur un chantier sans déjeuner, ne se désaltérant qu'avec un peu d'eau car il évitait de boire de l'alcool quand il était au travail.

A la suite d'un événement demeuré célèbre dans le pays, les Mossis lui avaient donné le sobriquet peu flatteur de *Touk-toïga* : "Porte-baobab".

Un jour, le tracé d'une route tomba sur un très vieux baobab, dont l'ampleur justifiait bien son surnom d'"éléphant des végétaux". Teyssier, qui aimait les lignes droites et entendait montrer qu'aucun obstacle ne l'empêcherait de réaliser son travail, ordonna de couper l'arbre séculaire et de le transporter à tête d'hommes jusqu'au prochain village. Pour y parvenir, il mobilisa les habitants de dix villages environnants ! A la façon africaine, le travail se fit au son des tam-tams, des flûtes et des violons. Teyssier avait tout de même pris soin d'offrir aux porteurs cinq cents canaris de bière et, pour une fois, un déjeuner copieux.

Depuis ce jour, les ménestrels mossis chantèrent :

Si un baobab s'entête à barrer le chemin à Teyssier,
celui-ci le fera couper
sans égard ni pitié pour son âge

et sans peur de son envergure !
Gare au baobab
qui se mettrait en travers de sa route !
Teyssier rassasiera et désaltérera dix villages
et leurs habitants débarrasseront sa route de tout obstacle,
y compris le plus énorme des baobabs,
même si c'est la demeure des diables !

Quand j'appris que *Touk-toïga* en personne allait devenir mon nouveau chef, j'éprouvai une telle frayeur que je décidai de me sauver de Ouagadougou pour retourner au Soudan. Je confiai mon projet à Tidjani Tall. "Rassure-toi, me dit-il. *Touk-toïga* ne fera rien pour te rendre la vie impossible, pour la bonne raison qu'il ignore tout du fonctionnement du service qu'on vient de lui confier ; il n'aura même pas le temps de s'en occuper, puisqu'il conserve ses anciennes fonctions ! S'il veut que tout marche bien, il sera obligé de se reposer sur toi."

De son côté, M. Sylvandre assura à M. Teyssier qu'il n'aurait aucune difficulté à faire marcher son service s'il m'accordait sa confiance et me laissait faire.

Le premier acte de M. Teyssier fut de transférer les bureaux de notre service à son domicile, où la place ne manquait pas. "Installe les choses comme tu le jugeras bon, me dit-il. Désormais, considère-toi officieusement comme faisant fonction de receveur de l'Enregistrement, des domaines et des autres services du bureau. Je te fais entière confiance et te donne carte blanche. M. Sylvandre m'a dit que je pouvais compter sur toi les yeux fermés. Mais si tu me déçois et m'obliges à ouvrir les yeux, alors tu sentiras de quel bois je me chauffe !"

De ce jour il me laissa toute liberté de m'organiser à ma guise, ce qui, moralement, me contraignait bien souvent à travailler plus que ne me l'imposaient les horaires officiels. Je ne remettais jamais au lendemain le travail que je pouvais finir le jour même, et veillais à ce que tout soit en ordre. Peu à peu, j'acquis la réputation d'un "auxiliaire indigène modèle", un de ceux sur lesquels les "patrons" ne tarissaient pas d'éloges au cours de leurs rencontres privées. Même les grandes maisons de commerce de la ville (SCOA, CFCI, commerçants libanais, etc.) m'offrirent des carnets de bons qui me permettaient de commander à tempérament tout ce dont j'avais besoin dans leur magasin.

Malgré toute la paix que me laissait M. Teyssier, je n'avais pas perdu mon appréhension ; un homme comme lui était tel un ouragan, on ne pouvait savoir ni quand ni comment il allait se déchaîner. Ce que j'entendais dire de son comportement sur les chantiers de construction ainsi qu'au tribunal indigène du 1er degré, dont il était chargé, ne contribuait guère à me rassurer.

De jour en jour, l'envie montait en moi de changer de service, et même de quitter Ouagadougou, où pourtant ma vie n'était pas désagréable. J'avais dans la tête d'aller à Dori, région essentiellement peule où, pensais-je, je serais un peu comme chez moi. Dori ! Qui, au Soudan, en Haute-Volta ou au Niger, n'avait pas entendu parler de Dori ! Pour les Peuls, c'était un paradis ; pour les Touaregs, une oasis ; pour les Maures et les Haoussas, une foire interterritoriale ; et pour les marabouts musulmans, une véritable ville sainte. Tout le monde voulait aller à Dori ! Et puis, là-bas, il y avait du lait, cette substance plus indispensable aux Peuls que leur propre sang, très rare à Ouagadougou, et que ma femme, enceinte depuis peu, me réclamait chaque jour.

Je m'ouvris de mon idée à mon ami Demba Sadio Diallo, secrétaire particulier et homme de confiance du gouverneur Edouard Hesling. Il ne me cacha pas que le poste de Dori était un morceau de roi, une chasse bien gardée par le commandant de cercle François de Coutouly, et que l'accès en serait difficile. De plus, il craignait que M. Teyssier ne veuille pas me laisser partir en raison des services que je lui rendais. "Quand on souhaite une chose ardue, me dit-il, il faut la demander d'abord à Dieu, et ensuite seulement aux hommes."

Le soir même, nous nous rendions tous deux chez mon oncle le saint homme Babali Hawoli Bâ. Je lui exposai mon projet et lui demandai, lui dont les prières étaient presque toujours exaucées, de prier Dieu pour moi. J'étais jeune, impulsif, impatient... Je n'avais pas encore compris qu'il est plus important de remercier Dieu pour ce que l'on a, que de demander ce que l'on n'a pas... Et qui peut savoir si ce qu'il demande ne se révélera pas néfaste pour lui ?...

"Je serai bien triste de te voir partir, me dit mon oncle, car je quitterai bientôt ce monde et j'aurais aimé que tu sois présent à mon enterrement, mais je ne m'opposerai pas à ton départ. Ta femme et toi serez moins dépaysés en pays peul qu'ici à Ouagadougou. Revenez me voir tous les deux demain soir, je vous dirai ce qu'il faut faire."

Le lendemain soir, dès la sortie du bureau, nous étions chez lui. Il était assis à côté de son fils Ibrahim, qui l'assistait dans son travail. C'était un spectacle touchant que de voir le vieil homme aveugle, la tête couronnée de beaux cheveux blancs, communiquer avec son fils complètement sourd en traçant de son doigt, sur l'avant-bras de ce dernier, des mots en arabe... "Amadou, me dit-il, tu m'as demandé de prier Dieu afin qu'Il te vienne en aide pour aller à Dori sans difficulté. J'ai prié en conséquence. Dieu peut tout : «Lorsqu'il a décrété une chose, Il lui dit seulement : "Sois !" Et la chose est*.»"

Il prit à côté de lui une petite tige de bois dont la surface était littéralement recouverte d'inscriptions en arabe, et nous la tendit. "Prenez cette tige, dit-il. Elle a été taillée dans un morceau de caïlcédrat très dur, et j'y ai fait inscrire par mon fils des prières spéciales accompagnées de noms divins sacrés. Quand la nuit sera tombée, allez l'enfoncer doucement dans le tronc d'un baobab à l'aide d'une pierre. Si vous réussissez à la faire pénétrer totalement sans la casser, cela signifiera que la prière inscrite sur elle sera exaucée contre vents et marées, et Amadou ira à Dori. Si au contraire elle se brise, inutile d'insister, Amadou ne pourra pas partir. Ensuite, venez me rendre compte."

Nous connaissions un gros baobab, juste à côté de la cathédrale de Ouagadougou. Quand la nuit fut bien obscure, Demba Sadio et moi, recouverts d'un burnous anonyme pour ne pas risquer de nous faire reconnaître par des passants attardés ou des Pères blancs, nous nous approchâmes de l'arbre, du côté opposé à l'église. Je pris la tige de bois et, avec l'aide d'une petite pierre, la clouai doucement dans l'écorce du vieil arbre. Elle s'y enfonça totalement, comme dans du beurre…

Nous retournâmes immédiatement chez mon oncle pour lui annoncer le résultat heureux de notre opération. "*El Hamdoulillâh !* Louange à Dieu !" s'exclama-t-il. "Amadou, ajouta-t-il, si tu tombes malade avant la fin de la semaine, ne t'inquiète pas, et ne prends aucun des remèdes que le médecin te donnera. Ton mal passera sans médication, s'il plaît à Dieu. Maintenant, va, et

* Coran, sourate 2, v. 117.

dès demain donne à un pauvre l'un de tes vêtements les plus riches, et de la nourriture pour une journée à une pauvre femme mère de jumeaux.

— Et à toi, mon oncle, que pourrais-je te donner pour te remercier ?

— Le nom de Dieu ne se vend pas, me répondit-il. Il n'a pas de prix. Seuls les charlatans font payer leurs prières, les initiés les donnent. Ils ne sont que des dépositaires qui mettent leurs capacités au service de ceux que Dieu dirige vers eux. Mais quand tu seras là où tu veux aller, souviens-toi de ton vieil oncle enlisé dans la mort jusqu'au cou, et prie pour son âme qui ne fait plus que jeter un dernier regard sur les hommes et les choses d'ici-bas."

Trois jours plus tard, quand je m'éveillai le matin et voulus sortir de mon lit, impossible de bouger ! Flasques comme une chair sans os, mes jambes ne me répondaient plus. M. Teyssier, avisé aussitôt, me fit envoyer un médecin, le Dr Maës. Celui-ci m'ausculta rapidement, puis me fit hospitaliser pour examen plus approfondi. Après avoir fait procéder à toutes les analyses et examens nécessaires, il vint me trouver. Assis sur le bord de mon lit, il me regardait d'un air pensif. "Amadou Bâ, me dit-il, tu es un vrai cas pathologique. Selon tes analyses, tu n'as rien. Et pourtant, te voilà cloué au lit par une sorte de crise de rhumatisme polyarticulaire aigu, ce qui est fort étonnant chez un jeune homme de vingt-trois ans. Y a-t-il une nourriture particulière à laquelle tu es habitué et dont tu serais privé à Ouagadougou ?

— Oui, répondis-je. Il me manque le lait, qui est la base de la nourriture des Peuls. Les Mossis n'en buvant jamais, on n'en trouve pratiquement pas à Ouagadougou."

Immédiatement, le Dr Maës commanda qu'on me fournisse deux litres de lait par jour. Une voiture de l'hôpital allait s'approvisionner dans un campement peul situé à vingt kilomètres de là. Rien n'était de trop pour le commis du commandant "Porte-baobab" !... Tandis que je me gavais de lait, je me débarrassais, grâce à la complicité de l'infirmier major – un compatriote – de tous les remèdes que l'on m'apportait.

Après dix jours d'hôpital, je sentis mes jambes reprendre de leur vigueur, au plus grand plaisir du Dr Maës. "Est-ce que je ne vais pas retomber malade ?" lui demandai-je. Il répondit en riant : "Si tu restes à Ouagadougou, tu ne feras pas de vieux os ! Il va falloir que je t'envoie dans un des postes du Nord, moins humides, et où tu trouveras beaucoup de lait. J'ai constaté l'heureux effet de cet aliment sur ta santé." Il rédigea immédiatement un certificat médical en bonne et due forme, ainsi libellé :

"Je soussigné Auguste Maës, docteur en médecine, médecin de l'Assistance médicale indigène de Ouagadougou, certifie que l'écrivain expéditionnaire de 3e classe Bâ Amadou est actuellement en traitement à l'hôpital pour rhumatisme polyarticulaire grave, que son état s'améliore, et que pour l'avenir il serait nécessaire de l'affecter dans un cercle moins humide afin d'éviter de nouvelles rechutes. Ouagadougou, le 4 août 1923, signé Maës."

Je formulai le jour même une demande de mutation pour l'un des trois cercles du nord de la Haute-Volta : Ouahigouya, Kaya ou Dori. Je précisai que ne parlant pas parfaitement la langue mossi, je rendrais plus de services à Dori, pays peul, qu'à Kaya ou Ouahigouya. J'ajoutai que le climat de Dori était plus sec et que j'y trouverais plus de lait que partout ailleurs.

Quelques jours après, à la plus grande surprise du Dr Maës qui y perdit une bonne partie de son latin, je m'éveillai un matin complètement guéri de ma paralysie, et sans aucune séquelle. Je rentrai chez moi et repris mon travail, attendant la réponse à ma demande de mutation. Contrairement à ce que j'avais craint, l'administrateur Teyssier avait transmis ma requête avec avis favorable. "Ton départ du service va y creuser un grand vide, me dit-il. Mais je ne puis, en raison des risques que tu cours, m'opposer à ta mutation ; ce serait non seulement égoïste, mais inhumain." Je le remerciai de sa compréhension, réfléchissant une fois de plus au bien-fondé de l'adage soudanais : *Les personnes de la personne sont multiples dans la personne*… "Après tout, reprit-il du ton bougon qui lui était davantage familier, si l'administration tient à ce que son bureau de l'Enregistrement marche comme il faut, elle n'a qu'à faire venir un receveur de carrière !"

Le 9 août 1923, grâce aux bons offices de Demba Sadio qui avait fait diligence auprès du gouverneur Hesling, court-circuitant toutes les étapes administratives d'usage, la décision m'affectant à Dori était signée et enregistrée sous le numéro 496. Un télégramme fut envoyé à Dori pour ordonner la mise en route immédiate de mon remplaçant, un écrivain expéditionnaire nommé Amadou Mahmoudou Dicko. Celui-ci arriva une semaine plus tard. Je restai encore un mois à ses côtés pour le mettre au courant de son nouveau travail, qu'il assimila avec facilité.

Mon départ fut fixé pour le 18 septembre. L'administration mit quatre porteurs à ma disposition ; j'en engageai quatre autres à mes frais pour porter le hamac de ma femme, alors enceinte de six mois.

Il me fallut plusieurs jours pour prendre congé de tous les amis que je comptais en ville. Le jour du départ venu, tôt dans la matinée, je me rendis avec Demba Sadio chez mon vieil oncle Babali Hawoli Bâ, pour le saluer une dernière fois et lui demander de bénir mon voyage. Audessus de mes mains ouvertes, il récita la Fatiha et des prières tidjanes, puis traça dans mes paumes quelques signes coraniques, comme l'avait fait Tierno Bokar à Bandiagara. Très ému, je lui souhaitai bonne santé et longue vie. Je me demandais si je le reverrais un jour...

Notre petit convoi s'ébranla en direction du nord. Demba Sadio nous accompagna à cheval pendant près de quatre kilomètres, puis il prit congé de nous. Il me serra fortement contre sa poitrine, et je l'embrassai avec effusion. Après avoir fait ses adieux à Baya qui venait d'échapper sans dommage à une chute, il s'en retourna à Ouagadougou.

Je m'éloignais d'amis précieux, mais j'avais le cœur léger. J'allais dans le pays des Peuls, je retournais chez moi.

III

DORI, LE PAYS DES PEULS

Une réception inattendue

Notre voyage vers la ville de Dori, située à environ trois cents kilomètres au nord-est de Ouagadougou, s'effectua en de nombreuses étapes. Je trottais à cheval, tandis que ma femme, dans son hamac, se balançait au rythme des pas de ses porteurs.

Deux étapes avant Dori, je devais passer la nuit au campement de Togou, un gros village dont le chef traditionnel, le "Togou Naba", était également chef de canton. Je m'installai avec mon monde et envoyai quelqu'un annoncer mon arrivée au chef. Le Togou Naba se déplaça avec toute sa cour pour venir saluer le représentant de l'administration. Un tam-tam *bendéré* – ces tam-tams ronds qui accompagnent les chefs mossis dans leurs moindres déplacements – soutenait la marche du cortège. En cadeau de bienvenue, le chef m'offrit un beau mouton de case, du lait, cinq poulets et une petite calebasse contenant une bonne vingtaine d'œufs.

Les voyageurs administratifs se contentaient pour la plupart de recevoir ces dons comme un dû, mais j'avais à cœur de donner moi aussi quelque chose au chef pour le remercier de son geste. Je lui offris l'un des miroirs de ma femme au cadre joliment ciselé. Ce fut comme si je lui avais donné un des plus beaux cadeaux de sa vie ! Dans ces pays où l'on ignorait généralement l'usage du miroir, le fait de se voir soi-même créait une sorte de fascination. J'y ajoutai une chéchia rouge, cinq mètres de toile rouge andrinople, un flacon de parfum et l'un de mes casques. Il était si content qu'il ordonna une grande soirée de musique et de danse en mon honneur.

A la fin de la soirée, le chef me qualifia de "plus grand que tous les blancs-blancs et blancs-noirs qu'il avait jamais rencontrés". Puis il fit venir sa propre fille, une fillette de douze ans candide et ravissante, et la poussa vers ma femme. "Tiens ! lui dit-il, prends ma fille bien-aimée. Elève-la à ta guise, et quand elle sera en âge de se marier, tu la donneras à ton mari. Elle sera à tes côtés comme ta petite sœur et ta servante." Baya, qui savait qu'un tel don était une grande marque d'amitié en pays mossi, remercia le chef comme il se devait, et fit asseoir sa "future coépouse" à ses côtés.

Le lendemain, avant de quitter le village, je dis au chef : "Ma femme et moi voudrions bien emmener ta fille avec nous, mais nous préférons te la laisser en attendant de savoir ce que nous allons devenir à Dori. A partir de maintenant, je te considère comme mon beau-père." Ma femme donna un bijou, un pagne et un foulard à la petite, et lui promit que nous reviendrions la chercher plus tard. La pauvrette, qui tenait à partir avec nous le jour même, fondit en larmes. Ma femme, attendrie, voulut me forcer la main, mais ma raison l'emporta sur ma pitié. Je maintins ma position, d'autant que je n'avais nul désir de "doubler" mon épouse.

A notre dernière étape, souhaitant entrer à Dori en plein jour pour mieux voir la ville et son environnement, je quittai le campement vers quatre heures du matin. Quand l'obscurité de la nuit se dissipa, nous sortions de la région des plateaux rocheux couverts de bosquets qui allaient en s'atténuant vers le Dahomey (actuel Bénin), pour nous diriger vers la vaste plaine où s'élève Dori, chef-lieu du canton et ancienne capitale du Liptako, célèbre à plus d'un titre dans les annales militaires et religieuses de la vieille Afrique occidentale.

Le pays du Liptako, situé dans la Boucle du Niger à la limite de la zone de savane boisée et du Sahel, non loin des mares saisonnières que l'on trouve entre le bas Niger et le bassin de la Volta blanche, est arrosé par un bras du Niger appelé Gorouolé.

Peuplé par plusieurs ethnies africaines, il a été dominé durant un siècle par les Doforobés (1491-1591), puis, durant le siècle suivant, par les Gourmantchés. Des émigrés peuls venus du Macina par plusieurs voies à partir du XVe siècle y ont formé peu à peu une colonie assez importante et bien organisée. A partir de la prise du pouvoir par le chef peul Ibrahima Seydou vers la fin du XVIIe siècle, le Liptako ne connut plus de suzeraineté autre que celle des Peuls, et cela jusqu'à l'occupation du pays par les Français en 1895*.

A peine avions-nous dépassé les derniers contreforts des collines que nous entrâmes dans une immense dépression, à moitié inondée à cette saison de l'année, couverte d'herbes aquatiques et de nénuphars dont les

* Contrairement à ce que certains historiens ont parfois avancé, le Cheikh Osman Dan Fodio, fondateur de l'Empire islamique peul du Sokoto au nord du Nigeria, n'a jamais conquis le Liptako ; c'est le roi de ce pays qui, par piété, plaça son royaume sous l'obédience religieuse du Cheikh, lequel n'y a jamais exercé un quelconque pouvoir temporel.

feuilles et les fleurs blanches s'étalaient sur l'eau comme pour la protéger de l'ardeur du soleil. Mille oiseaux de toutes tailles et de toutes couleurs reposaient sur les taupinières qui surgissaient de loin en loin, ou perchaient sur les branches de grands acacias. Des sarcelles et autres canards sauvages peuplaient cette sorte de vaste étang au milieu duquel, comme par miracle, Dori hérissait ses maisons rectangulaires de pisé gris. La ville m'apparut au loin comme une oasis d'autant plus féerique qu'elle était à la fois entourée d'eau et de grandes dunes de sable clair.

Nous avions hâte d'y arriver, car la brousse était infestée de fauves et aucun de nous n'était armé, pas même le blanc-noir que j'étais. Pour avoir droit à un permis de port d'arme, il fallait en effet totaliser au moins dix ans de bons et loyaux services envers la France... A défaut de fusil, j'égrenais mon chapelet, et pour assurer le salut de ma petite compagnie j'invoquai le Seigneur par ses quatre-vingt-dix-neuf attributs. Toujours est-il que nous ne fîmes aucune rencontre dangereuse ; et si un lion croisa notre route, selon sa coutume il fit en sorte, en s'aplatissant sur le sol, de se soustraire à notre vue*.

Notre petit convoi s'engagea sur la digue qui reliait Dori à la terre ferme. Au fur et à mesure que nous approchions, je distinguais mieux les contours des choses et commençais à percevoir les bruits qui s'échappaient de la cité comme une fumée sonore. Comme partout

* Les anciens Maliens ont observé que le lion, quand il est le premier à voir un homme ou un groupe d'hommes allant paisiblement leur chemin, sans arme à feu entre les mains, s'aplatit sur le sol pour ne pas être vu. Avant l'époque des grandes chasses, le lion se défendait plus qu'il n'attaquait.

ailleurs en Afrique, c'était un concert confus mêlant cris humains, braiments d'ânes, beuglements de bœufs, hennissements de chevaux, bêlements de moutons et de chèvres et cocoricos joyeux, auxquels, ici, s'ajoutaient des blatèrements de chameaux. Dans ce concert de cris animaux, une absence me frappa : il n'y avait aucun aboiement de chien. C'était dire combien les gens de Dori étaient musulmans. En effet, bien que ce ne soit pas impérativement interdit, les musulmans n'aiment pas élever le chien auprès d'eux et n'en font généralement pas un animal domestique.

Dès que je pus discerner les voix humaines, je n'entendis parler que le peul, et rien que le peul ! A l'exception des chameaux, tout ce que je voyais était identique à ce que j'avais l'habitude de voir à Bandiagara. Une joie très vive s'empara de moi. La petite voix de mon âme me disait : "Ici, tu seras en pays de connaissance, tu n'auras certainement pas d'ennuis !"

C'était vendre la peau du lion avant de l'avoir tué…

A Dori se trouvait un autre de mes oncles : Mamadou Ali Thiam, frère de mon père Tidjani, venu se fixer dans cette ville des années auparavant. Dès mon arrivée je me rendis chez lui. Il nous réserva un accueil chaleureux et mit à notre disposition une maison spacieuse et agréable, ainsi qu'une jeune fille pour aider ma femme.

Une fois mes affaires réglées avec les porteurs, je pris un bon repos, puis m'habillai pour aller me présenter à mon nouveau chef, le commandant de cercle François de Coutouly.

Mon oncle m'avait indiqué le chemin. Je revêtis ma tenue européenne des grands jours : costume impeccable de drill blanc composé d'un pantalon à pattes d'éléphant et d'une veste à col rabattu, chemise agrémentée d'une cravate en soie noire, souliers Robéro jaune London craquants comme il se devait, plus un chapeau de paille posé sur mes cheveux soigneusement gominés. Tenant négligemment à la main une petite cravache ornée d'un pompon bleu blanc rouge, me voilà parti pour le bureau !

Pour arriver à la résidence du cercle, je devais traverser une partie du marché. Lorsque je parus ainsi accoutré, tous les regards se tournèrent vers moi ; vendeurs, acheteurs, badauds, tous étaient cois d'étonnement. Certains me montraient du doigt : "C'est le nouveau «crayon» du commandant !" Je discernais quelques paroles : "Qui est-ce, celui-là ?" – "Est-ce un «mulet humain» (un métis), un «markandik» (un Martiniquais) ou un Peul ?" – "Ce n'est pas possible qu'il soit un fils de Peul et qu'il s'habille comme ça !" Au lieu de saisir le sens profond de cette dernière réflexion, je me croyais prestigieux à cause de mon costume européen. Instinctivement, je modifiai ma démarche. Au comble de l'orgueil et de la sottise, je me croyais supérieur à tous ceux qui s'interrogeaient à mon sujet et dont aucun n'était habillé comme je l'étais.

Persuadé qu'ainsi vêtu j'allais donner au commandant une bonne impression de moi – tout de même, je venais de la capitale, et j'étais "écrivain expéditionnaire" ! – je m'avançai vers les bureaux du cercle. J'y arrivai à quatorze heures, juste comme le planton ouvrait les portes. J'entrai dans la vaste véranda qui servait de salle d'attente. Le planton alla s'asseoir à la porte du bureau du "grand commandant", attendant les ordres. Le "grand interprète" n'était visiblement pas encore arrivé.

Je me présentai au planton et me nommai. Il me salua du nom de ma lignée : "Bâ !" et me dit que lui-même se nommait Fodé Diallo. C'était donc non seulement un Peul, mais un "parent à plaisanterie" (un *dendam*, ou *sanankou* en bambara, mot plus généralement employé par les Peuls). Je me sentis immédiatement en confiance, et allai m'asseoir sur le banc placé à côté de lui. La coutume de la *dendirakou* impose en effet aux Diallo et aux Bâ non seulement de ne rien se cacher, mais aussi de se prévenir de tout danger et, le cas échéant, de se porter assistance.

Fodé Diallo me regarda longuement. Dans ma naïveté, je pensais qu'il admirait mon costume. Aussi tombai-je de haut quand il me dit : "Fils de mon père ! C'est ainsi habillé que tu vas te présenter au grand commandant ? Alors fais très attention. Je ne te vois pas bien reçu." Persuadé que ma tenue ne pouvait m'attirer que les félicitations de mon chef, qui verrait en moi un indigène "évolué", je ne compris rien à sa mise en garde.

A ce moment, le grand interprète, qui s'appelait Kaman Touré, entra à son tour dans la véranda. Vêtu de boubous somptueux, comme la plupart des interprètes, il était borgne et son visage n'avait rien d'attrayant. Ancien cuisinier de son état, parlant un français tortueux, il avait horreur des jeunes fonctionnaires diplômés et haïssait les établissements scolaires parce que son propre fils en était sorti "raté".

Je me levai pour le saluer et me présentai. Il me tendit une main molle et, de son œil unique, posa sur moi un regard voilé indéfinissable. A peine avais-je fini de parler avec lui que le "petit commis" Mamadou Traoré (on appelait ainsi les commis temporaires) arriva. Il avait profité du départ du grand commis pour occuper sa place, c'est-à-dire celle que je devais prendre. Le commandant, qui ne connaissait rien de moi et qui était furieux de mon affectation imposée depuis le cabinet du gouverneur sans qu'il ait eu le temps de réagir, l'avait laissé faire.

Dès qu'il me vit, Mamadou Traoré, homme de très petite taille aux gros yeux proéminents, ne put cacher sa contrariété. Il me salua rapidement d'un geste de la main, me tourna le dos et, flottant dans ses habits trop larges pour lui, s'engouffra dans le bureau du commandant, comme appelé par une urgence.

Je me rassis à côté de Fodé Diallo, attendant que le grand interprète veuille bien aller m'annoncer au commandant. Apparemment peu pressé de le faire, il sortit sa tabatière de sa poche, y prit une pincée de poudre de tabac et l'aspira bruyamment. Deux grosses larmes coulèrent, l'une de son bon œil et l'autre du mauvais, pour aller se perdre dans sa barbe. Le corps penché, il braqua longuement sur moi son œil unique rougi par l'effet du tabac, puis il le referma et sembla s'assoupir. Je me permis de toussoter plusieurs fois avec insistance pour lui signifier sans paroles qu'il avait mieux à faire que de dormir. Mon manège dut porter ses fruits, car tout à coup il se leva brusquement : “La somnolence subite est le propre de la vieillesse, dit-il. Je vais t'annoncer au grand commandant.”

Pendant qu'il pénétrait dans le bureau, le “petit interprète” (c'est-à-dire l'interprète du “petit commandant”, ou adjoint du commandant de cercle) vint se présenter à moi. Il s'appelait Dassi Guiro, et c'était un ancien camarade de Bandiagara. “Amkoullel, me dit-il, je me dois de te dire la vérité : à Dori tu auras la vie dure, non pas par la faute des habitants qui sont les plus aimables et les plus paisibles du monde, mais du fait de ton collègue le petit commis Mamadou Traoré et du grand interprète borgne.”

Dassi Guiro avait son franc-parler et sa voix ne tombait pas dans son boubou, mais il était connu pour boire sec, si bien qu'on ne l'écoutait qu'avec une certaine réserve. Lisant un vague scepticisme dans mes yeux, il me quitta en riant : "Je suis peut-être un soûlard, dit-il, mais pas un salaud. Je t'ai dit la vérité. Tu t'en rendras compte très vite à tes dépens."

Le grand interprète sortit enfin du bureau du commandant. Il laissa la porte ouverte : "Tu es attendu. Entre !"

Je pénétrai dans le bureau. Le commandant François de Coutouly, la tête baissée, écrivait. Je me tenais debout devant lui, prêt à m'incliner pour le saluer dès qu'il lèverait les yeux. Cinq bonnes minutes passèrent. Il n'en finissait pas d'écrire. Enfin il posa sa plume, mais au lieu de lever la tête il se mit à relire lentement ce qu'il avait écrit, se lissant la moustache et se souriant à lui-même... Puis, toujours sans daigner jeter le moindre regard sur moi, il tira sur les tiroirs de droite de son bureau, puis sur les tiroirs de gauche, y cherchant je ne sais quoi, qu'il ne trouva d'ailleurs pas. Finalement, il se saisit d'un porte-plume qu'il coinça entre ses dents. Et alors, alors seulement, il leva lentement la tête pour me regarder. Immédiatement, je m'inclinai en disant : "Mon commandant, je suis Amadou Hampâté Bâ, votre nouvel écrivain expéditionnaire." Dès qu'il me vit, ses yeux s'ouvrirent largement. Tenant toujours son porte-plume entre les dents, il se renversa sur le dossier de sa chaise, promena son regard sur moi de la tête aux pieds et émit un long sifflement. "Eh ben mon cochon ! fit-il, tu ferais pas mal d'aller t'habiller comme tous les autres nègres. Tu ne feras pas long feu ici... !"

... Je ne sais par quel organe je perçus ces paroles si dures, si malvenues pour une première prise de contact entre un supérieur et son auxiliaire, et qu'à mes yeux rien ne justifiait. Il me sembla les entendre non pas seulement par mes oreilles, mais par tous mes sens à la fois et tous les pores de ma peau. Sous le choc de cette malveillance gratuite, comme frappé d'une commotion électrique, je sentis une vague d'indignation fulgurante me monter de la plante des pieds jusqu'au sommet du crâne, où j'eus l'impression que ma fontanelle s'ouvrait. Ma vue s'obscurcit momentanément. Pris d'un vertige, je titubai et allai cogner contre le battant de la porte ouverte.

Toujours renversé sur le dos de sa chaise, plus narquois que jamais, le commandant s'écria : "Hé ! Fais attention à ne pas casser ma porte avec ta tête de mule !" Cette réflexion porta mon indignation à son comble. J'eus alors une bien mauvaise pensée : avoir un poignard et le plonger là, tout de suite, dans le cœur de cet homme en qui je ne voyais plus qu'une brute épaisse, indigne d'être à la tête de tout un pays !

Je ne sais comment je sortis du bureau et vins m'asseoir à côté du planton Fodé Diallo, me demandant ce qui avait pu me valoir un tel accueil. Le grand interprète s'engouffra chez le commandant. Je m'efforçai de ne rien laisser paraître de mon émotion sur mon visage, mais le planton devina ma gêne :

"Je parie que le grand commandant t'a dit des paroles injurieuses !

— Oui, et je me demande ce que je ne suis pas prêt à faire pour me venger des injures gratuites que je viens de recevoir sans raison.

— Dieu te garde de tenter quoi que ce soit contre le plus petit et le plus vil des Blancs, à plus forte raison contre un membre du corps des administrateurs des colonies ! Ce sont les maîtres absolus du pays. Ce n'est pas pour rien qu'on les appelle «les dieux de la brousse».

Ils ont tous les droits sur nous et nous n'avons que des devoirs, y compris celui de les considérer et de les servir eux d'abord et le Bon Dieu ensuite. Si par malheur tu touchais à un seul cheveu du commandant, on te ferait mourir d'une mort qu'aucune bouche ne saurait décrire, et toute ta famille, tout ton village, paieraient cher ton crime de lèse-majesté. Crois-moi mon frère, mieux vaut souffrir un affront en silence et sauver sa tête plutôt que d'assouvir sa vengeance et le payer de sa vie et celle de ses parents.

"D'ailleurs, je vais te dire un secret. Voilà bientôt quatre ans que je suis planton et garde du corps du commandant. Je passe plus de temps à ses côtés qu'auprès de ma propre famille. J'ai donc appris à le connaître. Eh bien, c'est un grand malade, intoxiqué par une affection incurable : la jalousie ! Oui, cet homme est si jaloux qu'il tient sa femme constamment enfermée dans une chambre contiguë à son bureau. Au moindre bruit, il croit qu'un homme est entré chez elle, il ouvre précipitamment la porte, il appelle, crie, fouille partout et exige de sa femme qu'elle lui dise qui est entré et où il se cache. Il la torture par des questions insultantes avant de regagner son bureau où, durant un bon moment, il continue à vociférer et à insulter les hommes, les femmes et les putains, sans épargner Dieu qui a créé les sexes, causes de tous ces maux !

"Heureusement pour tout le monde, y compris pour lui-même, ses accès sont de courte durée. Il oublie rapidement tout ce qu'il vient de dire, et quelques minutes après il redevient si doux et si affable que l'on se demande comment un homme peut passer ainsi sans transition de la brutalité la plus absurde à une cordialité si agréable. Ce n'est pas pour rien qu'il a été surnommé «l'homme fou». Notre commandant est un cas… Et j'ai toujours constaté que, chez lui, la vue d'un bel homme bien habillé est l'une des causes qui déclenchent instantanément sa furie et ouvrent les écluses de ses mauvaises paroles. Or, toi, tu es jeune, beau garçon, et de surcroît tu es peul ! Ah oui !... J'ai oublié de te dire que la femme du commandant est une très belle Peule de Guinée, de la région du Fouta Djallon. Il l'a épousée officiellement, comme les Blancs épousent leurs femmes, et il a reconnu ses enfants. Et il ne tolère pas que quiconque l'appelle autrement que «Madame de Coutouly». Il y a quatre mois, il a donné un grand coup de pied dans le derrière de M. Toupey, un commis européen des services civils, qui s'était permis d'appeler sa femme sans faire précéder son nom du titre de «Madame». C'est te dire !"

Ces confidences du planton m'avaient remis dans mes gonds. Le fait, pour le commandant, d'avoir épousé officiellement une femme indigène – chose très rare à l'époque où les "dieux de la brousse" pratiquaient plutôt la réquisition de force ou l'union temporaire appelée "mariage colonial" – et aussi le fait d'avoir donné un coup de pied dans le derrière d'un Européen devant témoin, me prouvaient qu'il n'était point, comme tant d'autres, un négrophobe forcené. C'était sans doute un malade des nerfs plus qu'un méchant homme. Sa grande peur étant qu'on ne lui vole sa femme, il m'appartenait de le tranquilliser sur ce point. Mais comment ?

J'en étais à ce point de ma réflexion quand l'interprète sortit du bureau : "Le grand commandant te fait dire que tu pourras installer ton bureau au fond de la véranda. En attendant, il te donne deux jours de repos pour t'installer en ville." Je le remerciai et pris congé de Fodé Diallo, à qui je promis d'aller visiter sa famille.

A mon retour chez mon oncle Mamadou Ali Thiam, je lui demandai la liste des notabilités de la ville à qui je devais une visite de courtoisie. Il fit venir un captif peul nommé Gadouré : "Voici un homme qui connaît Dori sous toutes ses coutures, me dit-il. Suis ses conseils, laisse-toi guider par lui et tu ne tomberas dans aucune chausse-trape."

Gadouré m'emmena d'abord chez Abderrahmane Dicko, le chef de la province du Liptako et de la ville de Dori. Celui-ci me reçut dans son grand vestibule, à la fois parlement du Liptako, tribunal de réconciliation et salle de réception.

Puis nous allâmes saluer Boulo Khalil et Talibé Ould Beïch, les deux commerçants les plus riches de la place. Le premier avança un jour au commandant le montant total des impôts dus par toute la population ; quant au second, il disposait de plusieurs milliers de chameaux.

Toujours sous la conduite de mon guide, je visitai ensuite les grands marabouts Hammadi Ali Sidi et Tierno Hammat Bâ. Je m'attacherai un peu plus tard à ce dernier, qui était un cousin éloigné ; il poursuivra mon enseignement sur la Rissalat islamique.

"Etant donné ton rang et ta naissance, me dit Gadouré, tu n'as plus de visites à rendre. C'est à ceux qui restent de venir te saluer." Il baissa la voix : "Si jamais l'envie te prenait de badiner avec quelques belles créatures, Dori en foisonne... Parmi elles, deux sont de vrais morceaux de roi (il me cita leurs noms). La première a retenu tout le Coran de mémoire, et la seconde a les plus beaux yeux de biche de toute la ville. Leur réputation de beauté et d'esprit s'est répandue dans tout le pays, jusqu'au Niger. Ce ne sont pas des femmes à se déranger, il faut aller les trouver chez elles. Elles ne se vendent pas pour de l'argent, cela va sans dire, mais je suis sûr qu'elles seraient heureuses d'accueillir un homme comme toi."

Pour noyer la question, je demandai à Gadouré comment faire pour me ravitailler en céréales et en produits d'épicerie. Il comprit parfaitement mon manège et, sans insister davantage, m'indiqua à qui je devais m'adresser.

De ce jour, et jusqu'à mon départ de Dori qui eut lieu un an après, Gadouré s'attacha à moi et ne me quitta plus. Quant aux deux belles dames dont il m'avait parlé, je quitterai la ville sans les avoir ni vues ni connues...

Contrairement à ce qui s'était passé à Ouagadougou, ce n'est pas de ce côté que devaient me venir les ennuis...

Deux jours plus tard, je commençai mon service. Je pris possession du petit local qui m'avait été attribué et m'aperçus que c'était en fait l'ancien bureau du "petit commis" Mamadou Traoré. Ce dernier s'était transféré dans le bureau de l'ancien secrétaire que j'étais venu remplacer, une pièce contiguë au bureau du commandant et où étaient déposées toutes les archives du cercle. Ainsi, nommé à Dori pour être la grande roue du secrétariat du cercle, j'en devenais une toute petite cinquième roue, et encore ! Durant trois jours, on ne me transmit aucune attribution. Je restai là, du matin au soir, n'ayant strictement rien à faire... L'affront que m'avait fait le commandant m'avait si affecté que je décidai en moi-même de tout mépriser et de ne rien revendiquer, jusqu'au jour où le commandant lui-même me donnerait ses ordres.

Le troisième jour de mon travail était un vendredi, jour de la prière collective des musulmans à la mosquée.

L'office commençant à quatorze heures et durant environ une heure, je demandai à Mamadou Traoré si les fonctionnaires musulmans devaient solliciter une permission d'absence pour aller à la prière. "Le commandant est très compréhensif, me répondit-il. Le pays étant à majorité musulmane, il tolère que les fonctionnaires musulmans aillent célébrer leurs dévotions." Bien naïf encore à cette époque, jamais il ne me serait venu à l'idée qu'un collègue, même rongé par la jalousie, pouvait être capable de me tendre un tel traquenard.

Après le déjeuner, je me rendis donc sans inquiétude à la mosquée, un peu étonné, tout de même, de n'y rencontrer aucun fonctionnaire. Je revins au bureau vers quinze heures, soit avec une heure de retard, et cela dès la première semaine de ma prise de service.

Le commandant, averti de mon absence par Mamadou Traoré qui voulait soi-disant collationner un travail avec moi, avait donné l'ordre de m'introduire dans son bureau dès mon arrivée. Dès que je pénétrai dans la véranda, Fodé Diallo me dit en bambara, langue que nous étions seuls à comprendre : "Fils de mon père, «l'homme fou» t'attend !"

Peu rassuré, je me présentai devant le commandant. Il tonna immédiatement :

"Crois-tu que le gouvernement t'a envoyé à Dori pour que tu ailles te prélasser à la mosquée pendant les heures de service ?

— Mais, mon commandant…

— Quoi «mais mon commandant… mais mon commandant…» ? Je ne veux pas d'explication ! On m'a rapporté beaucoup de choses sur toi. Ecoute-moi bien : ici, ce n'est pas Ouagadougou, méfie-toi ! Maintenant sors d'ici, va à ton bureau et tiens-toi tranquille.

— Oui mon commandant !"

L'avertissement était net : en cas de difficulté, les fonctionnaires indigènes en service à Ouagadougou, capitale du territoire, avaient une petite chance de se faire entendre – il y avait des juges de paix, des témoins éventuels, des amis possibles à des postes clés… – mais dans les cercles éloignés comme celui de Dori, ils étaient à la merci des commandants. Présidents du tribunal de par leur fonction, à la fois juge et partie, ceux-ci pouvaient emprisonner qui ils voulaient, sans aucun contrôle.

Le soir, à la sortie du bureau, j'attendis Mamadou Traoré sur la route. Dès qu'il apparut, je m'avançai vers lui. Devinant mes intentions, il prit peur : "Je te jure que le grand commandant a l'habitude de ne rien dire quand des fonctionnaires s'absentent pour aller à la mosquée ! Je ne sais pas ce qui l'a pris aujourd'hui. Je m'excuse beaucoup…"

Cette dernière parole, dite par un homme qui tremblait, me désarma – d'autant qu'il est de coutume, en Afrique, que la demande de pardon efface la faute. Je tins cependant à le mettre en garde pour le dissuader de me tendre d'autres pièges de ce genre : "Apprends que nous, les fils de Bandiagara, autant nous sommes droits avec les gens honnêtes, autant nous savons être féroces avec les cyniques et les malintentionnés de ton espèce ! Prends garde qu'avant de quitter Dori je ne te serve le plat que tu mérites !"

Naissance de mon premier enfant

Lors de notre arrivée à Dori, mon épouse était en état de grossesse avancée. Son premier soin fut de chercher une vieille femme pour lui servir d'aide et de conseillère. La femme de mon oncle Mamadou Ali Thiam la mit en rapport avec la vieille Altiné Hamma, surnommée “la Pittoresque”. Bien que très petite, grosse et plutôt laide, elle avait été la servante-épouse préférée de Saada Dikel, le plus excentrique des chefs de province qu'aient connus les pays du Djelgodji et du Liptako. Car autant Altiné Hamma semblait avoir été mal sculptée de corps et de visage par le Créateur, autant elle était joviale, intelligente, bonne, serviable et désintéressée. De plus, c'était une animatrice incomparable de la ville de Dori.

Un matin, Baya ressentit les premières douleurs de l'enfantement. Conformément aux règles de la bienséance féminine peule, elle me cacha l'imminence de l'événement et fit porter discrètement quelques affaires chez la vieille Altiné. A mon départ pour le bureau, elle me dit simplement : “Je vais passer la journée chez Altiné. Ne t'inquiète pas si je m'attarde.” Trouvant tout à fait normal qu'elle aille passer la journée chez la vieille femme, je me rendis au bureau sans me douter que j'étais en train de devenir père.

Quelques heures après son arrivée chez la vieille femme, Baya accoucha d'une fille. La brave Altiné, matrone à ses heures, soigna la mère et l'enfant. Baya préférait attendre que je rentre à la maison pour m'annoncer l'heureux événement, mais elle avait compté sans Gadouré. Celui-ci, qui était arrivé chez Altiné au moment où on lavait l'enfant, se précipita à mon bureau. A peine entré il s'écria : “Tu es père d'une petite fille ! Tu es père d'une petite fille ! Je suis venu te le dire avant d'aller répandre la nouvelle en ville !”

Je l'arrêtai : “Non, n'en fais pas à ta tête. Va d'abord prévenir mon oncle Mamadou Ali Thiam. C'est lui, ici, qui est le chef de ma famille. C'est donc à lui de diriger les choses et de dire qui il faut prévenir.”

Gadouré ressortit tout aussi précipitamment de mon bureau et courut chez mon oncle.

Après avoir un peu repris mes esprits, je profitai d'un moment où le commandant était seul dans son bureau pour aller frapper à sa porte. "Entrez !" fit-il. Je pénétrai dans son bureau avec appréhension, car depuis mon arrivée je n'avais eu aucun rapport avec lui, sinon l'algarade au sujet de la mosquée. Il me donnait ses ordres par l'entremise de l'interprète ou par mon collègue Mamadou Traoré, lequel ne se privait pas de les tronquer pour me faire commettre des erreurs. N'accordant aucune confiance à ses indications, je me livrais à de nombreuses vérifications et faisais appel à mon bon sens. Curieusement, je parvenais à m'en sortir, mais cela retardait considérablement mon travail.

Quand j'ouvris la porte, le commandant écrivait, la tête baissée sur ses papiers. Je savais maintenant qu'il ne relevait jamais la tête pour regarder celui qui entrait avant d'avoir fini ce qu'il était en train d'écrire ; la règle était générale, et elle valait pour Blancs et Noirs. Sans attendre davantage, je pris une grande inspiration et lançai :

"Bonjour, mon commandant ! Je viens vous annoncer que ma femme vient d'accoucher à l'instant d'une petite fille."

Cette fois-ci, il releva la tête :

"Ah, te voilà mon gars ! Félicitations ! Je ne savais pas que tu étais marié. Comment s'appelle ta femme ?

— Baya Diallo.

— Tiens ! Ta femme est donc du même clan que la mienne. Mon épouse est en effet une Peule du Fouta Djallon, du clan des Diallo. Allez, rentre chez toi, et dis à ta femme que Madame de Coutouly, qui est en quelque sorte sa cousine, va lui envoyer un mouton pour la soupe de l'accouchée. Et le jour du baptême, tu auras congé.

— Merci, merci beaucoup, mon commandant !"

Je n'en revenais pas. Je sortis du bureau avec un large sourire, reçus les félicitations chaleureuses du planton Fodé Diallo et me rendis tout droit chez Altiné Hamma. Là, je serrai longuement Baya sur ma poitrine. "Hé ! fit la vieille Altiné. Laisse donc ta femme, il y a longtemps que tu la connais. Tiens, voici celle que tu attendais !" Et elle me tendit ma fille, emmaillotée dans du linge blanc. Je la pris dans mes bras. Elle dormait profondément, ses petits poings fermés, se remettant sans doute des fatigues d'un voyage qui, pour être court, n'en avait pas moins dû être éreintant. Je la contemplai longuement, puis relevai la tête pour regarder celle qui m'avait aidé à fabriquer ce petit être, morceau de moi-même, qui n'avait pas encore de nom. Je souris à Baya, elle sourit aussi. A cet instant je décidai en moi-même : "Je donnerai à cette enfant le prénom de ma mère : Kadidja." Selon la coutume, le nouveau-né devait rester sans nom pendant sept jours, jusqu'à la cérémonie religieuse d'imposition du nom.

Quelques heures plus tard, tous les fonctionnaires et notables de la ville étaient informés de l'heureux événement. De tous côtés arrivaient poulets, quartiers de mouton et même moutons sur pieds.

Comme toutes les mamans africaines de la savane, Baya, constamment habillée de blanc, resta en retraite de maternité complète durant une semaine chez la vieille Altiné, qui s'occupait d'elle. A aucun moment le bébé ne devait être laissé seul, ou dans l'obscurité. La nuit, une lampe restait allumée à son chevet jusqu'au lever du soleil. Si la maman sortait de la chambre – pour aller aux toilettes, par exemple – elle devait appeler quelqu'un pour veiller sur l'enfant et placer à son côté le "couteau de maternité" rituel qui lui avait été confié avant l'accouchement. Car c'est durant cette période, dit-on, que les mauvais esprits peuvent chasser le "double" du bébé de son corps, prendre sa place et vivre ainsi parmi les hommes, afin de semer entre eux le mal et la discorde…

Sept jours après la naissance, après la prière du matin, une foule composée des notables, griots et captifs de la ville se rendit chez Altiné Hamma en vue d'assister à la cérémonie religieuse de l'imposition du nom, laquelle devait être célébrée par le marabout Tierno Hammat Bâ, mon nouveau maître islamique, et présidée par mon oncle Mamadou Ali Thiam. Les amis proches ainsi que les fonctionnaires indigènes – commis, instituteurs, interprètes, infirmiers de santé, plus quelques gardes de cercle dont Fodé Diallo – se trouvaient déjà sur place.

Une fois tout le monde réuni, Tierno Hammat Bâ demanda à Altiné Hamma de lui amener une touffe de cheveux du nouveau-né, car celui-ci, de même que sa maman, ne devait pas sortir de la chambre. La petite touffe de cheveux fut placée sur un rond de paille finement tissé et joliment colorié ; on plaça sur elle une bague en argent pour l'empêcher de s'envoler.

Tierno Hammat prit le rond de paille dans ses mains. Il demanda à mon oncle Mamadou Ali Thiam le prénom à donner au bébé. Mon oncle le lui souffla dans l'oreille, car nul ne devait entendre ce nom avant l'immolation du bélier sacrificiel. Tierno Hammat déposa le rond de paille devant mon oncle, puis alla égorger lui-même le bélier qui, selon la tradition, était destiné à perdre son âme afin que vive le nom de ma fille. Sa chair serait distribuée aux pauvres. Cinq autres gros moutons attendaient de subir le même sort, non pour des fins rituelles mais pour alimenter les deux festins traditionnels : celui des hommes et celui des femmes.

Tierno Hammat revint s'asseoir. Il prit le rond de paille dans sa main gauche, posa sa main droite sur la touffe de cheveux et récita une longue prière, qui débutait, comme il se devait, par la Fatiha, fondement de toutes les prières musulmanes. Puis il déclara à haute voix :

"Avec l'autorisation de notre frère en Dieu l'honorable Mamadou Ali Thiam, porte-parole des ayants droit légitimes, moi, Tierno Hammat Bâ, humble serviteur de Dieu, agissant au nom de Dieu et par la grâce du Prophète notre Seigneur Mohammad – sur lui la paix et le salut ! – je donne son nom à l'enfant de sexe féminin né de l'union légitime d'Amadou Bâ, fils de Hampâté, et de Baya Diallo, fille d'Amadou. Elle s'appellera Kadidja. Nous la plaçons sous la protection de son homonyme Khadidja*, première épouse de l'Envoyé de Dieu et Mère de tous les croyants."

Tout le monde s'écria : "O Dieu, le Vivant et le Tout-Puissant ! *(Yâ Allâh ! el-hayyou el-qiyou !)* Donne bonheur et longévité à la nouvelle Kadidja, fille d'Amadou et de Baya !" Puis on se passa le rond de paille de main en main. Chacun pria sur la touffe de cheveux pour le bonheur de celle qui venait de faire son

* Le prénom féminin "Kadidja" ou "Kadidia" (diminutifs "Kadia" et "Kadi") est la déformation africaine (particulièrement chez les Peuls et les Bambaras qui ne prononcent pas le son *kh*) du prénom arabe "Khadidja", conservé dans sa transcription normale pour l'épouse du Prophète.

entrée solennelle dans l'humanité peule par la Porte des Bâ, cellule des descendants de Hamsalah (Hammadoun Salah), originaires du Fakala, au pays peul du Macina…

Pendant que le rond de paille circulait, les pièces de monnaie tombaient comme de la grêle. La somme réunie fut importante, mais elle ne m'était pas destinée. Elle devait être répartie entre les marabouts, griots, castés et captifs qui ne manquaient jamais d'assister à des cérémonies de ce genre, car pour eux les baptêmes*, circoncisions, mariages et jours de fête étaient des occasions de gagner un peu d'argent. Une telle charge aurait été trop lourde pour un seul homme.

La cérémonie religieuse islamique proprement dite, silencieuse et sobre, était terminée. Les assistants, exclusivement masculins, se dispersèrent après m'avoir congratulé. Aucun d'eux n'avait vu ni la maman ni l'enfant. La première moitié de l'argent avait été répartie entre ceux à qui elle était destinée. La deuxième partie fut réservée pour les griotes, castées ou captives qui allaient maintenant animer la fête traditionnelle des femmes jusqu'au coucher du soleil, non en raison de mon renom personnel, mais grâce à la popularité d'Altiné Hamma. La maman et l'enfant devaient toujours rester dans leur chambre, où des amies venaient leur tenir compagnie à tour de rôle.

Je retournai dans ma concession où je devais accueillir les convives masculins que j'avais invités à dîner. La fête ne se termina que vers minuit.

On voit comment, même dans les sociétés très islamisées, certaines coutumes traditionnelles – notamment

* Ce mot d'origine chrétienne est passé, en dépit de son sens originel, dans le langage courant franco-africain pour désigner la cérémonie traditionnelle d'imposition du nom.

les périodes de retraite et l'usage du "couteau de maternité" – ont été conservées, qu'il s'agisse du baptême, de la circoncision ou du mariage, dès lors qu'elles n'offensent ni ne contredisent la foi. L'Islam installé en Afrique a presque toujours absorbé les coutumes sociales anciennes quand elles n'étaient pas en contradiction avec ses principes essentiels.

Quarante jours après la naissance, ma femme fut délivrée de sa période de repos et de retraite obligatoire et put reprendre ses activités ménagères. Son premier acte social fut d'aller faire le tour de la ville pour remercier tous ceux qui nous avaient aidés et qui avaient partagé notre joie. Elle se fit tresser une belle coiffure à la façon peule ; elle orna ses nattes, ses oreilles, ses poignets et son cou de bijoux d'or et d'ambre pur, revêtit ses plus beaux boubous et plaça sur sa tête un voile de fine mousseline. Ainsi parée, telle une nef royale s'apprêtant à fendre les flots, accompagnée de la vieille Altiné, de la femme de Gadouré et d'une griote de ses amies, elle sortit pour faire le tour de la ville, où son passage fit sensation.

Sa dernière visite fut pour Aye Diallo, l'épouse du commandant. Sachant que celle-ci avait des enfants, elle avait emporté quelques menus cadeaux pour eux. C'est la vieille Altiné qui me fit le récit de la visite :

"Arrivées devant la résidence, nous ne savions par quelle porte passer pour accéder aux appartements du commandant. Je décidai de passer par les bureaux Le planton Fodé Diallo vint au-devant de nous. Croyant que nous venions te voir, il nous dit que tu étais parti au magasin du cercle pour faire un inventaire du matériel. Je l'informai que nous étions venues, sur ton ordre, saluer la femme du commandant, mais que nous ignorions par où passer pour nous rendre chez elle.

"Fodé, qui ne cessait de regarder Baya avec des yeux admiratifs, nous conduisit chez Mme de Coutouly, une belle fille peule du Fouta Djallon, née Aye Diallo. Elle ne s'attendait nullement à notre visite*, mais elle en fut heureusement surprise. Elle nous installa dans son beau salon et nous fit servir de l'eau fraîche. Après les salutations d'usage et quelques propos banals, elle dit à Baya : «Je vais prévenir "notre mari**" que tu es venue nous saluer.» Elle ouvrit une porte du salon qui donnait directement dans le bureau du grand commandant, lui dit quelques mots et revint. Quelques instants après, son mari vint nous rejoindre dans le salon. Il était habillé en cavalier et portait sur ses épaules les insignes de son grade. Il tenait une grosse pipe dans sa main droite. Il posa sa pipe sur un guéridon, tendit la main à Baya et prononça en langue peule la formule de salutation du matin : «*A wali e djam !* As-tu passé la nuit en paix*** ?» – «*Djam tan !* En paix seulement !» répondit Baya. J'étais surprise d'entendre le commandant s'exprimer en peul, mais le reste de la conversation se déroula par l'entremise de sa femme qui nous traduisait ses propos.

* Les demandes d'audience n'ont pas cours en Afrique occidentale. Les visites se font à l'improviste, à quelques exceptions près.

** La société africaine traditionnelle considérant comme une incongruité l'expression d'un sentiment de possession, le pronom possessif "mon" est toujours remplacé par "notre" entre égaux, surtout quand il y a parenté proche ou lointaine. Pour la femme du commandant, c'est ici une façon de montrer le lien parental qui l'unit à Baya. Son mari devient automatiquement le "mari platonique" de cette dernière.

*** Expression peule qui tient lieu du "bonjour" français.

“Le grand commandant ne pouvait détacher ses yeux de Baya. Deux fois, je surpris Aye Diallo en train de vérifier sa propre beauté dans un grand miroir fixé au mur. Le grand commandant se pencha vers sa femme et lui dit quelque chose en français. Elle se tourna vers nous : «Notre mari me demande de dire à Baya Diallo qu'elle est la plus belle femme peule qu'il ait vue au Liptako.» Tandis qu'elle nous rapportait cette parole, trois petits plis verticaux se creusèrent entre ses beaux sourcils. Je compris que la visite ne devait pas s'éterniser et pinçai discrètement la main de Baya. Elle comprit le message : «Ma sœur Aye Diallo, dit-elle, dis à notre mari combien je suis heureuse de son bon accueil. Je le remercie de tout cœur de ses généreux cadeaux, ainsi que toi-même. Maintenant je demande la permission de me retirer et de laisser le commandant retourner à son travail.»

“Le commandant sourit largement : «On m'a dit que ton mari est un bon cavalier !»

“«Oui, répondit Baya, il aime beaucoup les chevaux. Son père adoptif, ancien chef de la province de Louta, en élève beaucoup et lui a enseigné l'art de l'équitation. Mon mari est considéré comme un bon cavalier, mais il n'égale certainement pas le grand commandant lui-même !»

“Le commandant serra la main de Baya et dit : «Aye est ta sœur. Viens la voir autant que tu voudras.» Puis il ouvrit la porte et disparut. Nous prîmes congé d'Aye Diallo, et nous voilà revenues à la maison.”

Cette visite avait eu lieu dans la matinée. Comme je revenais au bureau un peu plus tard, le planton Fodé Diallo se précipita vers moi : “Mon frère ! J'ai vu notre épouse ! Je n'en ai pas encore vu de plus belle !… Je me demande si tu as bien fait de quitter Ouagadougou. Là-bas, en effet, il y a le gouverneur et la justice de paix, et aucun toubab n'oserait y monter une cabale contre toi pour t'envoyer en prison et profiter de ta femme. Ici, à Dori, dans ce coin de brousse où les désirs des Blancs constituent la seule loi, tu risques gros. A ta place, je demanderais le plus tôt possible ma réaffectation à Ouagadougou. Mais, comme le dit l'adage peul : *L'homme connaît mieux la meilleure de ses chansons*. A toi donc de choisir et d'agir…"

Ces propos me donnèrent à réfléchir. Fodé était bien placé auprès du grand commandant. Il était à même de surprendre des paroles imprudentes, chez lui ou autour de lui. Des soupçons naquirent dans mon âme. Le commandant avait-il l'intention de me voler ma femme ? Ou bien le petit commandant ? Ou encore l'agent spécial trésorier ? Ces deux derniers, en tant que célibataires, me paraissaient les plus à craindre. Les idées commençaient à se bousculer dans ma tête… Heureusement, mon esprit, habitué à lutter contre mon âme, me rappela à la raison. Je me souvins du conseil donné par le dieu Kaïdara à Hammadi dans le conte initiatique peul *Kaïdara* : "N'agis jamais sur un simple soupçon", conseil qui avait évité au héros d'accomplir une erreur irréparable. "Une mauvaise pensée, me dis-je, est elle aussi une sorte d'arme dangereuse. Elle blesse d'abord celui qui l'émet avant d'aller blesser sa victime."

J'allai confier mon angoisse à mon maître Tierno Hammat Bâ, qui avait pris en main la suite de ma formation islamique et me donnait des cours en langue arabe sur la théologie et le droit musulman. "Chasse la jalousie de ton cœur, me dit-il. Elle est en train de s'y installer. Elle te fera perdre ton sommeil et ton repos.

Tu trouveras les repas de ta femme insipides, et même ses paroles les plus affectueuses t'énerveront. Alors ton enfer commencera dès ici-bas. Ne te condamne pas à un tel supplice, et n'y entraîne point ton épouse à qui tu n'as rien à reprocher. Laisse les gens ergoter, et reviens à ton Seigneur avec un repentir sincère."

Ces paroles tuèrent net en moi tout germe de soupçon ou de jalousie.

Comme je racontai l'incident à Baya, elle éclata de rire : "A Ouagadougou, je sais qu'aucune femme n'a pu te faire tomber. Et même ici, à Dori – je l'ai su par Altiné, toujours bien informée – les grandes dames qui attendaient ta visite se sont étonnées que tu n'aies fait aucun cas de leur existence. C'est pour moi un grand honneur. A mon tour de te dire, pour le cas où tu aurais besoin d'une garantie : je promets que, le jour de notre départ de Dori, j'enjamberai un cheval terrassé par des coliques. Je t'en donne ma parole de Diallo !"

Il faut savoir que jadis, quand un cheval souffrait de coliques graves, on demandait aux femmes de l'enjamber. Celles qui avaient connu d'autres hommes que leur époux se gardaient bien de le faire, de peur de connaître une mort violente. Les épouses vertueuses l'enjambaient sans crainte, et le cheval, dit-on, guérissait. Selon la tradition, une telle déclaration de la part de ma femme équivalait à un serment solennel. J'eus honte des appréhensions qui, même pour un temps très court, avaient traversé mon esprit.

Deux jours après la visite de Baya, le commandant me manda dans son bureau.

"J'ai vu ta femme, me lança-t-il d'emblée. Elle est racée et très belle. Appartiens-tu à une famille de chefs ?"

Bien que ne voyant pas le rapport entre la beauté de ma femme et ma naissance, je répondis : “Oui mon commandant. Par mon père naturel comme par mon père adoptif, j’appartiens à une famille de chefs.

— Tu appartiens donc à la noblesse de ton pays, comme moi-même dans le mien. Nous allons nous lier pour défendre cette institution sacrée que la Révolution française a jetée dans la poubelle.” Je me demandais où il voulait en venir… “Envoie-moi une demande de permis de port d’arme ! ajouta-t-il. Il te faut une arme pour pouvoir bourrer de plomb le derrière de celui qui tenterait de s’emparer de ta femme !” Et il éclata de rire.

Cette sortie du commandant me laissa perplexe… “Mon commandant, lui dis-je, je vous remercie, mais je n’aime pas les fusils. Mon bâton de berger, dont je sais très bien me servir, suffira largement à faire respecter mes droits !” La glace était rompue. Si le commandant de Coutouly était resté plus longtemps en place, il est probable qu’il m’aurait rétabli dans les fonctions qui auraient dû être les miennes ; malheureusement, il fut frappé par un malheur qui l’amena à quitter Dori pour une période assez longue.

François de Coutouly, je l’ai dit, était l’un des très rares Européens à avoir non seulement régularisé son mariage, mais reconnu ses enfants nés d’une épouse africaine – il était bien placé pour savoir que les enfants issus des “mariages coloniaux” étaient généralement placés d’office par l’administration dans des “orphelinats de métis” après le retour du père en France. De Coutouly, lui, était très attaché à ses enfants. Or, une nuit, son dernier-né, un bébé d’un an, décéda subitement. Après les funérailles, le commandant prit le congé de six mois auquel il avait droit pour emmener sa femme visiter sa famille en Guinée.

Le jour même du décès de l'enfant se produisit un incident assez grave, qui donne une idée et du caractère de François de Coutouly, à la fois noble et entier, et de la puissance des administrateurs coloniaux dans les colonies françaises.

Drapeau en berne

Le matin où l'on constata le décès de l'enfant, le commandant était si affecté qu'il ordonna de fermer les bureaux et de mettre le drapeau en berne ; puis il se retira dans ses appartements où sa femme et lui passèrent toute la matinée à verser des larmes. Le camp militaire de Dori, dirigé par le capitaine "Asselwander" – je transcris son nom phonétiquement –, était situé à environ deux kilomètres de la résidence du commandant. Lorsque, vers quinze heures, le capitaine revint au campement après une tournée à l'extérieur de la ville, il s'aperçut que le drapeau du cercle avait été mis en berne, alors que celui du campement ne l'était pas. Il demanda des explications à ses adjoints, mais personne ne put lui en donner. Intrigué, il sauta sur son cheval et fonça vers la résidence. Arrivé devant la véranda, il gravit les marches en courant. Seuls le planton Fodé Diallo et moi étions présents, à la fois pour assurer la permanence et par solidarité envers la peine du commandant.

Le planton se mit au garde-à-vous et salua le capitaine. Celui-ci lui répondit d'un geste hâtif : "Pourquoi les bureaux sont-ils fermés et le drapeau mis en berne ? Que s'est-il passé ?"

Fodé Diallo lui répondit en "français des tirailleurs" : "Moi je pas savoir, mon capitaine. Grand commandant y dire moi fermer bureau et berner drapeau, moi je fermer bureau et je berner drapeau. Service commandé, mission accomplie, un point c'est tout, mon capitaine.

— Où est M. de Coutouly ?

— Lui dans son maison.

— Va lui dire que je suis venu le voir !"

Fodé alla annoncer la visite du capitaine. Quelques minutes après, le commandant apparut, le visage tuméfié tant il avait pleuré. Le capitaine le salua, puis, très inquiet, l'interrogea :

"Monsieur l'administrateur*, pourquoi pleurez-vous ? Que s'est-il passé ? Quel malheur nous a frappés pour que le drapeau soit mis en berne ?"

De Coutouly, la voix brisée, annonça : "J'ai perdu mon dernier-né ce matin."

Interloqué, le capitaine resta un moment sans réaction, puis il éclata :

"Et c'est pour ça que vous avez fait mettre le drapeau français en berne ?

— Oui", répondit simplement le commandant.

Indigné, le capitaine perdit toute mesure. Reculant de quelques pas, il s'écria : "Comment avez-vous osé, à cause de la mort de votre petit négrillon, mettre le drapeau français en berne !?"

Sans tenir compte de ma présence ni de celle de Fodé Diallo, le commandant, le poing fermé, bondit vers lui comme une panthère :

"Espèce de Français de fraîche date ! Sale boche ! Traître à sa patrie par intérêt matériel !… Foutez-moi le

* Les administrateurs des colonies appartenant à un corps civil, les militaires s'adressaient à eux en utilisant leur titre administratif (de même que les administrateurs entre eux) ; les administrateurs des colonies étaient des "commandants *de cercle*", non des commandants de la hiérarchie militaire.

camp d'ici avant que je ne vous administre la volée de coups de pied que vous méritez ! Et apprenez que ma pauvre France n'a plus assez de nobles en son sein pour que je me réjouisse de la perte d'un seul d'entre eux. Allez, dehors ! Et vous aurez de mes nouvelles ! Je demanderai, et j'obtiendrai soyez-en sûr, que l'on vous fasse rentrer immédiatement en France pour vous punir de votre attitude, et qu'on vous y fasse rentrer non par bateau, mais par le Sahara !"

Les deux hommes allaient en venir aux mains. Le planton s'interposa et entraîna le capitaine vers la sortie : "O vous deux grands chefs ! Vous n'a pas honte bagarrer devant deux nègres qui regarder vous comme deux coqs y faire corps à corps sans baïonnettes ?"

Le capitaine repoussa le planton, descendit furieux les marches de l'escalier, sauta sur son cheval et regagna son camp au grand galop.

Le commandant rentra dans son bureau. Une heure après, il en sortait avec un pli cacheté à la cire et me le tendit : "Fais dire au chef de canton de m'envoyer un cavalier rapide ; tu lui remettras ce pli pour le porter au chef de cabinet du gouverneur à Ouagadougou. Il faut que le cavalier soit à Ouagadougou après-demain matin sans faute !" Le courrier ordinaire ne partant que tous les quinze jours, il s'agissait donc d'un courrier très spécial. Tout en me donnant cet ordre, le commandant ne parvenait pas à cacher ses larmes.

J'envoyai Fodé Diallo auprès du chef de canton Abderrahmane Dicko ; une heure après, le "courrier express" était dans mon bureau, prêt à partir. Je lui remis le pli et lui dis ce qu'il avait à faire.

Quelques jours après l'envoi du pli, le capitaine fut affecté à un bataillon algérien qui devait retourner en France. Certaines unités de ce bataillon transitant par le

Sahara, il reçut l'ordre de les rejoindre. Ainsi, comme le lui avait annoncé le commandant, il fut obligé de rentrer en France en passant par le Sahara…

Le capitaine ignorait sans doute qu'à la colonie un Blanc pouvait tout se permettre, sauf se frotter à un administrateur colonial. Tout le monde, Blancs et Noirs, était à la merci des administrateurs coloniaux. Ils étaient là comme une pierre au milieu d'un tas d'œufs : si un œuf tombe sur la pierre, l'œuf se casse ; si c'est la pierre qui tombe sur l'œuf, c'est encore l'œuf qui se casse. L'œuf est toujours perdant. De même, un administrateur colonial, qu'il ait raison ou tort, avait toujours raison sur son adversaire. C'est ce que le capitaine ignorait. Il commit une méprise impardonnable et paya chèrement son erreur.

Quelques jours après cette expulsion – car c'en était une, ni plus ni moins – le commandant de Coutouly plia bagages et, accompagné de sa famille, partit pour la Guinée. Il avait donné l'ordre de fleurir la tombe de son fils.

Le traquenard du "Têtard aux douze doigts"

Après son départ, l'administrateur François de Coutouly fut provisoirement remplacé par son adjoint, le "petit commandant" M. Fournier, qui accédait ainsi, pour la durée de l'intérim, à l'appellation plus flatteuse de "grand commandant". Il garda à ses côtés en qualité de secrétaire particulier Mamadou Traoré, surnommé dans la ville "le Têtard aux douze doigts" en raison de sa petite taille, de ses yeux globuleux et d'un embryon de sixième doigt qu'il portait sur le petit doigt de chaque main.

M. Fournier me chargea de confectionner les rôles d'impôts pour l'année en cours. Le travail était plus fastidieux que difficile. Il consistait à recopier sur la page de gauche d'un cahier le nom des villages du cercle avec leur brève définition, et, sur la page de droite, à inscrire en face de chaque village le nombre de ses habitants tel qu'il résultait du dernier recensement annuel. Il suffisait ensuite de multiplier ce nombre par le taux de l'impôt de capitation et de consigner le total obtenu dans une colonne verticale. Le total de cette colonne constituait ce que l'on appelait "l'assiette de l'impôt".

Mamadou Traoré, qui avait la garde des archives, m'apporta les chiffres du dernier recensement de la population qui devaient servir de base à mon travail. Heureux d'avoir pour la première fois une tâche sérieuse à réaliser, je m'y appliquai tout particulièrement. Il me fallut une semaine pour la terminer et réaliser à la main les quatre exemplaires nécessaires : deux pour le bureau central des Finances à Ouagadougou, un pour le commandant de cercle et un pour l'agent spécial chargé des recouvrements, autrement dit le trésorier. Ce dernier vérifia l'exactitude de mes opérations, les rôles furent signés par le commandant, et les deux exemplaires envoyés à Ouagadougou.

Très fier de la qualité de mon travail – j'avais à l'époque une fort jolie écriture – je ne doutais pas que les services de Ouagadougou allaient exprimer leur satisfaction, et peut-être même, qui sait, me décerner des félicitations !

Lorsque, quelque temps après, M. Fournier me fit appeler dans son bureau, j'ouvris sa porte sans appréhension. A ma stupéfaction, je découvris le commandant rouge comme une tomate, les lèvres pincées, le visage tout contracté de fureur. Il me jeta mes quatre exemplaires à la tête : “Espèce d'imbécile ! Ton travail de cochon a été renvoyé par Ouagadougou. Tiens ! Lis les observations que tu as méritées !” Pétrifié, je lus en marge la mention suivante : “Travail fait sans soin ni vérification. Assiette de l'impôt totalement faussée. Travail à reprendre sans délai.”

Avant que j'aie pu réagir, M. Fournier continua : “Je me demande comment tu t'y es pris pour tout confondre comme un fou, alors que tu avais un modèle sous les yeux ! Les villages et les populations ne vont pas ensemble, et tous les nombres sont fantaisistes.” Je voulus m'expliquer, mais il me commanda de “la fermer” : “Tu n'es qu'un incapable, et ton travail le prouve. Au lieu de passer le plus clair de ton temps à étudier ton charabia à la mosquée ou ailleurs, tu ferais mieux d'être attentif à ton travail. Mais tu me paieras ça ! Tu n'iras pas loin dans la carrière, je te le garantis ! Allez, fous le camp et sors de mon bureau, espèce d'abruti !”

Effondré, incapable d'ordonner mes pensées, ne comprenant rien à ces reproches, je sortis de son bureau et regagnai ma place au fond de la véranda. Une fois à ma table, la tête baissée comme un chien malade, je me mis à verser des larmes comme une jeune fille.

Peu à peu, je réalisai ce qui avait dû se passer. Mon propre travail ne pouvait être en cause, j'avais trop pris soin de tout vérifier. Il n'y avait qu'une explication possible : Mamadou Traoré m'avait transmis des renseignements erronés. Sans doute m'avait-il apporté un cahier de recensement se rapportant à une autre année, en intervertissant les couvertures ? Mais cela ne suffisait pas à expliquer les disproportions entre les noms des villages et l'importance de leur population ; les pages elles-mêmes devaient avoir été mélangées. Il fallait donc qu'il ait décousu, puis recousu le cahier en intervertissant ses pages avant de me le remettre, ce qui était possible car elles n'étaient pas numérotées. Une fois mon travail terminé, il lui suffisait de tout replacer dans l'ordre, et je passais pour un fou…

Je comprenais l'indignation de M. Fournier, car il était responsable du travail accompli dans son service ; mais la méchanceté et la duplicité du petit homme aux douze doigts me dépassaient. Une vague de colère se répandit en moi et submergea tout. En fin de matinée, après la sortie des bureaux, je passai par le marché et achetai un poignard de fabrication britannique importé de la Gold Coast. C'était une arme effroyable capable de transpercer la peau d'un éléphant. Incapable de déjeuner, je fis croire à ma femme que je souffrais d'un petit malaise passager et allai m'allonger. Mais j'étais si agité intérieurement que je ne pus fermer l'œil. A quatorze heures, je retournai au cercle. On ne me donna rien à faire de toute la journée.

A dix-sept heures, je sortis le premier du bureau et allai attendre Mamadou Traoré non sur la route qui ramenait directement en ville, mais sur une autre, un peu plus longue, que nous n'empruntions généralement pas. S'il était bien le coupable, j'étais persuadé qu'il passerait par là pour m'éviter. Hélas, je ne m'étais pas trompé. Il arriva bientôt à ma hauteur, éberlué de me trouver là. J'avançai vers lui : “Arrête-toi, espèce de scélérat ! J'ai découvert ta fourberie, et tu vas me dire comment tu t'y es pris ou j'ouvrirai ton bidon de grenouille puante !” Je le pris au collet et fis mine de dégainer mon poignard. Le petit homme se mit à trembler comme une feuille et à me jurer par tout le lait qu'il avait sucé de sa mère – serment des plus sacrés en Afrique – qu'il n'entreprendrait plus aucune machination pour me nuire, et même qu'il me dévoilerait à l'avenir tout ce qui pourrait se tramer contre moi !

Complètement effondré, il me supplia de ne pas chercher à le faire chasser de la place qu'il avait occupée auprès du commandant. "Je ne suis pas encore admis dans le cadre des écrivains expéditionnaires comme toi, me dit-il d'une voix chevrotante, je ne suis qu'un temporaire. Jusqu'ici je n'étais qu'une roue de secours ; on ne m'utilisait que lorsqu'il y avait trop de travail. Je me suis hâté d'occuper la place auprès du commandant afin qu'il renouvelle mon contrat et me donne même quelque avancement... Pardon, ne me dénonce pas !" Cette franchise me désarma, bien qu'elle vienne d'un homme dont j'avais tout lieu de douter de la sincérité. Vaguement écœuré, je le laissai partir, et rentrai chez moi. Toujours me revenaient à l'esprit les paroles de Tierno Bokar et de mon oncle Babali Hawoli Bâ de Ouagadougou : "Si tu fais le mal, à quoi te serviront tes prières et tes dévotions ?" Si je n'avais pas été retenu par la pensée de ces deux saints hommes, Dieu seul sait ce que, ce jour-là, j'aurais pu faire au malheureux têtard aux douze doigts !

Je recommençai tout mon travail sur des bases normales ; mais comme je n'avais pas dénoncé le piège tendu par le petit homme, M. Fournier garda la mauvaise opinion qu'il avait de moi. Quelques mois après sa prise de service, il dut rentrer en France pour raisons de santé. Il fut remplacé par un administrateur adjoint des colonies, M. "Lambaque" – dont je déforme volontairement le nom en raison des événements auxquels il fut mêlé et dont je parlerai plus loin. Quand celui-ci prit son service, il répartit les attributions et détermina le rôle de chacun. Il garda Mamadou Traoré comme secrétaire particulier. Quant à moi je fus affecté auprès de M. Riou, agent spécial trésorier, et de M. Blanchet, un commis du service civil qui servait d'adjoint au nouveau commandant, pour m'occuper des questions financières et de la population flottante.

Mamadou Traoré semblait vouloir me laisser en paix. Il y avait d'ailleurs tout intérêt, car j'avais découvert qu'il recevait des pots-de-vin. Il m'eût suffi de tout dévoiler pour lui causer de graves ennuis. Je ne l'aurais jamais fait, car il était père de famille, mais il me redoutait et c'était tout ce que je souhaitais. Mon aventure laissa cependant des traces, qui se reflétèrent dans les notes que m'attribua M. Fournier avant de quitter Dori.

Le nouveau commandant ne semblait pas m'apprécier non plus. Heureusement, j'avais d'excellentes relations avec M. Riou et surtout M. Blanchet, homme délicat, très respectueux des autres, et de surcroît arabisant comme moi-même. Nouvellement nommé, il n'osait soutenir officiellement un indigène, mais il m'honora de son amitié.

L'impôt en nature : galette d'argent ou galette de mil ?

Mon travail sur la confection des rôles, puis à la section financière, me fit prendre conscience de l'importance que revêtait la perception de l'impôt pour l'administration coloniale. Les ordres venaient d'en haut et rebondissaient en cascade : le Gouverneur général faisait connaître sa volonté aux gouverneurs des territoires, lesquels les transmettaient aux commandants de cercle, qui se tournaient à leur tour vers les chefs de canton, responsables en dernier ressort : ou ils parvenaient à faire rentrer l'impôt, ou ils perdaient leur poste ! A eux d'agir auprès des chefs de village… Et il s'agissait d'un "impôt de capitation", c'est-à-dire calculé par tête d'habitant et non en fonction du degré de fortune. Ainsi, le chef d'une famille pauvre mais nombreuse pouvait être imposé davantage qu'un homme riche isolé, et s'il ne pouvait s'acquitter de la somme réclamée il était emprisonné. Les Africains appelaient cet impôt "le prix de l'âme", c'est-à-dire la dîme à payer pour avoir droit à la vie…

Cela me rappelle une anecdote, qui se racontait encore à Dori.

Un jour de l'année 1916, le gouverneur avait fait savoir que, dorénavant, l'impôt ne devait plus être payé en nature, mais en espèces sonnantes et trébuchantes. Le commandant de cercle de Dori convoqua les chefs des tribus touarègues pour leur faire connaître cette nouvelle règle.

Lorsqu'il eut en face de lui le chef des tribus du Logomaten, il dit à l'interprète : "Fais savoir au chef que, sur ordre du gouverneur, désormais l'impôt ne devra plus être payé en nature, mais en pièces d'argent."

La langue peule étant parlée dans toute la région de Dori, l'interprète se tourna vers le chef et s'exprima dans cette langue : "Le commandant a dit que le grand gofornor a dit que maintenant l'impôt devra être payé en *bouddi*." Or, en peul, le mot *bouddi* sert à désigner aussi bien les pièces de cinq francs en argent que les galettes de mil cuites à la vapeur.

Le chef touareg, tout heureux, sourit largement : "Interprète ! Remercie bien le commandant. Dis-lui que je dispose d'une grande quantité de mil, et aussi d'assez de servantes pour préparer autant de *bouddi* qu'il en voudra, de quoi régaler toute la population de Dori pendant des mois et des mois !"

L'interprète se rendit compte de la méprise : “Il ne s'agit pas de *bouddi* en farine de mil, mais de *bouddi* en argent.”

Le chef demanda à voir un spécimen de la galette que l'on exigeait de lui. Le commandant sortit une pièce de cinq francs en argent et la tendit à l'interprète, qui la remit au chef. Celui-ci tourna et retourna la pièce, il la regarda, la soupesa, la mordit avec ses dents… puis il la rendit à l'interprète :

“Cette galette en argent, où a-t-elle été cuite ?”

L'interprète demanda au commandant où la galette avait été fabriquée.

“En France ! explosa le commandant. D'où veut-il qu'elle vienne ?

— En France ? fit le chef, éberlué. Interprète, dis au commandant d'être raisonnable ! Il me demande de lui donner des galettes d'argent qui ont été cuites en France, alors que lui-même est français. Moi, je suis un Touareg de Dori, où on ne sait fabriquer que des galettes de mil. Normalement, c'est moi qui devrais demander au commandant de me donner des galettes d'argent de chez lui, et non le contraire ! Si le commandant veut que je lui règle l'impôt que je dois à la France en chameaux, autruches, bœufs, moutons, chèvres, mil, riz, beurre de vache ou même captifs, je peux le faire. Mais s'il exige que je lui donne les galettes qu'il me montre là et qui sont cuites en France, alors c'est qu'il veut la bagarre. J'accepte ! Mais je le préviens : le Touareg que je suis se trouve dans la bagarre comme un poisson dans l'eau !”

Il découvrit son bras droit et le tendit en avant :

“Interprète ! Dis au commandant de regarder mon bras. Il n'est ni moins blanc ni moins bien fait que le sien. Qu'il regarde mon nez : il n'est pas moins droit que le sien. Je suis aussi blanc que lui. Si nous étions seuls, d'homme à homme, le commandant ne me dicterait pas sa volonté, car il n'est ni plus fort ni plus courageux que moi. S'il le veut, je l'invite à un duel personnel sur les dunes, et je suis sûr de le vaincre. Mais non... le seul avantage que le commandant a sur moi, et qui lui permet de me tourmenter avec ses «je veux ceci» et «je ne veux pas de cela», c'est que son pays est plus fort que le mien."

Sans prendre congé, le chef touareg sortit et sauta sur le dos de son méhari. Il n'y eut pas de duel entre le commandant et le chef, mais une guerre entre la France et les Touaregs, spécialement les tribus du Logomaten et du Oudalan. Ce fut la révolte de 1916*.

* [Cette anecdote a été écrite par Amadou Hampâté Bâ en deux versions différentes, rédigées à quelques années de distance. Elles ne diffèrent pas sur le fond, mais sur la date de l'événement. Dans l'une (celle qui est reproduite ici), l'événement se situe juste *avant* la révolte des Touaregs en 1916 et semble presque la provoquer ; dans l'autre, il se situe *après* la révolte, une fois les Touaregs battus par l'armée française, et l'exigence de l'administration semble alors émise pour les punir. Mais dans les deux versions le fond de l'histoire est strictement le même, avec les mêmes personnages et, à quelques détails près, les mêmes paroles échangées.

Il fallait choisir. J'ai privilégié la présente version parce qu'étant rédigée d'une façon plus précise et plus complète que la seconde elle semblait plus crédible. Aux chercheurs que ce sujet intéresse de rechercher la date exacte de l'événement. Il est clair qu'en rapportant cette anecdote Amadou Hampâté Bâ a davantage voulu illustrer la nature des rapports entre l'administration coloniale de l'époque et ses contribuables que livrer une chronique historique précise.]

Le drame de la prison de Dori

Quelque temps après l'arrivée de l'administrateur Lambaque se produisit le premier incident grave auquel il me fut donné d'assister depuis que j'étais fonctionnaire.

Cet administrateur, qui avait pris le relais de M. Fournier, était un maniaque de la construction. Toujours à cheval, il passait le plus clair de son temps sur les divers chantiers qu'il ouvrait sans se soucier de savoir s'il aurait les crédits nécessaires pour les achever. Mais qu'importe ! Bon gré mal gré la population de Dori devait construire les divers bâtiments que l'administrateur jugeait indispensables pour embellir le cercle. Au titre des "prestations de travail en nature" – que d'autres appelaient plus simplement le "travail forcé" – il obligea chaque canton à envoyer un contingent de manœuvres, lesquels devaient amener leur propre nourriture et travailler comme des forçats pour l'amour de la France, en reconnaissance de la paix, de la tranquillité et de la prospérité qu'elle avait apportées dans le pays du Liptako. Par ailleurs, il exigea que chaque village de quelque importance construise un campement spacieux pour recevoir les fonctionnaires blancs et noirs en mission à travers le pays, à charge pour ces villages d'entretenir les voyageurs, conformément à une tradition déjà bien établie et dont j'avais moi-même bénéficié plusieurs fois.

Avant de partir pour une tournée à l'intérieur du pays, notre nouveau "grand commandant" – qui était, paraît-il, un ancien adjudant de l'armée – donna l'ordre de faire procéder à la réfection totale du campement administratif dépendant du village de N'Djomga. En raison de l'importance du travail à accomplir, il décida que les habitants de N'Djomga se feraient aider par ceux du village de Selbo, voisin de trois kilomètres seulement.

Il fit part de sa décision à ses subordonnés, son adjoint M. Blanchet et le brigadier-chef des gardes de cercle Mamari Dembélé, ce dernier étant chargé de la surveillance des travaux.

Informé de cette décision, le chef de canton Abderrahmane Dicko – qui était en même temps le chef traditionnel peul du Liptako – mit le commandant en garde contre le danger qu'il y avait à envoyer les habitants de Selbo, qui étaient tous des nobles peuls, travailler au village de N'Djomga, dont les habitants étaient tous des "rimaïbés", c'est-à-dire leurs anciens "captifs" traditionnels. Avant l'occupation française, c'était en effet aux rimaïbés de N'Djomga de venir travailler à la réfection du village de Selbo, et non l'inverse. Si la décision était maintenue, pour peu que des incidents se produisent on risquait de voir éclater une bagarre dont les conséquences seraient imprévisibles. Bref, il suggérait d'envoyer les Peuls de Selbo accomplir leur obligation de "prestations en nature" n'importe où dans le pays, mais pas à N'Djomga. J'eus moi-même l'occasion, à ma modeste place, de soutenir son point de vue auprès de mes chefs directs, MM. Blanchet et Riou.

Le commandant fut intraitable. "Il faut que les Peuls sachent que les choses ont changé, dit-il en substance, et que c'en est fini de leur suzeraineté dans le pays." – "Cela risque de tourner mal, il y aura du sang versé", osa faire remarquer le brigadier-chef. – "Eh bien, ouvrez toutes grandes les portes de la prison, et enfermez-y tous ceux qui créeront des troubles, aussi bien Peuls que rimaïbés* ! J'entends que l'on m'obéisse, et surtout

* [Si le mot "rimaïbés" n'est pas, comme le mot "Peuls", doté d'une majuscule, c'est qu'il désigne non une ethnie ou un peuple, mais une classe ou une fonction, de même que "forgerons", "tisserands", etc.]

qu'on ne me parle plus des «nobles peuls», de leurs coutumes et de traditions révolues !"

Et le jour même, il partit en tournée.

Le chef de canton transmit aux gens de Selbo la décision du commandant. Contrairement à ce que l'on craignait, au jour dit ils se rendirent à N'Djomga sans protester, simplement munis de leurs bâtons de berger dont les Peuls ne se séparent jamais – mais j'étais bien placé pour savoir qu'entre les mains d'un Peul bien exercé un tel bâton peut devenir une arme redoutable...

Arrivés à N'Djomga, Peuls et rimaïbés campèrent chacun de leur côté pour effectuer le travail qui leur avait été attribué. Les Peuls devaient tresser des bottes de chaume pour les toitures et tisser les grands "sekkos" qui serviraient de paravents et de parois internes, tandis que les rimaïbés pétrissaient la terre qui servirait à reconstruire et à crépir les murs dégradés du campement. Les rimaïbés avaient beaucoup jasé avant l'arrivée des Peuls, mais là, ils se tenaient tranquilles ; chacun travaillait paisiblement.

Il faisait extrêmement chaud. Vers dix heures, les Peuls demandèrent à quelques-uns de leurs jeunes gens d'aller puiser de l'eau à la mare du village. Des jeunes rimaïbés se levèrent pour les suivre. Arrivés près de la mare, ils tentèrent de les empêcher d'y accéder, disant que "ce n'était pas une eau peule". On en vint rapidement aux mains et aux coups de bâton. Un jeune rimaïbé poussa des cris. Immédiatement, les hommes du village, armés des instruments qu'ils avaient sous la main, accoururent au secours de leurs rejetons. Ce que voyant, les Peuls se précipitèrent armés de leurs bâtons. La mêlée, qui dura une bonne demi-heure, fut générale et extrêmement violente. Les cris poussés par les femmes du village et par les combattants furent entendus jusqu'à Dori, à trois kilomètres de là. Le brigadier-chef, à la tête de son peloton, accourut sur les lieux, suivi de près par l'adjoint M. Blanchet. Ce fut pour constater qu'il y avait beaucoup de blessés, et, si j'en crois mes souvenirs, au moins deux morts.

C'était un dimanche. Le brigadier-chef emmena à Dori la cohorte des belligérants, Peuls et rimaïbés mêlés ; ils étaient, je crois, entre soixante-dix et quatre-vingt-dix. Pour se conformer aux ordres formels du commandant absent, il les fit emprisonner, sans mandat d'arrêt. Seule, semble-t-il, une liste des détenus avait été dressée par Mamadou Traoré et remise au trésorier M. Riou, lequel, conformément à la coutume administrative de l'époque, était en même temps régisseur de la prison.

Il était environ dix-sept heures. Il n'y avait que quatre cellules exiguës, basses de plafond, sans air, conçues pour recevoir seulement quatre à six personnes. Malgré leurs protestations, les gardiens y entassèrent de force les prisonniers. Ceux-ci passèrent toute la soirée et toute la nuit dans une véritable fournaise ; étant donné la chaleur qui régnait au-dehors, la température à l'intérieur des cellules surpeuplées devait bien atteindre les cinquante degrés. Toute la nuit, les malheureux poussèrent des cris et des gémissements, suppliant qu'on les fasse sortir. Les gardiens, fidèles à leurs consignes, ne bougèrent pas.

Lorsque, le lendemain matin, le brigadier-chef vint ouvrir les portes de la prison pour amener les prévenus au bureau afin de régulariser leur situation, il découvrit un spectacle effroyable ! Les prisonniers, à demi asphyxiés, étaient entassés les uns sur les autres. Neuf étaient morts, quinze agonisaient, les autres ne valaient guère mieux.

Il les fit sortir dans la cour où les survivants s'écroulèrent, les yeux hagards, la bouche ouverte comme pour mieux aspirer l'air. Ceux qui pouvaient encore parler suppliaient qu'on les évente et qu'on leur donne à boire.

Le brigadier-chef prit peur. Les yeux hors de la tête, il se rua vers le cercle et entra comme une trombe dans le bureau de M. Riou, régisseur de la prison, auprès duquel je travaillais. "Missié Trésorier, veni vite ! veni vite ! Nous gagner histoire grand comme montagne Aribinda ! Prison y devenu cimetière. Ah, Missié Trésorier ! Si Bon Dieu y vient pas nous aider, nous tous foutus comme vieux souliers, depuis grand commandant jusqu'à moi brigadier-chef jusqu'à gardes deuxième classe ! Tout l'monde y foutu, comme y foutra plus jamais encore !"

M. Riou et M. Blanchet se précipitèrent vers la prison. Hélas, ils ne purent que constater la tragédie. Affolé, M. Blanchet envoya un courrier pour prévenir le commandant, qui se trouvait en brousse à plus d'une journée de trajet. Puis il fit venir le médecin-capitaine de la place, M. Lachaise, si je me souviens bien.

Quand celui-ci pénétra dans la cour et vit le spectacle, il entra dans une violente colère. Il saisit le malheureux régisseur de la prison par le collet : "Espèce de misérable ! Savez-vous ce qui vous attend, avec une sale histoire comme celle-ci ?" Il fit évacuer tous les détenus sur le dispensaire, examina les morts et les déclara décédés par asphyxie et manque de soins. Il chercha à savoir qui était responsable de la décision d'emprisonnement, mais chacun rejetait la faute sur le commandant ou sur son supérieur direct, qui lui avait transmis les ordres formels du commandant…

Le médecin-capitaine envoya immédiatement au gouverneur un rapport dans lequel il dépeignait la situation et déclarait l'administration de Dori responsable des faits. Il fit déposer une copie de ce rapport sur le bureau de l'administrateur Lambaque.

Dès que ce dernier reçut le message l'informant du drame, il revint à Dori à bride abattue. Il y arriva trois jours après le début des événements. Après avoir pris connaissance du rapport du médecin-capitaine, il convoqua tout le personnel du cercle dans son bureau, Français et Africains, et nous interrogea sur ce qui s'était passé.

"Le médecin-capitaine, nous déclara-t-il en substance, a fait retomber sur votre commandant de cercle les conséquences de la rixe imbécile qui a mis aux prises les gens de N'Djomga et de Selbo. Mais la bagarre a eu lieu un dimanche ; il n'y avait personne au bureau, et il est de coutume que les bagarreurs du dimanche soient mis en prison jusqu'au lundi matin. En les enfermant, le brigadier-chef n'a donc fait que suivre une pratique courante. Toutefois, si cette affaire prenait des proportions échappant à mon contrôle, la non-concordance de nos déclarations pourrait se retourner non seulement contre votre commandant, mais contre certains d'entre vous. Au nom de la solidarité de corps, je demande donc à ceux qui n'ont pas été mêlés directement à cette affaire de nous soutenir." Personne n'osa protester...

Il mit au point avec Mamadou Traoré, semble-t-il, les inscriptions au registre d'écrou, puis il envoya au gouverneur un rapport dans lequel il présentait l'événement comme une bagarre banale, malgré les conséquences fâcheuses qui en avaient résulté. Pensant avoir mis un point final à cette affaire, l'esprit et la conscience apparemment tranquilles, il repartit immédiatement en tournée...

A Ouagadougou, le rapport du médecin-capitaine, intitulé “Le drame de la prison de Dori”, avait fait grand bruit. Le médecin-colonel, chef du service de la santé, l’avait immédiatement communiqué au gouverneur Hesling. Alors que le rapport médical engageait nettement la responsabilité du cercle de Dori, le rapport de l’administrateur Lambaque, lui, réduisait l’affaire à un simple accident, déplorable, certes, mais dû à des causes indépendantes de la volonté humaine. Pour y voir plus clair, le gouverneur Hesling donna mission à l’administrateur en chef Robert Arnaud, inspecteur des Affaires administratives, de se rendre sur place afin d’ouvrir une enquête et d’établir les responsabilités.

L’inspecteur Robert Arnaud, qui s’était fait connaître par quelques écrits et par ses démêlés avec les uns ou les autres, s’était surtout rendu célèbre par sa sévérité, son courage et son sens aigu de la justice, qu’il appliquait indifféremment aux Blancs et aux Noirs. De nombreux chefs de circonscriptions administratives l’avaient surnommé le “Gorille*”.

Conformément à sa coutume, il prit immédiatement la route et s’arrangea pour arriver à Dori un matin de très bonne heure. A l’ouverture des bureaux, chacun fut surpris de le trouver déjà installé au campement. Le télégramme annonçant son arrivée l’avait à peine précédé. Un courrier fut immédiatement envoyé au commandant Lambaque pour lui demander de revenir de toute urgence.

Le “Gorille” mena rondement son enquête. Il demanda à voir tous les acteurs ou témoins de cette affaire. Il entendit d’abord le médecin-capitaine Lachaise, puis les

* “Wangrin” le rencontra en 1921. [Cf. *L’Etrange Destin de Wangrin*, p. 252, où son nom figure sous une autre forme.]

fonctionnaires du cercle, et jusqu'aux gardiens de prison. Il s'informa minutieusement sur chacun d'entre nous. Je ne sais pourquoi – peut-être en raison de ma bonne connaissance et du peul et du français – il me demanda comme interprète personnel, à la grande mortification du grand interprète Kaman Touré.

Mamadou Traoré se vit reprocher d'avoir délivré des mandats de dépôt avant interrogatoire et inculpation, sans aucune qualité pour le faire. Des contradictions relevées entre les dates des états de rations alimentaires et celles portées sur le registre d'écrou dévoilèrent l'irrégularité de l'opération.

Pour clore son enquête, l'inspecteur s'entretint longuement avec le chef de province Abderrahmane Dicko. Il interrogea même des gens de N'Djomga et de Selbo.

Quand le commandant Lambaque revint enfin à Dori, extrêmement contrarié de constater que le redoutable et grand fouinard d'inspecteur avait profité de son absence pour tirer adroitement les vers du nez à tout le monde, ce dernier avait déjà réuni tous les renseignements dont il avait besoin.

L'inspecteur et le commandant restèrent enfermés une journée entière. Après cette dernière entrevue, l'inspecteur regagna Ouagadougou, où il présenta au gouverneur un rapport accablant pour l'administrateur Lambaque, accusé d'erreur psychologique grave alors qu'il avait été averti du danger de la situation. Le rapport (dont j'aurai l'occasion de prendre connaissance quelques mois plus tard lorsque je serai muté au cabinet du gouverneur) concluait à l'internement illégal et dénonçait la responsabilité de l'administrateur commandant de cercle, de l'agent spécial régisseur de la prison, de l'adjoint et du brigadier-chef. Il donnait également une description sociologique et psychologique très fine de la société africaine telle qu'elle était avant l'occupation française, avec ses divisions ethniques, ses clans et ses castes, et déclarait que, quelle que soit la puissance financière, militaire et culturelle de la France, elle ne pouvait espérer, en quelques décennies, transformer des us et coutumes séculaires.

Normalement, les fonctionnaires visés auraient dû passer devant la cour d'assises puisqu'ils étaient responsables de la mort de neuf personnes et de la maladie grave de quinze autres. Mais un administrateur des colonies était impliqué dans cette affaire… Il ne pouvait être question de l'envoyer aux travaux forcés pour une bagatelle ! Aussi, malgré l'insistance de l'inspecteur Robert Arnaud et du gouverneur Hesling lui-même, qui voulaient que soit infligée une punition proportionnelle au crime commis, la force occulte qui faisait des administrateurs des colonies des intouchables fit transmuer le crime de Pierre Lambaque en "négligence grave", ce qui lui permettait d'échapper au procès. On lui adressa une lettre de réprimande et de mise en garde. L'agent spécial régisseur de la prison reçut un blâme avec inscription au dossier. Quant au brigadier-chef, ce fut le dindon de la farce : blâmé, rétrogradé, on le muta à un poste disciplinaire. Il ne pouvait en être autrement, car quand un nègre fait la grande roue au milieu des Blancs, ils lui font porter leurs valises…

Cet événement fut l'un des premiers à me faire toucher du doigt la réalité de ce qu'était, à la colonie, un Blanc par rapport aux Noirs, et me confirma la supériorité imprescriptible des administrateurs des colonies sur tous les autres Blancs.

La manière dont le brigadier-chef avait été sacrifié me dégoûta de servir dans un cercle de brousse, fût-il arrosé par un fleuve de lait. J'écrivis à Demba Sadio Diallo. Je lui expliquai toute l'affaire et lui demandai, si la chose était possible, de me faire réaffecter à Ouagadougou. Je m'appuyais sur une proposition indirecte que m'avait faite l'inspecteur Arnaud avant de quitter Dori : il m'avait en effet demandé si je ne préférerais pas revenir à Ouagadougou, où mes capacités pourraient être mieux utilisées qu'elles ne l'étaient à Dori.

Quelque temps plus tard, le commandant François de Coutouly rentra de son long congé, dont il avait passé la fin en France. Il avait été remis à la disposition du gouverneur de la Haute-Volta Edouard Hesling. Ce dernier, qui avait toujours apprécié la gestion administrative de l'administrateur de Coutouly et ses bons contacts avec les divers clans touaregs de la région, prit la décision de le réaffecter au cercle de Dori, qui était depuis si longtemps son fief personnel et sa chasse gardée. Comme la loi lui en donnait le droit, François de Coutouly, durant son passage à Ouagadougou, avait demandé communication de toutes les correspondances faites en son absence, y compris le dossier de l'affaire de N'Djomga et les rapports de l'administrateur Lambaque et de l'inspecteur Arnaud. Il y avait découvert, entre autres choses, des accusations imprudemment portées contre lui par l'administrateur Lambaque, qui lui reprochait de ne pas être assez ferme vis-à-vis des populations, notamment pour les travaux de construction.

François de Coutouly, fier rejeton de la noblesse française, n'était pas homme, on l'a vu précédemment, à accepter n'importe quoi sans réagir. Déjà, en temps normal, un rien le mettait hors de lui-même ; mais lorsqu'il était en colère, les jurons, les “jarnicoton”, “cap de diou” et autres imprécations sortaient de sa bouche comme une tornade en début d’hivernage. Quand il eut pris connaissance de tout ce qui s’était passé en son absence, il rejoignit Dori, fulminant, fâché comme un roi insulté, gonflé comme un tétrodon* irrité.

Il arriva à Dori un matin de très bonne heure. L’administrateur Lambaque n’avait pas encore déménagé des locaux de la résidence. Le premier soin du commandant fut de donner l’ordre au brigadier d’envoyer une équipe de dix prisonniers pour vider immédiatement la résidence des bagages et effets de l’administrateur Lambaque, et d’aller les installer pêle-mêle dans un des nouveaux bâtiments construits par lui et qui n’était pas complètement achevé.

Puis il alla se planter au milieu de la véranda, de manière à être bien vu de tous les fonctionnaires qui arrivaient au bureau. Notre surprise fut d’autant plus grande que nous ignorions qu’il avait été réaffecté à Dori. Debout au milieu de la véranda, tirant sur sa pipe, il nous apparut comme une sorte de revenant. Mais notre étonnement fut à son comble quand nous vîmes l’administrateur Lambaque courir comme un fou entre la résidence et le bâtiment inachevé où les prisonniers, sourds à ses protestations, transféraient toutes ses affaires. Le petit commandant et l’agent spécial, eux, faisaient le va-et-vient dans les couloirs, n’osant ni vraiment s’approcher du grand commandant ni s’en éloigner. La scène était du plus grand comique, mais nul ne se serait risqué à rire ; à peine un rictus timide se devinait-il sur les visages…

* Poisson des mers du Sud, appelé “poisson-globe” en raison de sa faculté de devenir globuleux en se gonflant d’air.

Quand les bagages de l'administrateur Lambaque furent complètement transférés, ceux du grand commandant prirent leur place. Ce dernier, tout souriant, une douceur angélique sur le visage, se tourna vers nous : "Mes enfants, me voici revenu de France, et revenu à Dori. Nous allons continuer ensemble, comme nous l'avons toujours fait depuis des années, à travailler pour la France d'abord, et pour l'Afrique ensuite. Je sais qu'un camarade malveillant a écrit des insanités sur mon compte, et qu'à cause de sa maladresse il a été fait ce qui ne devait pas se faire. Par son ignorance des hommes et des choses, il a provoqué la mort de beaucoup d'innocents. Je remettrai de l'ordre dans le cercle et les torts seront réparés, mais hélas, les morts sont morts et ne seront pas ressuscités !"

Sur ce, il disparut dans son bureau, et durant deux jours personne ne le vit apparaître au-dehors.

Durant ces deux jours, l'administrateur Lambaque maigrit à un tel point qu'il en flottait dans ses vêtements. Il attendait sa destination officielle, qui n'avait pas encore été fixée. Allait-il être maintenu à Dori sous les ordres du commandant de Coutouly, moyen sûr de le faire mourir de vexation ? Ou allait-il être affecté pour ordre à Ouagadougou, c'est-à-dire mis sur une voie de garage en attendant de connaître son sort ?

Un télégramme officiel l'affectant à Ouagadougou pour ordre fut adressé au commandant de cercle. Par le même télégramme, on annonçait la mutation de l'agent spécial trésorier, régisseur de la prison.

La passation de service entre Pierre Lambaque et le commandant de Coutouly fut orageuse. Lambaque, excédé par les écarts de langage du commandant, refusait d'admettre certaines réflexions et ne se laissait pas tirer les oreilles sous prétexte que de Coutouly était un administrateur de première classe. Les éclats de voix étaient si forts que plus d'une fois le planton Fodé Diallo crut devoir entrer dans le bureau pour intervenir le cas échéant. Heureusement, chaque fois qu'il apparaissait, les deux administrateurs, par dignité et pour ne pas se ridiculiser aux yeux d'un nègre, se calmaient.

L'administrateur Lambaque, il faut le reconnaître, avait été un grand bâtisseur. Utilisant à merci la main-d'œuvre locale et sans toujours se soucier des crédits disponibles, en quelques mois de gestion il avait tout de même fait réparer tous les bâtiments du cercle qui tombaient en ruine, construit une belle école, un dispensaire et un logement de plusieurs pièces pour un fonctionnaire européen ; il avait commencé un deuxième bâtiment qu'il laissa en train.

M. Blanchet était chargé d'assurer la finition des travaux, mais, on ne sait pourquoi, la fourniture de main-d'œuvre assurée jusque-là par le chef de canton se ralentit si fortement que les maçons restaient parfois plusieurs jours sans pouvoir poser une brique sur une autre. Ses observations auprès du chef de canton restant sans effet, excédé, il vint trouver François de Coutouly : "Monsieur l'administrateur, lui dit-il, depuis le départ de l'administrateur Lambaque, les travaux des bâtiments sont terriblement ralentis, pour ne pas dire abandonnés. Tout est au point mort." De Coutouly bondit de sa chaise et saisit le malheureux Blanchet au collet : "Jarnicoton de jarnicoton ! Que voulez-vous insinuer, espèce de blanc-bec ? Voulez-vous dire que je suis un incapable par rapport à M. Lambaque ? Cap de diou ! Apprenez que si M. Lambaque, avec son demi-bachot, est un administrateur de boue et de briques, moi, François de Coutouly, licencié ès lettres et docteur en droit, je suis un administrateur de plume et de papier. Allez, sortez, et ne venez plus me parler de briques ou je vous f... mon pied quelque part !" M. Blanchet sortit du bureau, rouge comme une tomate bien mûre.

Le commandant passa tout l'après-midi à maugréer. Il fit néanmoins venir le chef de canton et lui déclara que si le lendemain matin, à huit heures, soixante manœuvres ne se trouvaient pas sur les chantiers, tous les chefs des villages du canton de Dori, le chef de canton en tête, iraient eux-mêmes aux briques et à la boue ! Et il le retint au cercle jusqu'à onze heures du soir, surveillé par le planton Fodé Diallo. Un émissaire était parti prévenir les gens du chef de canton.

Le lendemain matin, cent rimaïbés peuls, tous volontaires, se présentaient spontanément pour effectuer le travail et racheter leur chef bien-aimé.

Pendant que je vivais cette scène à Dori, Demba Sadio s'était mis en campagne pour faire aboutir ma demande de mutation, arguant du fait que le cabinet du gouverneur avait besoin d'un secrétaire supplémentaire en raison de l'abondance du travail. Le 13 juin 1924, le commandant de Coutouly reçut un télégramme du gouverneur l'informant que j'étais affecté à son cabinet, à Ouagadougou. Il m'appela dans son bureau :

"Amadou Bâ, me dit-il, voici une décision qui t'affecte au cabinet du gouverneur. Lors de mon passage à Ouagadougou, j'ai longuement entendu parler de toi et de la façon dont tu avais fait marcher le bureau de l'Enregistrement et des domaines. Je regrette de t'avoir sous-employé à ton arrivée, mais ce petit mouchard aux yeux de grenouille de Mamadou Traoré m'avait induit en erreur sur ton compte. Maintenant que je suis revenu, j'allais te remettre à la place qui te revient, c'est-à-dire auprès de moi, en tant que secrétaire. Rien n'est perdu ! Je peux encore entreprendre des démarches pour faire rapporter la décision qui t'affecte à Ouagadougou…"

Je remerciai très poliment le commandant de son offre, mais lui dis qu'ayant fait moi-même des démarches pour être muté, je ne pouvais demander l'annulation de mon affectation à présent qu'elle avait été ordonnée ; malgré le désir que j'éprouvais aujourd'hui de servir sous ses ordres, j'étais donc obligé, comme on me le demandait, de rejoindre mon poste le plus rapidement possible.

Finalement, sous ses dehors bourrus et ses brusques accès de colère, François de Coutouly n'était pas un mauvais homme. Il ne punissait pas à tort et à travers, et il rendait justice. Il ne laissait pas les chefs abuser de leur autorité, et surtout (je l'appris pendant son absence), il avait des sources de renseignement dans le pays en dehors de son interprète, ce qui lui permettait de se faire une opinion plus éclairée sur les faits dont il avait à connaître en tant que président du tribunal. Ses deux grandes passions étaient les Peuls – sans doute en raison de son mariage – et la chasse. Il écrivait d'ailleurs des articles dans *le Chasseur français.*

Nous nous quittâmes en bons termes. Une semaine après, accompagné de ma famille et d'un petit convoi, je reprenais la route de Ouagadougou.

IV

RETOUR A OUAGADOUGOU

Au cabinet du gouverneur

A mon arrivée à Ouagadougou en juillet 1924, je me trouvai sans toit, car j'avais fait cadeau de mon ancien logement à un parent avant de partir pour Dori. Mon ami Demba Sadio Diallo m'offrit de me loger dans sa concession, assez vaste pour m'y accueillir avec ma petite famille. J'acceptai avec joie, car en plus de ma femme et de mon enfant j'avais ramené de Dori une petite orpheline, Aïssata Baïdi, et un jeune écolier originaire du Niger, Ousmane Sita. Un jeune griot très bon guitariste qui s'était attaché à moi, Bambaguel, me suivit lui aussi à Ouagadougou. J'étais donc à la tête d'une famille de six personnes, ce qui commençait à compter pour ma modeste solde d'écrivain expéditionnaire de troisième classe. Mais j'en étais heureux et fier. Du haut de mes vingt-quatre ans, je me sentais un homme…

Au cabinet du gouverneur, je fus affecté auprès de M. Berthet, chef du cabinet. Ni M. Berthet ni moi-même ne pouvions deviner que, treize ans plus tard, à Bamako, à partir de 1937, je deviendrais sa "bête noire" et lui couperais, durant sept ans, sommeil et appétit. Je rapporterai les faits en leur temps. M. Berthet était secondé par M. Valroff, un Russe naturalisé français, et par M. Cazenave, un commis des services civils que je retrouverai à la mairie de Bamako en 1933 avec le grade d'administrateur adjoint.

Nous étions trois auxiliaires indigènes au cabinet : à notre tête, comme à la tête de tous les blancs-noirs de Haute-Volta, venait mon ami Demba Sadio Diallo, prince héritier de Koniakary (Mali). Diplômé de l'école professionnelle Faidherbe et premier commis recruté par le gouverneur Edouard Hesling, il était son secrétaire particulier et la grande roue du cabinet ; c'était un garçon très cultivé, un gros travailleur, et un ami à toute épreuve. Puis venaient Mamadou Konaré et moi-même. En dehors des "blancs-noirs" travaillant au cabinet du gouverneur, il y avait aussi ceux qui relevaient du secrétaire général du gouvernement, à l'époque M. Fousset. Le plus en vue était Dim Delobsom Ouédraogo, prince de Sao – une chefferie mossi du cercle de Kandougou – et commis de confiance de M. Fousset. A mon arrivée, M. Fousset assurait d'ailleurs pour quelques mois l'intérim du gouvernorat pendant une absence d'Edouard Hesling.

Il y avait donc, à Ouagadougou, deux lignes de forces en présence, non rivales mais spécifiques : celle émanant d'Edouard Hesling, "lieutenant-gouverneur" titulaire (c'était le titre des gouverneurs à l'époque), et celle émanant de M. Fousset, secrétaire général du gouvernement. A ces deux forces s'en ajoutait une troisième qui, pour être occulte, n'en était pas moins agissante : celle de l'Eglise, et plus particulièrement de son représentant Mgr Thévenoud, qu'en termes secrets et quelque peu irrévérencieux nous avions surnommé "l'Oiseau bagué". J'aurai plus tard, bien involontairement, à compter avec cette troisième force, et ce n'est pas moi qui l'emporterai…

Sous l'effet de la colonisation, la population de l'Afrique occidentale française s'était divisée automatiquement en deux grands groupes, eux-mêmes subdivisés en six classes qui vinrent se superposer aux classes ethniques naturelles. Le premier était celui des *citoyens de la République française*, le second celui des simples *sujets*.

Le premier groupe était divisé en trois classes : les *citoyens français pur sang*, nés en France ou Européens naturalisés français ; les *citoyens français des "quatre communes de plein exercice" du Sénégal* (Gorée, Saint-Louis, Dakar et Rufisque) ; enfin les *Africains naturalisés citoyens français*. Tous jouissaient des mêmes droits (en principe) et relevaient des tribunaux français.

Le second groupe, celui des *sujets*, comprenait à son tour trois classes : au sommet de la hiérarchie venaient les *sujets français du Sénégal*, qui jouissaient d'une situation privilégiée par rapport à ceux des autres pays et auxquels on évitait de se frotter, par peur de répercussions judiciaires ou politiques ; puis venaient, dans les autres territoires, les *sujets français "lettrés"* (c'est-à-dire scolarisés ou connaissant le français) et les *sujets français "illettrés"* (uniquement du point de vue du français, cela va de soi).

A côté de cette division officielle de la société, l'humour populaire en avait créé une autre, qui se réduisait à quatre classes : celle des *blancs-blancs* (ou toubabs), qui comprenait tous les Européens d'origine ; celle des *blancs-noirs*, qui comprenait tous les indigènes petits fonctionnaires et agents de commerce lettrés en français, travaillant dans les bureaux et factureries des blancs-blancs qu'ils avaient d'ailleurs tendance à imiter ; celle des *nègres des blancs*, qui comprenait tous les indigènes illettrés mais employés à un titre quelconque par les blancs-blancs ou les blancs-noirs (domestiques, boys, cuisiniers, etc.) ; enfin celle des *noirs-noirs*, c'est-à-dire les Africains restés pleinement eux-mêmes et constituant la majorité de la population. C'était le groupe supportant patiemment le joug du colonisateur, partout où il y avait joug à porter.

Du point de vue de la division "officielle" des classes, j'étais un *sujet français lettré*, né au Soudan et non au Sénégal, donc juste au-dessus de la dernière catégorie. Mais selon la hiérarchie indigène, j'étais incontestablement un *blanc-noir*, ce qui, on l'a vu, nous valait quelques privilèges – à cette réserve près qu'à l'époque le dernier des Blancs venait toujours avant le premier des Noirs…

En attendant, mon principal souci était de me roder à mes nouvelles tâches. Je me mis à l'école de Demba Sadio. Il m'initia à tous les travaux bureaucratiques du cabinet, véritable cœur du grand corps qu'était un territoire colonial. Je fus chargé de l'enregistrement du courrier à l'arrivée et de son acheminement dans les divers bureaux de la capitale. Entre-temps, j'avais appris à dactylographier, car M. Berthet tenait à ce que tout fonctionnaire indigène du cabinet soit polyvalent, apte à travailler dans n'importe quelle branche de l'administration. Je perfectionnai ma technique. Bien que n'appartenant pas encore officiellement à ce cadre, j'étais en passe de devenir un "commis" complet…

A l'école professionnelle de Bamako, on nous avait enseigné que le travail anoblit, et nous étions marqués par cette formation. Pour nous, il n'y avait pas d'heures fixes : tant qu'il y avait du travail, il fallait le liquider, et il n'était point besoin de nous le demander ; c'était pour nous comme un point d'honneur à respecter. Le retard par simple négligence était impensable, et d'ailleurs, il faut le dire, nos chefs blancs nous donnaient l'exemple. Ni pluie ni extrême chaleur ne les empêchaient d'être à l'heure au bureau. Quant aux absences, seules une maladie grave ou une permission officielle pouvaient les justifier.

Mon salaire s'élevait alors à 183,33 francs par mois. Le griot de Demba Sadio, un commis des PTT nommé Bokardari Sissoko et qui logeait lui aussi chez Demba, gagnait 175 francs ; de son côté Demba gagnait 250 francs, plus ses nombreuses heures supplémentaires. Comme dans une famille africaine, nous mettions tout en commun. Chaque fin de mois, Bokardari Sissoko et moi-même remettions intégralement notre solde à Demba Sadio. Le considérant comme notre frère aîné, nous le laissions s'occuper de tout. Il nous nourrissait, nous habillait nous et nos femmes et assurait l'entretien de notre petite communauté, fêtes et réjouissances comprises. Nous ne manquions de rien, et cette solution, conforme à l'esprit traditionnel, nous satisfaisait pleinement.

Commandant de cercle contre chef peul

Quelque temps après mon arrivée survint une très importante affaire qui aurait pu finir très mal, et même, si Demba Sadio et moi n'avions pu agir à temps, qui aurait pu provoquer, chez les Peuls du cercle de Dédougou, une révolte sanglante inévitablement suivie d'une répression impitoyable. Plus encore que par le passé, je pris conscience du rôle décisif, quoique souterrain, que pouvaient jouer parfois, dans un sens ou dans un autre, les modestes fonctionnaires indigènes de l'administration coloniale.

L'affaire en question opposait un tout-puissant administrateur des colonies à un chef peul très ancien et très puissant dans le pays, respecté de tous, mais qui ne pesait guère plus qu'une mouche devant un administrateur commandant de cercle…

Le cercle de Dédougou venait d'être attribué à l'administrateur des colonies de Lopino – qui plus tard, au Niger, se donnera le titre de "gouverneur de Tawa" alors qu'il n'en sera que le commandant de cercle. C'était le prototype même de ces administrateurs qui, fiers de leur valeur intrinsèque ou de leur naissance, se croyaient tout permis, et dont certains écarts frôlaient l'acte d'indiscipline grave. L'administrateur de Lopino, bien que sorti lauréat de sa promotion à l'Ecole coloniale, avait subi, à cause de son comportement, un grand retard dans son avancement. Son caractère s'en était aigri et ses fantaisies n'en devinrent que plus grandes.

Lorsqu'il était en fonctions au Soudan français, il n'avait pu s'entendre avec le gouverneur du territoire. Celui-ci l'avait remis à la disposition du gouverneur général de Dakar, chef suprême des huit territoires qui formaient alors "l'Afrique occidentale française" (ancienne AOF), lequel, à son tour, l'avait mis à la disposition du gouverneur de la Haute-Volta. Ce dernier l'avait nommé commandant du cercle de Dédougou. L'affaire se situe au moment où le commandant de Lopino se trouvait en route pour rejoindre son poste. Il devait passer par Koury, un village situé dans la principauté peule de Barani.

Le chef de cette principauté peule, Idrissa Ouidi Sidibé, était l'un des plus grands et des plus réputés parmi les chefs indigènes de la Haute-Volta. En importance, il venait immédiatement après le Moro Naba, empereur des Mossis. Fils de Ouidi Sidibé et petit-fils de Maliki, le fondateur de la principauté peule de Barani, il avait succédé à son père en 1900. Il était donc à la tête de sa province depuis près de vingt-cinq ans. L'administration coloniale, conformément à sa coutume, l'avait nommé "chef de canton".

Lorsqu'il apprit que l'administrateur de Lopino, son nouveau commandant de cercle, allait faire étape à Koury, le chef Idrissa Ouidi Sidibé se porta au-devant de lui pour le saluer. Accompagné d'un groupe de vingt cavaliers, il apporta à son nouveau commandant le traditionnel cadeau de bienvenue, composé en l'occurrence de cinq taureaux, cinq gros "moutons de case", des poulets, des œufs, du lait et du beurre de vache.

Le commandant de Lopino, sans doute de mauvaise humeur ce jour-là, prit très mal cette démarche. Il apostropha publiquement le chef Idrissa, sur un ton d'une grande violence : "Je ne suis pas un commandant de cercle à corrompre ! Je ne permettrai à aucun chef de canton de piller ses administrés et de venir ensuite me donner une partie de son butin sous forme de cadeaux coutumiers. Va rendre immédiatement à leurs propriétaires tous ces biens que tu viens de m'apporter !" Le chef Idrissa ne parlant pas le français, l'interprète lui traduisit ces propos en peul.

"Dis au commandant, répliqua-t-il, que rien de ce que j'ai apporté n'a à être rendu à personne, sinon à moi-même. Les taureaux et les moutons viennent de mes parcs, le lait vient de mes vaches, le beurre vient de mon lait, les poulets viennent de ma basse-cour, les œufs viennent de mes poules. Si je cherchais à corrompre le commandant, ce ne serait pas avec des bœufs et des œufs, il y a mieux pour cela ; mais il est de coutume que le passage d'un chef soit pour les pauvres l'occasion de manger de la viande et de boire du lait à satiété. C'est pourquoi j'ai agi comme le veut la tradition."

Les jeunes Peuls de l'escorte du chef commencèrent à s'agiter : "O Idrissa ! Le chef blanc vient de t'abreuver de honte en refusant publiquement ton cadeau.

— C'est vrai, répondit Idrissa, mais cela ne me discréditera pas, parce que cet affront me vient d'un homme qui est certainement d'une basse extraction dans son pays. Le coup de patte d'un chien ne blesse pas le lion."

Le commandant de Lopino reprit immédiatement la route pour rejoindre Dédougou. Le chef Idrissa passa le reste de la journée à Koury et fit distribuer ses bœufs, moutons, lait, beurre, poulets et œufs aux pauvres de la ville. Puis il rentra chez lui.

Tout le long de la route il réfléchissait, la mort dans l'âme, se demandant ce qu'allaient devenir ses relations avec son nouveau commandant de cercle. A en juger par leur première prise de contact, elles promettaient d'être très mauvaises, voire dangereuses. La suite des événements allait confirmer les pires de ses craintes.

Dès que le commandant de Lopino fut installé à Dédougou, son premier acte fut de convoquer le chef Idrissa Ouidi. Avant de quitter sa maison, celui-ci réunit son conseil de famille et exprima ses dernières volontés, pour le cas où il ne reviendrait pas. Puis il prit la route de Dédougou, accompagné de son escorte habituelle.

A Dédougou, Idrissa chargea le "grand interprète" Bokary Kouyaté d'annoncer son arrivée au commandant. Ce dernier lui fit envoyer un taureau de dix ans, un panier de colas, un sac de cent kilos de riz, du sucre et du thé, en lui souhaitant la bienvenue à Dédougou. Il lui donnait audience pour le lendemain à huit heures.

Idrissa ne comprit rien à ce geste. "C'est maintenant que le commandant a traîné mon honneur dans la boue, dit-il à ses gens. Lorsqu'il est venu chez moi, dans ma province, j'ai voulu l'honorer et il a refusé mes cadeaux. Maintenant, il me fait venir chez lui et il me comble. Et je suis obligé d'accepter ses cadeaux, alors que l'honneur me commande de les lui refuser tout comme il a refusé les miens..."

Le lendemain matin, Idrissa, revêtu de sa plus belle tenue, se rendit au bureau du cercle. L'interprète Bokary Kouyaté l'introduisit auprès du commandant. Celui-ci, en grande tenue d'administrateur, épaulettes et parements dorés en bonne place, se tenait assis derrière son bureau, une plume à la main. Il fit signe au chef de s'asseoir. Comme l'interprète s'avançait pour tenir son rôle, le commandant l'arrêta d'un geste : "Va, tu peux nous laisser seuls, le chef Idrissa et moi." Stupéfait, l'interprète sortit du bureau, se demandant comment les deux hommes allaient converser ensemble...

Le commandant de Lopino posa sa plume. Il appuya ses deux coudes sur la table, joignit ses deux mains, la droite sur la gauche, et y posa son menton. Puis, fixant durement des yeux le chef Idrissa, il lui dit dans une langue peule parfaite et sans accent : "Idrissa, fils de Ouidi, fils de Maliki, je suis ton chef, ton commandant, et pourtant tu as dit en ma présence et devant les tiens que j'étais de basse extraction et incapable d'apprécier la bienséance. Apprends qu'en France la particule «de» qui précède mon nom est uniquement portée par les nobles. Et une injure adressée à un noble se paie chèrement, tu l'apprendras à tes dépens. Je te destituerai de ton commandement, tu n'y couperas pas ! Et jamais plus tu n'insulteras un membre de la noblesse française !"

Ces paroles causèrent à Idrissa un choc d'autant plus violent qu'elles avaient été dites en langue peule. Ce fut comme si le ciel lui était tombé sur la tête. Il se jeta genoux à terre, penché en avant, les deux bras croisés dans le dos dans l'attitude traditionnelle de demande de pardon : "O mon commandant ! s'écria-t-il. Il n'y a pas sur cette terre un chef dont les sujets ne médisent en son absence. J'ai médit de vous parce que j'ignorais que vous parliez notre langue ; sinon, même pour tout l'or de ce monde, jamais je n'aurais osé le faire en votre présence. J'ai commis une faute très grave. Je vous en demande mille fois pardon. Acceptez mes excuses, mon commandant, je vous en conjure au nom même de votre noblesse ! Et soyez assuré que je ne recommencerai jamais.

— Quoi que tu puisses dire ou faire, tonna le commandant, cela ne change rien ! Tu me paieras cher cette injure. Je te ferai destituer et déporter loin de Barani, ou je ne suis plus un de Lopino !"

Une deuxième, puis une troisième fois, le chef Idrissa renouvela ses excuses, toujours accroupi à terre, les deux mains derrière le dos, le cou tendu comme pour être décapité. Au lieu de se laisser toucher par cette attitude que lui-même savait être la plus humble que, traditionnellement, un sujet puisse prendre devant son maître ou un soldat devant son vainqueur – attitude qui, chez nous, sauf exception, efface la faute et entraîne le pardon – de Lopino continua à insulter et à menacer Idrissa en langue peule. Ce dernier attendit patiemment, pensant qu'après l'orage le commandant, soulagé de sa colère, consentirait à pardonner. Hélas, l'humble posture du chef peul ne faisait qu'attiser sa rage ! Après l'avoir longuement abreuvé d'injures de toutes sortes puisées dans le pire répertoire de la trivialité peule, de Lopino, perdant toute mesure, se mit à crier, toujours en peul : "Allez, lève-toi, fumier des Peuls, et fous le camp de mon bureau ! Retourne à Barani, tu y recevras l'arrêté qui te destituera et ordonnera ta déportation !..."

Tremblant d'indignation, Idrissa se releva.

"Commandant, as-tu dit ton dernier mot, oui ou non ?

— Je n'ai pas à répondre à un homme qui a officiellement cessé d'exister pour moi."

Idrissa ramassa son bonnet et son turban de chef qu'il avait laissé traîner par terre en signe d'allégeance. Il se tint debout, fixa du regard de Lopino, puis, sans le quitter des yeux, entoura lentement sa tête de son turban. Quand il eut fini, au lieu de sortir comme le lui avait ordonné le commandant, il se rassit sur sa chaise :

"Maintenant, dit-il, ce n'est plus au commandant de cercle représentant la France que je m'adresse, mais à l'homme, «Monsieur de Lopino», qui me dit être un noble de France. Monsieur de Lopino, j'avais dit que tu étais de basse extraction ; je me reprends, car tu viens de me montrer qui tu es exactement. On peut être d'une basse extraction et avoir de la noblesse de cœur, comme on peut naître dans la noblesse et manquer d'élévation dans ses sentiments et ses pensées. Tu viens de me prouver que tu es si plein de bassesse que tu en as à revendre au marché de la racaille. C'est maintenant l'heure de *wallouha* (environ neuf heures). Si ce soir, après la prière de *lassara** (vers seize heures), je suis encore chef de province, je te considérerai comme le dernier de tous les nobles de France. Je vais maintenant sortir de ton bureau et retourner chez moi. Si tu veux une révolte

* Déformation africaine du mot arabe *el-asr*.

comme celle de 1916, viens à Barani, ou envoies-y des agents à toi." Sur ces mots il se leva, tourna le dos au commandant, et franchit la porte.

Une fois dehors, il sauta sur son cheval. "*Baraa ani flew !* Tambours et flûtes !" cria-t-il à sa suite. Immédiatement, ses tambourineurs et ses flûtistes, qui l'accompagnaient dans tous ses déplacements, donnèrent de leurs instruments. Idrissa fit danser et caracoler son cheval jusqu'à ce qu'un nuage de poussière ait empli toute la place et pénétré jusque sous la véranda des bureaux. Alors seulement il s'éloigna et prit la direction de Barani.

Le commandant de Lopino n'avait pas bronché. Par la suite, il se garda d'ébruiter outre mesure cette scène particulièrement grave. La situation demeurait confuse, la menace sourde et discrète. Tout était comme en suspens.

A Barani, durant tout un long mois chacun vécut sur un qui-vive des plus angoissants. N'y pouvant plus tenir, les jeunes Peuls de la ville vinrent trouver Idrissa Ouidi. "Chef, lui dirent-ils, le silence du commandant de cercle nous inquiète, car c'est un silence comparable à celui d'un fusil chargé ; or, le fusil chargé ne parle que pour tuer. Nous n'allons pas attendre que le commandant vienne avec une compagnie pour nous arrêter et nous faire périr. Nous avons décidé d'aller le tuer. Ainsi, il n'aura pas la joie de te voir souffrir, ni nous avec toi."

Très ému de voir ces jeunes gens prêts à mourir volontairement pour lui, Idrissa leur dit : "Vous avez fait votre devoir. Je suis on ne peut plus fier de vous, et je vous remercie de tout mon cœur. Néanmoins, je vous demande de me laisser agir. Je vais m'absenter de Barani. En mon absence, ne bougez pas de la ville ; et si le commandant envoie une compagnie pour vous arrêter, ne résistez pas, laissez-vous faire. Ce sera la meilleure façon de m'aider. Il faut que l'affaire reste entre de Lopino et moi. S'il se produisait une quelconque intervention de votre part, cela deviendrait une affaire non plus entre deux hommes, mais entre les gens de Barani et le commandant de cercle. Vous donneriez ainsi à «Monsieur de Lopino» une arme qu'il utiliserait avec le plus grand plaisir contre nous."

Le lendemain matin, Idrissa Ouidi quittait Barani pour Ouagadougou. Il était accompagné d'un groupe de cavaliers choisis parmi ses hommes de confiance. Pour éviter toute indiscrétion qui aurait permis à de Lopino de s'opposer à son voyage, il emprunta des chemins de brousse. Il traversa ainsi tout le cercle de Dédougou sans que le commandant en sût quoi que ce soit.

Arrivé à Koudougou, à quelque quatre-vingt-dix kilomètres de Ouagadougou, Idrissa, assuré de se trouver hors des poursuites du commandant, revint sur la grande route, ignorant que celle-ci passait devant les bureaux mêmes du commandant de cercle de Koudougou. Lorsqu'il déboucha tout à coup devant les bureaux de la résidence, il était trop tard. Il poursuivit son chemin au grand galop.

Interloqués, le planton et l'interprète, qui se tenaient sous la véranda, regardèrent ces chevaux qui passaient à grande allure. Ils reconnurent le chef Idrissa Ouidi Sidibé et s'étonnèrent qu'il ne se soit pas arrêté pour dire bonjour à leur commandant de cercle, l'administrateur Froger. L'interprète informa ce dernier que le grand chef de la province de Barani venait de passer comme un éclair devant la résidence, en direction de Ouagadougou.

Le commandant Froger fut intrigué. Pourquoi le chef Idrissa avait-il brûlé l'étape de Koudougou ? Etait-ce pour éviter tout contact avec lui ? Et si oui, pour quelle raison ? La grande camaraderie qui existait entre les administrateurs des colonies l'incita à aviser son camarade de corps et voisin territorial de Dédougou. Il lui adressa un télégramme ainsi libellé :

"Commandant cercle Koudougou à commandant cercle Dédougou : chef province Idrissa Ouidi passé ce matin direction Ouagadougou, stop. Intéressé n'a pas daigné s'arrêter pour me saluer, stop. Que se passe-t-il ? Signé Froger."

Jusqu'à la réception de ce télégramme, le commandant de Lopino n'avait eu aucun vent du départ du chef Idrissa pour Ouagadougou. Sa première réaction fut de répercuter le télégramme de l'administrateur Froger au gouverneur de la Haute-Volta en y ajoutant la formule suivante : "Vous prie faire refouler Idrissa Ouidi sur Dédougou afin qu'il soit muni laissez-passer réglementaire, stop. Intéressé parti sans autorisation, stop. Signé de Lopino."

Comme je l'ai dit précédemment, au cabinet du gouverneur j'étais chargé du "courrier à l'arrivée", tandis que mon ami Demba Sadio, chef du secrétariat, s'occupait du "courrier départ". Je fus donc le premier, un matin, à prendre connaissance du télégramme du commandant de Lopino et, à travers lui, du message de l'administrateur Froger. Je le communiquai immédiatement à Demba Sadio. Nous avions entendu parler du grave différend qui avait opposé le commandant au chef peul, et le piège tendu à ce dernier nous parut évident. Il ne nous fallut pas longtemps pour nous décider : "Puisque les administrateurs des colonies nous donnent l'exemple de la solidarité, pourquoi, de notre côté, n'userions-nous pas des moyens dont nous disposons pour sauver le chef Idrissa Ouidi, peul comme nous, des griffes de de Lopino ?"

Pour que le chef Idrissa ait une chance de faire entendre sa propre version des événements, il nous fallait faire en sorte que le gouverneur puisse le recevoir avant d'avoir pris connaissance du télégramme de de Lopino formulant la demande de refoulement. Entre le passage du chef Idrissa à Koudougou et l'arrivée du télégramme, il s'était écoulé une journée. Selon nos calculs, Idrissa arriverait au cabinet du gouverneur le matin même, entre dix et onze heures. La brièveté du délai autorisait la manœuvre... J'envoyai le courrier à la lecture du gouverneur, mais gardai le télégramme sous mon sous-main.

A dix heures et demie, Idrissa Ouidi entrait à Ouagadougou avec sa cavalerie. Il vint directement se présenter au bureau. Je prévins le chef de cabinet, qui me demanda de l'introduire auprès de lui. Par mon truchement, Idrissa lui exposa l'objet de son déplacement et insista pour voir le gouverneur Hesling. C'était pour lui, déclara-t-il, "une question de vie ou de mort, et, pour sa province, une question de paix ou de guerre".

Conscient de la gravité de la situation, le chef de cabinet alla prévenir le gouverneur, qui décida de recevoir immédiatement Idrissa Ouidi. Je conduisis ce dernier auprès de lui, et restai pour leur servir d'interprète.

Idrissa relata les faits tels que je les ai racontés plus haut, en détail et sans aucune omission, selon la coutume africaine. Le gouverneur se tourna vers moi :

"Y a-t-il eu une correspondance de Dédougou relative au voyage du chef Idrissa ?

— Oui, répondis-je. Un télégramme est arrivé ce matin même. Je vais vous l'apporter.

— Comment se fait-il qu'un télégramme de cette importance ne m'ait pas été communiqué immédiatement ?

— Avant l'arrivée du chef Idrissa, Monsieur le gouverneur, Demba Sadio et moi avons cru nécessaire de réunir d'abord, à votre intention, des renseignements sur lui et sur le commandant de Lopino, pour vous permettre de prendre votre décision en toute connaissance de cause. L'arrivée du chef nous a devancés. Demba Sadio pourra vous donner tous les renseignements nécessaires sur ces deux hommes, et si vous-même désirez prendre connaissance de leurs dossiers, vous serez encore mieux fixé."

Le gouverneur fit venir Demba Sadio et l'interrogea. "Idrissa est un chef qui exerce ses fonctions depuis 1900, expliqua mon collègue. Il est à la tête d'un pays qui l'aime et où chacun accepterait de mourir pour lui. De plus, aucun chef indigène en Haute-Volta n'a rendu autant de services à la France que le chef Idrissa. En 1914, lors de la grande famine qui décima les régions de la Boucle du Niger, Idrissa a nourri tous les pauvres de sa province et a payé à lui seul la totalité de l'impôt dû à la France par sa région. Et en 1916, quand les Bobos se sont révoltés contre la France, c'est à Idrissa Ouidi que le commandant de cercle de San et son personnel durent leur salut. Enfin, Idrissa Ouidi est le chef indigène le mieux noté de la colonie, alors que l'administrateur de Lopino, sans être un négrophobe, loin de là, est d'un commerce particulièrement difficile, ce qui suscite des complications partout où il passe. Au Soudan, le gouverneur Terrasson de Fougères a été obligé de le remettre à la disposition du gouverneur général.

C'est d'ailleurs ce qui lui a valu d'être muté en Haute-Volta."

Le gouverneur avait écouté attentivement Demba Sadio, auquel il faisait toute confiance. Il télégraphia immédiatement au commandant de Lopino pour lui demander de descendre à Ouagadougou "pour consultation". De Lopino, arrivé le lendemain matin, fut reçu vers dix heures. A son tour, sûr de son bon droit, il rapporta au gouverneur les faits qui l'avaient opposé à Idrissa Ouidi, sans rien omettre ni falsifier ; Demba Sadio, qui se tenait à proximité, entendit toute la conversation. Pour conclure, de Lopino proposa au gouverneur la révocation d'Idrissa Ouidi et sa déportation hors de la Haute-Volta.

Le gouverneur trouva cette proposition excessive. De Lopino, fidèle une fois de plus à sa nature, perdit le contrôle de ses nerfs. Il criait si fort qu'on l'entendait de tous les bureaux : "Monsieur le gouverneur, je ne puis souffrir que vous preniez le parti d'Idrissa Ouidi, un chef de province, contre moi, administrateur des colonies. Que faites-vous du prestige de l'autorité française ?

— Le plus grand prestige de la France, mon cher de Lopino, répliqua tranquillement le gouverneur, c'est de ne commettre ni injustice ni abus de pouvoir. Or, d'après votre propre déclaration, vous avez dépassé les bornes et poussé Idrissa Ouidi à une réplique que vous trouvez répréhensible. C'est la première fois, depuis plus de vingt ans qu'il commande, que quelqu'un lui reproche quelque chose."

Hors de lui-même, de Lopino haussa encore le ton : "Il n'est pas question qu'Idrissa Ouidi et moi demeurions dans la même circonscription. Jamais je n'accepterai cela !" Il eut alors un mouvement qu'il regretta sans doute toute sa vie : en prononçant ses dernières paroles, il frappa du poing si fort sur la table qu'un encrier sauta et se renversa sur une lettre que le gouverneur venait de signer. Le gouverneur souleva la feuille entre deux doigts et la lui montra :

"Alors, Monsieur, vous exigez de vos inférieurs la politesse que vous n'accordez pas à vos supérieurs, n'est-ce pas ? Vous ne voulez pas demeurer dans la même circonscription qu'Idrissa Ouidi ? Apprenez qu'il y a dix cercles en Haute-Volta, et de nombreux autres ailleurs, alors qu'il n'y a qu'un seul Barani. Je vais donc vous proposer pour un autre poste, car je n'ai pas une autre province de Barani à proposer au chef Idrissa. Veuillez quitter mon bureau, et restez à Ouagadougou en attendant les ordres."

Le gouverneur Hesling envoya immédiatement au gouverneur général de Dakar un télégramme ainsi rédigé : "Honneur remettre votre disposition administrateur en chef de Lopino pour raisons haute politique, stop. Rapport suit, stop. Signé Hesling." Le jour même, un rapport confidentiel était posté pour Dakar. Une semaine plus tard, un télégramme du gouverneur général arrivait, affectant l'administrateur de Lopino dans un cercle du territoire du Niger.

Les Peuls du pays de Barani, qui retenaient leur souffle, purent enfin respirer.

Et ainsi, comme le dit le proverbe peul : *Avec la mort de l'âne finissent braiments et pets.*

Ecrivain expéditionnaire de troisième classe depuis le 10 mars 1922, le 1er janvier 1925 je passai enfin à la deuxième classe de mon grade, ce qui améliora un peu mon ordinaire.

Quelques mois plus tard, mon ami Demba Sadio Diallo prit le congé de six mois auquel il avait droit pour se rendre à Koniakary, chef-lieu de la province soudanaise du même nom commandée par son père. “Je sais que mon père ne me laissera pas revenir, me dit-il. Il me gardera auprès de lui pour me préparer à prendre sa suite. Tu ne me reverras donc pas ici. En ce qui concerne ton logement, ne te frappe pas, je te laisserai ma concession.

— Mais Dim Delobsom veut te l'acheter !

— Oui, il m'a demandé de la lui vendre. Mais comment cela pourrait-il se faire, puisque tu y habites avec ta famille et que tu n'as pas un endroit où aller ? Non mon frère. Mon bien est le tien. Garde cette concession, je t'en fais cadeau. Et ne refuse pas, tu m'offenserais !...”

Je ne pus que le remercier, bouleversé et par son geste et par l'idée de le perdre. Je lui devais beaucoup. Jamais je n'avais eu un ami aussi fidèle et aussi précieux, et il l'est demeuré jusqu'à ce jour où j'écris ces lignes. Je formai immédiatement le vœu de lui rendre visite dans le Koniakary à l'occasion de prochaines vacances.

Après son départ, j'héritai non seulement de sa concession, mais de sa place auprès du gouverneur Edouard Hesling. Chef du secrétariat, je fus chargé du courrier au départ, du secrétariat du conseil d'administration, du personnel blanc-noir et du “courrier secret”... Le gouverneur me laissait beaucoup d'initiative. Je l'accompagnais aussi dans ses tournées. Bref, j'étais devenu à mon tour la “grande roue” du personnel blanc-noir du cabinet...

Mon oncle Babali Hawoli Bâ n'était plus, mais j'avais mes entrées libres chez le Moro Naba Kom, chef suprême des Mossis, et chez ses quatre grands dignitaires : le grand chambellan Baloum Naba, le ministre de la guerre

Ouidi Naba, le responsable de la jeunesse et de l'éducation Gounga Naba, et le Larallé Naba, maître de la maison royale et gardien des tombeaux. Il me fut donné d'assister, à la cour du Moro Naba, à diverses cérémonies traditionnelles, toutes fondées sur un symbolisme extrêmement riche, entre autres au premier salut de la journée à l'empereur.

En mars 1926 naquit notre premier fils, auquel je donnai le nom du fondateur de notre ordre : Cheikh* Ahmed Tidjane. Toute cette période fut comme une trêve heureuse au sein de ma vie mouvementée.

Le commandant de cercle libidineux et le marabout

Vers le mois de juin 1926 – alors que, si mes souvenirs ne me trompent pas, le secrétaire général Fousset assurait l'intérim du gouverneur Hesling, momentanément absent du territoire – un administrateur en grande tenue, galonné, ganté, ceinturé, portant des épaulettes frangées et la poitrine garnie de deux rangées de décorations, se présenta au cabinet du gouverneur. C'était l'administrateur "Saride" (on comprendra plus loin pourquoi je crois nécessaire de déformer son nom), que le gouverneur général de l'AOF à Dakar venait de mettre à la disposition du gouverneur de la Haute-Volta. Ce dernier, après entrevue, l'affecta au cercle de Tenkodogo, le commandant de cercle titulaire du poste venant d'être évacué pour raisons de santé. Il l'avisa que la décision lui serait envoyée incessamment.

* Nom qui, au Mali, devient "Cheick" ou "Cheik" pour correspondre à la prononciation locale, laquelle ignore le "kh".

L'administrateur Saride était un capitaine de réserve. Officier noté comme intelligent, courageux, autoritaire, il était cependant considéré comme quelque peu fantaisiste, un tantinet difficile à vivre, et affligé d'une grande faiblesse pour le beau sexe...

Je ne sais comment son dossier, mis de côté par le gouverneur pour signature, se trouva oublié au milieu d'autres papiers. Après avoir attendu un certain temps sa décision d'affectation, l'administrateur Saride, qui m'avait rencontré au bureau, vint me trouver et me demanda comme un service personnel d'essayer de "sortir" son dossier et de hâter les choses. J'eus la chance d'y parvenir, ce qui me valut, le jour de son départ, un "Merci bien, mon ami !" accompagné d'un sourire et d'un énergique serrement de main. Une telle attitude n'étant guère courante de la part des "dieux de la brousse" envers un modeste employé indigène, j'en restai un peu éberlué, mais plutôt content. Je ne me doutais point de la sombre affaire à laquelle serait mêlé plus tard cet administrateur si aimable, et du rôle que j'aurais à y jouer.

L'administrateur Saride partit donc tout joyeux pour Tenkodogo, pays de beaux chevaux et de belles femmes. Il était marié et sa femme l'accompagnait, mais cela ne l'empêchera pas, on le verra, de chercher aventure auprès des femmes africaines.

Dès son installation, il commença à exercer énergiquement ses fonctions. En tant que commandant de cercle, il était également président du tribunal du deuxième degré, c'est-à-dire chargé de juger les affaires qui, chez les citoyens français, relevaient de la justice de paix (par opposition au "tribunal indigène"). En outre, comme tout administrateur des colonies, il avait le droit d'infliger des punitions disciplinaires de un à trente jours renouvelables, et cela sans aucun jugement. Il n'allait pas s'en priver…

Un jour de foire, le commandant Saride vit passer une jeune femme peule de toute beauté. Séduit par sa grâce et son élégante finesse, il se renseigna sur elle. Elle se nommait Aminata Diallo. Il lui envoya une convocation pour "affaire la concernant" – procédé classique utilisé par les administrateurs de l'époque pour faire venir devant eux les personnes qu'ils désiraient rencontrer.

La belle Aminata, inquiète, montra la convocation à son mari. C'était un marabout très instruit, mais qui vivait davantage du commerce des bœufs que du maraboutage, ce qui était tout à son honneur. Doté d'une fortune respectable, il vivait à l'aise à Tenkodogo, entouré de la considération générale. Ce marabout, qui s'appelait Haman Nouh, était non seulement très intelligent, mais doué d'un véritable flair de chien policier. Il demanda d'abord à sa femme si elle avait rencontré des difficultés en ville avec des fonctionnaires blancs-blancs ou blancs-noirs. "Non, aucune", répondit-elle. "Bon ! Alors, réponds à la convocation, puis viens me dire de quoi il s'agit. Et surtout ne me cache rien !"

Aminata se rendit au cercle. Elle présenta sa convocation à l'interprète Koudouwango, qui examina le papier sous tous les angles. "C'est le grand commandant lui-même qui t'a convoquée, dit-il, mais j'ignore pour quelle raison ; le papier ne porte en effet aucun numéro de dossier." Il alla prévenir le commandant, qui lui donna l'ordre de faire entrer "l'intéressée" dans son bureau.

Le commandant invita la jeune femme à s'asseoir, puis sortit de son tiroir un papier blanc et un porte-plume.

Par le truchement de l'interprète, il lui demanda de décliner son identité : nom, prénoms, filiation, état matrimonial et profession. Il découvrit alors qu'elle était l'épouse du marabout Haman Nouh. Comme elle répondait à ses questions avant même que l'interprète eût fini de traduire, il lui demanda si elle parlait le français. Elle lui répondit dans cette langue qu'avant d'épouser le marabout elle avait été obligée de vivre avec un officier français qui l'avait enlevée à ses parents.

"Puisque Madame parle français, dit-il à l'interprète, tu peux disposer." Dès qu'ils furent seuls, il lui déclara sur le ton du secret : "Je t'ai convoquée parce que j'ai besoin d'avoir une amie africaine qui me donnera des renseignements sur ce qui se passe chez les femmes de la ville. Je récompenserai largement ce service. Mais surtout, n'en dis rien à ton mari ni à tes amies ! Il faut que cela reste un secret entre nous." Il lui offrit alors un joli collier en pierres de cornaline et la fit sortir par une porte de derrière.

Le soir venu, Aminata raconta fidèlement à son mari ce qui s'était passé avec le commandant, et lui montra le collier de cornaline. "Tu es engagée là dans une voie qui risque de me coûter très cher, dit le marabout. Mais je m'en remets au Seigneur."

De ce jour, Saride ne cessa de poursuivre la jeune femme de ses avances. Il se faisait de plus en plus pressant, mais Aminata lui résistait. Dépité, Saride déclencha une série d'opérations de contrôle sanitaire contre la concession familiale et le commerce de Haman Nouh. Le malheureux marabout recevait régulièrement des punitions disciplinaires pour "insalubrité", et chaque fois il était envoyé en prison pour un ou deux jours – manière habile de le sortir de sa famille et de laisser sa femme sans défense. Cette situation intenable durait depuis plusieurs mois. Un jour, Saride profita de ce que le marabout purgeait une nouvelle punition arbitraire de cinq jours pour convoquer Aminata : "Si tu continues de me résister, lui dit-il, je ruinerai ton mari et tous tes parents. Mais si tu me dis oui, je m'arrangerai pour faciliter le commerce de ton mari, et en plus je le nommerai président du tribunal coutumier, ce qui lui donnera un grand pouvoir sur ses concitoyens. A toi de choisir."

La pauvre Aminata, jeune femme charmante mais influençable, prit peur. Pour protéger du malheur son mari et sa famille, qu'elle aimait énormément, elle pensa préférable d'accepter les propositions du commandant et de se déshonorer discrètement. Pour abriter leurs rendez-vous, le commandant fit aménager une des pièces du campement administratif. Il acheta la complicité du gardien avec de l'argent et des menaces.

A sa libération, Haman Nouh fut convoqué chez le commandant. Il tomba des nues quand ce dernier lui fit annoncer par l'interprète qu'il comptait le nommer président du tribunal coutumier. "Mon commandant, répondit-il, je ne puis exercer cette fonction ; je suis un étranger dans ce pays, je ne connais rien à ses coutumes. Je vous remercie infiniment du grand honneur que vous me faites, mais ma conscience m'interdit de l'accepter. Je vous prie de m'en excuser et de nommer à ma place un homme du pays, plus âgé et mieux qualifié que moi."

Quelque peu déçu, le commandant le laissa partir. Haman Nouh rentra chez lui, assuré que le commandant avait des intentions inavouables. Comment ! De persécuté sanitaire et habitué de la prison qu'il était, voilà qu'on le propulsait à un poste d'où lui-même pourrait envoyer les autres en prison ? Il y avait anguille sous roche. De ce jour, il se mit à surveiller les allées et venues de sa femme.

Le commandant avait mis au point un système ingénieux. Chaque fois qu'il désirait rencontrer Aminata – et cela lui arrivait très souvent – il utilisait comme intermédiaire un jeune élève d'école coranique, fils d'un proche parent du gardien du campement, c'est-à-dire un garçon à qui la coutume permettait d'entrer dans toutes les demeures pour demander l'aumône. C'était le courrier idéal ! Lorsque le garçon se présentait au domicile d'Aminata, il chantonnait un petit refrain traditionnel convenu d'avance :

O maître de céans !
Pour l'amour de Dieu,
donne quelque chose
à l'étudiant du Livre saint !

Aminata se levait, donnait quelques cauris ou une poignée de riz au petit mendiant, et quelques instants après son départ elle s'absentait. Le manège dura quelque temps sans éveiller les soupçons. L'attention du marabout finit cependant par être attirée par les sorties régulières de sa femme après chaque passage du garçonnet, d'autant que ce passage se situait assez régulièrement vers l'heure de la prière du soir, qu'il accomplissait retiré dans sa chambre ou à la mosquée.

Un jour, le petit mendiant, comme d'habitude, vint demander l'aumône. Aminata lui donna quelque chose, puis sortit immédiatement après. Elle se rendit au campement où elle resta environ une demi-heure avec Saride. Haman Nouh, qui l'avait entendue sortir, se posta à l'intérieur du vestibule pour attendre son retour. Lorsqu'elle revint et qu'elle le trouva là, assis près de la porte, elle en fut si troublée qu'elle tituba et faillit tomber. Il la rattrapa en la saisissant dans ses bras, mais hélas, Aminata, qui n'avait pas pris le soin de prendre un bain, était encore tout imprégnée de l'odeur du toubab !

Haman Nouh ne laissa rien paraître, mais il était fixé. Le commandant Saride couchait avec sa femme, mais il était sûr que celle-ci s'était donnée par peur et non par simple légèreté.

Sous le coup de l'émotion, la pauvre Aminata attrapa une très forte fièvre. Son mari la veilla et la soigna avec amour durant une bonne semaine. Elle finit par se rétablir, mais elle n'osait plus regarder son mari droit dans les yeux. Hagarde, visiblement malheureuse, elle ne savait que faire.

Haman Nouh décida de venger son honneur ; mais auparavant il lui fallait une preuve. Il prit l'habitude de porter à la manière touarègue, dans un fourreau fixé à l'avant-bras gauche, un beau poignard d'importation anglaise long d'environ trente centimètres ; il ne le quittait que pour entrer dans son lit. Une enquête discrète sur le petit mendiant lui révéla que l'enfant était plus ou moins un neveu du gardien du campement. De fil en aiguille, il en déduisit que le commandant recevait sa femme au campement. Il rendit visite au gardien.

"J'ai un ami commerçant européen domicilié à Koumassi, lui dit-il, qui doit venir prochainement à Tenkodogo pour acheter des bœufs, et je dois lui servir d'intermédiaire. Ne pouvant le loger chez moi, je viens te demander s'il n'y a pas un lieu spécialement réservé aux Européens dans ton campement."

Par inadvertance ou étourderie, le gardien lâcha : "Ici il n'y a qu'une seule case bien aménagée, mais elle est réservée au commandant et lui seul peut en autoriser l'occupation." Haman Nouh sortit une pièce de cinq francs, somme considérable pour l'époque, et la tendit au gardien :

"Je te remercie beaucoup de cette information. Mon ami étant un grand commerçant blanc très riche, le commandant de cercle ne lui refusera certainement pas l'usage de cette case pour quelques jours. Mais si tu me permettais de la visiter afin que je puisse la décrire à mon ami, je t'en serais très reconnaissant." Le gardien ne fit aucune difficulté. Haman Nouh visita la pièce, qui était grande et bien aménagée ; il y avait même une douche et tout ce qu'il fallait pour la toilette. Haman Nouh rentra chez lui, non sans avoir encore remercié le gardien.

En ce temps-là, les cultures n'étaient pas interdites dans les villages. Les tiges de mil étaient sur pied et chaque espace libre en était envahi. Lorsque le jeune écolier vint comme d'habitude demander l'aumône, Aminata, après lui avoir donné quelques poignées de couscous, sortit comme de coutume. Son mari, pensait-elle, était parti à la mosquée pour y célébrer la prière du soir. En fait, il était camouflé dans les tiges de mil environnant sa concession. A l'abri des épis, il suivit discrètement sa femme jusqu'au campement. La nuit, vite tombée après le coucher du soleil, était totale. Le vent, qui s'était levé, faisait ondoyer les épis, dont le bruissement suffisait à étouffer ses pas.

Dans la pièce éclairée par une lampe tempête, Saride attendait tranquillement. Dès qu'Aminata se présenta, il abaissa la mèche de la lampe pour diminuer l'éclat de la lumière et reçut la jeune femme à bras ouverts. Haman Nouh s'était glissé sous la véranda. Il attendait pour intervenir le moment propice, qui ne tarda pas à venir… Alors, toussotant très fort, il entra dans la pièce. Saride, abasourdi – car qui pouvait oser pénétrer dans cette chambre ! –, se releva en hâte, vêtu de sa seule chemise. Il eut le temps de saisir son pantalon. Haman Nouh lui lança, dans le français *forofifon* des tirailleurs : "Coumandan, toi ya foutu !", et il dégaina son poignard.

Dans la demi-obscurité, Saride vit luire l'acier de la lame. Il appela : "A moi, gardien !"

Aminata sauta du lit. Haman Nouh s'écarta pour la laisser passer, mais cela donna à Saride le temps de se précipiter sur lui et de lui frapper la main si fort que le poignard en vola à travers la pièce. Haman Nouh s'empara alors du commandant à bras-le-corps, lui fit un croc-en-jambe et, la main plaquée autour de son cou, il le terrassa, arracha sa ceinture, sa montre à savonnette* et une partie de sa chemise portant ses initiales. Saride réussit à se dégager et prit la fuite, emportant son pantalon sans ceinture, la moitié de sa chemise et sa veste qu'il décrocha au passage. Haman Nouh se précipita sur son poignard, mais le commandant avait déjà gagné le large. Le marabout venait de mettre le feu aux poudres. Parfaitement conscient des conséquences de son acte et des représailles qui l'attendaient, il ramassa la ceinture, la montre à savonnette et la moitié de chemise, et il prit le maquis.

Lorsque la femme de Saride vit arriver son mari vêtu d'une moitié de chemise, son pantalon privé de ceinture tombant presque à chaque pas, elle crut qu'il avait été victime d'un attentat. Cette supposition arrangeait bien Saride. Il fit venir immédiatement le brigadier des gardes et déclara qu'il avait été assailli par le marabout fanatique Haman Nouh, ennemi de la France, un suspect qu'il faisait surveiller depuis longtemps. Il ordonna une chasse à l'homme. Le brigadier et un certain nombre de gardes se mirent en campagne.

* Montre enfermée dans un double boîtier de métal ciselé, qui se rangeait jadis dans une poche du gilet.

Pendant ce temps, Haman Nouh avait pris le chemin de Ouagadougou. Grâce à sa connaissance du pays, il parvint à échapper à ses poursuivants. Passant de champ en champ, déjeunant et dînant de mil cru qu'il cueillait au fur et à mesure de ses besoins, il réussit à gagner Ouagadougou. Il alla se réfugier chez le vieux Hadi Cissé, chef de la communauté peule de la ville, et il lui conta son aventure. Le vieux Hadi se rendit compte de l'exceptionnelle gravité de l'affaire. "Attendons que la nuit tombe, lui dit-il, et nous nous rendrons discrètement chez Amadou Hampâté Bâ, le secrétaire du gouverneur. Nous lui demanderons conseil."

C'était le début de l'année 1927 – février, je crois. Le gouverneur Hesling avait repris son poste, et il avait un nouveau chef de cabinet, l'administrateur Bailly.

Nous étions alors en pleine saison froide. L'harmattan soufflait de toutes ses forces, répandant sur la ville un nuage de sable et de poussière*. La nuit venue,

* [L'harmattan, qui souffle depuis le Sahara sur les pays de Savane de l'Afrique occidentale, est un vent froid et sec de la mi-novembre à la mi-mars, puis chaud et sec jusqu'au 15 juin environ, date d'apparition des premières pluies (il n'est donc pas uniquement "chaud et sec" comme indiqué dans les différents dictionnaires français). Cette période de "saison sèche" inclut une période froide entre décembre et février. Dans la journée, la température oscille autour de quinze degrés, ce qui fait grelotter les Africains habitués à des températures élevées, dont les maisons ne sont pas adaptées et qui portent généralement des vêtements de coton léger. La nuit, la température descend encore de quelques degrés, au point que l'on est parfois obligé d'allumer des feux dans les chambres. L'harmattan amène depuis le Sahara des nuages de sable et de poussière qui recouvrent toute la région et provoquent parfois des épidémies de méningite. Autrefois arrêté par la grande forêt, avec le déboisement il souffle maintenant jusqu'à Abidjan – mais sur une période plus courte – et y amène encore du sable.]

chacun se calfeutrait chez soi. Un soir, à une heure assez tardive, j'entendis frapper à la porte de mon vestibule. Qui donc, à une heure semblable et par un temps si pénible, pouvait venir frapper à ma porte ? Mon gardien Tinngadé, qui couchait dans le vestibule, entrebâilla la porte : "Qui êtes-vous, et que voulez-vous ?" Le chef peul se nomma : "Dis à Amadou Hampâté que nous avons besoin de le voir avant le jour pour une question extrêmement grave, une question de vie ou de mort."

En homme prudent, Tinngadé referma la porte. "Attendez-moi quelques minutes", dit-il. Il vint auprès de moi, s'accroupit comme l'exigeait l'étiquette mossi et me dit à voix basse : "Le chef peul du quartier haoussa de Ouagadougou est là, à la porte, accompagné d'un autre homme. Ils veulent vous voir" – le vouvoiement, qui n'existe pas en langue bambara, existe en revanche chez les Mossis, comme d'ailleurs chez les Peuls du Fouta Djallon.

A cette annonce, j'éprouvai instinctivement une grande angoisse, car, selon l'usage, jamais le vieux Hadi Cissé, qui avait l'âge de mon père, n'aurait dû se déplacer pour venir chez moi ; c'était à lui, au contraire, de me convoquer et à moi de me rendre chez lui. Une telle violation de la coutume, de la part d'un traditionaliste du rang et de la qualité de Hadi, me fit pressentir la gravité de la situation. Au lieu de dire à Tinngadé de le laisser entrer, je courus moi-même lui ouvrir la porte. Il entra précipitamment, suivi de Haman Nouh. Je les conduisis dans ma "chambre d'homme".

"Amadou Hampâté, commença le vieux Hadi, ce qui m'amène concerne une affaire que l'on a à peine l'audace de déclarer, et que pourtant on ne peut pas taire..." Il semblait hésiter.

“Eh bien, lui dis-je, puisqu’on ne peut la taire, mieux vaut la raconter.” Il se tourna alors vers Haman Nouh : “Quand une chèvre est présente, on ne doit pas bêler à sa place... Haman Nouh, raconte donc toi-même ta périlleuse aventure.”

Haman Nouh, physiquement ruiné par l’angoisse, la faim et la soif, n’avait plus que la peau sur les os. Ses lèvres étaient desséchées et sa bouche ourlée d’écume, mais son expression était vive et sa voix claire et nette. “Tu as devant toi un parent, dit-il, car je suis à la fois peul, musulman et adepte de l’ordre tidjani comme toi, mais un parent qu’il faut plutôt fuir car il est plus contagieux que la peste et le choléra réunis. Je suis un homme dont les jours sont comptés. J’ai décollé un pan du ciel qui va bientôt tomber sur ma tête et sur celle de tous ceux qui seront avec moi. Mais avant de mourir, j’aimerais faire savoir pourquoi j’ai agi comme je l’ai fait.

— Quel est donc ce pan du ciel que tu as décroché et qui menace de tomber sur toi ?” lui demandai-je.

Il me conta alors toute son histoire dans les moindres détails.

“Pour finir, dit-il, j’ai surpris mon commandant de cercle avec ma femme, je l’ai frappé, et s’il n’avait pas réussi à s’échapper je l’aurais certainement poignardé. Je me suis enfui de Tenkodogo pour venir ici à Ouagadougou. Demain matin j’irai me livrer à la police. Je m’attends à être fusillé sans autre forme de procès, car c’est le seul châtiment que peut attendre un Noir qui a osé porter la main sur un toubab, à plus forte raison si ce toubab est son commandant de cercle ! Je suis venu te voir uniquement pour te conter mon aventure, et pour confier mon corps au vieux Hadi afin d’être inhumé selon le rituel de notre foi. Je n’ai plus rien à dire, et je te prie de m'excuser d'être venu te déranger si tard dans la nuit."

Comme on dit en peul, Haman Nouh venait de me donner un scorpion à avaler. Je sentis la pitié m'envahir et mes yeux se remplir de larmes. J'avais devant moi une victime, un homme qui risquait d'être condamné et traité de la manière la plus atroce car personne n'oserait témoigner en sa faveur, et celui qui l'avait déshonoré n'avouerait jamais son crime.

"Penses-tu que quelqu'un pourrait témoigner que le commandant Saride rencontrait ta femme au campement de Tenkodogo ? lui demandai-je.

— Je ne pense pas, mais j'ai des pièces à conviction qui prouvent que j'ai surpris le commandant en flagrant délit." Il sortit alors d'une sacoche la moitié de la chemise, la montre à savonnette et la ceinture du commandant, qui portaient toutes ses initiales. A la vue de ces trois preuves accablantes, une idée audacieuse me vint à l'esprit.

"Mourir pour mourir, dis-je à Haman Nouh, je vais t'indiquer ce que tu peux faire pour qu'au moins ton affaire ne soit pas enterrée. Demain matin, à neuf heures, poste-toi devant les bureaux de la résidence du gouverneur. Et là, pousse un cri à la manière des *you-you* d'alarme, comme un homme en péril appelant au secours. De temps en temps, arrête-toi pour appeler : «Gofornor ! Gofornor !» (gouverneur). Ce cri fera sortir les curieux du bureau, cela créera du bruit et du remue-ménage, et le gouverneur s'en inquiétera. Des gardes-plantons sortiront et s'empareront certainement de toi. Alors, parle en peul, gesticule et fais le fou furieux. Nous verrons ce qui en résultera. Quant aux trois pièces que tu as là, confie-les au vieux Hadi afin qu'il les cache. Plus tard, si l'affaire va jusque-là, il les remettra au juge de paix du tribunal français, et seulement devant témoins. Auras-tu le courage de faire ce que je viens de t'indiquer ?

— Je l'aurai, dit Haman Nouh.

— Eh bien, à demain matin devant le bureau du gouverneur ! Il va sans dire que tu ne m'as pas vu, et que moi non plus je ne t'ai pas vu…"

Après le départ des deux hommes, je fus saisi d'une peur rétrospective. Mon sommeil fut entrecoupé de cauchemars. Ce fut l'une des plus mauvaises nuits dont j'aie gardé le souvenir. Qu'allait-il advenir le lendemain matin ? Quelles seraient les conséquences de ma suggestion audacieuse ? Allais-je pouvoir sortir Haman Nouh de la situation où je venais de le plonger ? Il n'y a pas une prière musulmane que je n'aie récitée cette nuit-là pour demander au ciel de me venir en aide, et peu s'en fallut que je ne demande secours au diable tant ma peur était grande !

Le lendemain, incapable d'avaler mon petit déjeuner, je partis de chez moi à jeun, tellement pensif et troublé que j'avançais en tenant ma bicyclette par le guidon, oubliant de monter dessus.

Au bureau, le cœur serré par l'angoisse, je ne pouvais faire autre chose qu'attendre le moment fatidique. Toutes les dix minutes, je me mettais à la fenêtre pour épier l'arrivée du marabout. A l'heure exacte, il apparut sur la place. Bien que prévenu, je ressentis comme une sorte de vertige et mes membres se mirent à trembler ; heureusement, le grand boubou que je portais empêchait les autres de s'en apercevoir.

Haman Nouh marchait d'un pas ferme, le corps droit, comme certains condamnés à mort qui crânent pour vexer leurs juges et narguer leurs bourreaux. J'avais plus peur que lui et j'en éprouvais une grande honte. Miraculeusement, le courage dont il faisait preuve me dopa, et en un instant je retrouvai le calme de mes nerfs et la lucidité de mon esprit. Je sortis du bureau et vins me placer à l'entrée principale des locaux, afin qu'il puisse me voir distinctement. Brusquement, il poussa un grand cri prolongé qui perça le silence matinal et que l'écho amplifia. Il l'interrompait de temps en temps pour appeler le gouverneur, puis il reprenait son cri qui vous vrillait les entrailles. Des têtes apparurent aux fenêtres, des curieux sortirent de tous les bureaux… chacun voulait savoir ce qui arrivait. Les gardes-plantons, comme je l'avais prévu, se précipitèrent comme des mouches sur Haman Nouh qui se laissa docilement arrêter.

Le gouverneur Hesling sortit de son bureau. Il appela son chef de cabinet : "Bailly, qu'est-ce que ce bruit ?" Le chef de cabinet se précipita vers la véranda. Haman Nouh était flanqué de trois gardes costauds, mais comme il n'avait opposé aucune résistance, ceux-ci ne l'avaient pas maltraité. "Amenez-moi cet homme", leur dit-il.

Le marabout ne criait plus, mais il ne cessait de parler en peul avec volubilité. Quand il fut devant le chef de cabinet, il se décoiffa de sa main gauche et, de sa main droite, salua à la manière militaire. Cette coutume s'était instaurée chez de nombreux Africains ; trouvant que le fait de se décoiffer n'était pas suffisant pour présenter leurs respects, ils y ajoutaient ce geste qu'ils avaient vu faire aux militaires en présence de leurs supérieurs.

Avec son calme habituel, Bailly introduisit Haman Nouh dans son bureau et me demanda de lui servir d'interprète. Quelque chose me disait que mon plan avait peut-être une chance de réussir ; être entendu par le chef de cabinet équivalait en effet à l'être par le gouverneur en personne. L'affaire serait désormais difficile à enterrer, car le gouverneur Hesling était un homme juste qui, à plusieurs reprises, avait manifesté son esprit d'équité en réparant les torts infligés à des indigènes à la suite d'abus de pouvoir.

Prié de s'expliquer, Haman Nouh raconta toute son histoire, comment il avait surpris le commandant Saride avec sa femme et ce qui s'était passé entre eux. Il ajouta, à ma demande, des précisions sur ses origines familiales, qui se situaient au Sénégal. Mais comme je le lui avais recommandé, il se garda bien, à ce stade de l'affaire, de dire qu'il détenait des preuves irrécusables contre Saride.

M. Bailly fit sortir Haman Nouh et me prit à part : "Que penses-tu de cette affaire ?

— Monsieur le chef de cabinet, cette affaire me paraît extrêmement grave, car Haman Nouh est un Toucouleur qui a grandi à Saint-Louis du Sénégal où il a des parents citoyens français, des hommes politiques dont certains font partie de l'état-major du député Blaise Diagne. J'ai cru comprendre qu'il avait envoyé l'un de ses cousins à Saint-Louis pour raconter aux siens son histoire. Si l'affaire était enterrée, nous risquerions gros. Je ne pense pas que ce soit le moment d'avoir sur le dos Blaise Diagne et son équipe de «citoyens des quatre communes», qui ne cherchent qu'une occasion pour voler dans les plumes de l'administration." Bien entendu, je venais d'inventer ces détails pour les besoins de la cause, brodant à partir des origines sénégalaises du marabout.

M. Bailly alla exposer les faits au gouverneur Hesling, auquel il fit part de mes réflexions. Le gouverneur m'appela : "Accompagne cet homme au bureau des Affaires politiques, me dit-il, et dis à l'administrateur Cardier de prendre sa déposition, de constituer un dossier et d'ordonner une enquête sérieuse et impartiale. Je tiens à être régulièrement informé du déroulement de cette affaire."

Sans s'en douter, le gouverneur venait d'extraire l'arête que j'avais dans la gorge. En effet, j'étais sûr de deux choses :

– d'abord, en dépit de ses instructions, le chef du bureau des Affaires politiques essaierait par tous les moyens de défendre son collègue Saride, comme le lui imposait l'esprit de corps exceptionnellement puissant unissant les administrateurs des colonies ;

– ensuite, étant donné l'évolution des événements, quels que soient les manèges mis en œuvre le dossier finirait entre les mains du juge de paix de Ouagadougou, ce qui donnerait ses chances à Haman Nouh.

J'emmenai ce dernier au bureau des Affaires politiques. L'administrateur Cardier, passant par mon intermédiaire, lui demanda de faire sa déposition. Il crut bon d'ajouter une mise en garde : "Dis bien à cet indigène que si les déclarations qu'il va faire ici et que je vais coucher sur le papier se révèlent inexactes, il n'aura à s'en prendre qu'à lui-même si on lui en fait payer les conséquences. Le fardeau ne sera léger ni pour lui ni pour les siens. Alors, il a tout avantage à me dire la vérité, rien que la vérité, et une vérité qui soit étayée par des témoins honorables."

Cette entrée en matière acheva de m'assurer, si j'en doutais encore, que l'administrateur ferait tout pour couler le pauvre marabout et pour sauver son camarade de corps.

Haman Nouh déposa sans hésitation et raconta à nouveau, d'une voix claire et assurée, tous les faits en détail. L'administrateur relut ensuite à haute voix la déposition écrite que je traduisais au fur et à mesure, puis il demanda au marabout de signer. Celui-ci prit la plume et signa en élégants caractères arabes. L'administrateur le regarda fixement et lui demanda s'il se foutait de lui. Haman Nouh et moi-même ne comprenions rien à sa réaction, car pour nous, que ce soit en arabe, en français ou en chinois, une signature était toujours une signature. Pour Cardier, l'utilisation de caractères arabes n'était rien d'autre qu'une manifestation patente de sentiments antifrançais ; il ne pouvait donc l'admettre comme valable pour authentifier un acte, surtout un acte pouvant relever de la justice française. De son propre chef il prit un crayon rouge, barra d'une croix rageuse la signature de Haman Nouh et lui fit apposer à la place l'empreinte digitale de son index droit.

Il leva la tête : "Il va falloir que tu retournes à Tenkodogo, dit-il, car en vertu des instructions du gouverneur, j'ordonne qu'une enquête soit ouverte sur place pour établir les faits dans leur exactitude. Or cela ne peut être fait en ton absence. Je vais te munir d'un laissez-passer qui garantira ta sécurité. Pour l'instant va en ville, je te convoquerai ultérieurement." Haman Nouh sortit, accompagné d'un garde. Il rentra directement chez son logeur, le vieux Hadi Cissé.

L'administrateur Cardier constitua un dossier qu'il accompagna de ses observations personnelles, lesquelles tendaient à présenter la déclaration du marabout comme une affabulation de très mauvais goût. Il proposait son renvoi à Tenkodogo, muni d'un laissez-passer, en vue d'assister au déroulement de l'enquête supplémentaire indispensable qu'il allait ordonner. M. Bailly me chargea d'aller remettre le dossier au gouverneur. Celui-ci jeta un coup d'œil rapide sur les notes manuscrites de

Cardier, et écrivit en marge : "Qui sera chargé de l'enquête ? Il ne saurait être question que ce soit Saride ou l'un de ses adjoints." Il me fit taper ensuite une note de service à l'intention du chef du bureau des Affaires politiques.

Cardier se doutait que le gouverneur n'était pas dupe. Il répondit très adroitement que la désignation de l'enquêteur relevait du gouverneur lui-même, mais qu'en attendant cette désignation il demandait néanmoins le renvoi de Haman Nouh à Tenkodogo. Sans attendre la réponse du gouverneur, il fit convoquer Haman Nouh. Je servais d'interprète : "Sois prêt demain matin, lui dit-il. Un garde de cercle t'accompagnera à Tenkodogo. Sois tranquille, il ne t'arrivera rien. Le gouverneur va donner des instructions en conséquence."

Haman Nouh, dont le courage et l'intelligence ne cessaient de m'étonner, lui répondit : "Moi, retourner à Tenkodogo sous la conduite d'un garde ? Ce serait livrer un bélier à un lion affamé ; avant que le berger n'intervienne, le lion aura fini de manger le mouton. Puisque vous décidez de m'envoyer à une mort certaine, je préfère me la donner moi-même, elle me sera plus douce. Mais auparavant je saisirai le procureur de la République et vous rendrai responsable de ma mort devant la justice. En conséquence, je refuse de me rendre à Tenkodogo escorté par un garde de cercle que vous désignerez. Qui me dit, d'ailleurs, que ce garde ne va pas tirer sur moi en cours de route, et déclarer ensuite que j'ai cherché à m'évader ? Je ne suis pas un originaire de ce pays pour me laisser mener par le bout du nez !" Et brusquement Haman Nouh sortit en coup de vent du bureau de M. Cardier qui en resta tout perplexe, le regard fixé sur moi comme pour me demander sans paroles de taire la scène dont je venais d'être témoin.

Les administrateurs des colonies avaient tellement confiance en leur pouvoir qu'ils ne prenaient jamais au sérieux les menaces proférées par des indigènes. Ceux-ci n'étaient-ils pas juridiquement à leur merci ? Pour Cardier, les déclarations de Haman Nouh n'étaient rien de plus qu'une fanfaronnade d'un originaire du Sénégal ; ses compatriotes avaient l'habitude de ne pas mâcher leurs mots, mais leurs déclarations audacieuses étaient rarement suivies d'exécution, surtout s'ils n'étaient pas citoyens de l'une des quatre communes privilégiées.

A l'époque, parmi les gardes de cercle relevant du dépôt central – sorte de "garde spéciale" du gouverneur – il y avait un garde qu'en raison de sa taille on avait surnommé "l'Eléphant solitaire". Enorme, il mesurait bien un mètre quatre-vingt-dix et pesait au moins cent cinquante kilos. Il était capable de prendre un taureau par les cornes et de le terrasser. On faisait appel à lui pour réduire les bandits et mater les prisonniers révoltés que les menottes n'arrivaient pas à soumettre. D'un naturel féroce, jamais il n'avait giflé un homme sans que celui-ci en soit tombé à la renverse, et bien des récalcitrants saisis dans ses bras puissants en avaient pissé de terreur.

C'est ce garde terrifiant que l'administrateur Cardier chargea de conduire Haman Nouh à Tenkodogo. Il lui donna l'ordre d'aller chercher ce dernier le lendemain matin de bonne heure chez son logeur. Le garde prit son équipement : un fusil, une baïonnette et sa cartouchière, et se présenta chez le marabout avant le lever du soleil : "Haman Nouh ! J'ai ordre de te conduire à Tenkodogo. Prends ton baluchon et sors, nous nous mettons en route immédiatement !"

Le marabout comprit que le garde avait reçu l'ordre de l'emmener de gré ou de force. Comme il n'était pas question de l'affronter, la ruse demeurait sa seule arme. Or, dans la maison voisine vivait un Sénégalais né à Saint-Louis – un citoyen français des quatre communes, donc intouchable – receveur principal des Postes de son état. Il s'appelait N'Diouga N'Diaye. Homme politique estimé dangereux par les autorités coloniales, il avait été affecté à Ouagadougou beaucoup plus pour l'exiler du Sénégal que pour l'honorer. Il n'en était pas dupe. Depuis, il s'était érigé en justicier bénévole ; pour un oui ou pour un non, il prenait fait et cause pour des indigènes accusés injustement et faisait tout pour les défendre. Il saisissait le juge de paix, lançait des pétitions, et ne manquait jamais d'envoyer aux journaux politiques du Sénégal une copie de ses pétitions et correspondances.

Haman Nouh sortit de sa case et déposa ses bagages dans la cour de son logeur, aux pieds du garde : "Tiens, dit-il, voilà mes bagages. Je vais juste prendre congé de mon parent qui habite la porte à côté. Je ne serai pas long. Tu peux m'attendre là ou m'accompagner, c'est comme tu voudras."

Sans attendre sa réponse, Haman Nouh se rendit chez N'Diouga N'Diaye. "Je suis un parent* de ton voisin Amadou Hampâté, lui dit-il. Une affaire concernant ma propre femme m'oppose au commandant de cercle de Tenkodogo, l'administrateur Saride. Je suis venu ici pour me faire rendre justice, et voilà que l'administrateur Cardier, le chef du bureau politique, veut me faire renvoyer de force à Tenkodogo sous l'escorte

* Des Peuls qui se retrouvent à l'étranger s'estiment toujours "cousins", donc parents.

d'un garde. Autant dire qu'il me livre pieds et poings liés au commandant Saride ! Celui-ci aura toute liberté de me faire assassiner ou de constituer, à l'aide de témoignages de complaisance, un dossier qui me fera condamner à la peine capitale ou à la réclusion perpétuelle. Je viens me confier à toi pour que tu sois mon témoin du fait que l'administrateur Cardier veut m'envoyer de force à Tenkodogo."

Tout heureux de trouver un scandale propre à étancher sa soif de chicaneur à l'affût de procédures, le politicien chevronné qu'était N'Diouga N'Diaye prit sa plus belle plume et écrivit une lettre de dénonciation pour abus de pouvoir exercé sur la personne de Haman Nouh par M. l'administrateur Cardier, chef du bureau des Affaires politiques du gouvernement. Il fit signer à Haman Nouh quatre feuilles blanches : "Fais ce que tu as à faire, lui dit-il. Mais demain matin à sept heures, ta déclaration sera à la fois entre les mains du gouverneur, du juge de paix et de Robert Arnaud, l'inspecteur des Affaires administratives."

Au-dehors, le garde s'impatientait. A la fin, n'y tenant plus, il se permit d'entrer chez N'Diouga N'Diaye. Il intima l'ordre à Haman Nouh de sortir et de se mettre immédiatement en route avec lui pour Tenkodogo. N'Diouga N'Diaye lui demanda de quel droit il osait violer son domicile. Une altercation s'engagea. Attirés par le bruit, des voisins accoururent. L'habile receveur des Postes en profita pour se constituer des témoins.

Haman Nouh sortit de la maison avec le garde. Comme il devait revenir dans la cour de son logeur pour prendre ses bagages, il se précipita dans sa case, se barricada et cria au garde : "Je ne sortirai pas vivant de cette pièce ! C'est mon cadavre que tu amèneras à Tenkodogo !" La foule, qui les avait suivis jusque dans la cour, assista à toute la scène. Le garde s'acharnait sur la porte de la case. Quand il réussit à la briser, Haman Nouh sortit son long poignard, qui ne l'avait jamais quitté. Le garde-éléphant, les yeux écarquillés, crut un moment qu'il allait le lui plonger dans sa panse de pachyderme, mais à sa stupéfaction Haman Nouh retourna le terrible poignard et l'enfonça dans le côté droit de son propre bas-ventre. Un flot de sang vermeil gicla. Haman Nouh tomba évanoui sur le sol, et le garde-mastodonte, pris de peur, se sauva.

Quelqu'un courut chercher un médecin. Ceux qui assistaient à la scène se gaussèrent de la fuite inattendue du gros garde armé jusqu'aux dents et que l'on croyait être l'incarnation même de la force et du courage. Les pamphlets jaillirent spontanément. L'un d'entre eux, qui se chanta quelque temps en ville, disait :

Quand la "grosse viande" vit jaillir*
le sang vermeil de Haman Nouh,
elle fut prise de vertige et perdit toute contenance.
Son courage lui sortit par le derrière.
Elle en pissa de terreur et prit la fuite,
montrant l'épaisseur de ses fesses d'éléphant,
la rotondité de son cou d'hippopotame
et la vaste plaine de son dos.

Le garde courait si vite qu'il semblait vouloir dépasser son ombre. A un moment, les cartouchières qu'il portait autour de sa ceinture se dénouèrent on ne sait comment et vinrent battre ses flancs comme de vulgaires pendeloques ; son mousqueton réglementaire sautait

* "Grosse viande" : surnom des gros animaux de la brousse : éléphant, hippopotame, rhinocéros...

sur son dos comme un jouet d'enfant. Suant de peur et d'épuisement, il arriva enfin au bureau des Affaires politiques et se présenta à l'administrateur pour faire son compte rendu, le souffle court, entrecoupé de hoquets et de toussotements : "Ma coumandan, marabout là, ya pas tué moi, mais ya tué lui-même. Tout monde là-bas y crier si fort que missié sénégalais, le patron Pétété, y sont véni. L'affaire là, maintenant, c'est véni grand affaire. Voilà ma contrendu." Cette scène, à laquelle je n'assistais pas, me fut rapportée par mon collègue Mintra Ouattara.

L'administrateur Cardier me fit convoquer par son planton. Je lui fis répondre que le gouverneur venait de m'appeler et que j'irais le voir dès que je serais libéré. A peine le planton était-il sorti que M. Bailly, le chef de cabinet, m'appela dans son bureau. Il me tendit la lettre recommandée avec accusé de réception déposée par le receveur N'Diouga N'Diaye au nom de Haman Nouh : "L'affaire Haman Nouh tourne au vinaigre, me dit-il. Je ne sais pas quelle mouche a piqué Cardier pour essayer d'envoyer de force le marabout à Tenkodogo, alors que le gouverneur était en train de rechercher une solution. Maintenant que cet énergumène de N'Diouga N'Diaye s'en est mêlé avec sa grande gueule, personne ne pourra plus arranger cette affaire en douceur. Je suis obligé de montrer cette lettre au gouverneur. Cela ne va faire qu'envenimer les choses. Cardier risque d'y perdre beaucoup de plumes, sinon toutes – sans compter les ennuis juridiques qui attendent l'administrateur Saride !"

M. Bailly alla montrer la lettre au gouverneur Hesling. Contrairement à ce qu'il supposait, le gouverneur ne manifesta ni surprise ni colère. "Faites enregistrer d'abord cette correspondance à l'arrivée, puis rendez-la-moi", dit-il simplement. M. Bailly m'apporta la lettre, je l'enregistrai puis la ramenai au gouverneur avec le gros du courrier de la matinée. J'avais pris soin de la placer sur le dessus. Dès que j'ouvris la chemise des correspondances, le gouverneur se saisit de la lettre et porta en marge l'annotation suivante : "Demander au chef du bureau des Affaires politiques de venir me voir à dix heures, et à l'inspecteur des Affaires administratives Robert Arnaud de venir me voir à quinze heures." Après avoir annoté les autres correspondances, il me remit tout un dossier à porter au chef de cabinet pour exécution. Alors seulement je me rendis au bureau des Affaires politiques.

L'administrateur Cardier m'attendait avec impatience. Il alla fermer la porte de son bureau, puis, à peine assis, me demanda : "Le marabout Haman Nouh est-il citoyen français ? A-t-il des parents au Sénégal, en particulier à Saint-Louis ?

— Je ne pense pas qu'il soit citoyen français, répondis-je. Ce que je crois pouvoir affirmer, c'est qu'il a des parents qui sont nés à Saint-Louis et à qui cette naissance donne la qualité de citoyens français. Par ailleurs, je ne pense pas divulguer un secret professionnel en vous disant que le receveur des Postes N'Diouga N'Diaye a écrit au gouverneur une lettre recommandée avec accusé de réception. Dans cette lettre, il relate l'aventure de Haman Nouh, qui vous rend responsable de tout ce qui pourrait lui arriver. Si je ne m'abuse, le gouverneur doit vous convoquer d'un moment à l'autre à ce sujet..."

Je n'avais pas fini de parler que le téléphone sonna. C'était le chef de cabinet, M. Bailly, qui convoquait Cardier pour dix heures. Lorsque celui-ci reposa l'écouteur, sa main tremblait. Sans se soucier de ma présence, il prit sa tête entre ses mains : "Dans quel pétrin me suis-je fourré ?" murmura-t-il. Et à ma grande gêne, je vis une larme couler sur sa joue et aller se perdre dans sa barbe. Une sorte de pitié me saisit. J'oubliai que Cardier était prêt, uniquement pour sauver un collègue, à commettre une injustice des plus cruelles pour perdre un malheureux qui avait été bafoué dans son honneur et blessé dans son corps. Je ne voyais plus devant moi qu'un homme effondré, brisé, harassé sans avoir bougé. Je compris que, parfois, les effets de la pensée – ou de la conscience, mais était-ce son cas ? – pouvaient être plus dévastateurs que la marche la plus pénible. Je regagnai mon bureau, plongé dans mes réflexions.

A dix heures, Cardier se rendit à la convocation du gouverneur. Le chef suprême de la colonie le reçut dans son bureau. Que se dirent-ils ?... Nul ne le sut. Mais quand Cardier sortit du bureau il avait la tête basse, et il partit sans même prendre congé du chef de cabinet.

A quinze heures, M. Robert Arnaud, administrateur en chef de première classe, inspecteur des Affaires administratives de la Haute-Volta, se présenta au bureau du chef de cabinet avant de se rendre chez le gouverneur. Je l'avais déjà vu à l'œuvre à l'occasion du "drame de la prison de Dori". Depuis, j'avais appris à mieux le connaître, d'autant qu'il lui arrivait, lors des absences du gouverneur Hesling, d'être chargé de la liquidation des affaires courantes. Né en Algérie, celui que quelques-uns avaient surnommé le Gorille était, en fait, un homme de grande culture et un éminent arabisant. C'était aussi un grand écrivain colonial, auteur de nombreux ouvrages écrits d'une plume alerte et fleurie, et un satirique indomptable qui, sans se soucier de sa carrière, critiquait et fustigeait toutes les injustices avec une audace peu commune à une époque où la vérité était plus souvent mise sous le boisseau que hissée au pinacle. Pour avoir un avant-goût de son indépendance d'esprit, il suffira de lire son ouvrage *L'homme qui rit jaune*, si on peut encore le trouver.

Haman Nouh ayant été hospitalisé, le premier acte de l'inspecteur Arnaud fut de se mettre en rapport avec le médecin-colonel, chef du service de santé, pour avoir de ses nouvelles. Quand le médecin-colonel jugea que le blessé était en état d'être questionné et de voyager, Robert Arnaud le fit venir dans son bureau, l'interrogea et constitua un premier dossier de l'affaire. Quelques jours plus tard, accompagné de Haman Nouh, il partait en voiture pour Tenkodogo.

Un beau jour, le commandant Saride, que personne n'avait prévenu, apprit par le gardien du campement administratif que l'inspecteur des Affaires administratives Robert Arnaud, flanqué de Haman Nouh, venait d'arriver à Tenkodogo.

Saride avait mis à profit les semaines écoulées pour constituer un dossier préfabriqué, avec témoins, d'où il résultait que le marabout, sachant qu'il était sur le point d'être arrêté pour propagande antifrançaise, s'en était pris au commandant et avait voulu l'assassiner. Il fit remettre son dossier à l'inspecteur Arnaud.

Celui-ci, conformément à son habitude, ouvrit une contre-enquête. Pour commencer, il auditionna Aminata Diallo. Surmontant sa pudeur féminine, la jeune femme lui raconta comment le commandant Saride l'avait contrainte à se donner à lui. Elle décrivit exactement la nuit dramatique où son mari l'avait surprise avec le commandant. Quant aux témoins cités par Saride, après avoir été entendus ils furent tous envoyés à Ouagadougou, ce qui n'était pas pour les tranquilliser. Ses auditions terminées, l'inspecteur revint à Ouagadougou avec Haman Nouh et sa femme, qui furent confiés au Baloum Naba, l'un des grands ministres du Moro Naba.

Quand le gouverneur eut pris connaissance du déroulement de l'enquête et des conclusions de l'inspecteur Arnaud, il ordonna de transmettre le dossier au juge de paix Coles. Ce dernier, qui avait reçu lui aussi la lettre de Haman Nouh transmise par le receveur des Postes, était déjà averti de l'affaire.

Le jour de l'audience, la salle était comble. On devait entendre l'administrateur Cardier, son collègue Saride, Haman Nouh et sa femme, les témoins de Tenkodogo et le "garde-éléphant". N'Diouga N'Diaye avait en effet déposé une plainte contre ce dernier pour violation de domicile.

Quand le juge Coles demanda au garde pourquoi il avait violé le domicile du receveur des Postes, le colosse répondit :

"Missié Juge, moi faire comme un Peul fou qui couri après son chèvre. Chèvre y entrer chez missié N'Diouga, moi aussi entrer. Quand chèvre y sorti, je sorti aussi. Coumandan Cardier y commandé moi suivre Haman Nouh comme chèvre, je suivi lui comme chèvre. Partout où lui entrer, moi entrer aussi. Tribunal y doit pas puni moi, passeque moi jé obéi mon chef. Coumandan Cardier il est là. Missié juge, demande-lui splication."

La déclaration du garde déclencha un tonnerre de fous rires. Le juge, un vieil homme un peu aigri à un an de la retraite, dont la perte de plusieurs dents avait rendu la prononciation défectueuse et qui avait l'habitude de déverser sa rancœur sur tous ceux qui passaient à la barre, se mit à taper comme un fou sur la table. N'Diouga N'Diaye, encore tout secoué de rire, se leva : “Monsieur le juge, dit-il, je retire ma plainte contre le garde.”

Encore tout tremblant de colère, le juge pointa sa main vers le garde et zézaya : “La prochaine fois que tu violeras un domicile privé, tu connaîtras la prison et tu y pourriras le reste de tes jours. Allez, va-t’en, tu es libre !” Le colosse vint se mettre au garde-à-vous devant N’Diouga N’Diaye : “Méchi méchi (merci merci), missié blanc-noir ! Toi bon receveur Pétété. Tu faillis me faire péter, mais je te méchi beaucoup. Au revoir !”

Ce fut un hourvari indescriptible ! Les gens hurlaient de rire, se tapaient sur le dos, trépignaient des pieds… Le pauvre juge agitait frénétiquement sa clochette. Il menaça de faire évacuer la salle si on ne faisait pas silence. La foule ne l’entendait même pas. Alors il se leva, tapa sur la table, suspendit l’audience et fit évacuer la salle par les gardes. L’audience fut renvoyée à trois jours, ce qui arrangeait énormément les défenseurs des administrateurs Saride et Cardier qui comptaient bien mettre ce délai à profit pour revoir à fond le dossier introduit par Saride et celui de l’inspecteur Arnaud.

Trois jours plus tard, l’audience reprit. L’assistance était encore plus dense que la fois précédente. Les gens se serraient sur les bancs, s’asseyaient par terre…

Les trois pièces à conviction que Haman Nouh avait confiées au vieux Hadi Cissé furent déposées, contre reçu, entre les mains de l’huissier du juge par l’entremise du receveur N’Diouga N’Diaye. C’était une preuve massue que le juge décida de garder en réserve comme coup de grâce pour confondre Saride et l’obliger à passer aux aveux.

L’avocat de la défense était un administrateur en chef de deuxième classe, docteur en droit, Jean-Charles Henri Le Grand de Belleroche. Il était aussi court de taille que son nom était long, mais ce qui lui manquait en hauteur était compensé par une intelligence des plus brillantes. C'était un véritable savant en législation française, jurisprudence coloniale et droit international, le tout servi par une éloquence qui enchantait demandeurs et défenseurs, émerveillait les juges et les procureurs généraux et enflammait les auditeurs. Il brossa un portrait lyrique et émouvant des administrateurs Saride et Cardier, ces deux représentants de l'autorité française à la colonie qui, au risque de ternir ou même de perdre leur honneur et leur carrière, défendaient contre vents et marées le prestige de la mère patrie. Victor Hugo n'avait-il pas chanté "Gloire à la France éternelle ! Gloire à ceux qui sont morts pour elle !" ? Saride et Cardier s'étaient dévoués pour cette gloire, les médailles de l'administrateur Saride en témoignaient. Dans la présente affaire, ils n'avaient fait qu'obéir aux impératifs politiques exigés par les circonstances. Ils devaient donc être purement et simplement acquittés.

L'audience fut suspendue et renvoyée à deux jours. Chacun avait le pressentiment que le pouvoir colonial protégerait Cardier et Saride non pas en tant qu'individus, mais en tant que représentants de l'autorité chargés de veiller au maintien du prestige français à la colonie.

A l'époque, il n'y avait pas encore à Ouagadougou d'avocat installé. C'était donc à l'autorité judiciaire de désigner un défenseur pour Haman Nouh. Elle désigna un Antillais, Léon Vendrynes, docteur en droit, qui était alors receveur de l'Enregistrement et des domaines à Ouagadougou.

Le jour de l'audience, Léon Vendrynes commença sa plaidoirie en brossant l'historique de l'esclavage. Il décrivit les tristes conditions de cette situation inhumaine avec de telles couleurs et de tels accents que même un cœur de pierre ne pouvait rester insensible et ne pas s'indigner. Pour conclure, il présenta Haman Nouh et sa femme comme un prolongement camouflé de cette tragique condition sociale, dont ils étaient les victimes.

Une véritable joute mi-courtoise, mi-acerbe, parfois sarcastique, s'engagea entre Léon Vendrynes, Jean-Charles Henri Le Grand de Belleroche, le juge de paix Coles et le procureur général Martel. L'audience se prolongea quatre jours. L'affaire n'évoluait pas.

A la fin du quatrième jour, en séance publique, le juge Coles se pencha sur le côté, ramassa une sacoche et la posa sur sa table. Lentement, il en sortit une à une les pièces à conviction qui avaient été déposées entre les mains de la justice par N'Diouga N'Diaye, puis il fit approcher l'administrateur Saride. Il lui demanda si ces objets lui appartenaient, et, si oui, comment Haman Nouh avait pu se les procurer. L'argument tomba sur Saride et sur son défenseur comme une avalanche inattendue. Saride fixa longuement du regard la femme de Haman Nouh, puis Haman Nouh lui-même. Après un moment qui parut interminable, sans dire un mot, il baissa lourdement la tête.

L'avocat demanda immédiatement une suspension d'audience, qui lui fut accordée. Il se retira avec Saride et Cardier dans une pièce attenante. Quinze minutes plus tard, la cour fut annoncée et l'audience reprit. Jean-Charles Henri Le Grand de Belleroche avait changé son fusil d'épaule. Il plaida coupable et demanda avec véhémence la clémence du tribunal, mais le juge fut implacable. Saride et Cardier furent sévèrement condamnés. L'avocat, ne se tenant pas pour battu, interjeta appel devant la cour d'assises qui devait se tenir à Dakar.

Par mesure administrative immédiate, l'administrateur Saride fut muté et affecté à Ouagadougou "pour ordre", c'est-à-dire sans attribution. Il retourna à Tenkodogo prendre ses bagages, puis revint avec sa femme s'installer dans un logement qui leur avait été attribué provisoirement par le gouvernement.

Haman Nouh était sauf, la justice suivait son cours… Pour moi, l'affaire était réglée.

Un soir, vers vingt-deux heures, alors que je me tenais tranquillement dans ma cour, un Blanc, revêtu d'un costume maure, un grand turban lustré enroulé autour de sa tête, franchit le seuil de mon vestibule. Je crus d'abord que c'était un Maure de Mauritanie qui, de passage à Ouagadougou, venait me rendre une visite de courtoisie. Tandis qu'il approchait, à mon extrême étonnement je reconnus le visage de l'administrateur Saride. Il me salua. Je le reçus avec tout le respect que je devais à un administrateur des colonies, lui offris une chaise et lui demandai ce qui me valait l'honneur d'être visité par lui.

Il me regarda, les yeux mouillés de larmes :

"Monsieur Amadou Bâ, me dit-il, je n'ai jamais oublié le service que vous m'avez rendu lors de mon arrivée à Ouagadougou. Depuis, avec tout ce qui m'est arrivé, je n'ai pas cessé de penser à vous, mais, pour des raisons que vous êtes bien placé pour connaître, je ne pouvais me permettre de vous écrire. Aujourd'hui, je viens vous demander encore une fois un service. Je me trouve, je l'avoue, dans une situation extrêmement pénible, ignorant tout de ce qui m'attend. Le service que je viens vous demander, c'est, si vous le pouvez, de me prévenir à temps du sort administratif que le gouvernement me réservera.

"En outre, continua-t-il, je vais vous confier un secret personnel, car je n'ai ici ni parent ni ami à qui je puisse me confier, et je ne suis pas assez chrétien pour aller me confesser à un prêtre. Ce secret, c'est que la femme qui vit avec moi et qu'on appelle "Madame Saride" n'est pas, en réalité, mon épouse légitime. C'est une femme mariée qui a abandonné le domicile conjugal pour me suivre en Afrique afin de mettre une bonne distance entre elle et son mari. Le jour où son mari retrouvera mes traces, il déposera contre moi une plainte pour détournement de femme mariée. Si cela se réalisait, alors qu'ici je suis déjà poursuivi pour une affaire de femme, vous voyez dans quelle situation je me trouverais ? Etre dans l'ignorance de ce qui va arriver est un véritable cauchemar. J'en ai perdu le sommeil."

Je n'avais pas été sans remarquer le vouvoiement utilisé par l'administrateur pour me parler, alors qu'à l'époque le tutoiement était de règle entre Blancs et Noirs, surtout entre supérieurs et inférieurs. Quel sentiment profond pouvait obliger un Blanc, administrateur des colonies, à placer sa confiance en un nègre qu'il n'avait fait qu'apercevoir ? – car nous n'avions pas eu de relations qui lui auraient permis de connaître mon caractère. Etait-ce le désespoir qui le poussait à se confier à n'importe qui ? Ou bien un sentiment plus raisonné ? Quoi qu'il en soit, si sa confiance m'honorait, elle me plaçait devant un dilemme déchirant, car il me demandait tout simplement de violer le secret professionnel.

Sans attendre ma réponse, il se leva et prit congé de moi, me laissant dans un embarras qui me valut une nuit d'insomnie. Avec les années, je commençais à y voir un peu plus clair sur le fonctionnement du système colonial – quelles que pussent être les qualités intrinsèques de tel ou tel commandant ou gouverneur pris individuellement – mais cela ne m'empêchait pas de respecter mon devoir de loyauté dans mes fonctions. S'il m'arrivait parfois, à la place qui était la mienne, de donner un coup de pouce pour faire pencher la balance du côté d'un homme injustement accusé ou en passe d'être broyé par le système – comme Demba Sadio et moi l'avions fait pour le chef peul Idrissa Ouidi ou comme je venais de le faire pour le marabout Haman Nouh – cela restait dans les limites de la légalité, et même de la moralité tout court. Mais jamais je ne m'étais livré à une violation du secret professionnel…

Ne trouvant aucune solution à mon dilemme, je priai longuement afin que le Seigneur m'inspire la meilleure manière de sortir de cette impasse, au mieux de tous et sans dommage pour personne. Un peu apaisé, je réussis à m'endormir. Le lendemain matin, comme d'habitude, je me réveillai avant l'aube pour prier et méditer. Tout à coup, une parole du Prophète Mohammad me revint en mémoire. Un jour, il avait dit à ses compagnons : "Aucun musulman ne doit quitter cette terre sans avoir, au moins une fois dans sa vie, violé la *shariya* (loi islamique) au nom de la charité."

En la circonstance, ma "loi", c'était le respect du secret professionnel. A la lumière de cette parole, qui m'avait envahi l'esprit comme une réponse à ma prière, je décidai, au nom de la charité – car Saride était avant tout un homme, donc mon prochain –, de lui venir en aide et, à titre exceptionnel, de violer pour lui ce secret. L'image du commandant libidineux et despote s'estompa de mon esprit ; je n'avais pas à me substituer au tribunal qui était chargé de le juger. Je ne voyais plus que l'homme désespéré, en train de se noyer, et qui me lançait un appel au secours. Par ailleurs, Haman Nouh était en vie, et libre. Mon acte ne causerait donc de tort à personne.

Dès le lendemain, je me mis à surveiller étroitement les correspondances et papiers officiels.

L'affaire était alors entre les mains du président de la cour d'assises de Dakar, instance qui prenait largement son temps pour se prononcer, même dans les cas les plus graves. Comme le disaient à l'époque les Africains : "Si la justice des commandants de cercle est aussi rapide qu'un lièvre poursuivi lorsqu'elle s'exerce contre nous, la justice française, elle, marche comme une tortue malade."

Les administrateurs Saride et Cardier, relevés de leurs fonctions, attendaient à Ouagadougou le verdict de Dakar. Ils étaient libres de faire ce qu'ils voulaient, sauf de quitter la ville. Quant à Haman Nouh, le juge l'avait autorisé à rentrer à Tenkodogo et à vaquer tranquillement à ses affaires en attendant le dénouement du procès. Le marabout, on l'a vu, était loin d'être bête ; il savait qu'on ne pouvait attirer des ennuis à un administrateur, puis espérer vivre tranquille sous le commandement de son successeur. Il vendit donc tous ses biens immobiliers de Tenkodogo, garda pour lui son troupeau et vint s'installer définitivement à Dapoya, un quartier de Ouagadougou.

Quelques mois plus tard, les assises de Dakar se prononcèrent : elles entérinaient le verdict de Ouagadougou, condamnaient les deux administrateurs à une peine de prison avec sursis et acquittaient Haman Nouh, lui accordant en dommages et intérêts la somme de 25 000 francs, véritable fortune pour l'époque !

Je ne sais quelle peine administrative fut infligée à l'administrateur Cardier, mais on le fit rentrer en France comme évacué sanitaire. Saride, lui, reçut un blâme avec inscription au dossier et fut affecté à Ouahabou comme chef de subdivision de quatrième zone.

Dès que la décision d'affectation fut tapée au cabinet, avant même qu'elle soit soumise à la signature du gouverneur je me permis d'en informer très discrètement l'administrateur Saride. Il s'arrangea pour me rencontrer. En me remerciant, il pleurait comme un gamin. "J'ai le sentiment que le destin me réserve un sort cruel", me dit-il. Lui et sa femme quittèrent peu après Ouagadougou pour rejoindre Ouahabou, bourgade déshéritée située entre Boromo et Bobo Dioulasso, privée de tout confort matériel, perdue au milieu d'une brousse peuplée de grands fauves et de serpents venimeux.

Cet homme si déroutant semblait l'illustration même de la parole : *Les personnes de la personne sont multiples dans la personne*... Les événements allaient donner sous peu à cette parole une nouvelle dimension que j'étais loin de prévoir.

Un certain proverbe veut qu'un malheur ne vienne jamais seul. Fût-ce par l'indiscrétion des journaux métropolitains, ou par le biais d'une information malveillante ? Toujours est-il que le capitaine Georges Larisse, domicilié à Verdun, rescapé du fort de Douaumont et officier plusieurs fois cité à l'ordre de l'armée, excellemment noté par le colonel Pétain lui-même, époux légitime de la dame Larisse qui avait abandonné le domicile conjugal pour vivre maritalement avec l'administrateur Saride, découvrit l'adresse de sa femme fugitive. Il prit sa plus belle plume pour signaler au ministre des Colonies de l'époque la conduite scandaleuse de sa femme et la complicité inadmissible de l'administrateur

Saride, et il assigna sa femme devant le tribunal français de Ouagadougou.

Le juge de paix Coles eut un long entretien avec M. Bailly, le chef de cabinet du gouverneur, au sujet de cette nouvelle "affaire Saride". Le gouverneur, informé, adressa une lettre confidentielle chiffrée à Saride, l'invitant à descendre discrètement à Ouagadougou accompagné de Mme Larisse, le juge de paix demandant à les entendre tous les deux.

Un bistouri tranchant venait d'être introduit dans la plaie mal fermée de Saride. Pour le malheureux, c'en était trop…

Il répondit en clair au gouverneur qu'il descendrait incessamment à Ouagadougou pour répondre à la convocation du juge de paix, mais qu'il demandait une semaine pour mettre de l'ordre dans ses affaires et dans celles de la subdivision.

Un soir, à Ouahabou, Saride et sa compagne dînèrent tranquillement, puis allèrent se coucher. Le lendemain matin, leur boy-cuisinier Kalalompo prépara le petit déjeuner, alla le déposer dans la salle à manger et retourna dans sa cuisine. Au bout d'une heure, ni Saride ni sa femme, qui étaient pourtant très matinaux, ne s'étaient encore manifestés. Kalalompo s'inquiéta. Il s'approcha de leur chambre à coucher. N'entendant aucun bruit, il se permit d'ouvrir la porte. Horrifié, il découvrit Saride et sa femme raides morts chacun dans un coin de la chambre, leurs corps contractés par des souffrances qui avaient dû être atroces.

Kalalompo prévint immédiatement l'interprète Tiombiano Koné, qui courut à la poste pour téléphoner au commandant de Boromo et à celui de Houndé, subdivisions voisines de Ouahabou. Le commandant de Boromo fut le premier à arriver sur les lieux. Il demanda à

Kalalompo ce qui était arrivé. Celui-ci ne put rien lui expliquer, sinon qu'il avait ouvert la porte et trouvé ses patrons morts dans leur chambre. Le commandant lui demanda ce qu'ils avaient mangé la veille au soir. Kalalompo, qui n'avait pas encore fait la vaisselle, présenta les restes des plats. Le commandant mit les scellés sur toutes les portes de la résidence et emporta les restes de nourriture à Boromo pour analyse. Le chef du dispensaire n'eut aucune peine à diagnostiquer un empoisonnement par champignons vénéneux.

Sans autre forme de procès, le commandant de Boromo arrêta Kalalompo, l'accusa d'avoir empoisonné ses patrons pour les voler, et le plaça sous mandat de dépôt. Un télégramme officiel fut adressé au gouverneur pour lui annoncer le décès de M. Saride et de sa compagne Mme Larisse.

La "curatelle des biens vacants et des biens des fonctionnaires qui mouraient à la colonie sans successeurs" relevait de la responsabilité du receveur de l'Enregistrement de Ouagadougou. Saisi de l'affaire par le gouverneur, celui-ci se rendit immédiatement à Ouahabou pour dresser l'inventaire des biens des deux *de cujus*. Une fois le travail accompli, il expédia le tout à Ouagadougou, se réservant d'examiner plus tard en détail les papiers laissés par l'administrateur Saride.

Pendant ce temps, le pauvre Kalalompo souffrait le martyre en prison, où l'on n'était pas tendre pour un nègre accusé d'avoir tué deux Blancs pour les voler… On l'achemina enchaîné sur Ouagadougou, où il fut mis à la disposition du juge de paix. Il criait vainement son innocence, répétant sans cesse la même histoire : les champignons avaient été cueillis par le commandant Saride et sa femme eux-mêmes… ils les lui avaient remis pour en faire un plat au repas du soir… il ne pouvait pas savoir que le commandant lui donnerait des champignons mortels… encore une chance qu'il n'y ait pas goûté, heureusement qu'il préférait la cuisine africaine !… Personne ne l'écoutait.

Le curateur aux biens vacants, qui avait plusieurs autres affaires urgentes à traiter, ne travaillait pas tous les jours sur les papiers de Saride. Ce n'est qu'un mois après le drame qu'il découvrit, dans les papiers du défunt, une enveloppe cachetée. Il fit venir un huissier et décacheta l'enveloppe en présence de cet auxiliaire de la justice. Il s'agissait d'un testament signé des deux défunts. Le commandant Saride y déclarait que, pour éviter de passer devant le juge de paix et de devoir déballer les secrets de leur vie privée, Mme Larisse et lui-même, qui s'aimaient et ne voulaient pas être séparés, avaient volontairement choisi de se donner la mort. Il ajoutait qu'ils étaient allés tous les deux, d'un commun accord, cueillir des champignons vénéneux et qu'ils les avaient remis à leur cuisinier Kalalompo, qui ne se doutait de rien, pour en faire un repas. Ils léguaient une somme de 25 000 francs, leur batterie de cuisine et tous leurs vêtements (sauf la tenue officielle d'administrateur) à Kalalompo et à sa femme, qui avaient été pour eux des domestiques dévoués.

Le curateur se hâta de transmettre ce document au juge de paix. Le pauvre Kalalompo fut enfin libéré, avec toutes les excuses de la justice. Pourraient-elles lui faire oublier ses plaies et ses souffrances ?

Ainsi finit la triste histoire de l'administrateur Saride.

Quel homme était-il vraiment* ?

* [Dans cet épisode, A. H. Bâ annonce d'emblée qu'il a modifié le nom de l'administrateur "Saride". Des ratures ou des versions différentes de certains autres noms figurant dans son manuscrit (versions

Depuis le mois de janvier 1927, donc un peu avant la visite de Haman Nouh à mon domicile, j'étais enfin entré, à la suite d'un examen spécial, dans le cadre envié des commis, avec le grade de "commis expéditionnaire adjoint de première classe". Je travaillais en liaison étroite avec le chef de cabinet, l'administrateur Bailly. C'était un homme simple et bon. Marié à une femme du pays, il faisait partie – avec le commandant de Coutouly – de ces rares Français qui avaient reconnu officiellement leurs enfants métis. Il était si généreux que tous les habitants de Fadan N'Gourma – village d'origine de son épouse – pouvaient loger chez lui et à ses frais. Il avait fait aménager à côté de son logement un ensemble de cases que l'on appelait "le camp des beaux-parents de Bailly" ; tout voyageur venant de Fadan N'Gourma y trouvait gîte, nourriture et couchette.

Une petite anecdote illustre bien son caractère.

Depuis le départ de Demba Sadio, comme je ne disposais plus de sa bicyclette pour venir travailler, je venais au bureau à pied. Un matin, M. Bailly m'avait fait appeler peu après l'ouverture des bureaux, mais on lui répondit que je n'étais pas encore arrivé. Quand j'allai me présenter à lui, il m'interrogea sur les raisons de mon retard : "Monsieur le chef de cabinet, lui répondis-je, j'habite très loin et je fais le chemin à pied. Aujourd'hui, je ne me suis pas préparé suffisamment à temps. Je vous prie de m'excuser." Il ne répondit rien. C'était un homme très calme, qui ne parlait pas beaucoup.

parmi lesquelles il nous a fallu choisir pour la frappe définitive) donnent à penser qu'il a dû également changer le nom de certains autres acteurs de cette affaire, entre autres ceux de l'administrateur "Cardier" et du juge de paix "Coles".]

Vers midi, il m'appela dans son bureau. Il me remit un pli et me demanda d'aller le porter à M. Hourcailloux, patron d'un magasin à Ouagadougou et représentant des Etablissements Boussac. En sortant du bureau je me rendis directement au magasin. M. Hourcailloux lut le pli, alla chercher une "bicyclette auto-moto" toute neuve et me la remit pour M. Bailly. N'osant pas la monter, je l'amenai à la main à la maison, puis, après le déjeuner, au bureau. J'allai prévenir M. Bailly : "Monsieur le chef de cabinet, M. Hourcailloux m'a remis une bicyclette pour vous. Je l'ai rangée dans le vestibule." Sans lever la tête de son travail ni même aller voir la bicyclette, il dit : "Gardez-la" – c'était l'un des rares administrateurs à vouvoyer les employés indigènes – "je crois qu'avec cela vous n'arriverez plus en retard..." Or, à l'époque, une telle bicyclette coûtait près de 1 200 francs !

C'est donc grâce à M. Bailly que j'eus ma première "bicyclette auto-moto", que je garderai longtemps. Par la suite, une relation d'amitié et de confiance s'instaura entre nous, et il cessa de me vouvoyer. Beaucoup plus tard, en 1935, alors que je me trouvais en fonctions à Bamako et lui commandant de cercle à Nioro (actuel Mali), j'ai eu l'occasion de lui manifester ma gratitude en témoignant en sa faveur, alors qu'il se trouvait injustement accusé dans une affaire dont il n'était pas responsable. J'en parlerai en son temps.

Depuis le départ de Demba Sadio en 1925, nous avions pris l'habitude de nous écrire assez souvent. Notre courrier, régulier et plutôt volumineux, inquiéta la direction de la Sûreté, qui le soumit à une surveillance discrète. Un jour, le receveur principal des Postes,

M. N'Diouga N'Diaye, m'avertit à mots couverts : "Jeune homme, il faut faire très attention à ce que vous écrivez à votre ami Demba Sadio. Dites-lui d'en faire autant." Je compris tout de suite que notre correspondance passait au contrôle avant de nous être livrée.

L'époque était celle où le slogan "L'Afrique aux Africains" venait d'être lancé par un groupe d'intellectuels africains que l'on qualifiait de "bolchevistes". Un Soudanais, Tiemoko Garan Kouyaté, sorti de l'Ecole normale d'Aix-en-Provence, faisait partie des grands suspects dont on recherchait anxieusement les correspondants. L'épaisseur de nos courriers nous rendant éminemment suspects, sans doute pensa-t-on que nous étions un maillon de la chaîne des bolchevistes noirs. La surveillance en fut pour ses frais, car si nos lettres étaient volumineuses, c'est que Demba Sadio avait attrapé mon virus de la collecte des traditions orales et que, dès cette époque, il avait pris l'habitude de m'envoyer les contes, légendes ou récits historiques qu'il recueillait dans sa région ; il le fera d'ailleurs sa vie durant, et nombre de ses envois figurent encore dans mes archives. Les Bâ et les Diallo étant liés par la relation de "cousinage à plaisanterie" qui permet une grande liberté de langage, il m'appelait "Petit Peul" et signait "Dieudonné", du nom chrétien qu'il avait reçu dans l'école religieuse où il avait fait ses premières études. Voilà qui devait sembler encore plus suspect à nos fins limiers de la Sûreté, toujours prêts à voir des codes chiffrés partout...

Au cours de l'année 1926, j'avais effectué un rapide aller et retour pour Bandiagara, mais la durée de mon congé ne m'avait pas permis de pousser jusqu'à Koniakary. J'avais grande envie de revoir mon ami.

Un jour de l'été 1927, alors que je faisais signer le courrier au gouverneur Hesling, celui-ci me demanda ce que devenait Demba Sadio. Je lui donnai de ses nouvelles et profitai de l'occasion pour lui dire combien je souhaitais obtenir un mois de permission pour aller le voir à Kayes, dans sa famille. "Fais ta demande par écrit", me dit le gouverneur. Le lendemain même je déposais ma demande, et le surlendemain, par décision du 18 juillet 1927, une réquisition de transport Ouagadougou-Bamako-Kayes et retour me fut accordée, pour moi, ma femme et mon premier fils, Cheick Ahmed Bâ, âgé de seize mois. Une ampliation de cette décision fut envoyée aux commandants de cercle de Bamako et de Kayes, afin que ces autorités me mettent en route sans difficultés dès l'expiration de mon congé.

Ma femme s'arrêta à Bandiagara, où se trouvait déjà notre petite fille Kadidja. De mon côté, prévoyant de passer à Bandiagara à mon retour, je poursuivis directement sur Bamako pour voir ma famille, et de là je gagnai la ville de Kayes par le chemin de fer. A l'époque, le train ne marchant pas la nuit, il fallait deux journées pour franchir les quelque quatre cents kilomètres qui séparaient les deux villes. Les voyageurs passaient une nuit à Toukoto, avec tout ce que cela comportait de dérangement pour eux-mêmes et pour les habitants chez qui ils descendaient à l'improviste pour demander l'hospitalité. L'Afrique de la brousse ignorait l'hôtel – et l'ignore encore en bien des endroits. L'"hospitalité rémunérée", importation occidentale amenée par la colonisation, demeurait limitée aux capitales et grands centres urbains que les Africains traditionnels appelaient – et appellent encore souvent – *toubaboudougou* : "villages de toubabs". En dehors de ces *toubaboudougou*, n'importe qui pouvait, n'importe quand, venir demander l'hospitalité à n'importe qui. Les mots "Je suis l'hôte que Dieu vous envoie" suffisaient à faire s'ouvrir les portes comme sous l'effet d'un Sésame magique. Le voyageur de passage était un hôte sacré, et il n'était pas rare que le chef de famille lui abandonne sa propre chambre.

Durant le voyage, je me remémorai l'histoire de la ville de Kayes, où vivait mon ami Demba Sadio. En 1855, le général Faidherbe y avait débarqué pour dégager Paul Holl assiégé par Tierno Oumar Baïla, généralissime de l'armée toucouleure d'El Hadj Omar ; en 1898, c'est là que l'Almamy Samory Touré avait été jugé et condamné à la déportation au Gabon. Enfin, Kayes avait été, depuis 1891, la première capitale de la colonie du Haut-Sénégal-Moyen-Niger, avant d'être elle-même, à partir de 1908, supplantée par Bamako avec le gouverneur Clozel. C'est également à Kayes que fut créée la première "Ecole des otages", transférée ensuite à Bamako sous le nom d'"Ecole des fils de chefs", puis rebaptisée "Ecole professionnelle*".

Située sur la rive gauche du fleuve Sénégal, à environ sept cents kilomètres de Saint-Louis, Kayes est considérée comme l'un des points les plus chauds du globe ; à la saison sèche, il y fait plus de quarante-cinq degrés à l'ombre ! Cela ne l'empêche pas d'être le rendez-vous animé des commerçants de diverses ethnies des pays environnants : les artisans y voisinent avec des pêcheurs et croisent dans les rues des pasteurs peuls ou des Maures nomades et semi-nomades.

J'arrivai à Kayes sous une pluie battante. Cette année-là, l'hivernage était exceptionnellement pluvieux. Je trouvai à la gare mon ami Demba Sadio Diallo, toujours flanqué de son griot Bokardari Sissoko, anciennement

* [Cf. *Amkoullel, l'enfant peul*, p. 382 (coll. "Babel", p. 491).]

en service avec nous à Ouagadougou et qui le suivait partout. Nos retrouvailles furent chaleureuses, marquées des inévitables plaisanteries qui émaillent les rencontres entre membres des clans Bâ et Diallo. Mon ami m'installa confortablement dans sa concession, puis il m'emmena au bureau du commandant de cercle pour faire viser mes papiers.

Secs malgré la pluie…

Mon maître Tierno Bokar, averti de mon voyage, m'avait écrit pour me dire d'aller saluer de sa part à Kayes le Chérif Mohammad El Mokhtar, qui était alors la personnalité la plus marquante de l'ordre musulman tidjani au Soudan français. Demba Sadio m'emmena donc chez ce très savant marabout, que lui-même fréquentait assidûment. A l'occasion de cette visite, nous vécûmes une aventure que je crois intéressant de rapporter, tant en raison de son étrangeté que pour les réflexions qu'elle fera naître dans mon esprit bien des années plus tard, à la lumière d'autres événements.

Notre départ pour Koniakary, lieu de résidence du père de Demba Sadio, était fixé pour le lendemain. Or la pluie ne cessait de tomber nuit et jour, nous n'avions pas de montures et Koniakary était à deux jours de marche. Au moment de prendre congé du Chérif, mon ami Demba me poussa à lui demander de prier pour nous afin que nous ne soyons pas trempés par la pluie, car nous n'avions pas de porteurs et nous transportions nos effets dans de simples baluchons. Il ne doutait pas des pouvoirs spirituels du Chérif ; d'une façon générale les Africains sont persuadés que les marabouts peuvent tout, à plus forte raison s'ils appartiennent à une lignée prestigieuse – ce qui était le cas de notre marabout puisque, comme l'indiquait son appellation de "Chérif", il était un descendant du saint Prophète Mohammad lui-même.

Je formulai la demande au Chérif. Il sourit : "Oui, je sais que la rumeur m'attribue des pouvoirs miraculeux. Mais vous, qui êtes des garçons intelligents, ne vous méprenez point. Je n'ai aucun pouvoir. Je suis exactement comme vous. Seul Dieu a la force, le pouvoir, la science et la sagesse.

— Certes, répliquai-je, Dieu seul est tout-puissant. C'est pourquoi nous souhaiterions que tu le pries pour nous, car nous savons que tes prières sont efficaces.

— Vous croyez sincèrement que mes prières sont efficaces ?

— Oui ! fîmes-nous d'une seule voix. Nous y croyons, et fermement !"

Alors le Chérif, toujours en souriant, nous dit : "Puisque vous avez foi en mes prières, c'est votre foi qui comptera, et non mes prières. Approchez et tendez vos mains." Nous lui tendîmes nos mains, paumes ouvertes face au ciel. Il les rapprocha, saisit nos doigts et, après avoir récité la Fatiha, dit d'un ton presque de plaisanterie, comme s'il ne se prenait pas au sérieux lui-même :

"O mon Dieu ! *Allâhouma !* Tu sais mieux que moi que je ne peux rien. Moi aussi je sais que je ne peux rien, mais ces deux garçons croient que je peux quelque chose. Mon seul pouvoir, c'est de te transmettre les demandes de ceux qui s'adressent à moi. Demba et Amadou disent avoir foi en mes prières, et moi j'ai foi en ton pouvoir et en ta bonté. Aussi je te conjure, ô mon Dieu ! de garantir ces deux jeunes gens de toute pluie depuis Kayes jusqu'à Koniakary. Que la pluie vienne devant eux, derrière eux, sur leur droite et sur leur gauche, mais pas sur eux. Protège-les, ô Dieu ! comme tu préserves certains brins d'herbe au milieu de grands incendies. Tu es le Seigneur que chacun implore, consciemment ou inconsciemment. Tu es l'Entendeur de ceux qui t'appellent, Tu es le Maître de l'ensemble des êtres, Toi le Clément, le Miséricordieux ! Amine !" Notre "Amine !" fit écho au sien, puis chacun de nous se passa les mains sur le visage jusqu'à la poitrine.

Le lendemain de bonne heure, Demba Sadio, son griot et moi, nos paquets sur l'épaule, prîmes la route de Koniakary. Comme par miracle, il ne pleuvait pas sur Kayes, tandis que Kayes-n'tini (le "Petit Kayes"), situé sur la rive droite du fleuve et que nous devions rejoindre, était noyé sous l'averse. Une pirogue nous fit traverser le fleuve sous un soleil brillant de clarté. Dès notre débarquement à Kayes-n'tini, l'averse y cessa, et ce fut au tour de la ville de Kayes, gagnée par les nuages, de subir une pluie torrentielle. Toute la journée, nous marchâmes d'un bon pas sans jamais être touchés par une seule goutte de pluie, les averses semblant se déplacer au fur et à mesure de notre avance. Ceux que nous rattrapions sur la route étaient trempés jusqu'aux os, tout comme ceux qui nous rattrapaient. Ils nous regardaient sans en croire leurs yeux. A Kabatté, nous fîmes étape chez un ami de Demba Sadio. Toute la nuit la pluie tambourina sur les toitures, lançant par moments des rafales crépitantes comme pour se venger de n'avoir pu nous atteindre. Le lendemain matin, le soleil était radieux ; il nous accompagna durant toute la journée et nous ne reçûmes pas la moindre goutte de pluie, alors que partout ailleurs il pleuvait sans arrêt.

A notre arrivée à Koniakary, tout le monde nous demanda où nous avions caché nos parapluies et nos vêtements mouillés, car il était impensable que nous ayons été épargnés par la pluie diluvienne qui tombait sur tout le Diombougou depuis dix jours. Tout le pays était trempé. Nous seuls étions complètement secs.

Pour un esprit cartésien, notre aventure ne fut rien d'autre que l'effet d'une coïncidence extraordinaire, mais hasardeuse. Pour nous, il était hors de doute que c'était là une manifestation patente de la puissance divine déclenchée en notre faveur par les prières du Chérif Mohammad El Mokhtar – d'autant que les "prières pour la pluie", chez les musulmans comme chez les Africains traditionnels, étaient alors pratique courante. Quant à moi, après une longue existence, je ne crois toujours point au "hasard", mais plutôt à une loi des coïncidences dont nous ne connaissons pas le mécanisme. Certaines coïncidences sont parfois si heureuses et si à propos – surtout si elles se renouvellent assez souvent et à bon escient – qu'elles semblent être l'effet de quelque intelligence qui nous dépasse. Or on peut tout dire du hasard, sauf qu'il est intelligent…

Le père de mon ami, Sadio Samballa Diallo, fils du roi Samballa Diallo et chef de la province, nous fit héberger chez son "grand captif", c'est-à-dire le doyen et le chef de ses serviteurs. On nous choya comme des princes. Je passai deux nuits à Koniakary. Chaque jour, Demba Sadio et moi allions saluer son père et assister à ses audiences. Nous ne pouvions guère sortir, car la pluie n'arrêtait pas. Le chef Sadio Samballa fut très touché par la puissance des liens d'amitié qui m'attachaient à son fils. Quand je demandai congé, il réunit son conseil et annonça à tous ses administrés que je devenais son fils au même titre que Demba. Il me donna l'une de ses propres montures, un superbe étalon gris réputé pour sa vitesse et son tempérament qui me laissa muet d'admiration, et me promit en mariage sa fille Mariam âgée de six ans – mariage qui, pour diverses raisons, ne se réalisera pas.

Nous retournâmes à Kayes, moi monté sur mon bel étalon, Demba et son griot également à cheval. Sur la route du retour non plus, nous n'eûmes pas à souffrir de la pluie.

Hélas, je ne pouvais me permettre de garder ce magnifique animal. Je n'avais pas assez d'argent pour louer un wagon et le faire voyager jusqu'à Bamako, et je ne pouvais pas non plus le confier à quelqu'un car ç'aurait été lui imposer une charge trop lourde. Il me fallait donc le vendre. J'aurais aimé plus que tout l'amener à Bamako pour le montrer à mon père Tidjani, mais à l'impossible nul n'est tenu. Je cédai donc mon étalon gris à l'interprète Bakary Kouyaté, celui-là même qui avait été l'interprète du commandant de Lopino lors de son différend avec le chef peul Idrissa Ouidi Sidibé, et qui se trouvait alors en congé à Kayes. Il me le prit pour deux mille francs payables à crédit et me versa une avance. Après avoir fait mes adieux à mon ami et frère Demba Sadio, le cœur tout plein de chaleur amicale – et pour une fois les poches bien garnies de "galettes d'argent" – je regagnai Bamako.

Chaque belle journée est suivie d'une nuit…

Comme le dit le proverbe peul : *Chaque belle journée est inévitablement suivie d'une nuit profonde.* C'est un adage que l'on cite le plus fréquemment possible aux enfants pour les habituer à comprendre qu'aucune joie ne dure indéfiniment sur cette terre et les préparer à affronter l'adversité avec égalité d'âme, comme on s'habitue à se coucher quand la nuit tombe. Quand j'arrivai à Bamako, à peine entré dans la cour familiale la joie qui m'habitait s'éteignit en un instant. Tout le monde pleurait. La famille était en deuil. J'appris que nous venions de perdre l'un des êtres qui nous étaient le plus chers : la douce, lumineuse et pieuse Aïssata (que nous appelions Ayya), mère de notre guide et maître spirituel Tierno Bokar. Sainte femme s'il en fut, d'une grande érudition islamique de surcroît, elle avait vécu toute sa vie au service de Dieu, de son fils et des autres, particulièrement des enfants, dans le souvenir jamais éteint de son mari disparu et qu'elle n'avait jamais voulu remplacer*. Elle était notre mère et grand-mère à tous. Mon père Tidjani et ma mère n'arrêtaient pas de pleurer.

Ma mère décida qu'une forte délégation de la famille se rendrait à Bandiagara pour les condoléances coutumières. Mais il y avait un problème : pour avoir toute sa signification, la délégation familiale devait être conduite par mon père Tidjani ; or, depuis qu'il avait quitté Bandiagara à la suite de son différend avec les femmes et parentes de sa propre famille, il avait pris la résolution de ne jamais y remettre les pieds.

Mais quand Kadidja voulait quelque chose... A l'insu de mon père, qui avait fait vœu de s'isoler en retraite spirituelle pendant plusieurs jours afin de prier pour le repos de l'âme de la défunte, elle fit emballer toutes les affaires de la famille et les embarqua dans un camion qu'elle avait loué pour faire le trajet Bamako-Mopti-Bandiagara. Quand tout fut prêt, elle vint trouver mon père dans sa chambre d'homme. Assis en tailleur sur sa

* [Cf. *Vie et enseignement de Tierno Bokar*, p. 22 et suiv., p. 29 et suiv.]

peau de prière, il n'était entouré que de livres coraniques, de chapelets, de peaux de prière et d'un canari d'eau. Debout devant la porte, elle lui demanda la permission d'entrer. Il hocha la tête.

"Naaba* ! lui dit-elle. Pendant que tu étais en prière, je n'ai pas osé venir interrompre ta conversation avec ton Seigneur pour te parler de choses terre à terre que je peux régler à ta place. Tout le monde, à Kati comme à Bamako, est convaincu qu'en ces jours de deuil nous n'abandonnerons pas Tierno Bokar tout seul à Bandiagara au milieu de ses cousins qui sont ses parents, certes, mais aussi ses rivaux forcenés. Aussi ai-je pris sur moi de préparer notre voyage. Toute la famille partira, il ne restera plus personne. J'ai vendu notre concession de Kati ainsi que celle de Bamako. J'ai recommandé à tous tes élèves de Djinina et de Komo-Komi** de s'adresser désormais à Tierno Lamine Bâ et de le prendre comme guide spirituel et conseiller dans leurs affaires temporelles. J'ai pris congé de tout le monde, en ton nom et au mien. Le camion est prêt, et à moins que tu n'en décides autrement nous partons immédiatement. Nous avons juste le temps de ramasser tes objets religieux.

— Comment ! Tu veux me ramener à Bandiagara sans préavis ? Mais si j'acceptais, j'aurais l'air de quoi ?

— O Naaba ! répliqua ma mère, qui n'était jamais à court d'arguments. C'est en n'allant pas à Bandiagara

* *Naaba* : "roi" en langue mossi. Ce titre, qui était celui de mon père Tidjani lorsqu'il était chef de la province de Louta en pays mossi, avait été conservé dans la famille comme nom familier.

** Il s'agissait d'habitants de ces deux villages qui s'étaient spontanément convertis à l'Islam sous l'effet de l'exemple de mon père Tidjani (et non d'une action de prosélytisme de sa part, car il n'en exerça jamais) et qui lui étaient dévoués corps et âme.

avant l'expiration des vingt et un jours de deuil, alors qu'il s'agit de la mère de ton camarade d'enfance et du meilleur ami de ton âge mûr, que tu auras «l'air de quoi». Tes rivaux en profiteront pour dire de toi ce qui sera désagréable à entendre et pour toi, et pour ta famille, et pour tous tes amis."

Mon père, dont le non et le oui avaient pourtant toujours été irrévocables, dit cependant oui à ma mère, malgré toute la répugnance qu'il éprouvait à retourner à Bandiagara où il n'avait même plus de demeure. Mais, Dieu merci, ma mère en avait, et Beydari Hampâté, l'ancien captif de mon père, en avait lui aussi pour mon compte. Nous ne nous trouverions donc pas à la rue. Deux heures plus tard, toute la maisonnée et les bagages embarqués sur le camion, nous quittions Bamako pour Bandiagara.

Comme nous approchions de la maison de Tierno, de sa cour si familière, pleine encore de souvenirs d'enfance et de la douce présence de la bonne vieille Ayya, mon cœur se serra. J'entendais encore les bénédictions dont elle me comblait à chacun de mes passages.

Quelqu'un alla prévenir Tierno, qui se trouvait alors en retraite spirituelle. Il sortit de sa case. Notre arrivée inattendue lui causa une telle joie que son visage en fut tout éclairé. Mon père et lui, émus de se retrouver en de telles circonstances et après tant d'années de séparation, s'étreignirent avec force. Le soir, mon père était si heureux d'être venu qu'il déclara à ma mère : "O Kadidja, sois bénie ! Si je ne t'avais point écoutée, j'aurais commis une lourde erreur."

De mon côté, j'avais retrouvé Baya et notre petit garçon. Je logeai avec eux chez Beydari Hampâté, où se trouvait déjà depuis un an notre fille Kadidja à la suite d'une décision de ma mère. L'année précédente, Baya était venue faire un séjour chez Tierno Bokar et présenter à la famille nos deux enfants : Kadidja, qui avait environ deux ans et demi, et notre premier fils Cheick Ahmed, âgé de quelques mois. Ma mère, qui était présente à Bandiagara à ce moment-là, avait décidé que Baya serait trop encombrée dans son voyage de retour avec deux enfants, et que d'ailleurs la petite Kadidja, qui portait son nom, devait être élevée en milieu peul à Bandiagara, et nulle part ailleurs. Elle avait pris l'enfant et l'avait confiée à la famille de Beydari, considérée comme la "maison Hampâté".

Confier son enfant à un tiers, généralement parent ou ami très proche, ou à la personne dont l'enfant portait le nom, était alors une coutume très fréquente dans nos pays – elle subsiste encore, mais tend à diminuer en raison de la transformation des conditions sociales et économiques. Une maman pouvait confier sa fille à l'une de ses sœurs restée sans enfant ; un père pouvait dire à son ami le plus proche : "Mon fils est ton fils, élève-le pour moi." Bien des enfants m'ont ainsi été confiés, qui ont été élevés dans ma famille soit à Bamako, soit, plus tard, à Abidjan, et j'ai moi-même confié certains de mes enfants à des cousins ou amis. Bien entendu, le lien de l'enfant avec sa propre famille n'était pas coupé, mais c'était là une façon de multiplier ses chances futures ; plus tard il pourrait s'appuyer sur deux lignées au lieu d'une seule et dire, par exemple : "Je suis le fils de Untel… et d'Amadou Hampâté Bâ." Dans la société africaine d'alors, où le milieu familial constituait à la fois un milieu d'accueil et d'asile en toutes circonstances, une référence sociale et un réseau d'alliances et de défense, avoir deux familles représentait une chance supplémentaire. Sauf exceptions – hélas, il peut toujours y en avoir ! – la famille d'accueil choyait l'enfant confié plus que ses propres enfants, car l'un des pires reproches que l'on pouvait alors faire à une mère, surtout en milieu peul, c'était de "préférer ses propres enfants à ceux des autres".

L'homonymie, aussi, créait et crée encore un lien très puissant, car le nom, qui est sacré, est censé véhiculer le secret même de l'être – d'où l'usage si fréquent d'utiliser un surnom plutôt que le nom dans la vie courante. Donner à un enfant le nom de quelqu'un, c'est non seulement honorer cette personne et montrer qu'on souhaite la voir continuer de vivre à travers son propre enfant, mais c'est aussi faire de son enfant une sorte d'alter ego de cette personne. L'homonymie crée donc, elle aussi, un lien de parenté étroit, fondé sur un sentiment intime d'identité et généralement empreint d'affection et de générosité.

En la circonstance, l'homonyme en question étant ma mère Kadidja, il n'était pas question de résister, surtout pour une jeune maman peule éduquée à ne pas manifester publiquement son attachement pour son enfant. De toute façon, à l'époque, la parenté était considérée comme collective, et chacun, dans le village ou le milieu familial élargi, était responsable de l'éducation de l'enfant, lequel, habitué à avoir plusieurs "mamans" et plusieurs "papas", allait à son gré dormir chez les uns ou chez les autres, comme je l'avais fait moi-même durant toute mon enfance. Cette coutume était donc pour nous absolument normale et conforme à l'intérêt supérieur de l'enfant.

Quant à notre petite Kadidja, qui se partageait entre la maison de Beydari et celle de Tierno Bokar, elle était choyée à l'égal d'une reine et bénéficiait d'une indulgence bien plus grande qu'elle n'en aurait sans doute trouvé auprès de ses propres parents. Elle manifestera d'ailleurs plusieurs fois son souhait de ne pas quitter Bandiagara et y restera jusqu'à sa nubilité, époque où elle nous rejoindra à Bamako.

Médailles inutiles pour un prince déchu…

Je passai quelque temps auprès de Tierno Bokar et de mes parents, puis je repris, avec Baya et notre fils Cheick Bâ, le chemin de Ouagadougou. L'administration avait mis à notre disposition deux chevaux et huit porteurs. Notre petit convoi s'engagea sur la route même que j'avais suivie en 1922.

En cinq ans, les choses avaient subtilement changé un peu partout. Certes, l'accueil réservé aux fonctionnaires de passage était toujours le même, mais il me parut moins fondé sur la peur du Blanc et de son auxiliaire que sur le respect naturel de l'autorité établie, et, surtout, sur l'hospitalité due à l'étranger de passage en vertu d'une coutume qui existait bien avant l'arrivée des Blancs. Une nouvelle vision des choses, née avec le retour des anciens combattants de la Grande Guerre et la chute du mythe du "Blanc invulnérable", faisait peu à peu son chemin…

Notre voyage s'effectua sans incident notable jusqu'à notre arrivée à Tiw, bourgade du cercle de Ouahigouya où, cinq ans auparavant, le prince Lolo Diallo, fils du grand chef Djibril, nous avait gratifiés, les sergents Autexier, Mayclaire et moi-même, d'une réception si mémorable.

Comme nous pénétrions dans Tiw, je fus frappé par la torpeur qui planait sur cette cité où, jadis, les beuglements des bovins se mêlaient aux chants des coqs, aux aboiements des chiens et aux cris aigus des gamins qui couraient, sautaient et gambadaient à travers les ruelles. Arrivé devant le campement, je faillis rebrousser chemin. Ces cases délabrées ne pouvaient être celles du plus coquet des campements où mes compagnons et moi avions coulé des heures si agréables en 1922 ! Hélas, je dus me rendre à l'évidence, c'était bien le campement de Tiw ! Le chaume des cases, jamais remplacé, s'était tassé en une sorte de pâte grisâtre, comme une vieille écorce moisie. Les bois des charpentes perçaient çà et là à travers les toitures en ruine, hérissés vers le ciel comme des lances de Touaregs. Des ânes dérangés dans leur sieste se précipitaient au-dehors, lançant des ruades et poussant des braiments indignés. Quelques cases paraissant tenir encore vaguement debout, nos porteurs y déposèrent nos bagages.

A peine étions-nous installés que je vis arriver sur le chemin un homme qui semblait ne pas tenir sur ses jambes. Comme on dit chez nous, "ses os étaient morts". L'homme ne portait sur lui que deux vêtements : une blouse blanche à manches courtes et une culotte blanche, toutes deux aussi sales qu'un costume de terrassier. Il allait pieds nus et nu-tête. Quand il fut à quelques mètres de nous, je reconnus avec stupeur en cet être rachitique et mal lavé le prince Lolo Diallo, dauphin de la riche province des Djalloubés de Tiw, ancien héros de guerre et virtuose de l'équitation, qui jadis avait plus de têtes de bétail dans ses parcs et ses bergeries que de cheveux et de poils dans les douze parties chevelues de son corps*.

* Les douze parties chevelues du corps de l'homme sont la tête, les deux sourcils, les quatre paupières, la lèvre supérieure, le menton, les deux aisselles et le bas-ventre.

Il se présenta à moi et lança les salutations rituelles, répétant le nom de ma lignée. "Diallo ! Diallo" lui répondis-je – et je le fis immédiatement asseoir, ses jambes malades le soutenant à peine. "O Amadou fils de Hampâté, me dit-il, je suis aujourd'hui la ruine du Lolo Diallo que tu as vu jadis ici, dans ce campement qui n'est pas en meilleur état que moi. Hélas, j'ai bu toute ma fortune, desséché ma dignité et raté totalement ma vie. Je n'ai plus en poche que mes médailles, mais ceux qui me les ont données comme prix de mon sang versé pour défendre l'honneur et le bonheur de leur pays ne veulent pas me les racheter aujourd'hui. J'en viens à me demander si ces pièces de métal, remises aux sons des tambours, des clairons et des trompettes, avec présentation d'armes et défilés grandioses, ont perdu de leur valeur, ou même si elles en ont jamais eu !"

En cadeau de bienvenue, il me tendit cinq noix de cola : "Mon frère, ne regarde pas la quantité des noix que je t'offre, mais mon intention et mes possibilités." Je le remerciai, et un peu plus tard le fis raccompagner à cheval jusqu'à sa demeure, avec quelques provisions.

J'avais projeté de passer la nuit à Tiw, mais le sort de Lolo Diallo m'avait tant attristé que je décidai de repartir le jour même pour Bangou, à quelque vingt kilomètres de là. J'envoyai les porteurs au-devant de nous. Baya et moi devions prendre la route vers seize heures, après la prière du milieu de l'après-midi.

Comme nous nous apprêtions à monter sur nos chevaux, je vis arriver au campement Goffo, le chef des captifs de l'ancien grand chef peul Djibril, qui m'avait si longuement conté l'histoire de son maître en 1922. On venait juste de lui signaler notre arrivée. Très correctement vêtu, il n'avait presque pas changé. Heureux de me revoir, il nous salua avec beaucoup d'enthousiasme et fit sauter mon fils dans ses bras. Il essaya de nous convaincre de passer la nuit à Tiw, mais nos porteurs étaient déjà partis avec tous nos bagages et nous ne voulions pas nous attarder davantage.

Je montai sur mon cheval et plaçai mon fils devant moi, l'attachant solidement à l'aide d'une écharpe qui nous enserrait tous les deux. Puis, suivi de Baya, je pris la route de Bangou. Nous y arrivâmes à la tombée de la nuit. Le lendemain nous reprenions la route. Huit jours plus tard, nous étions de retour à Ouagadougou.

Départ du gouverneur Hesling

Avant mon retour, le gouverneur Edouard Hesling avait été admis à faire valoir ses droits à la retraite. Il rentra définitivement en France.

Cet homme, animé par un réel souci de justice, totalement exempt de tout esprit de racisme ou de discrimination, s'était toujours montré en avance sur l'esprit colonial de son temps. Sa première circulaire, publiée au numéro un du Journal officiel de la Haute-Volta, visait à interdire l'emploi des adjectifs "blanc" et "noir" et à imposer les noms communs "Européen" et "indigène" pour désigner les individus selon qu'ils étaient blancs ou noirs. Il exigea que les noms des indigènes soient précédés du titre de "Monsieur" comme ceux des Européens, au lieu du traditionnel "le nommé" ; c'était un pas vers la suppression de l'intempestif tutoiement des nègres par tous les Européens coloniaux quels qu'ils soient.

Aujourd'hui, le geste d'Edouard Hesling paraît simple et normal. A l'époque – et surtout de la part d'un gouverneur – c'était un acte de courage exceptionnel, parce qu'il portait atteinte au prestige des colonisateurs qui n'entendaient pas être mis sur un pied d'égalité avec leurs vassaux.

Ce ne fut pas là, d'ailleurs, la seule disposition préconisée par Edouard Hesling pour améliorer le sort des indigènes, et l'on a vu qu'en maintes circonstances il n'hésitait pas à défendre ceux d'entre eux qui étaient l'objet d'un traitement injuste, ou à leur donner une chance de faire entendre leur voix. Fut-ce à cause de son esprit progressiste et émancipateur, servi par une personnalité exceptionnelle ? Toujours est-il que le gouverneur Hesling ne fit pas la carrière brillante à laquelle il aurait pu prétendre et que, contrairement à d'autres, dont certains étaient ses promotionnaires, il n'accéda jamais aux fonctions de gouverneur général.

Edouard Hesling était un homme réservé. Nos rapports n'avaient rien de familier, mais il me faisait confiance en beaucoup de domaines et me laissait une certaine marge d'initiative. Je lui dois d'avoir acquis une réelle expérience professionnelle, et cet homme de bien reste l'un de ceux qui occupent une place à part dans ma mémoire.

En attendant la nomination d'un gouverneur titulaire, l'intérim fut assuré par l'administrateur en chef Robert Arnaud, inspecteur des Affaires administratives. M. Valroff devint chef de cabinet, mais il n'avait ni le poids d'un Bailly ni l'envergure d'un Marius Bellieu comte de la Romevillière, qui avait un temps occupé ce poste durant un intérim du secrétaire général Fousset et avec qui j'avais alors travaillé. Russe naturalisé, M. Valroff semblait craindre de contrarier ses compatriotes français, et nombre de ces derniers en profitaient pour abuser de lui.

Après le départ du gouverneur Hesling, ma situation au cabinet prit une tournure moins intéressante. On me laissa de moins en moins d'initiative, et je me retrouvai à l'étroit dans mes fonctions.

Le "Diable boiteux"

Des circonstances imprévues allaient à nouveau, comme si souvent dans mon existence, infléchir le cours des événements et m'amener à quitter définitivement le cabinet du gouverneur pour retourner à mes fonctions d'origine. Cela se passait du temps de l'intérim de l'inspecteur Arnaud.

L'administrateur adjoint des colonies Lesage, adjoint au commandant de cercle de Ouagadougou, venait d'être nommé, en plus de ses fonctions au cercle, receveur du bureau de l'Enregistrement et des domaines – apparemment l'administration ne s'était pas encore décidée à nommer à ce poste un receveur de carrière…

En dépit de son grade relativement modeste, M. Lesage était, en fait, la première personnalité politique de la colonie : il le devait à ses fonctions de "secrétaire général du syndicat des administrateurs coloniaux de la Haute-Volta". Même le gouverneur était obligé de compter avec lui ! Or, Lesage était réputé invivable. Il était si hargneux qu'on lui avait donné le sobriquet de "Diable boiteux". Il n'épargnait personne et n'avait peur de rien. Son commandant de cercle ne pouvait lui donner aucun ordre : il faisait ce qu'il voulait, et quand il le voulait. De petite taille, maigre, voûté et boiteux, il avait de surcroît la bouche légèrement tordue. Il portait un pince-nez aux verres épais qui grossissaient curieusement ses yeux de chat. Quand des Africains, demandeurs ou défendeurs, apprenaient qu'ils auraient à passer devant le tribunal indigène présidé par l'administrateur Lesage, ils préféraient retirer leur plainte, ou même aller directement en prison sans jugement, plutôt que d'affronter le terrible "Diable boiteux" !

Lorsque, quelques années plus tôt, j'avais quitté le bureau de l'Enregistrement et des domaines pour aller à Dori, j'avais été remplacé dans mes fonctions par Amadou Mahmoudou Dicko. Dès que le malheureux apprit la désignation de M. Lesage comme receveur de l'Enregistrement, il fut saisi d'une telle peur qu'il en attrapa une diarrhée rebelle et qu'il dut même entrer à l'hôpital. N'ayant pas pris de vacances depuis au moins dix ans, il en profita pour demander un congé de six mois pour raisons de santé. Le nouveau receveur alla le trouver à l'hôpital pour lui demander qui pourrait le remplacer. Amadou Mahmoudou avança mon nom, en ajoutant qu'il me devait sa formation.

M. Lesage laissa Amadou Mahmoudou partir en congé. Dans un premier temps, il essaya d'assurer lui-même le travail, mais au bout de quatre mois le trésorier payeur lui signala un déficit de 50 000 francs dans sa caisse et lui demanda des comptes. Pour la première fois de sa vie, peut-être, le Diable boiteux se troubla. Il était sûr de deux choses : il n'avait pas détourné cette somme, et personne ne l'avait volée. Qui, à l'époque, aurait osé entrer chez un Blanc pour voler, et surtout chez le Diable boiteux ?

M. Lesage se rendit auprès de M. Valroff, chef de cabinet du gouverneur. Il lui expliqua la situation et demanda que je sois mis à sa disposition pour remettre de l'ordre dans sa comptabilité, faute de quoi il fermerait purement et simplement le bureau, ce qui paralyserait l'ensemble du commerce et le notariat du parquet.

M. Valroff alla immédiatement expliquer la situation à l'inspecteur Arnaud. Sans doute celui-ci lui recommanda-t-il de donner satisfaction à M. Lesage sans perturber pour autant le fonctionnement des services du cabinet, car peu après M. Valroff me faisait appeler et, en présence de M. Lesage, me donnait ses instructions, d'où il résultait que je devrais me couper en deux :

"Désormais, me dit-il, et jusqu'à nouvel ordre, tu te partageras entre le cabinet et le bureau de l'Enregistrement. Le matin tu travailleras chez M. Lesage, et l'après-midi tu reviendras ici.

— Monsieur le chef de cabinet, je ne puis me prêter à cette dichotomie professionnelle, lui répondis-je ; mon travail en pâtirait et cela retentirait sur mes notes de fin d'année. Et d'ailleurs, par qui serais-je noté ? Je demande à être soit définitivement affecté au service de l'Enregistrement, soit maintenu au cabinet du gouverneur. Pour ma part, je n'ai aucune préférence." Je parlais en toute sincérité. Depuis le départ du gouverneur Hesling, il m'importait peu de quitter le cabinet.

"Eh bien ! Voilà un nègre qui sait s'affirmer !" fit M. Lesage.

Sans prêter attention à sa boutade, je demandai au chef de cabinet la permission de me retirer dans mon bureau pour y attendre sa décision.

Une heure plus tard, il vint lui-même me trouver : "Tu es affecté au bureau de l'Enregistrement et des domaines, me dit-il. Ton service commence lundi prochain." La décision d'affectation était datée du 6 octobre 1927.

Je passai mon service à mon successeur désigné, Mamadou Djibrila, et pris congé de tous mes collègues du cabinet. Ma mutation avait étonné tout le monde. "Ah ! On voit bien que le gouverneur Hesling n'est plus là, disaient certains, sinon pour rien au monde Amadou Bâ n'aurait été muté !"

Durant toute la journée du dimanche mes amis défilèrent chez moi. Les uns me manifestaient leur regret de me voir quitter le cabinet, où j'arrangeais beaucoup de choses ; les autres me souhaitaient bonne chance, car pour eux ma mutation équivalait à une condamnation en enfer !

Je ne pus fermer l'œil de la nuit, tant j'appréhendais de travailler sous les ordres du Diable boiteux. Plutôt que de rester dans une situation ambiguë, je décidai de tout risquer et de lui dire dans quelles conditions j'entendais travailler pour donner le meilleur de moi-même. Je pris toutes mes dispositions pour m'enfuir éventuellement de Ouagadougou dès que M. Lesage commencerait à me rendre la vie impossible. Heureusement, ma femme, qui était enceinte, venait de partir à Bandiagara avec notre fils pour y accoucher, et elle devait y rester un certain temps. Il me serait plus facile, étant seul, de disparaître de la circulation voltaïque sans laisser de traces.

Le lundi matin, je revêtis une tenue africaine blanche. Le temps était loin où je croyais pouvoir impressionner mes chefs en m'habillant à l'européenne… Monté sur ma bicyclette "auto-moto" – souvenir du cher M. Bailly – je me rendis à mon service, dont les bureaux étaient situés dans l'appartement même de M. Lesage.

Dès mon arrivée, j'allai frapper à la porte de son bureau.

"Qu'est-ce qu'il y a ? Qui est là ? Il ne faut pas venir m'emm… de si bon matin. Ouvre, entre, et n'oublie pas de fermer la porte. Est-ce toi, Biga ?

— Non mon commandant, je ne suis pas Biga. Je suis Amadou Bâ, votre nouveau commis. Je viens me présenter à vous pour commencer mon travail.

— Ah c'est toi ? Tu tombes bien, je me préparais à me rendre au bureau du cercle. C'est incroyable ! On veut que je sois à la fois au four et au moulin. J'ai droit à toutes les peines du monde dans cette putain d'administration, mais par contre je n'ai droit à aucun avancement. A mon âge, rester administrateur adjoint, c'est honteux ! Il est vrai que je suis un emmerdeur public et que j'ai la langue trop bien pendue pour me valoir de bonnes notes*. Enfin ! Venons-en à toi, et dis-moi comment tu vas conduire ce service hybride où se croisent les vivants et les morts…"

Pour dominer un réflexe de peur qui aurait pu me faire trembler, je me campai solidement sur mes jambes, pris une bonne inspiration et me lançai :

"Mon commandant, je suis parfaitement au courant de la marche des six sections de votre service : enregistrement, domaines, conservation foncière, curatelle, timbres et, enfin, administration de la succession des fonctionnaires décédés sans héritiers. Je dois ma formation à un spécialiste, M. Jean Sylvandre, receveur de carrière. Je suis prêt à travailler beaucoup et bien, mais je suis d'un tempérament nerveux, et même très nerveux ! Des reproches immérités me sortent de mon assiette et me rendent comme fou ; je ne suis plus bon à rien pour plusieurs jours. Aussi mon commandant, si

* Parce qu'il était secrétaire général du syndicat des administrateurs, Lesage est effectivement resté administrateur adjoint toute sa vie. Aucun secrétaire général du syndicat ne pouvait avancer en grade. Les secrétaires généraux étaient la bête noire des gouverneurs, car pour un rien ils citaient l'administration devant le tribunal.

vous avez des reproches à me faire, je souhaiterais que vous me les fassiez au moment même où je commettrai une faute, et pas après. Je vous demanderai par ailleurs d'excuser des petits retards de cinq ou dix minutes qui peuvent m'arriver. En revanche, je vous promets qu'aucun travail ne sera jamais en retard. Si besoin est, je ferai autant d'heures supplémentaires qu'il en faudra pour être à jour, et ne demanderai aucune rémunération en contrepartie." Soulagé d'avoir pu aller au bout de mon discours sans avoir provoqué d'explosion, je me tus.

Le Diable boiteux se leva de sa chaise, contourna son bureau et vint prendre appui sur le rebord de la table, du côté où je me trouvais. Sans dire un mot, il me fixa des yeux durant trois bonnes secondes, puis il se mit à arpenter la pièce en lançant des "Jarnicoton !" et des "Cap de diou !" qui me donnèrent l'impression de me retrouver devant le commandant de Coutouly. Brusquement, il s'arrêta : "Eh bien, mon pauvre Lesage, fit-il, te voilà avec un commis expéditionnaire conditionnel sur les bras. Et c'est à prendre ou à laisser ! Ah ! Bigre !"

Il vint se planter devant moi : "Moi aussi, morbleu, je vais te dicter mes conditions, et nous serons quittes !" Je me préparai au pire…

"Je sais que l'on dit partout que je suis infernal, et c'est pourquoi tu as cru devoir me poser tes conditions de travail. Eh bien, j'aime celui qui dit ce qu'il pense et qui ne se laisse pas marcher sur les pieds. Aussi, avant de te faire connaître mes propres conditions, je vais te dire qui je suis et pourquoi je suis comme je suis.

"Mon pauvre père était goutteux et ma malheureuse mère arthritique. Ils en sont morts peu après m'avoir mis au monde, et pour tout héritage ils m'ont légué un rhumatisme aigu qui s'est logé dans les douze jointures de mes membres. Dès que le ciel se couvre de petits flocons de nuages blancs, la crise se déclenche et j'ai alors dans le corps douze tenailles qui me torturent. Je reçois comme des décharges électriques qui percutent mes os et me grillent la moelle. Je perds toute notion, hormis celle de la souffrance. Je perds l'appétit, le sommeil, la faculté de marcher… Je perds même le bon sens et je reste perclus dans mon lit. Voilà, mon ami, le calvaire que je vis depuis quarante-cinq ans. Quand la crise me saisit, je ne vois que le mal et ne dis que du mal. Alors, voici mes conditions :

"N'entre jamais dans mon bureau sans que ce soit moi qui t'y invite. Ne viens pas me dire bonjour en arrivant, ni au revoir en partant. Nos deux bureaux seront séparés par une pièce où j'installerai une table ; tu n'auras qu'à déposer sur cette table les documents à signer, et noter sur une feuille blanche tout ce que je dois faire s'il y a lieu.

"En ce qui concerne tes heures de travail, viens quand tu voudras, et pars quand tu voudras. Si tu as besoin de t'absenter, envoie-moi une note que Biga déposera sur mon bureau. D'accord ?

— Oui mon commandant !" répondis-je comme dans un rêve. Je n'en croyais pas mes oreilles… Etait-ce bien le Diable boiteux qui me parlait ainsi à notre première entrevue, et qui m'avait même appelé "mon ami" ? Eh bien, me dis-je, c'est un signe que je ne vivrai peut-être pas si mal dans son enfer. A quoi devais-je une telle chance ? J'ignorais la réponse. Je me contentai de remercier le ciel…

J'installai tout ce qui m'était nécessaire dans mon bureau, et commençai par reprendre la comptabilité là où je l'avais laissée en partant pour Dori. C'était, me semblait-il, la meilleure façon de repérer les erreurs ou omissions qui avaient pu être commises après mon départ. La vérification était plus longue et fastidieuse que difficile. Elle me demanda deux mois. Finalement, je m'aperçus qu'à partir d'un certain moment Amadou Mahmoudou Dicko avait omis de tenir compte des débets* résultant des frais d'enregistrement des contrats passés pour engager des contractuels. En effet, la taxe à percevoir pour l'enregistrement des contrats étant portée en recette sans que la somme soit effectivement perçue au moment même, il appartenait au bureau de l'Enregistrement d'établir, chaque trimestre, le relevé des débets et de l'envoyer au bureau des finances pour obtenir un mandat d'un montant correspondant. Le receveur devait ensuite joindre ce mandat à son versement mensuel des fonds et la balance des comptes se trouvait ainsi équilibrée. Le déficit signalé ne venait que de là.

A l'insu de M. Lesage, je me rendis au bureau des finances pour activer l'établissement du mandat de 50 000 francs. Quand tout fut prêt, je déposai sur la table habituelle toute la comptabilité apurée et une lettre de demande de quitus de la somme de 50 000 francs au trésorier payeur.

Quand je revins au bureau dans l'après-midi, M. Lesage m'attendait sous la véranda. Dès qu'il m'aperçut, il marcha à ma rencontre avec un grand sourire et vint me serrer la main. "Merci ! me dit-il. Je suis vraiment content que tu aies pu me tirer cette épine empoisonnée du pied !" Il m'accompagna jusque dans mon bureau,

* Ce qui reste dû après l'arrêté d'un compte.

y resta un moment, comme privé de parole, puis repartit en me disant à nouveau merci.

A la fin du trimestre, j'établis l'état des indemnités normalement dues au curateur des biens vacants, en l'occurrence M. Lesage. Le montant de ces indemnités, qui représentaient un petit pourcentage des soldes créditeurs et débiteurs ainsi que du reliquat dégagé, s'élevait à 3 000 francs. Quelques jours plus tard, je trouvai sur mon bureau une enveloppe cachetée, accompagnée d'une note : "Tu as bien mérité cette somme par ton travail rapide et compétent." J'ouvris l'enveloppe : elle contenait 1 500 francs ! C'était l'équivalent de trois bons mois de solde et indemnités qui me tombait du ciel, et à un moment où j'en avais bien besoin. J'envoyai immédiatement à ma femme la somme nécessaire pour lui permettre de me rejoindre à Ouagadougou avec nos deux fils, car elle avait accouché à Bandiagara d'un deuxième petit garçon que j'avais prénommé Tierno. Notre fille Kadidja, elle, restait à Bandiagara.

Un jour, M. Valroff me croisa en ville. "Alors, Amadou Bâ, me fit-il en plaisantant, comment as-tu trouvé le Diable boiteux ?" – "Pour moi, Monsieur le chef de cabinet, j'ai trouvé non un diable, mais un charmant ange du ciel. Je suis dans la situation de quelqu'un qu'on aurait voulu jeter dans l'enfer et qui se retrouve au paradis. Et je n'exagère rien !"

Tout Ouagadougou était étonné de ma parfaite entente avec M. Lesage. En fait, ma vie était extrêmement agréable, je menais mon travail tranquillement, à mon rythme, sans avoir rien à craindre de personne, et par ailleurs j'étais libéré des incessantes demandes d'intervention qui m'assaillaient au cabinet du gouverneur, alors que j'avais perdu une grande partie de mes moyens pour y répondre...

Où je retrouve mon "oncle Wangrin"...

Quelques mois après ma prise de service, un gros commerçant européen fut assassiné à Bobo Dioulasso. Il ne laissait sur place aucun héritier. Au titre de la "curatelle aux biens vacants", notre bureau fut saisi de l'affaire. M. Lesage décida que nous nous transporterions tous deux sur place pour procéder à l'inventaire et à la liquidation des objets et marchandises ayant appartenu au défunt.

A notre arrivée, les scellés furent brisés et il fut dressé un procès-verbal d'ouverture des lieux ; dès ce moment le receveur de l'Enregistrement devenait administrateur de tous les biens du défunt, tant commerciaux que personnels. Assistés dans notre travail par un huissier du tribunal, nous portions chaque pièce inventoriée sur des listes numérotées ; le procès-verbal était signé par l'huissier et le receveur de l'Enregistrement. Voyant que le travail durerait fort longtemps, M. Lesage retourna à Ouagadougou où l'appelaient d'autres affaires. Il me donna sa procuration et je restai seul sur place pour terminer l'inventaire, assisté par l'huissier et en présence d'un fonctionnaire du cercle qui servait de témoin. Cela devait me prendre un peu plus de trois mois.

Peu de temps après notre arrivée, comme je sortais des bureaux du cercle où j'étais allé accomplir une démarche, je rencontrai "Wangrin". Après un moment d'hésitation, je le reconnus, d'autant plus que lui-même me fixait du regard. Je me dirigeai vers lui. Il se précipita sur moi : "Hé, Amkoullel ! Te voilà ? C'est bien toi ?" – "Oui, oncle Samba, c'est bien moi !" Il me serra contre sa poitrine. Il était si heureux de me retrouver qu'il alla demander à mon logeur, Amadou Moktar Bâ, un Peul originaire du Fouta Djallon, de me laisser venir loger chez lui “parce qu’en tant qu’oncle il avait plus de droits sur moi qu’un cousin !”. Je me transférai donc avec mes bagages dans sa maison, située dans le quartier Koko.

Jusqu’à cette rencontre, je n’avais pas été totalement privé des nouvelles de Wangrin car sa femme, Ebel Nindjo, une Dogon de Bandiagara, écrivait de temps en temps à ses parents, qui logeaient à côté des miens. Les liens entre nos deux familles étaient étroits, et dans chaque lettre Wangrin ne manquait jamais de transmettre ses salutations à mes parents. Je recevais ensuite à mon tour des échos de ses nouvelles. J’étais plus ou moins au courant des grandes étapes de sa trajectoire brillante, mais j’ignorais que, depuis peu, le cours de son destin s’était brutalement retourné.

Apparemment, Wangrin était lui aussi au courant de mon propre cheminement, car il y fit allusion lors de l’une des premières soirées que je passai dans sa maison. “Quand tu étais petit garçon à Bandiagara, me dit-il, tu étais un très bon conteur. Maintenant, tu es commis expéditionnaire, et j’ai appris que tu avais été reçu premier à tous les examens que tu as passés en Haute-Volta. Cela prouve que tu sais bien écrire en français. Je voudrais te raconter ma vie afin que, plus tard, tu en fasses un livre qui pourra servir aux hommes non seulement de divertissement, mais aussi d’enseignement. Me promets-tu de le faire ?” Je le lui promis. Il me demanda alors de ne le publier qu’après sa mort, et d’utiliser non son vrai nom, mais l’un de ses surnoms, “Wangrin”, afin, disait-il, d’éviter à ses parents tout risque de complexe de supériorité ou d’infériorité, car, dans sa vie, “il y avait eu des hauts et des bas*”.

* [Sur la véritable identité de “Wangrin”, voir annexe II, p. 517.]

Ainsi chaque soir, pendant presque trois mois, après le dîner et la prière de la nuit, de vingt heures à vingt-trois heures, parfois jusqu'à minuit, Wangrin, en grand maître de la parole qu'il était, me restituait son histoire à la manière vivante et détaillée des Africains de jadis. Son fidèle griot, Diêli Maadi, jouait doucement de la guitare pour accompagner son récit. Ces soirées restent pour moi un souvenir inoubliable.

Je prenais des notes dans un cahier, que je complétais lorsque je me retrouvais seul. Mais pour ce qui est du déroulement vivant de chaque épisode que me contait Wangrin, leur récit s'est gravé tel quel dans ma mémoire, de même que tous les grands épisodes de ma vie personnelle ou les divers récits que j'ai recueillis au fil des années. Aujourd'hui encore je peux entendre sa voix, soutenue par le son ténu de la guitare… Et quand je me remémore ces séances émouvantes, et que je pense à la triste fin de vie qui l'attendait, parfois les larmes me viennent aux yeux.

Lorsque je le rencontrai, il venait de subir la trahison de "Madame Blanche-Blanche" et de faire faillite. Je ne saurais dire s'il était déjà totalement ruiné à ce moment précis, puisqu'il pouvait me recevoir chez lui. Sans doute lui restait-il encore un peu d'argent. Ce n'était plus le "grand Wangrin", mais ce n'était pas encore "l'écrivain public". En fait, ne le rencontrant que le soir, je ne savais pas de quoi ni comment il vivait. Et il y avait tellement de respect et de pudeur entre nous qu'il ne se plaignait jamais devant moi et que, de mon côté, je ne lui posais aucune question. Sur ce sujet particulier, il était très avare de renseignements. Jamais non plus je ne l'ai vu ivre, alors que, selon son propre témoignage, il avait commencé à boire bien avant le départ de "Madame Blanche-Blanche".

Ce n'est que des années plus tard, quand son griot Diêli Maadi viendra me voir à Bamako pour m'informer de sa mort et me raconter la fin de sa vie, que je découvrirai la déchéance physique et matérielle dans laquelle il était tombé – déchéance physique et matérielle mais non morale, car bien au contraire c'est dans cette période tragique, alors qu'il connaîtra la misère la plus atroce, qu'il manifestera sa vraie grandeur, distribuant aux plus pauvres que lui les quelques sous qu'il glanait par-ci par-là et manifestant ce don si rare qui consiste, quoi qu'il arrive, à rire de la vie et de soi-même, sans en vouloir à personne. Ce n'est pas pour rien qu'à cette époque on viendra de loin pour l'écouter…

Au fil du récit de Wangrin, je découvris que le "grand interprète" chez qui j'avais séjourné à Ouahigouya était en fait celui de son récit, et que le prince déchu de Tiw était ce même jeune prince peul dont il avait, en son temps, plus ou moins prévu le destin*. Il fut intéressé par les nouvelles que je lui apportai de l'un et de l'autre.

Un peu avant que mon séjour ne touche à sa fin, il termina son récit sur l'épisode du départ de Madame Blanche-Blanche et de sa propre faillite. "Ainsi, après avoir tout possédé, j'ai tout perdu en un jour !" concluait-il avec le sourire. Et il rappelait le proverbe africain : *La fortune, c'est comme un saignement de nez. Cela arrive sans raison et s'en va de même.*

* [Cf. *L'Etrange Destin de Wangrin*, p. 168. Pour plus de détails sur la personnalité de Wangrin, en particulier sur sa générosité, lire la *Postface* d'Amadou Hampâté Bâ insérée dans le livre à partir du tirage de 1992.]

A la fin de mon travail d'inventaire, M. Lesage revint à Bobo Dioulasso pour donner les dernières signatures, puis nous retournâmes ensemble à Ouagadougou. Je ne devais jamais revoir Wangrin.

Pendant la suite de mon séjour en Haute-Volta, j'ai eu la bonne fortune de servir dans la plupart des villes où il avait laissé des souvenirs vivaces et d'y rencontrer presque tous ceux qui avaient été mêlés à ses aventures. Partout où je suis passé, j'ai cherché à recueillir des témoignages pour étoffer et compléter son récit. J'ai recueilli aussi des renseignements précieux à Houndé, Bamfora, Dédougou, Tougan, Ouahigouya, à Kaya sur la route de Dori, et à Bobo Dioulasso même lorsque j'y suis revenu quelque quinze ans plus tard, dans le cadre de mes tournées pour l'IFAN. C'est ainsi que j'ai découvert l'ampleur de la générosité de Wangrin et de ses bienfaits partout où il passait. Lui-même ne m'en parla jamais, ne mettant l'accent, à la façon des nobles de jadis, que sur ses propres défauts et les "tours carabinés" qu'il avait joués à certains de ses semblables. Lorsque, en 1932, j'ai eu l'occasion de retourner à Ouahigouya, le grand interprète "Romo Sibédi" et son fils me racontèrent leur propre version des événements. J'en parlerai plus loin.

Ce n'est qu'en 1973 qu'il me sera donné de publier la vie de Wangrin, grâce, d'abord, à l'aide morale et matérielle de Mme Hélène Heckmann, une Française que Dieu plaça sur mon chemin en 1966, qui devint pour ma famille "Nouria Bâ" et pour tous mes enfants "Tantie Nouria" ; grâce, ensuite, à l'aide financière de l'ACCT, l'Agence de coopération culturelle et technique.

Mais par-dessus tout, mon bonheur sera d'avoir pu tenir la promesse que j'avais faite à mon "oncle Wangrin".

La loi de balancier qui faisait se succéder régulièrement dans ma vie les hauts et les bas, à l'image des pieds du tisserand africain qui sans cesse s'élèvent et s'abaissent sur les pédales de son métier*, allait se manifester à nouveau...

Après notre retour, M. Lesage eut une crise de rhumatisme articulaire si violente qu'il dut être hospitalisé. Finalement, les médecins du conseil de santé décidèrent son rapatriement. Ce fut pour moi une bien mauvaise nouvelle, car j'en étais venu à considérer le "Diable boiteux" non plus comme un chef, mais comme un véritable grand frère. Pour le remplacer, l'administration se décida enfin à désigner un vrai receveur de l'Enregistrement de carrière, M. Pierre Casset, et non plus, comme auparavant, un simple administrateur des colonies. Notre service fut transféré dans le bâtiment occupé par le bureau des Affaires économiques, M. Casset ayant également été chargé de ce service.

Jusqu'alors, selon une tradition bien établie, la direction des Affaires économiques, comme celle des Affaires politiques, était exclusivement réservée aux administrateurs des colonies. La nomination de Pierre Casset constituait, en Haute-Volta, la première violation de

* En Afrique de la Savane, le métier du tisserand symbolise, entre autres, l'impermanence des choses et le mouvement qui est l'une des grandes lois de la vie. "Quand le mouvement s'arrête, disaient nos vieux sages, la vie cesse." C'est pourquoi l'on dit d'un homme qui est mort : "Ses pieds sont d'accord" ; autrement dit ils ne bougent plus, ils ne se contredisent plus. [Cf. "Parole africaine, par Amadou Hampâté Bâ", in *le Courrier de l'Unesco* de septembre 1993 , et "La tradition vivante" in *Histoire générale de l'Afrique*, t. I, chap. 8, p. 191.]

cette tradition administrative, et elle suscita, parmi les administrateurs, un tollé général ; ils protestèrent vigoureusement auprès du gouverneur Fournier (entré en fonctions en janvier 1928), qui en était l'auteur.

Le chef du bureau des Affaires politiques de cette époque, l'administrateur Jean-Charles Henri Le Grand de Belleroche (l'ancien avocat de l'administrateur Saride dans l'affaire du marabout Haman Nouh, que l'on appelait "de Belleroche" pour simplifier), était l'un des plus farouchement opposés à cette nomination. Cet homme de petite taille, d'une compétence rare et d'un courage qui frisait parfois la témérité, était si rouspéteur que les fonctionnaires africains l'avaient surnommé "Pygmée-pète-fort". C'est lui qui fut chargé de conduire auprès du gouverneur Fournier une délégation des administrateurs des colonies et de demander en leur nom l'annulation de la décision nommant M. Casset. Si je ne me trompe, la délégation fut éconduite sur ordre du gouverneur.

Dès lors, "Pygmée-pète-fort" prit sur lui de rendre la vie insupportable à M. Casset. Leurs relations devinrent infernales. Les choses prirent un tour nouveau à la suite d'une scène très pénible à laquelle il me fut donné d'assister.

Un jour, les deux hommes eurent une discussion si violente qu'ils faillirent en venir aux mains, ce qui n'aurait pas été à l'avantage du petit homme car M. Casset était, lui, un athlète bien musclé et de belle carrure.

"Si vous vous fiez à votre musculature pour oser porter la main sur moi, menaça l'administrateur, vous vous en repentirez plus que vous ne sauriez l'imaginer…

— Et pourquoi donc ?

— Vous apprendrez qu'un receveur de l'Enregistrement quel qu'il soit ne saurait être autre chose qu'un subordonné devant un administrateur des colonies et qu'il lui doit obéissance. L'administrateur, lui, est un agent de l'autorité et un représentant de la France.

— Mon pauvre de Belleroche ! fit M. Casset. Mais il ne tient qu'à moi de devenir administrateur des colonies !"

De Belleroche éclata de rire : "Certes, je vous le concède, Monsieur Casset, vous auriez pu aller à l'Ecole coloniale et en sortir comme administrateur des colonies, mais le temps perdu ne saurait se rattraper. Vous avez loupé votre chance.

— Je le répète, il ne tient qu'à moi de devenir administrateur des colonies, et je me donne deux mois pour y parvenir."

De Belleroche haussa les épaules. "Vous êtes bien présomptueux, Monsieur. Je vois que vous ne doutez de rien. Je préfère, désormais, ne plus vous adresser la parole. Je vous salue…"

De ce jour, de Belleroche et Casset cessèrent de se parler. Environ un mois et demi après cette altercation, le gouverneur général de l'AOF télégraphia au gouverneur de la Haute-Volta pour lui annoncer que M. Casset Pierre, receveur principal de l'Enregistrement et des domaines, était versé, par décret du Président de la République pris sur proposition du ministre des Colonies, dans le corps des administrateurs des colonies avec le grade d'administrateur de première classe.

Je ne sais comment M. Casset s'y était pris, mais une chose était certaine : la longueur de son bras se passait de tout commentaire. Non seulement il avait désormais le même grade que l'administrateur de Belleroche, mais en outre il conservait son ancienneté, ce qui l'avantageait par rapport à son antagoniste.

Ce qui me plut chez M. Casset, c'est qu'il ne tira aucune vanité de sa promotion exceptionnelle. Il n'en parlait même pas. Quant à M. de Belleroche, il partit presque aussitôt en congé. A son retour, il se fit affecter au Soudan français.

Les administrateurs de la Haute-Volta avaient tous fait front contre M. Casset, et ils étaient décidés à le dégoûter d'avoir forcé son admission dans leur cadre. Alors que je n'étais que le secrétaire de M. Casset, je faisais moi aussi les frais de cette hostilité : je ne pouvais plus entrer dans un bureau de Ouagadougou occupé par un administrateur sans me faire renvoyer avec un méchant : "Va dire à ton patron que je l'emm… !" alors que, jusque-là, j'avais toujours été reçu courtoisement. Je ne pouvais même plus exercer normalement mon travail.

Un jour, au cours d'une conversation avec M. Casset, je me permis d'évoquer cette situation et de lui demander s'il ne préférerait pas changer de poste, voire de territoire, pour être tranquille. "C'est toi qui dois partir d'ici, me répondit-il. Je ne tiens pas à ce que tu sois mêlé de près ou de loin à la lutte que je vais soutenir contre ceux qui ne veulent me voir ni dans le cadre des administrateurs des colonies ni à un poste quelconque à Ouagadougou. Je resterai dans les deux, sois tranquille, et il ne m'arrivera rien ! Mais suis mon conseil, et formule dès maintenant une demande de mutation pour un poste de brousse."

Après bien des réflexions, je formulai ma demande pour la subdivision de Tougan. Cette subdivision, qui relevait du cercle de Dédougou, était en effet située dans cette même province de Louta jadis commandée par mon père adoptif Tidjani Thiam avant sa destitution par les Français, fonctions dont j'aurais dû hériter si le sort et l'histoire n'en avaient décidé autrement.

V

A TOUGAN,
SUR LES TRACES DE MON PÈRE TIDJANI

A l'époque, la subdivision de Tougan était peuplée de Samos, une ethnie qui, à ma connaissance, n'a pas encore été suffisamment étudiée. Lointainement originaires du Mandé, ils seraient venus par vagues successives entre le XIVe et le XVIe siècle, se mêlant plus ou moins au passage à d'autres peuplades pour finir par former, avec les premiers émigrés, l'ensemble du peuple Samo d'aujourd'hui.

Bien qu'enclavés entre les pays senoufo, bobo et mossi, les Samos restèrent indépendants jusqu'à la conquête de la partie nord de leur pays par les Toucouleurs de Bandiagara, de 1862 à 1893, puis de tout leur pays par les Français.

Quand ma mutation pour Tougan fut connue, je reçus selon l'usage de nombreuses visites de collègues ou d'amis venus me dire au revoir et me souhaiter bonne chance. Les uns me félicitèrent de retourner dans une province où jadis avait régné mon père adoptif Tidjani et avant lui son père, le grand chef toucouleur Amadou Ali Eliman Thiam ; d'autres me mirent en garde contre les fonctionnaires indigènes de la subdivision de Tougan, particulièrement contre le grand interprète Nétimo Nakro, originaire de Léo. Je savais d'expérience ce qu'il en coûte d'avoir affaire à de mauvais camarades.

Allais-je revivre à Tougan ce que j'avais connu à Dori ? Malgré mon appréhension, je partis avec la ferme volonté de me battre si j'étais injustement attaqué. Tout allait dépendre de mes relations avec Nétimo Nakro.

Une conversion inattendue

Nous étions au début de février 1929. Arrivé à Tougan sans incident avec ma famille, je me rendis directement chez l'interprète Nétimo Nakro. Bien que tous deux fonctionnaires, je me présentai à lui comme "son étranger" – ce qui, selon la tradition africaine, signifiait que je me confiais à lui. Très touché par cette démarche, il me conduisit en personne jusqu'au domicile qui m'était réservé. Là il dessella lui-même mon cheval, ce qui me laissa perplexe car, en Afrique, ce geste est celui du serviteur, ou de l'élève, envers son maître. Puis il surveilla personnellement l'installation de mes bagages. Quand tout fut en place, il s'adressa à moi en bambara :

"*Nkaramoko*, mon marabout ! Sois le bienvenu ! Ici, tu ne seras pas seulement le grand commis expéditionnaire, tu seras également notre marabout."

Je le remerciai de son accueil, mais la première idée qui me vint à l'esprit était que l'on me tendait un nouveau traquenard. Le titre de marabout comportait en effet plus d'épines que de fleurs. Les marabouts (savants en sciences islamiques et souvent maîtres d'écoles coraniques) étaient alors considérés comme des propagateurs de l'Islam ; aussi l'administration coloniale leur faisait-elle une chasse ouverte, surtout dans les pays où cette religion n'avait pas encore beaucoup pénétré. Or à l'époque, les Samos, comme les Bobos, les Gourmantchés, les Mossis et presque tous les peuples voltaïques tatoués, ne pratiquaient pas l'Islam.

La chasse aux marabouts était d'autant plus vigoureuse dans la subdivision de Tougan qu'une mission catholique implantée à Toma et à Kouïn avait fait du pays sa chasse gardée. Périodiquement, on dénonçait les marabouts de passage comme "agents de propagande antifrançaise". Chaque marabout dénoncé était déféré devant le tribunal (présidé par le commandant de cercle ou son adjoint), jugé sans assistance d'avocat et toujours condamné ; ses livres étaient confisqués et brûlés. A la fin de sa peine on l'expulsait ou on le plaçait en résidence surveillée dans un pays éloigné de sa famille. C'est dire ce que je risquais si l'interprète Nétimo Nakro, principal agent d'information du commandant, me présentait comme "commis expéditionnaire-marabout" ! Enfin, me dis-je, qui vivra verra...

Nétimo Nakro me fit prévenir qu'il se chargeait de la cuisine de ma famille pendant trois jours, afin de permettre à ma femme de se familiariser avec la vie domestique de Tougan. A quatorze heures, il vint me chercher pour me conduire au bureau, où je devais me présenter à l'administrateur adjoint des colonies Fournier, commandant la subdivision de Tougan. Nétimo Nakro m'annonça, puis m'introduisit. Heureuse surprise, le commandant me reçut avec un large sourire. Il me posa rapidement quelques questions sur ce que je savais faire et sur mon ancienneté dans le service, puis il ajouta :

"On m'a informé que tu es le dauphin frustré de la province de Louta, et que par ailleurs tu es un fervent musulman, et même un marabout !

— Marabout, c'est trop dire, mon commandant. Je suis un musulman pratiquant, qui cherche à approfondir sa foi.

— Sois ce que tu voudras, cela m'est égal. La seule chose que je te demande, c'est de ne jamais t'aviser de mettre l'influence de tes fonctions au service de ta religion. Cela mis à part, j'entends que chaque homme pratique la forme de foi qui lui convient."

Cette déclaration me rassura à un double titre, car elle m'apportait la preuve que l'interprète ne m'avait pas desservi. En revanche, le fait que le commandant soit au courant de ma position d'héritier présomptif du "turban" de Louta m'intrigua, car je n'en avais parlé à personne à Tougan. J'en conclus que le commandant Fournier avait des moyens sûrs d'information…

Le commandant me donna deux jours pour m'installer. Je les mis à profit pour rendre visite aux fonctionnaires et à leurs familles ainsi qu'aux notables de la ville. Nétimo Nakro me recommanda particulièrement à l'imam Yacouba Traoré. C'était un grand érudit et un homme d'un commerce agréable, avec lequel je nouerai par la suite des relations d'amitié.

Parmi les fonctionnaires indigènes de Tougan, il y avait Panama Dembélé, receveur des Postes, Tiemoko Kamara, commis auxiliaire détaché à l'agence spéciale du Trésor, le vieux Amadou Dicko, infirmier chargé du dispensaire, Mahamane Touré, instituteur (qui sera par la suite remplacé par Sounkalo Djibo, l'actuel maire de Bouaké, en Côte-d'Ivoire, député de ce pays depuis 1978) et Mlle Adjawon, sage-femme, qui deviendra plus tard l'épouse de Sounkalo Djibo.

Après mes deux jours de congé, je pris mon service. Il consistait à assurer le secrétariat et la dactylographie des correspondances du commandant, le secrétariat des deux tribunaux indigènes du premier et du second degré, et l'administration du bureau militaire. Ce dernier travail à lui seul prenait beaucoup de mon temps car la subdivision de Tougan était, proportionnellement au nombre de ses habitants et par rapport aux autres subdivisions, celle qui comptait le plus de militaires retraités. Composée de douze cantons, elle était aussi peuplée qu'un cercle. Sa police était assurée par un peloton de vingt-cinq gardes de cercle, secondés par soixante goumiers.

Nétimo Nakro fit construire un grand hangar à claire-voie devant ma porte. Chaque soir, après le dîner, la plupart des fonctionnaires indigènes, Nétimo Nakro en tête, venaient s'y assembler, et nous causions jusqu'à une heure assez avancée de la nuit. Quelques mois passèrent agréablement.

Un jour, je posai à Nétimo la question qui me trottait dans la tête : "Pourquoi, toi qui passes pour un mauvais camarade dont tout le monde redoute les manigances, te montres-tu si bon et si prévenant avec moi ?

— Je suis né très jaloux, me répondit-il. C'est vrai, j'ai éprouvé du plaisir à créer des ennuis à certains de mes collègues, et j'avoue avoir enfoncé un bon nombre de gens depuis que j'exerce les fonctions d'interprète. En ce qui te concerne, j'avais entendu parler de toi par des fonctionnaires qui t'ont connu quand tu étais au cabinet du gouverneur, et par un de mes cousins, Bagaro Dagano, instituteur à Ouagadougou, qui a fait l'Ecole professionnelle de Bamako avec toi. Il m'a écrit pour me dire qui tu étais et m'a dit que je gagnerais beaucoup à te fréquenter. Le fait qu'à ton arrivée à Tougan tu te sois dirigé droit sur ma maison m'a prouvé que tu n'étais pas un ennemi et que je pouvais me fier à toi. Par la suite, au fil de nos conversations j'ai senti que je trouverais en toi l'ami que je cherchais. Je ne me suis pas trompé, et en cinq mois de relations, sans que tu t'en doutes j'ai beaucoup changé. J'ai d'ailleurs décidé de revenir à la religion musulmane, qui était celle de mes parents. J'étais tout jeune quand on m'a recruté de force pour l'école que les Pères blancs avaient fondée à Ouagadougou ; on a fait de moi un chrétien catholique sans attendre que je grandisse pour donner mon avis."

Extrêmement touché par ce témoignage d'amitié, je mis néanmoins Nétimo Nakro en garde contre les conséquences possibles, sociales ou administratives, que pouvait entraîner son retour à l'Islam. Je lui conseillai de bien peser le pour et le contre avant de se décider définitivement. "Depuis deux mois, ma famille et moi n'avons fait que cela !" me répondit-il. C'est ainsi qu'un vendredi matin, Nétimo Nakro revint dans le giron de l'Islam. Je lui donnai le nom musulman de Djibril, nom coranique de l'archange Gabriel. Toute la population musulmane de Tougan fêta cette conversion, d'autant plus inattendue qu'à tous points de vue Nétimo Nakro avait plus à gagner à rester chrétien qu'à devenir musulman.

Ce que je redoutais ne manqua pas d'arriver. Le père supérieur de la mission catholique de Toma arriva peu après chez Nétimo Nakro et le menaça de tous les malheurs d'ici-bas et de l'autre monde s'il ne revenait pas sur sa malheureuse décision. N'obtenant aucun résultat, il lança : "Toi et celui qui a soufflé le mal en ton cœur fragile, vous me trouverez sur votre chemin !" Nétimo n'était pas homme à se laisser intimider : "Vous feriez mieux, mon père, de me parler sur un autre ton, répliqua-t-il. Je demande protection au Seigneur contre celui qui, chargé de répandre la bonne parole et d'apporter la paix à tous, fait le contraire, maudit et menace. Puisque vous vous proposez de vous trouver sur ma route, je ne l'abandonnerai certainement pas, afin d'être certain de vous y rencontrer."

Le père retourna à Toma et, de là, se rendit directement à Ouagadougou pour informer Mgr Thévenoud – que nous avions jadis surnommé "l'Oiseau bagué" et "le Richelieu de la Haute-Volta" – de la conversion de Nétimo Nakro et de la perte que cela représentait pour l'Eglise catholique dans la subdivision de Tougan. Quelques années auparavant, Demba Sadio, des amis fonctionnaires et moi-même avions déjà eu à subir les foudres de "l'Oiseau bagué". Avec d'autres fonctionnaires indigènes de la ville, nous avions en effet fondé une coopérative d'achat pour échapper aux prix fixés par les grandes maisons commerciales françaises de la place. Saisi de l'affaire par les patrons de ces grandes sociétés qui supportaient mal la moindre concurrence, Mgr Thévenoud avait immédiatement vu, dans notre initiative, une entreprise de "subversion musulmane" et nous avait présentés, lors de ses prêches en cathédrale, comme des suppôts de Satan cherchant à gagner des âmes à travers l'appât d'une soi-disant coopérative d'achat. Il y avait eu enquête politique et certains amis, dont la position était plus fragile que celles de Demba Sadio, Dim Delobsom et moi, eurent à en pâtir. Quoi qu'il en soit, à peine créée notre petite coopérative de fonctionnaires dut fermer ses portes. Je n'ai nullement la prétention d'émettre ici un jugement d'ensemble sur l'action de Mgr Thévenoud en Haute-Volta, action que beaucoup d'Africains chrétiens du pays ont estimée très positive ; je ne fais que citer des faits isolés dont j'ai été personnellement témoin, et ne puis que constater que, dès qu'il s'agissait d'Islam, les hautes autorités religieuses du pays voyaient rouge et perdaient toute objectivité..

Quand Nétimo vint me conter son entrevue avec le père supérieur, je me doutais de ce qui allait suivre ; aussi lui conseillai-je vivement d'aller en parler sans tarder au commandant Fournier. Ce dernier qualifia le comportement du père supérieur de violation non seulement de domicile, mais de conscience. Il n'en mit pas moins son interprète en garde : "Veille bien à ce que ta religion ne t'influence pas et ne porte pas atteinte à tes devoirs de fonctionnaire."

Quinze jours plus tard, une lettre confidentielle du gouverneur demandait au commandant de la subdivision de Tougan de fournir un rapport circonstancié sur la conversion islamique de Nétimo Nakro, d'évaluer les conséquences politiques de cette conversion et d'envisager des mesures énergiques – au besoin la mutation de l'intéressé – pour empêcher que son geste ne devienne le déclic d'une avalanche d'autres conversions à l'Islam.

A l'époque, aucun commandant de cercle ou de subdivision ne pouvait espérer mener une enquête valable à l'insu de son interprète et de son commis ; aussi le commandant nous demanda-t-il d'être francs avec lui et de l'aider à mener son enquête sans parti pris. Nous l'aidâmes d'autant plus honnêtement qu'il nous faisait confiance et que nous connaissions sa volonté de voir chaque homme, à l'ombre du drapeau français, professer la religion de son choix. Dans l'histoire de l'administration coloniale, il ne fut pas le seul à oser prendre cette attitude. De tels comportements méritent d'être signalés et prouvent, s'il en était besoin, que l'on ne saurait mettre tous les administrateurs coloniaux dans le même panier. La généralisation, quelle qu'elle soit, n'est jamais le reflet de la réalité.

M. Fournier mena son enquête avec une probité qui n'était faite pour plaire ni à la mission catholique de

Toma, ni au directeur du bureau des Affaires politiques de Ouagadougou – lequel, d'après le ton de la lettre du gouverneur dont il était vraisemblablement l'inspirateur, attendait visiblement un tout autre son de cloche. Le rapport de M. Fournier aboutit en effet aux conclusions suivantes :

1. – la conversion de Nétimo Nakro était une affaire purement personnelle qui ne saurait avoir aucun impact ni sur la bonne marche du service ni sur l'islamisation du pays samo ;

2. – le bon sens commandait de ne pas se fonder, pour élaborer et orienter la politique musulmane de la France, sur des renseignements fournis par les missions catholiques ;

3. – tous les fonctionnaires indigènes du poste de Tougan étaient déjà musulmans, ce qui ne les avait nullement empêchés d'être d'excellents agents dont le dévouement ne pouvait être mis en cause ;

4. – la mutation de Nétimo Nakro loin de Tougan était contre-indiquée : elle ne ferait que lui inspirer des idées hostiles qu'il n'avait pas pour le moment, et indisposer tous ses coreligionnaires locaux.

Un de mes collègues se rendant à Ouagadougou, je l'avais chargé de contacter de ma part Mamadou Djibrila, mon successeur au cabinet du gouverneur, pour lui demander de me communiquer les annotations que le gouverneur ne manquerait pas de porter en marge du rapport confidentiel adressé par le commandant Fournier. Je fis demander le même service à mon ami Mintara Ouattara, secrétaire du directeur des Affaires politiques. J'étais sûr que, d'une manière ou d'une autre, le rapport tomberait entre les mains de l'un d'entre eux ; or ils étaient tous deux musulmans, et nous entretenions d'excellentes relations épistolaires. Les fonctionnaires indigènes avaient tissé entre eux une sorte de réseau amical qui leur permettait, au nez et à la barbe de l'administration, d'infléchir parfois le cours des choses, ou même d'empêcher certains administrateurs ou chefs de bureaux politiques malintentionnés de parvenir à leurs fins.

Mamadou Djibrila et Mintara Ouattara, unissant leurs efforts, réussirent à mettre la main sur le rapport du commandant Fournier. Le gouverneur y avait noté en marge : "Document objectif dont il faut tenir compte. Demander à Mgr Thévenoud de conseiller mesure et prudence au supérieur de la mission de Toma. Affaire à classer." Il me fut ainsi donné – situation paradoxale ! – de rassurer M. Fournier qui se demandait avec inquiétude quelle allait être la réaction du gouverneur. Tout rentra dans l'ordre, et nous continuâmes de mener à Tougan, entre amis, une vie agréable et paisible.

Vint le jour où le commandant Fournier partit en congé de longue durée en France. Il fut remplacé par un baron de la noblesse française, l'administrateur de Menou, arrière-petit-fils du général français du même nom. Le baron de Menou n'était pas exempt des défauts propres à la plupart des administrateurs coloniaux de l'époque, mais, marqué sans doute par son éducation aristocratique, il ne se prêtait jamais aux petites mesquineries ou vexations gratuites qui étaient monnaie courante ailleurs. Il se prit même d'une certaine amitié pour moi, d'abord parce que j'étais arabisant et que, dans sa famille, on avait conservé quelque souvenir de l'Egypte où avait servi son aïeul, ensuite parce qu'il voyait en moi le "dauphin évincé de la province de Louta", situation romantique qui parlait au baron qu'il était. Curieusement, il préférait les travaux manuels à la bureaucratie et passait de longues heures dans la menuiserie, à bricoler de ses mains ou à surveiller le travail du menuisier officiel. Pour le reste, il nous faisait confiance. Tout compte fait, c'était un homme assez facile à vivre.

Le prisonnier samo et la caisse d'argent

Tougan abritait alors un personnage original, M. Leenhardt, agent spécial trésorier de la subdivision, dont j'ai gardé un souvenir particulièrement chaleureux. Son comportement était en effet à l'opposé de celui de ses compatriotes de l'époque. Au nom du respect dû à toute personne humaine, il ouvrait toutes grandes les portes de sa maison aux fonctionnaires indigènes qui voulaient lui rendre visite. Il ne se disait pas "progressiste", mais ses paroles et ses actes témoignaient pour lui.

Un jour, M. Leenhardt offrit un déjeuner à tous les fonctionnaires indigènes du poste. C'était la première fois que l'on voyait une chose semblable à Tougan ! Le plus fort est qu'il invita à ce déjeuner le commandant de Menou lui-même, lui donnant ainsi sans paroles une leçon de politique administrative.

M. Leenhardt avait l'habitude de fumer des cigarettes anglaises parfumées, contenues dans de très jolies boîtes métalliques décorées qu'il jetait dès qu'elles étaient vides ; or, elles valaient bien dix francs pièce au marché de Tougan. Son boy et son planton se constituaient, en les revendant, un bon appoint à leur solde mensuelle. "Ce n'est pas un crève-la-faim de France !" disaient de lui les fonctionnaires indigènes. Ils en eurent bientôt la confirmation grâce à un câblogramme de Montpellier dont leur parla le receveur indigène des PTT. Il y était mentionné que M. Leenhardt, pour la fixation de l'assiette de ses impôts immobiliers, venait de donner le chiffre de un million de francs, somme absolument fabuleuse en cette année 1929 !

Une anecdote significative permettra de mieux comprendre le caractère hors du commun du personnage.

Un jour, le commandant de Menou traita les Samos de "grands voleurs incorrigibles" devant M. Leenhardt. Ce dernier – en tant que trésorier, il était en même temps régisseur de la prison – réagit immédiatement : "Si nous nous basons sur l'ensemble des jugements qui ont condamné des Samos pour vol et que j'ai consultés dans les archives, répliqua-t-il, force est de constater que ces pauvres bougres ont commis des larcins plutôt que des vols à proprement parler ; ce sont plus des nécessiteux que des voleurs." Cette réflexion déplut énormément au commandant de Menou, qui y fit une allusion devant moi. Un administrateur des colonies, quelles que puissent être ses qualités par ailleurs, n'aimait pas beaucoup être contredit, surtout par un inférieur.

M. Leenhardt, qui voulait étayer sa thèse par un fait concret, mit en œuvre un petit stratagème. Quelques jours plus tard, au lendemain d'une importante rentrée d'impôt, il empila soigneusement des billets de banque dans une caisse d'emballage étiquetée "Fonds – Agence du Trésor", puis il ordonna à un prisonnier samo, condamné cinq fois pour vol, de porter cette caisse depuis l'agence jusqu'à son domicile, sans être accompagné d'aucun garde de cercle. Or la maison de M. Leenhardt, située à environ un kilomètre, se trouvait au sommet d'une élévation derrière laquelle s'étendait, sur plus de trente kilomètres, une brousse dense et touffue ; il aurait suffi au prisonnier de dévaler la pente pour se perdre dans la nature, muni d'un joli magot constitué de près de 800 000 francs en coupures de cinq francs, donc facilement écoulables…

La caisse sur la tête, le prisonnier se rendit chez M. Leenhardt, déposa sa charge et attendit tranquillement sous la véranda le retour du "patron". Quand celui-ci arriva pour le déjeuner, il ordonna au prisonnier de rejoindre les locaux de détention et de revenir à quatorze heures rechercher la même caisse pour la ramener à l'agence. A quatorze heures, le "grand voleur" était de retour. Il chargea la caisse sur sa tête et, toujours sans escorte, la ramena à l'agence, qui était située dans les bureaux du cercle. Trouvant le bureau de M. Leenhardt fermé, il déposa la caisse sous la véranda et s'assit à côté.

Le commandant de Menou fut le premier à arriver au bureau. Quand il vit le prisonnier "grand voleur" assis à côté d'une caisse du Trésor pleine d'argent, il appela comme un fou : "Planton ! Planton !" Le planton arriva en courant. "Arrête tout de suite ce voleur !" Le planton se mit au garde-à-vous : "Pardon ma coumandan ! Prisonnier là, lui n'a pas voleur. C'est Missié Trésorier lui dire porter l'argent là. Lui faire ça jourdhui deux fois. Lui n'a pas foulkan avec l'argent, lui n'a pas voleur !"

Sur ces entrefaites, M. Leenhardt, qui s'était malicieusement ménagé ce petit temps de retard, arriva de son pas nonchalant et ouvrit tranquillement son bureau. Le prisonnier alla y déposer la caisse, puis s'installa pour manœuvrer le *panka* du "patron" et lui faire du vent, travail dont il était chargé. Nétimo Nakro, qui assistait à la scène, me la rapporta. Le commandant de Menou adressa de vifs reproches à M. Leenhardt :

"Avez-vous idée de ce que vous venez de faire ? Confier autant d'argent à un prisonnier ! Et s'il s'était enfui avec l'argent de l'impôt, vous imaginez les conséquences ?

— Monsieur l'administrateur, je l'ai fait volontairement, pour vous prouver que même un prisonnier samo récidiviste n'est pas un véritable voleur. Celui-ci aurait largement pu s'enfuir avec tout l'argent, c'est vrai ; mais il ne l'a pas fait. J'en ai pris personnellement le risque. Et s'il s'était enfui, j'aurais remboursé l'impôt sur mes propres fonds." Voilà l'une des raisons pour lesquelles j'estimais tant M. Leenhardt...

Le commandant ne sut que répondre. Les faits venaient de lui prouver, mieux que des paroles, que les petits délinquants samos n'étaient pas des "voleurs" dignes de ce nom, mais plutôt des auteurs de larcins, des petits chapardeurs. A l'époque, les plus gros vols concernaient un cheval, un taureau, une vache ou un âne ; pour le reste, il s'agissait de vols de poulets, de canards, de vêtements ou d'armes. Là comme ailleurs, les grands vols et la grande délinquance ne commenceront à apparaître qu'avec la généralisation de l'argent et la pénétration de la civilisation moderne, et de préférence dans les grandes villes.

M. Leenhardt ne fit pas long feu à Tougan. Il fut affecté à Ouagadougou. Si, pour certains fonctionnaires, la nomination au chef-lieu du territoire équivalait à une promotion, pour les progressistes et les raisonneurs c'était un isoloir, sinon une prison dorée. M. Leenhardt ne put d'ailleurs terminer son contrat de deux ans. Il donna sa démission et retourna en France.

Avant de quitter Tougan, il m'avait dit : "Venez à Montpellier. Je vous aiderai à faire des études supérieures." Avec mes charges de famille, il n'était pas question que je puisse accepter. Cette offre reste le plus beau souvenir que je garde de M. Leenhardt.

Les cent francs du vieux Samo

Un jour, au cours d'un conseil des commandants de cercle du territoire tenu à Ouagadougou, le gouverneur de la Haute-Volta insista particulièrement sur la nécessité de faire rentrer l'impôt, source principale du budget de la colonie. D'après ce qui m'en fut rapporté, il tint à peu près ce discours : "L'impôt doit rentrer à n'importe quel prix ! Les commandants de cercle ont carte blanche : ils peuvent la donner aux chefs de canton, qui la repasseront aux chefs de village, et ceux-ci aux chefs de quartier ! Leur avancement ou leur maintien à tous dépend de la rentrée de l'impôt !"

La perception de l'impôt de capitation n'était pas seulement une injustice en soi, mais aussi une source d'abus de la part de divers intermédiaires. Le taux fixé par l'administration était hélas souvent majoré par des pourboires à verser aux chefs de canton ou aux chefs de village. Chaque fois que l'année avait été mauvaise et les récoltes insuffisantes, des chefs de famille nécessiteux étaient obligés d'emprunter l'argent de l'impôt auprès de gens aisés qui acceptaient de le leur prêter, mais en échange d'une garantie sûre ; ces pères de famille engageaient donc chez les prêteurs leurs enfants en âge de travailler, jusqu'à ce qu'ils soient en état de rembourser leur dette. Et s'il existait, il faut le reconnaître, des administrateurs épris d'équité qui luttaient, parfois au péril même de leur carrière, pour que des villages surimposés soient dégrevés, il en était d'autres qui n'hésitaient même pas à faire payer l'impôt des nègres morts par des nègres vivants !

Cette année-là, l'impôt avait du mal à rentrer, particulièrement celui du canton marka de Lanfiera, dépendant de la subdivision de Tougan ; au 30 septembre, l'impôt de l'année en cours était encore dû pour moitié. Le secrétaire général du gouvernement fit signer au gouverneur une lettre de réprobation sévère à l'adresse du commandant de la subdivision de Tougan. Cette lettre, transmise sous le couvert du commandant de cercle de Dédougou dont dépendait la subdivision, parvint à son destinataire, majorée des reproches de son chef immédiat. Le commandant de subdivision, habituellement un homme calme et plutôt conciliant, en piqua une crise presque démentielle. Il convoqua immédiatement son état-major particulier composé de l'interprète, qui était à la fois sa bouche, ses yeux et ses oreilles, de son commis expéditionnaire-secrétaire, qui était son garde des sceaux et sa plume consignant ses décrets sultaniens, et du brigadier-chef qui était son archange, chef des anges gardiens des enfers, autrement dit des prisons.

"Je vais être méchant, très méchant, jusqu'à ce que l'impôt rentre ! tonna-t-il. Nous allons parcourir les douze cantons. L'impôt rentrera ou les enfers seront pleins, et s'il le faut nous ferons vendre jusqu'au dernier coquelet des familles qui restent devoir leur impôt !" Les représentants des chefs de canton qui avaient été délégués auprès du commandant de subdivision retournèrent porter la mauvaise nouvelle à leurs chefs respectifs.

Un beau matin, une expédition dirigée par le commandant lui-même quitte donc Tougan pour faire le tour de la subdivision. En tant que commis expéditionnaire-secrétaire, je fais partie du convoi. Après avoir visité tous les chefs-lieux de canton, nous arrivons le 15 décembre* à Lanfiera, chef-lieu du canton où la moitié seulement de l'impôt a été versée. Un rapide pointage nous permet de constater que le retard est principalement dû aux villages des anciens cantons samos de Din, Oué et Pro, cantons qui avaient été supprimés puis rattachés administrativement au canton de Lanfiera, ce qui les plaçait sous le commandement d'un chef de canton de l'ethnie marka**. Les Samos, connus pour leur entêtement et leur endurance à la souffrance, et qui tiennent à rester attachés à des gens de leur race, sont d'évidence prêts à tout pour créer des ennuis à leur chef de canton. Il est clair que ce dernier n'arrivera jamais, à lui seul, à leur faire entendre raison.

Le commandant fait venir tous les notables. Il tient une grande palabre et demande que l'on paie l'impôt de bonne grâce avant qu'il ne lâche ses gardes, dont le seul langage est celui des coups de crosse. Les notables et chefs de famille réunis se lamentent tous sur le même thème : "Interprète, dis au commandant que les sauterelles ont dévoré le peu que nous devions récolter à la

* [L'année n'est nulle part indiquée dans le manuscrit.]

** "Markas" est l'un des noms des Soninkés, que l'on appelle aussi Sarakollés. Fondateurs de l'empire du Ghana (ou du Wagadou, à ne pas confondre avec Ouagadougou), situé sur la rive gauche du Niger, à cheval sur les frontières actuelles du Sénégal, du Mali et de la Mauritanie et qui connut son apogée vers le Xe siècle, ils émigrèrent par la suite dans toute la zone de la savane subsahélienne et sont nombreux au Mali et au Niger. [Cf., entre autres, *L'Empire de Ghana*, de Germaine Dieterlen et Diarra Sylla, éd. Karthala-Arsan, Paris, 1992.]

suite d'un hivernage exceptionnellement déficitaire. Des maladies ont décimé notre gros et menu bétail. Nous n'avons plus rien. L'année dernière, nous avons engagé tous nos enfants ; il ne nous en reste même plus à mettre en gage !

— Commandant, ils mentent ! intervient le chef marka. Ils répètent une leçon que leur a enseignée Sangoulé, leur meneur. C'est lui qui leur chauffe la tête !

— Combien doit Sangoulé ? demande le commandant.

— Il doit deux mille francs. Et s'il ne les paie pas, aucun Samo ne paiera quoi que ce soit. Les Samos sont comme des pintades ; en marchant, chacune d'elle imite celle qui la précède. Commandant, je te le jure, si tu me donnes carte blanche, Sangoulé paiera immédiatement les deux mille francs qu'il doit. Je sais qu'il les possède.

— Accordé !" dit le commandant.

Or, le chef de canton est accompagné de trois gaillards spécialement dressés pour frapper et qui ont une pierre à la place du cœur. A peine a-t-il dit : "Allez, secouez Sangoulé jusqu'à ce qu'il accepte de payer !" qu'ils se jettent sur le malheureux et le rouent de grands coups de cravache en nerfs de bœuf. Les coups déchirent son boubou, lacèrent son corps. Le pauvre Sangoulé se lamente, demande grâce et promet d'aller chercher son argent. On le relâche, il se traîne jusque dans sa case et revient avec mille neuf cents francs qu'il tend au commandant :

"Voilà ! C'est tout ce que je possède, je n'ai rien d'autre.

— Il ment, mon commandant ! accuse à nouveau le chef de canton. Il a les cent francs manquants, et il les a peut-être même sur lui ; mais jamais il ne les donnera de bon gré. Laissez-moi faire." Le commandant accepte, puis, préférant ne rien voir, se retire dans une case.

Le chef de canton ordonne de battre encore Sangoulé. Les trois gaillards se saisissent de lui et le frappent de plus belle. Sangoulé se tord, gémit, crie sa douleur ; son sang gicle et teint de rouge ses vêtements. Ne pouvant en supporter davantage, je vais trouver le commandant dans sa case pour lui demander de faire cesser ce traitement, sinon nous allons assister à un meurtre à cause de cent francs.

Avant que le commandant ait pu ouvrir la bouche, le chef de canton, qui m'avait emboîté le pas, prend la parole : "Commandant, le commis est en train de se mêler de ce qui ne le regarde pas. Il ignore tout de la mentalité samo. C'est moi qui suis responsable de la rentrée de l'impôt. Il faut me laisser faire ou je ne réponds plus de rien."

Le commandant se tourne vers moi. "Que veux-tu, me dit-il, il faut que l'impôt rentre, et le chef de canton est juge des moyens de coercition à exercer sur son territoire."

Sangoulé, effondré, blessé, croyant que son état va attendrir ses bourreaux, demande un moment de répit. Mais il a affaire à des monstres ! Ceux-ci, après quelques instants seulement, l'interpellent : "Allez, les cent francs, ou tes fesses et ton dos pour le tannage !" Ils s'apprêtent à le frapper de nouveau quand Sangoulé, pinçant les lèvres, laisse filtrer les mots : "Arrêtez, je vais payer..." Il défait alors lentement la corde de son pantalon sous lequel se trouve un *bila*, ce cache-sexe dont une bande se noue autour des hanches tandis qu'une autre passe entre les jambes et va se fixer dans le dos. Sangoulé défait son *bila* et le renverse. La bande est pliée en forme de portefeuille. Il y introduit sa main, en extrait à ma grande surprise un billet de cent francs plié en longueur, et d'une moue dédaigneuse le tend à ses persécuteurs.

“Tenez, et ne vous acharnez plus contre moi, tas de bourreaux ! Ce ne sont pas vos coups qui nous feront aimer et respecter votre chef marka. Samos nous sommes, mes frères et moi, et Samos nous resterons !”

Je m’approche alors de Sangoulé. “Grosse bête ! lui dis-je sur un ton de reproche. Pourquoi as-tu accepté de te laisser fouetter jusqu’au sang, puisque tu avais la somme pour laquelle on te frappe à mort ?”

Sangoulé me toise avec un rictus méprisant : “Espèce d’imbécile de Peul ! Tu ne comprends pas que lorsque je rentrerai à la maison et que ma femme me reprochera d’avoir donné nos derniers cent francs contrairement à ce que nous avions décidé, j’aurai la ressource de lui montrer mon dos ? Elle saura alors que je ne suis pas homme à livrer de bon gré mon argent, fût-ce au commandant lui-même* !”

* [Cette anecdote, non datée et sans indication de noms, figurait à part dans le dossier manuscrit de A. H. Bâ concernant son séjour à Tougan, et semble avoir été écrite davantage pour mettre en relief avec humour l’attitude du vieux Samo que pour relater une chronique historique précise. Si elle se place au 15 décembre *1929* (l’année n’est pas mentionnée), alors elle a eu lieu du temps du commandant de Menou, car ce dernier était déjà en fonctions à Tougan en octobre 1929 comme en témoignent des notes d’appréciation signées par lui à cette date. Si l’anecdote se situe en décembre *1930*, elle peut alors avoir eu lieu soit à la fin du temps du commandant de Menou (dont la date de départ n’est pas indiquée), soit au début du mandat de son successeur le commandant de Mengant. Il fallait choisir... Je l’ai placée au temps du commandant de Menou, mais ce choix n’engage que moi.]

Un jour de l'année 1930, le commandant de Menou et moi étions assis sous la véranda des bureaux du cercle, où se tenait une grande palabre relative à la campagne agricole de l'année à venir. Tout à coup, nous vîmes déboucher sur la place un cavalier lancé à toute bride. Il s'arrêta devant la véranda, sauta de sa monture et vint s'aplatir à terre devant le commandant dans la position de salut traditionnelle des Samos. Quand il se releva, il déclara :

"Interprète, dis au commandant que la guerre est née cette nuit dans la province de Louta, au village de Dagalé. Le chef de province Tchikendé Ouermé a fait parler la poudre. Il a assiégé le village avec une section de trente chasseurs. Il a passé la moitié de la nuit à tirer sur tout ce qui bougeait. Celui qui viendrait déclarer que la ville de Dagalé est en train de baigner dans son sang, je ne le contredirais pas. O interprète ! Dis au commandant d'aller vite, très vite, éteindre un incendie dont les flammes, en voltigeant, pourraient bien réduire en cendres Gon, Gommé, Korogri, Karetokossel, Soro, Sindjé, et j'en passe..."

L'interprète traduisit au commandant le message du cavalier. Le commandant fit immédiatement suspendre la palabre et me dit de le suivre dans son bureau. Il rédigea rapidement le texte d'un télégramme et me le tendit pour être dactylographié. Par ce télégramme, il informait le gouverneur et le commandant du cercle de Dédougou qu'une révolte venait d'éclater dans la province de Louta et qu'il demandait des instructions.

"Avant de taper ce texte, puis-je me permettre de vous dire un mot, mon commandant ?

— Bien sûr !

— A votre place, j'enverrais d'abord ce télégramme au seul commandant de cercle ; et je ne dirais pas «révolte», mais «incident qualifié grave». J'ajouterais : «Me rends sur les lieux pour vérifier faits et envisager mesures qui s'imposent.» Je sais qu'en cas de révolte le chef de subdivision peut saisir à la fois le gouverneur et le commandant de cercle afin d'éviter tout retard, mais nous ne sommes pas certains qu'il s'agisse bien d'une révolte armée. Si vous l'annoncez et que ce ne soit pas exact, vous risquez de perdre la face."

M. de Menou opina et modifia son télégramme en conséquence. Puis il s'exclama en riant : "Alors, dauphin de Louta, nous allons nous faire flécher par tes sujets ? Organise donc l'expédition, nous partirons demain matin de bonne heure.

— Si mon commandant n'a pas de raisons personnelles qui s'y opposent, osai-je ajouter, je crois qu'il serait préférable de partir cet après-midi afin de passer la nuit à Donkou où nous pourrons commencer notre enquête.

— Entendu ! opina le commandant. Fais le nécessaire."

Je fis venir le brigadier-chef Mamadou Kamara : "Le commandant ordonne de mettre en route pour Dagalé dix gardes de cercle et quinze goumiers sous les ordres du brigadier Tahiré Guitiba. Ils marcheront toute la nuit pour être demain de bon matin à Dagalé. Le commandant les y rejoindra demain." A quinze heures, le convoi était mis en route. Vers dix-sept heures, le commandant, l'interprète et moi prenions place dans une camionnette conduite par le garde-clairon Brahima Guindo. Nous emportions une caisse de mille cartouches.

Pendant le trajet, je me demandais ce qui avait pu se passer exactement. J'avais toujours entendu parler de Tchikendé Ouermé en bien. Son seul grand défaut – à la vérité une tare impardonnable aux yeux des Samos du clan mathia ! – était d'être un Dogon que les hasards de l'histoire avaient propulsé à leur tête.

Avant la conquête française, le nord du pays samo avait été conquis par les Toucouleurs du royaume de Bandiagara, et l'on se souvient que la province de Louta, peuplée de Samos du clan Mathia, avait été commandée successivement par Amadou Ali Thiam, puis par son fils, mon père adoptif Tidjani Thiam. A partir de 1903, année qui vit la suppression de l'hégémonie toucouleure avec la destitution de mon père, les Samos-mathias n'eurent plus de chef digne de ce nom.

En 1914, la terrible famine qui sévit dans tous les pays de la Boucle du Niger chassa de chez elle une famille dogon du clan Ouermé. Cette famille vint se fixer en pays samo-mathia, où elle édifia un hameau qu'elle appela Loroni. De tous les habitants de Loroni, un homme, Tchikendé, se distinguait par sa taille, sa force physique, son courage et son intelligence. Il devint le chef de Loroni, et bientôt l'homme le plus en vue du pays samo-mathia tout entier.

Après l'accession du pays au statut de colonie autonome en mars 1919 sous l'appellation de "Haute-Volta", un administrateur adjoint des colonies, M. Gastinel, fut nommé à la tête de la subdivision de Tougan. Il constata que le grand canton mathia de Louta était mal dirigé et qu'une situation anarchique l'empêchait de se développer et d'aller de l'avant. Ayant repéré Tchikendé au cours d'une tournée, il décida, en dépit des lois de la coutume, de le nommer chef du canton. Qu'un Dogon réfugié en pays mathia en devienne le chef alors que les ayants droit naturels étaient là, en chair et en os, était inadmissible pour les Samos. Mais, à l'époque, les décisions des administrateurs des colonies avaient valeur de loi, et quiconque s'y opposait risquait d'aller en prison ou d'être déporté hors de son pays. Quant aux autorités supérieures, elles ne voyaient et n'agissaient que par le truchement des administrateurs à qui tous les pouvoirs publics étaient délégués. Un dossier plus ou moins fabriqué évoquant un vote quasi unanime des notables fut envoyé au gouverneur, qui ordonna de prendre un arrêté nommant Tchikendé Ouermé chef du canton de Louta, afin d'officialiser le fait accompli. Voilà comment Tchikendé, le Dogon fugitif de 1914, devint, contre toute logique traditionnelle, le chef des Samos-mathias.

Tchikendé se révéla un chef dynamique et intelligent. Il réveilla le canton de sa léthargie. De gré ou de force, tout le monde se mit au travail. En un rien de temps, le canton de Louta se classa parmi les plus prospères de toute la subdivision de Tougan. Tchikendé administrait avec poigne, mais il n'était pas pour autant un fou de commandement ; il n'oublia jamais ses origines modestes et les circonstances malheureuses qui l'avaient amené, avec sa famille, en pays samo-mathia.

Avec le temps, un groupe de Samos, tous anciens combattants de la guerre 14-18 et réunis derrière le sergent Bia Zerbo, médaillé militaire et Croix de guerre avec palmes, se ligua contre Tchikendé Ouermé. Les comploteurs – nous devions l'apprendre par la suite – tenaient leurs réunions clandestines à Toïni et à Dagalé. Avant que Tchikendé en sût quelque chose, la machination avait gagné tout le Gondougou, c'est-à-dire tous les villages environnant Toïni, auxquels mon père Tidjani Thiam avait déjà eu affaire lors des tristes événements de 1903*. Des dénonciations se mirent à pleuvoir

* [Cf. *Amkoullel, l'enfant peul*, "La révolte de Toïni", p. 62 (coll. "Babel", p. 78).]

à l'encontre du chef Tchikendé. C'est alors qu'éclata l'incident de Dagalé…

Le village de Donkou, où nous voulions passer la nuit, était le premier de la province de Louta sur la route venant de Tougan. Arrivés à la nuit tombée, nous nous installâmes au campement. Le chef de village se présenta accompagné de quelques notables. Interrogé par le commandant, il confirma que, deux jours auparavant, les gens de Donkou avaient entendu, durant une bonne partie de la nuit, tirer des coups de fusil du côté de Dagalé. Un fuyard leur avait dit que le chef de province Tchikendé Ouermé, après avoir été une première fois battu par les habitants de Dagalé, avait ensuite investi le village avec ses chasseurs et ouvert le feu. Le commandant demanda au chef s'il y avait eu des morts et des blessés. Il n'en savait rien. Un seul fait était certain, c'est qu'il y avait eu fusillade à Dagalé.

Le lendemain matin, vers sept heures, nous quittions le campement de Donkou. Trente minutes plus tard, nous étions en face de Dagalé. Le convoi, arrivé avant nous, nous attendait au campement. Le commandant décida d'entrer immédiatement dans le village. Chose étrange, nous n'entendions aucun bruit ; tout semblait plongé dans un silence de cimetière. Les ruelles, les cours, tout était désert, vidé de toute présence vivante comme par l'opération d'un génie maléfique. Pas un seul être humain, pas un animal, pas même un poulet affolé traversant une ruelle ! Dans ce village figé, seuls s'agitaient quelques branchages sous le souffle du vent.

"Il n'est pas possible que tout le monde soit mort, même les animaux !…" s'exclama le commandant.

Il donna l'ordre de revenir au campement où, contrairement à l'usage, personne n'était venu nous souhaiter la bienvenue. Comme nous commencions à défaire nos bagages, nous vîmes sortir de la paillote qui servait de cuisine un petit vieux aux yeux hagards, qui tremblait de tous ses membres. Il s'avança vers nous, tenant à peine sur ses jambes, et se présenta : "Je suis le chef du village, traduisit l'interprète. Tous les habitants ont fui dans la colline. Je suis le seul à être resté ici, car je n'ai pas voulu abandonner le village. Ils ont tout emporté avec eux, jusqu'aux poulets et ustensiles de cuisine, si bien que je n'ai même pas de quoi tirer de l'eau du puits pour vous donner à boire, ni pour vous cuire un repas." Je rassurai le chef de village en lui disant que les gardes et goumiers avaient apporté tout ce qu'il fallait. Il s'écroula presque de faiblesse. Le vieil homme mourait de faim, c'était visible. Je demandai au commandant la permission de remettre à plus tard son audition afin de le nourrir d'abord.

Après s'être bien restauré, le chef vint de lui-même demander à parler au commandant. "Alors, chef de Dagalé ! fit ce dernier. Si ton commandant et ses hommes n'étaient pas venus à temps, que serais-tu devenu ? Où serais-tu allé ?

— Je serais mort et je serais allé au cimetière", répondit-il avec un large sourire.

Le commandant fit asseoir le vieil homme devant lui : "Raconte-moi exactement et en détail ce qui s'est passé, et pourquoi tout le monde a fui le village."

Le chef commença son récit :

"Interprète, dis au commandant que Tchikendé Ouermé, notre chef de province, est un homme dépourvu de bonnes manières. Il est venu à Dagalé avec son monde pour encaisser l'impôt. Il a ordonné aux habitants de Dagalé, hommes, femmes et enfants, de se réunir au campement. Une fois tout le monde réuni, il a décidé que seuls ceux qui auraient totalement payé l'impôt pourraient rentrer au village. Après nous avoir fait endurer cette vie de prisonniers durant deux jours pleins, il a menacé d'envoyer ses hommes perquisitionner dans les maisons de ceux qui n'avaient pas encore payé. Nos jeunes gens ont trouvé ce procédé abusif de la part du chef, et avilissant pour les habitants. Ils se sont d'ailleurs demandé si ce n'était pas un manège de Tchikendé Ouermé pour permettre à ses hommes de piller notre village pour son compte. Ils se sont révoltés, se sont précipités sur le chef et sa suite et les ont battus.

"Tchikendé Ouermé est sorti de Dagalé avec sa suite au grand galop, mais il est revenu le lendemain au crépuscule, accompagné de trente chasseurs, tous de race dogon comme lui. Et là, sans crier gare, il a ordonné à ses chasseurs de tirer sur le village ! La fusillade a duré jusqu'à l'aube. Les habitants, pris de panique, se sont enfuis dans la montagne voisine avec tous leurs biens, y compris le petit bétail et la volaille. Ils savent bien que Tchikendé Ouermé est capable de les tuer ! Il n'aura aucune pitié, il n'épargnera personne ! Ce n'est pas un Samo, c'est un Dogon chassé de chez lui par la grande famine. Il est venu se réfugier en pays samo, il a réussi à se mettre dans les bonnes grâces des autorités françaises, et finalement il a été nommé chef de province à la place de l'un des nôtres. Il a été imposé aux Samos. Aucun Samo n'aime Tchikendé Ouermé, et nous sommes tous disposés à le combattre. Nous, nous sommes pour Bia Zerbo, un Samo de Toïni. Voilà ma réponse à la question que m'a posée le commandant ! conclut le chef, tout échauffé par son récit.

— Y a-t-il eu des morts et des blessés ? questionna le commandant.

— Pas à ma connaissance.

— Comment expliques-tu qu'une fusillade exécutée durant toute une nuit par trente chasseurs, tous hommes d'armes expérimentés, n'ait fait ni morts ni blessés et n'ait pas laissé de traces visibles dans le village ? Car nous n'avons vu aucune trace de balles ou d'incendie, aucun mur écroulé, aucun cadavre, rien !

— Ce sont nos dieux et les mânes de nos ancêtres qui ont protégé le village ! Tchikendé, lui, est venu pour le détruire."

Cette réponse fit sourire le commandant. "Penses-tu que les jeunes gens de Dagalé ont bien fait de frapper un chef de province installé par la France dans le pays ?

— Le commandant me donne-t-il la permission de répondre sans risquer de me faire punir ?

— Parfaitement. Tu peux parler librement.

— Eh bien, interprète, dis au commandant que je ne comprends pas l'attitude de la France. Elle dit qu'elle a chassé de notre pays les chefs toucouleurs pour nous aider à retrouver notre liberté, et ensuite elle nous impose un chef dogon qui nous est aussi étranger que les Toucouleurs, avec cette aggravation que les Dogons, eux, contrairement aux Toucouleurs, ne nous ont jamais vaincus. Puisque le commandant m'a autorisé à parler librement, j'ajouterai ceci : Qu'il dise au grand *gofornor*, notre chef à tous, que s'il tient absolument à placer à notre tête un étranger, alors qu'il nomme Amadou Bâ, son commis, comme chef de la province, puisque son père a déjà été notre chef. Nous le préférons à Tchikendé Ouermé."

Le commandant s'esclaffa : "Ah ! Nous y sommes, monsieur le dauphin ! Voilà que tes anciens sujets te réclament. Si tu tiens à devenir chef de cette province, ce n'est pas moi qui m'y opposerai. Je n'y vois que des avantages pour l'administration."

Le temps d'un éclair, je me vis soudain sur un bel étalon blanc argenté, richement harnaché à la marocaine. Vêtu de riches boubous, la tête serrée dans un turban bleu lustré, je portais des bottes de cavalier à la manière du prince Lolo Diallo. Une suite à cheval m'accompagnait. Des coups de fusil soulignaient mes pas et des griots criaient mes louanges, tandis que résonnaient partout mes deux noms de lignage, celui de ma naissance et celui de mon père adoptif : "Bâ !... Bâ !... Thiam !... Thiam !..." Le mirage ne dura qu'un instant. Je retrouvai mes esprits.

"Mon commandant, répondis-je, je suis profondément ému par la bonté de votre intention. Je sais que, si vous le voulez, vous pouvez me faire nommer chef de la province de Louta. Malheureusement, il m'est impossible de briguer cette place, et cela pour deux raisons. D'abord, l'ancien chef de la province, mon père adoptif Tidjani Amadou Ali Thiam, est encore vivant ; il réside chez moi, à Bandiagara. Je ne puis prendre sa place alors qu'il est encore de ce monde, et jamais le gouvernement de la Haute-Volta ne consentira à lui redonner son poste. Ensuite, mon maître et père spirituel Tierno Bokar, de Bandiagara, m'a recommandé de servir les hommes avec dévouement, mais de ne pas chercher à les commander ; et je me suis promis de faire de son conseil ma devise.

— Bon ! fit le commandant. Mettons que je n'ai rien dit, et continuons notre enquête."

Le commandant fit demander au chef de village comment on pouvait faire revenir les habitants de Dagalé. "Je ne sais pas, répondit le chef. Une chose est certaine : ils ne répondront pas à mon appel, même si j'allais les trouver. Ils m'en veulent d'être resté ici au lieu de partir avec eux. Mais je suis chef de ce village, je ne pouvais pas m'enfuir…"

De par mes fonctions au bureau militaire du cercle, je savais que la population du village comptait des anciens tirailleurs, et qu'il pouvait se trouver parmi eux un ancien sous-officier indigène. J'eus une idée. J'appelai notre chauffeur, le garde-clairon Brahima Guindo, et lui demandai de jouer pendant un bon quart d'heure la sonnerie appelée "Appel au caporal".

Brahima Guindo emboucha son clairon et se mit à jouer :

Tataran tan tan tan !
tataran tan tan tan !
taa tatata taa tatata taa tatata tan !

Les notes, amplifiées par l'écho des collines, se répandirent au loin. Le commandant me demanda ce que j'avais en tête. Je lui expliquai mon idée : "Puisque le chef de village ne peut aller vers ses administrés, la sonnerie fera peut-être venir à nous quelqu'un qui nous renseignera…"

Une demi-heure plus tard, une silhouette apparut. Un homme revêtu des fripes déchirées d'un ancien costume de tirailleur s'avançait vers nous cahin-caha. Suant à grosses gouttes, respirant par saccades, il basculait sur ses jambes affaiblies. Son corps était couvert de chancres de syphilis. Comme pour le chef de village, au lieu de le harceler immédiatement nous le laissâmes d'abord se nourrir et se reposer un peu. Nous devions apprendre par la suite que le pauvre homme, affaibli par sa maladie, n'avait pu s'éloigner très loin de Dagalé et qu'il s'était réfugié tout seul dans une grotte où il n'avait rien à manger.

Quand il eut repris quelques forces, je l'amenai auprès du commandant. Il le salua impeccablement à la manière militaire.

"Pourquoi es-tu venu alors que tous les tiens sont en fuite ? demanda le commandant.

— Moi entendu appel caporal, répondit-il en «français des tirailleurs». Ya pas aut' caporal au village. Moi caporal retraité, mais toujou caporal. Le règlement y dire : si toi entendu appel, toi y répond présent. Moi je veni et je dis : Présent ma coumandan !"

Toujours par le biais de l'interprète, le commandant interrogea longuement le vieux caporal. A travers ses déclarations, nous comprîmes que la révolte contre Tchikendé Ouermé était animée par un groupe d'anciens tirailleurs qui voulaient le renverser et donner sa place à l'un des leurs, Bia Zerbo de Toïni, "le seul homme qui osait dire à Tchikendé : Halte-là !". Il nous indiqua dans quelles directions étaient partis les gens de Dagalé.

Le commandant envoya des goumiers dans les villages environnants pour annoncer qu'il était venu avec une compagnie de gardes et le responsable de son bureau militaire afin d'enquêter sur la fusillade de Dagalé ordonnée par le chef Tchikendé Ouermé, et qu'il souhaitait entendre tous les habitants du village. Il invitait tous ceux qui avaient des griefs à formuler contre le chef et ses représentants à se rendre à Dagalé pour y faire leurs dépositions. Par ailleurs, un garde avait été dépêché à Loroni auprès du chef de canton pour lui intimer l'ordre de se rendre à Dagalé avec ses représentants et notables.

Trois jours après, la population habituelle du village avait doublé ; de nombreux notables ou habitants des villages voisins étaient également venus. Seul manquait le probable instigateur des événements, l'ancien sergent-tirailleur Bia Zerbo.

L'interprète Nétimo Nakro ayant dû être rapatrié entre-temps à Tougan à la suite d'un violent accès de fièvre, il était indispensable que je fusse doublé par un interprète valable, car le plus grand nombre des Samos ne parlaient ni le français, ni le bambara, ni le peul, et de mon côté je ne parlais aucun des quatre dialectes samos. Après un sondage parmi les assistants, il se révéla qu'un seul pouvait jouer ce rôle d'interprète : le chef Tchikendé Ouermé lui-même. Il parlait à la fois le samo et le bambara, mais très peu le français. Je fis part de ma proposition au commandant : le chef Tchikendé traduirait les réponses des Samos en bambara, et je les traduirais ensuite en français.

Le commandant s'exclama : "Es-tu devenu fou ? Tu voudrais que Tchikendé Ouermé soit à la fois juge et partie ?

— Mon commandant, répondis-je, je sais que presque tous les anciens tirailleurs samos qui sont disséminés parmi les habitants comprennent le bambara, bien qu'ils ne veuillent pas le déclarer. Ils n'aiment pas Tchikendé, et si celui-ci falsifie une déposition, ils le dénonceront immédiatement. Ce sera un test qui nous permettra de juger de la probité et de la droiture du chef Tchikendé." Faute de mieux, le commandant donna son accord.

Je me tournai vers les habitants et déclarai en bambara : "Le commandant vous pose les questions suivantes : Pourquoi y a-t-il eu bagarre entre vous et votre chef de province ? Pourquoi avez-vous fui votre village et vous êtes-vous cachés comme si vous étiez des malfaiteurs ? Qu'avez-vous à reprocher à votre chef ? Et pourquoi, au lieu d'aller demander justice au commandant, vous êtes-vous permis de le battre, lui et ses hommes, alors que les militaires qui sont parmi vous savent qu'un tel acte est extrêmement grave ?" Mes questions étaient traduites au fur et à mesure par Tchikendé Ouermé.

Au lieu de répondre, chacun des habitants baissa la tête, comme pour éviter le regard que le commandant et moi posions sur chacun d'eux. Le silence dura cinq bonnes minutes. Le commandant demanda si quelqu'un se décidait à répondre, oui ou non, à ses questions. Personne ne bougea. Agacé, il déclara : "Eh bien ! Puisque les gens de Dagalé ont perdu l'usage de la parole et qu'il ne leur reste plus que des oreilles pour entendre, je vais donner la parole à leur chef de province. Tant pis pour eux !"

Le chef Tchikendé Ouermé remercia le commandant, puis fit en bambara le récit suivant, que je traduisais au fur et à mesure en français :

"Mon commandant, votre prédécesseur le commandant Fournier avait, avant son départ, réuni dans son bureau à Tougan les douze chefs de canton de la subdivision afin de leur communiquer la teneur d'un télégramme officiel du gouverneur. Celui-ci rendait les commandants de cercle et de subdivision, ainsi que les chefs de province, de canton et de village personnellement responsables de la rentrée de l'impôt et des taxes dues par les contribuables. A mon retour, j'ai provoqué une réunion générale des chefs de tous les villages de la province de Louta, et même des chefs de quartier. La réunion a eu lieu à Louta, ville sainte et capitale religieuse du pays, où se trouve le puits sacré des Samos. Tous les notables réunis me promirent que notre province serait sinon la première, du moins parmi les trois premières à finir de payer l'impôt.

"Avant même de quitter la ville de Louta, l'ex-sergent-chef Bia Zerbo réunit, en dehors de moi, les chefs et notables des onze villages du Gondougou : Toïni, Gon, Gommé, Korogri, Soro, Samé, Sindjé, Donkou, Dagalé, Karemangal et Karetokossel. Il les incita à se désolidariser des autres villages de la province et à refuser de verser leur impôt entre mes mains, espérant qu'ainsi je serais mal vu du commandant français et relevé de mes fonctions de chef de province. Cela m'a été rapporté sur-le-champ, mais je n'en ai pas tenu compte. J'ai eu tort, je le confesse, de n'avoir pas fait procéder dès ce moment à une enquête pour confondre Bia Zerbo et ses acolytes.

"Les choses ont suivi un cours normal jusqu'au moment où j'ai commencé à encaisser l'impôt dans le Gondougou. Chaque fois que j'arrivais dans un village, je ne trouvais sur place que le chef et quelques individus sans importance : les uns étaient partis en voyage, d'autres visitaient des parents, d'autres se trouvaient dans leurs hameaux de culture, etc. J'ai vite compris que la propagande de Bia Zerbo avait porté ses fruits dans la région. J'ai alors mené une contre-offensive en raisonnant les notables, et à cette date j'ai réussi à ramener à moi tous les villages du Gondougou, à l'exception de Dagalé. Tous ont payé leur impôt, sauf le village de Dagalé qui n'a rien versé jusqu'ici. Trois de mes envoyés successifs ont subi un échec total.

"Le trésorier de Tougan m'ayant relancé pour la troisième et dernière fois, j'ai alors décidé de venir moi-même à Dagalé. Je me suis installé au campement, j'ai convoqué tous les habitants, et je leur ai déclaré qu'aucune famille ne retournerait au village tant qu'elle n'aurait pas payé ses impôts. Bia Zerbo s'est levé et a fulminé contre moi, disant que je n'avais pas le droit d'exiger un impôt dont la moitié allait dans ma poche. «Rentrez chez vous ! a-t-il ordonné aux habitants. Et si ce soi-disant chef de province essaie de vous en empêcher, battez-le, battez ses hommes, il n'en résultera absolument rien. J'en assume la responsabilité. Je suis un ancien combattant de *Quatoze-dizuit*. J'ai fait la guerre en France et en Syrie. J'irai voir le général s'il le faut. Je ne traite pas avec des commandants civils à l'abri dans leurs bureaux quand des gens comme moi exposions notre poitrine aux balles des ennemis de la France !»

"Les habitants de Dagalé ne se le firent pas répéter deux fois. Ils se ruèrent vers la sortie du campement. Mes hommes essayèrent de leur barrer la route, mais ils furent battus au sang. Comme je tentais d'intervenir, des jeunes gens m'entourèrent et me rouèrent de coups. Je réussis à leur échapper et à sauter sur mon cheval, ce qui me permit de bousculer nos agresseurs, de dégager mes hommes et de quitter le village avec eux pour regagner Loroni.

"Devant une attaque aussi inqualifiable, je ne pouvais rester sans réagir. Le lendemain, au crépuscule, je revins à Dagalé avec trente chasseurs armés de fusils indigènes. Je leur ordonnai de tirer à blanc sur le village pour effrayer les habitants et leur faire sentir la gravité de la faute qu'ils venaient de commettre. Heureusement pour nous, au lieu de riposter ils se débandèrent dans la brousse, Bia Zerbo en tête. Je rentrai alors à Loroni pour attendre la suite de cet incident, qui aurait pu être désastreux si les Samos avaient utilisé leurs flèches empoisonnées pour nous répondre.

"Voilà, mon commandant, ce que j'avais à dire. Vous n'y trouverez ni mensonge, ni cachoterie, ni falsification. Maintenant, puisque les habitants du village sont demeurés muets, je me permettrai de répondre aux questions que vous leur avez posées.

“Premièrement : s’ils ont fui leur village, c’est parce qu’ils ont pris peur de ma fusillade, et surtout parce qu’ils se sont rendu compte de la gravité de la situation dans laquelle Bia Zerbo les a entraînés.

“Deuxièmement : ce qu’ils ont à me reprocher, c’est d’être de race dogon et non samo comme eux. Par nature, les Samos sont très braves, mais ils sont également naïfs et influençables. S’ils ont suivi Bia Zerbo, ce fut surtout par attachement sentimental. Bien qu’ils aient agi sans discernement, le fait de n’avoir pas utilisé, pour riposter, les flèches empoisonnées qu’ils possèdent en grande quantité et qu’ils savent tirer avec une adresse remarquable, constitue à mes yeux une circonstance atténuant la gravité de leur faute. Je vous demanderai, mon commandant, d’en tenir compte en leur faveur. Le vrai coupable, c’est Bia Zerbo, et lui seul. Il a d’ailleurs aggravé son cas en ne se présentant pas avec ses parents.”

Jusqu’alors, le commandant de Menou ne portait pas spécialement Tchikendé Ouermé dans son cœur, et plus d’une fois, en parlant de lui, il avait employé le qualificatif de “bandit”. Mais en entendant sa déposition, et surtout sa plaidoirie en faveur de ceux qui l’avaient rossé, sa conviction en fut quelque peu ébranlée. Il s’adressa au chef du village : “Si personne ne veut rien dire, j’inculperai tous les hommes de Dagalé pour refus de paiement de l’impôt et pour coups et blessures sur la personne du chef de canton dans l’exercice de ses fonctions.”

Un notable se leva et dit aux autres : “Mes parents, nous en sommes arrivés à la phase finale de notre affaire avec Tchikendé Ouermé. L’adage dit : *Quand un vol a été commis dans une pièce et que tous les suspects sont réunis, mieux vaut être parmi ceux qui pourront dire*

«Nous ne sommes jamais entrés dans cette pièce» plutôt que parmi ceux qui diront «Nous y sommes entrés mais nous n'y avons rien pris». Maintenant, et sans attendre davantage, il nous faut dire ce que nous avons sur le cœur. Quant à moi, j'accuse le chef d'avoir volé aux habitants de la province soixante mille francs, dix tonnes de mil et cent vingt moutons et chèvres." Tchikendé Ouermé traduisit son discours en bambara, et moi en français.

Ce fut comme l'ouverture des écluses d'un barrage ! Cinq autres notables se levèrent pour confirmer l'accusation portée par leur camarade, affirmant que dans chaque autre village on trouverait cinq ou six notables pour en faire autant.

Le commandant demanda si, parmi les plaignants, quelqu'un avait une accusation personnelle à porter contre le chef Tchikendé Ouermé. L'un d'entre eux se leva et fit une déclaration, que Tchikendé traduisit ensuite à mon intention en bambara. A mon grand émerveillement, il employait la première personne du singulier, comme si c'était lui qui parlait, et sans omettre le moindre détail. Je rapporte ici sa traduction :

"Voici le dire du Samo : J'ai à porter plainte contre le chef Tchikendé Ouermé, car chaque fois qu'il vient à Dagalé, au lieu d'aller au campement ou chez le chef de village, il s'installe chez moi et occupe ma propre chambre à coucher. C'est ce que j'ai à lui reprocher. En plus, il a volé dans le pays soixante mille francs et cent vingt moutons et chèvres. Son passage dans un village est plus néfaste pour nos basses-cours que celui d'une troupe de chats sauvages. Tchikendé Ouermé est un mauvais chef. C'est un Dogon. Il faut le destituer. Nous, les Samos, nous ne l'aimons pas. J'ai fini de parler !"

Je traduisis au commandant cette déclaration en français, en imitant la manière employée par Tchikendé Ouermé. De ce jour, j'adoptai une fois pour toutes cette façon de procéder ; elle me servira énormément lorsque plus tard, à Bamako, je servirai occasionnellement d'interprète au gouverneur du Soudan les jours de grandes cérémonies ou réceptions officielles*.

Le commandant demanda au chef Tchikendé ce qu'il avait à répondre à cette accusation. "Mon commandant, répondit ce dernier, je souhaiterais que vous enregistriez d'abord toutes les plaintes qui seront déposées contre moi dans les onze villages du Gondougou. Puis je vous demanderai de réunir tous les plaignants à Louta, où eux et moi boirons chacun une gorgée d'eau du puits sacré. Après cela, je répondrai à mes accusateurs.

— Pourquoi boire une gorgée d'eau du puits de Louta ? demanda le commandant.

— Parce que la tradition samo enseigne que tout natif ou habitant de ce pays qui ment en ayant de l'eau du puits sacré dans l'estomac mourra ou attrapera une maladie incurable. C'est une conviction religieuse. Personne n'osera mentir."

* [Contrairement à ce qui est parfois dit ou écrit, Amadou Hampâté Bâ n'a jamais appartenu au corps des interprètes. Jusqu'à son départ pour l'IFAN en 1942, il est resté "commis expéditionnaire" et assura des fonctions administratives à la mairie de Bamako ou au bureau militaire, comme on le verra dans le tome suivant. Mais dans le même temps, en raison de sa parfaite connaissance du français et d'autres langues locales, les autorités faisaient appel à lui pour servir d'interprète lors des grandes occasions (visite d'une personnalité, etc.). Il était considéré comme "l'interprète privé" du gouverneur. Lui-même, dans ses propos, simplifiait parfois en disant "interprète du gouverneur", ce qui a sans doute donné naissance à cette confusion.]

Nous passâmes dans les onze villages du Gondougou. Partout les plaignants, semblant réciter une leçon bien apprise, faisaient la même déposition, à l'exception du village de Toïni où un ex-adjudant des tirailleurs, Dabi Drabo, s'adressa directement au commandant en français *forofifon*, le langage imagé des tirailleurs :

"Ma coumandan, ici dans tout pays de nous, les Samos-mathias, personne y content pas Tchikendé Ouermé y faire chef. Lui voleur beaucoup. Lui arraché ma femme et l'a mariée à son goumier. Si chef Tchikendé Ouermé y veni dans un village, toutes les belles femmes c'est pour lui et ses goumiers. Lui y faire grand putain. C'est pourquoi chaque l'année sauterelles y veni bouffer toutes nos récoltes. Bon Dieu y content pas chef putain, y content pas chef voleur, alors Bon Dieu y envoyer sauterelles, pasque Tchikendé Ouermé c'est grand putain et grand voleur." Le commandant de Menou enregistra patiemment toutes les dépositions, bien que ne considérant comme digne d'attention que la seule accusation de malversation portant sur soixante mille francs et le petit bétail. Il commençait à penser que les anciens tirailleurs étaient à la base de toute cette affaire, et me fit observer que, dans tous ces villages, pas un seul notable n'avait l'envergure de Tchikendé Ouermé.

Une fois notre enquête terminée, le commandant fit annoncer par un messager qu'une grande palabre allait se tenir à Louta. Tous les chefs de village et de quartier, tous les plaignants, plus deux notables par village, y étaient conviés pour le surlendemain.

A Louta, nous nous installâmes au campement administratif. J'appris que celui-ci avait été construit sur l'emplacement même où, jusqu'en 1903, s'élevait le palais de mon père Tidjani Thiam, alors chef toucouleur de la province. Je m'installai dans une grande case ronde aux murs de pisé et à la toiture en chaume. A cette époque de l'année, il faisait froid dès la nuit tombée. Je demandai à un serviteur d'allumer un feu de bois, ce qu'il fit dans un coin de la case. Presque sur-le-champ, un vieux "Marka-djalan" (c'est-à-dire un Marka qui avait perdu l'usage de sa langue et qui s'exprimait dans la langue locale*) se présenta à ma porte. Je le reçus avec la politesse due à son âge et lui demandai ce qu'il voulait. "Je voudrais que tu fasses éteindre immédiatement ce feu", me répondit-il. J'allais lui demander pourquoi, mais je me remémorai un enseignement de l'initiation traditionnelle selon lequel les jeunes doivent exaucer les prières des vieillards ou exécuter leurs ordres avant même de leur demander la moindre explication. Je fis donc éteindre le feu, et donnai en cadeau au vieux Marka cinq grosses noix de cola et un paquet de sel. Il me regarda longuement.

"Amadou Bâ ! dit-il. Pourquoi m'as-tu obéi sans rien dire et m'as-tu donné de la cola et du sel, alors que c'est moi qui devrais recevoir des ordres de toi et te donner un cadeau ? En effet, jadis ton père était mon chef, et tu l'es encore aujourd'hui.

— Mon bon grand-père, répliquai-je, mon père Tidjani Thiam, fils du grand chef Amadou Ali Thiam, m'a toujours dit : «Il faut accepter les conseils des vieux et leur offrir des petits cadeaux d'honneur, car même si on est leur chef, on ne doit pas les commander.»

— Amadou, ton père avait raison. Si un chef veut commander à des vieillards, il lui faut en effet écouter

* *Marka djalan* signifie "Marka sec", comme un arbre dépouillé de ses feuilles.

leurs conseils et leur témoigner sa considération par des petits cadeaux qui honorent plus qu'ils n'enrichissent. Par le seul fait d'avoir éteint sans rien dire ce feu dont tu avais besoin pour te réchauffer et de m'avoir honoré par ce cadeau symbolique, tu m'as apprivoisé. Je reviendrai ce soir bavarder avec toi."

Après le dîner, le vieux Marka revint. Son premier soin fut de m'indiquer un autre coin de la case où je pouvais installer un feu. J'en fis donc rallumer un à cet endroit. Il m'apprit alors qu'il se nommait Yacouba Tréra, qu'il était marabout et qu'il avait fait ses études d'arabe à Djenné et à Tombouctou. Je l'installai confortablement dans ma chaise longue et m'assis sur mon lit de campagne en face de lui, prêt à l'écouter.

Le vieil homme me conta toute l'histoire de Louta, depuis la conquête toucouleure jusqu'à la nuit de notre entretien. "Et maintenant, ajouta-t-il, je vais te dire pourquoi je t'ai demandé d'éteindre ton premier feu : il était installé au-dessus de la tombe de ton grand père Amadou Ali Thiam, à l'endroit précis où se trouve sa tête. J'étais l'un des conseillers et amis intimes de ton grand-père, et, à sa mort, quand ton père a voulu le faire enterrer avant le lever du jour, j'ai fait partie de ceux qui s'occupèrent de sa dépouille. Nous avons allumé un grand feu pour procéder à sa dernière toilette, avant de creuser sa tombe et de l'inhumer. Le foyer de ce feu fut installé à l'endroit que je t'ai indiqué, où brûle en ce moment ton nouveau feu."

Je ne saurais décrire l'émotion que j'éprouvai à cette révélation. Je raccompagnai le vieux Yacouba Tréra jusqu'à son domicile, et depuis lors je renouai avec lui les liens d'amitié qui l'avaient jadis uni à ma famille. Par la suite il me rendit d'ailleurs de grands services en me mettant en relations avec tous les vieillards des cantons entourant la province de Tougan, et auprès desquels je recueillis beaucoup d'informations sur l'histoire et les coutumes du pays.

Avant de partir, il me dévoila le complot formé par les anciens tirailleurs samos en vue d'évincer Tchikendé Ouermé et de le faire remplacer par l'ex-sergent-chef Bia Zerbo.

Le lendemain matin, à huit heures, tout le monde était présent sur la place où se trouvait le puits sacré. Le commandant installa sa table sous un hangar aménagé pour la circonstance. Il appela par leurs noms tous ceux qui avaient déposé contre le chef de province, et les fit aligner en face du puits sacré. Le chef Tchikendé Ouermé donna l'exemple en se mettant en place comme tout le monde. Le commandant me chargea de diriger les opérations.

Je demandai au chef de Louta de faire puiser de l'eau dans le puits sacré et d'en remplir une grande bassine métallique. Puis, au nom du commandant, j'invitai chaque personne à venir avaler une gorgée de cette eau sacrée. Le chef Tchikendé fut le premier à le faire. Sur les trente accusateurs présents, quinze seulement acceptèrent de subir l'épreuve du puits ; les quinze autres se rétractèrent.

Après la cérémonie du puits, le commandant entreprit un nouvel interrogatoire des accusateurs. Ceux-ci ne maintinrent que la seule accusation de malversation, à l'exception de Dabi Drabo qui continua de soutenir que le chef de canton abusait de son pouvoir pour coucher avec toutes les femmes des villages, et qu'il lui avait arraché sa femme, une fille de Toïni, pour la faire épouser par l'un de ses goumiers.

Le commandant interpella Tchikendé Ouermé : "Qu'as-tu à répondre à ce que l'on te reproche ?

— Mon commandant, répondit le chef, je commencerai par réfuter l'accusation de Dabi Drabo, selon lequel je lui ai arraché sa femme, une fille de Toïni, pour la donner à l'un de mes goumiers. Pour commencer, je n'ai pas de goumiers qui me soient propres. Le corps civil des goumiers* a été institué par le commandant de subdivision de Bauminy sur instructions du gouverneur de la Haute-Volta. La province en compte cinq, tous de race samo et non dogon. Ils ont été choisis par un conseil de notables avant d'être proposés par moi au commandant de subdivision qui a décidé leur nomination.

"L'un de ces goumiers avait une fiancée à Toïni – c'est la fille dont parle Dabi Drabo. Rentré au pays l'année dernière, Dabi Drabo a voulu détourner la jeune fille pour lui, se targuant, en tant que gradé militaire, d'avoir priorité en tout sur les civils. L'affaire tourna mal, car la jeune fille ne voulait pas de lui. Dabi Drabo vint alors me trouver à Loroni pour me demander de le soutenir auprès des parents de la jeune fille. Il avait été, disait-il, son premier fiancé, avait «payé les noix de cola de la coutume», et seul son enrôlement sous les drapeaux l'avait empêché de consommer son union. Je le renvoyai à son chef de village, plus qualifié que moi pour régler cette affaire, laquelle relevait de lui en premier ressort.

"Dabi Drabo alla trouver le chef de village. «J'ai vu le chef de canton, lui déclara-t-il. Il te donne l'ordre de nouer mon mariage avec la jeune fille. Si tu refuses, il enverra ses parents en prison.» Le chef de village convoqua les parents et les informa de la situation.

* Les goumiers étaient, en Afrique noire, des sortes de gardes civils recrutés au sein de la population.

Effrayés, ils cédèrent, et le chef de village fit «nouer» le mariage par des notables. Lorsque la jeune fille apprit ce qui s'était passé, elle se sauva et alla se réfugier chez ses oncles maternels.

"Sur ces entrefaites, le goumier, qui était en stage à Dédougou, revint au pays et apprit son malheur. Il prit son arc, deux carquois bourrés de flèches et se rendit tout droit chez Dabi Drabo ; heureusement celui-ci, parti à Tougan toucher sa pension trimestrielle, était absent. Le goumier vint alors me trouver à Loroni pour me demander des explications sur mon attitude. C'est ainsi que j'appris la manœuvre malhonnête de Dabi Drabo. J'ai envoyé chercher la jeune fille chez ses oncles, ai fait casser son mariage avec Dabi Drabo – d'autant plus facilement qu'il n'avait pas été consommé – et ai rendu sa promise au goumier.

"Quant à Dabi Drabo, j'ai menacé de l'envoyer devant votre tribunal. Au lieu de faire amende honorable, il a entrepris une campagne de calomnie contre moi. Il a mis dans la tête des anciens tirailleurs samos qu'en se liguant contre moi ils parviendraient à me faire révoquer et remplacer par un des leurs : lui-même, ou Bia Zerbo. Voilà, mon commandant, ce que j'ai à répondre à l'accusation de Dabi Drabo en ce qui concerne sa prétendue femme que je lui aurais arrachée pour la donner à «mon» goumier.

"J'en viens maintenant à l'accusation de malversation. Mes administrés m'accusent de leur avoir extorqué soixante mille francs, cent vingt moutons et chèvres et dix tonnes de céréales. Ils sont au-dessous de la vérité : il s'agit exactement de soixante-cinq mille francs, de cent quarante bestiaux et de quinze tonnes de céréales. En ce qui concerne les bestiaux et les céréales, voici de quoi il s'agit.

“Chaque année, le canton de Louta doit fournir douze tonnes de céréales destinées au ravitaillement de l’armée, des écoles-internats et des fonctionnaires de la subdivision. Il a fallu y ajouter l’entretien des goumiers. Quand le corps des goumiers a été créé en vue de suppléer le corps des gardes de cercle, le contingent prévu pour la subdivision de Tougan a été fixé à soixante unités, soit cinq goumiers par canton. Le commandant de Bauminy a alors décidé que les soixante goumiers, conduits par l’interprète Nétimo Nakro et accompagnés par un infirmier de santé, un infirmier vétérinaire, cinq gardes de cercle et les palefreniers, feraient une tournée de douze jours à travers chaque canton afin de se présenter à la population et de lui expliquer qu’ils étaient des agents civils de l’autorité, auxiliaires de la police judiciaire et de l’administration directe. Le commandant avait bien spécifié que l’entretien des hommes et de leurs montures devait être assuré par les cantons, ce qui me mettait sur les bras plus de cent bouches à nourrir et soixante-huit chevaux, et cela pour douze jours ! Pour y faire face, j’ai réquisitionné cent quarante têtes de petit bétail, plus trois tonnes de céréales venant s’ajouter à la fourniture annuelle habituelle de douze tonnes. Et je n’ai pas tenu compte de ma propre escorte, composée de cinq chevaux et de douze personnes !

“Voilà, mon commandant, la justification des cent quarante petits bestiaux et des quinze tonnes de céréales que l’on m’accuse d’avoir extorqués. Il ne m’appartient pas de dire à ces gens comment les douze tonnes envoyées à Tougan ont été utilisées. C’est à vous, mon commandant, de les en informer si besoin est. Ce que l’on peut à la rigueur me reprocher, c’est d’avoir gardé pour moi les quelques têtes de bétail et kilos de mil non consommés par la caravane des goumiers. A cela je rétorquerai par l'adage : *Les restes de la curée du lion reviennent à l'hyène*.

"Pour ce qui est de la somme de soixante-cinq mille francs, je vous demanderai, mon commandant, de donner la parole au chef du village de Donkou, ici présent. Il vous racontera toute l'histoire."

Le commandant invita le chef du village de Donkou à s'expliquer.

"Mon commandant, dit-il, j'en jure par la gorgée d'eau du puits sacré que je viens de boire, que ce que je vais dire ne m'a été ni inspiré ni dicté par Tchikendé Ouermé, avec qui, d'ailleurs, je ne m'entends pas toujours très bien. C'est moi qui suis l'inspirateur de la collecte qui a donné la somme de soixante-cinq mille francs remise par mes soins à Tchikendé Ouermé. Voici les faits.

"Quand le gouvernement a créé le corps des goumiers, il a décidé que leurs montures et leurs tenues seraient à la charge de leurs cantons respectifs. Les chefs de canton, qui avaient besoin de ces agents pour la police intérieure, acceptèrent cette proposition. Malheureusement, cette année-là la province de Louta avait fait une si mauvaise récolte qu'elle n'avait même pas pu régler la totalité de son impôt. Il lui était donc impossible de payer pour ses goumiers les cinq chevaux, cinq fusils et cinq tenues réglementaires complètes, plus les tenues de rechange.

"Le chef Tchikendé Ouermé, ne voulant pas que sa province perde la face, a alors offert les cinq chevaux de sa propre escorte, y compris sa propre monture qui lui avait coûté dix têtes de bovins, plus trois mille francs ; et c'est lui qui a payé fusils et tenues aux goumiers.

C'est ce qui a permis au contingent de notre province d'aller en stage à Dédougou. Voyant cela, j'ai entrepris une campagne pour proposer aux chefs de village et aux notables de souscrire une collecte en vue de rembourser ses dépenses au chef de canton, dès la rentrée des récoltes de l'année qui s'annonçaient très bonnes. Tous approuvèrent mon idée, et chacun souscrivit de grand cœur. Dès la fin des récoltes, je suis passé encaisser les dons, qui s'élevaient à soixante-cinq mille francs. Chacun a donné selon ses moyens et son bon plaisir.

"Voilà, mon commandant, ce que je sais de l'argent remis au chef de province. Aussi suis-je très surpris d'entendre de la bouche de certaines personnes que cette somme leur a été extorquée…"

Le commandant balaya du regard la foule des notables : "Le chef de Donkou a-t-il dit la vérité ?" Personne ne dit mot. "A-t-il menti ?" Les gens gardaient la tête baissée sans répondre.

Le commandant se fâcha : "Je constate avec tristesse qu'à l'exception du chef de Donkou, vous, les chefs de village et notables de Gondougou, vous êtes tous menteurs et même malhonnêtes. Vous vous êtes laissé berner par vos anciens tirailleurs. Je veux voir ici Bia Zerbo avant deux jours. Sinon je vous amènerai tous à Tougan et vous y resterez consignés jusqu'à ce que Bia Zerbo se présente."

Le commandant se tourna vers le chef Tchikendé Ouermé : "Avant de clore mon audition, as-tu quelque chose à ajouter ?

— Oui mon commandant.

— Je t'écoute.

— Mon commandant, si j'avais vraiment extorqué les soixante-cinq mille francs, m'auriez-vous déféré devant le tribunal ?

— Nul n'est au-dessus de la justice. C'est une loi que la France applique à tous ses ressortissants. Si tu avais été coupable de concussion, je t'aurais déféré devant le tribunal et condamné.

— Mon commandant, vous dites que si je commets une injustice, la France me punira. Et si la France commet une injustice à mon égard, que fera-t-elle ?

— Elle réparera.

— Mon commandant, moi, Tchikendé Ouermé, je suis un Dogon et n'ai jamais appartenu à une famille de chefs. C'est la France, et elle seule, qui m'a hissé à ce rang. Elle m'a mis à la tête d'une population indisciplinée et belliqueuse, qui est aussi prête à donner la mort qu'à se suicider. Or, la France veut qu'en son nom je fasse régner la paix, mais sans sévir ; elle veut que je garantisse la sécurité des administrés avec une police qu'elle crée, mais qu'elle ne paie pas. En outre, comme tous les chefs de canton, je dois assurer les dépenses officielles liées à ma charge : réception des fonctionnaires en tournée, envoi d'animateurs et de musiciens pour les fêtes et réceptions officielles, recherche et arrestation des malfaiteurs, entretien de mon cortège dans l'intérêt du prestige de ma fonction, fourniture régulière de céréales et d'aliments, entretien des goumiers, etc., etc. Et quel est le crédit que nous attribue la France pour faire face à ces charges ? Cent cinquante francs par mois ! Pensez-vous que cette somme soit suffisante au point que je puisse me passer de tout appoint ? Et où le gouvernement veut-il que je tire le complément nécessaire, sinon chez les habitants ?

“Sauf le respect que je vous dois, mon commandant, je dirai que mes cent cinquante francs ne pondent pas d'œufs. La grande et riche France doit savoir qu'une chefferie, comme tout commandement, ne se nourrit pas d'herbe, mais de la sueur et du travail de ses administrés. Comme le dit le proverbe : *La force ne broute pas de l'herbe, elle mange des hommes.* Que l'administration nous paie dignement, ou alors qu'elle consente à ce que nous demandions à nos administrés ce dont nous avons besoin, comme le prévoyait la tradition avant la conquête française."

Je craignais que ce discours n'indispose le commandant de Menou, car il était très susceptible par tempérament. A mon grand soulagement, il s'exclama : "Voilà des chefs comme je voudrais en avoir davantage !"

Finalement, tout tourna en faveur de Tchikendé Ouermé ; les chefs de village et les notables se désolidarisèrent des anciens tirailleurs, et vinrent lui demander pardon et réconciliation.

Le lendemain, Bia Zerbo se présenta à Louta. Ses partisans, tous anciens tirailleurs, étaient venus se mêler à la foule pour assister à son interrogatoire ; on m'en avait informé confidentiellement la nuit même de leur arrivée.

Dès le matin, tout le monde se présenta sur la place, devant le hangar où se tenait l'audience. Le commandant confronta Bia Zerbo, Tchikendé Ouermé et le chef du village de Donkou. Bia Zerbo fut confondu. Il avoua ses fautes mais refusa de désigner ses partisans ; les cris, menaces et vociférations du commandant restèrent sans effet. Furieux, le commandant ordonna aux anciens tirailleurs présents dans la foule de sortir des rangs et de se mettre à part. Seul l'adjudant Dabi Drabo, de Toïni, s'exécuta. En sortant du rang il dit en langue samo à l'intention de ses camarades : "Ne m'imitez pas." Tchikendé Ouermé me traduisit ses paroles. Le commandant était si furieux que j'en vins à craindre une réaction excessive de sa part, dont toute la population risquait de faire les frais.

"Mon commandant, lui dis-je, les tirailleurs n'obéiront pas. Mais si vous le permettez, je vais user d'une astuce qui nous tirera de difficulté.

— Vas-y", me dit-il.

Je m'adressai aux assistants pour leur dire que le commandant allait leur parler, et leur donnai l'ordre de se mettre sur un rang, debout, autour de la place. Tout le monde s'aligna. Je demandai alors au commandant de venir au milieu d'eux et de leur dire quelques mots, qui seraient traduits en bambara puis en samo. Le commandant se leva de son siège, marcha vers les assistants regroupés en ligne autour de la place et commença une harangue. A la fin d'une phrase, alors que les villageois n'étaient plus sur leurs gardes, je lançai à l'improviste, d'une voix forte, à la manière des militaires : *"Gaaaarde-à-vous !"* Comme un seul homme, tous les anciens tirailleurs rectifièrent leur position et se mirent au garde-à-vous. Ils étaient une bonne vingtaine. Il ne restait plus qu'à les faire sortir du rang.

Le commandant de Menou n'en revenait pas. Il me demanda à quoi je devais cette connaissance des tirailleurs. Je lui répondis que j'avais passé mon adolescence à Kati où était installé le 2e régiment de tirailleurs sénégalais, et qu'à cette époque j'avais presque vécu au milieu des militaires. Sachant combien l'armée conditionne les tirailleurs, j'avais compté sur leur réflexe instinctif, tout comme à Dagalé j'avais compté sur l'effet de la sonnerie "Appel au caporal".

Le commandant procéda à l'interrogatoire des tirailleurs. Il inculpa les trois principaux meneurs, dont Bia Zerbo (contre qui Tchikendé Ouermé avait déposé une plainte) et Dabi Drabo. Ils furent déférés ultérieurement devant le tribunal de deuxième degré, qui leur infligea une peine de trois mois de prison pour dénonciations calomnieuses et menées subversives.

Préoccupé par les remarques de Tchikendé Ouermé, le commandant évoqua ultérieurement avec moi le problème des chefs de canton et de leur manque de moyens. "Comment l'administration pourrait-elle les aider sans les encourager pour autant à la concussion ?" en vint-il à se demander.

"Mon commandant, lui répondis-je, chez nous la tradition avait prévu une solution pour ce genre de problème. Il existait dans chaque village un champ collectif, travaillé par toute la communauté. La récolte de ce champ était divisée en trois parts : la première était destinée au roi, la deuxième servait à faire face aux réceptions des étrangers qui passaient dans le village et qui étaient les hôtes ou les agents du roi ; enfin, la troisième permettait de consentir des avances ou des aides à ceux qu'un malheur frappait et réduisait à la misère."

Le commandant trouva l'idée intéressante et prit sur lui de réintroduire cette coutume dans les villages du canton de Louta, à titre d'essai. A la fin de l'année, avec le premier tiers de la récolte de chaque champ collectif, le chef de canton de Louta eut suffisamment de mil, d'arachides, de maïs et de haricots pour mener un train de vie digne d'un chef. Avec les deux autres tiers, il put satisfaire à toutes les fournitures officielles et recevoir dignement les fonctionnaires en tournée.

Ravi de ce résultat, le commandant de Menou souhaita voir étendre cette mesure à d'autres subdivisions.

Il soumit son projet à son commandant de cercle, qui en saisit le chef-lieu du gouvernement. Mais le bureau des Affaires politiques, si souvent imbu d'idées préconçues et éloigné des réalités, rejeta la proposition comme "non conforme à la politique indigène en vigueur"... Le commandant de Menou permit cependant au canton de Louta de poursuivre pour lui-même une pratique qui avait réduit de beaucoup ses difficultés matérielles.

Ainsi se termina l'affaire de la fronde des tirailleurs samos contre le chef dogon Tchikendé Ouermé, lequel faillit bien y laisser son turban de chef !

Chef de subdivision par intérim !...

A notre retour à Tougan, je lus dans le Journal officiel de l'AOF qu'un grand marabout descendant d'El Hadj Omar et demeurant à Dakar avait été promu dans l'ordre national de la Légion d'honneur. Cette décoration m'étonna fort, surtout pour un marabout descendant d'El Hadj Omar, dont la famille était officiellement fichée comme "antifrançaise" et ses parents discrètement surveillés partout où ils se trouvaient. Le chef spirituel de la famille Tall, Mountaga Tall, *Lamido djoulbé* (Commandeur des croyants), n'était-il pas assigné en résidence obligatoire dans sa ville de Ségou, au Soudan ? Intrigué par cette promotion comme par la personnalité et les connaissances religieuses de ce marabout éminent de la Tidjaniya, je lui envoyai une lettre de félicitations, dans le secret espoir d'entamer ainsi une relation épistolaire avec lui. Il me répondit en m'envoyant ses bénédictions et en me recommandant chaleureusement de servir docilement la France… Déçu, j'arrêtai là nos relations.

Si j'évoque cet événement, c'est que beaucoup plus tard, revenu au Soudan, je retrouverai le grand marabout et que nous aurons, hélas, à nous affronter dans la triste affaire dite du "Hamallisme", affaire qui vaudra au Cheikh Hamallah, considéré par ses adeptes comme le "pôle spirituel" de la Voie *(tariqa)* tidjani*, d'être déporté en France et d'y mourir, à certains de ses disciples d'être arrêtés et fusillés, et à mon maître Tierno Bokar d'être moralement persécuté, puis assigné à résidence dans sa propre maison où il s'éteindra dans un isolement tragique en 1940. Mais je reparlerai de cette affaire en son temps.

A son tour, le commandant de Menou prit son congé et rentra en France. Il fut remplacé par l'administrateur adjoint Mengant, un ancien lieutenant de l'infanterie coloniale démobilisé et versé dans le corps des administrateurs coloniaux.

Les administrateurs restaient rarement plus de deux ans en fonctions dans un poste ; tous les ans ou tous les deux ans ils rentraient en France pour un congé de longue durée, et à leur retour ils se trouvaient généralement affectés ailleurs. Les malheureux fonctionnaires indigènes voyaient ainsi, à dates régulières, s'écrouler le fragile équilibre qu'ils avaient réussi à établir avec le commandant en place, et tout était à recommencer avec

* Je rappelle que les "Voies" soufies (*tourouq*, singulier *tariqa*), appelées en français "confréries", "congrégations", "ordres" – et baptisées "sectes" par les autorités coloniales –, sont des ordres spirituels se situant à l'intérieur et non à l'extérieur de l'Islam (exception faite de quelques ordres orientaux). [Cf. *Amkoullel…* note 4, et *Vie et enseignement de Tierno Bokar*, annexe "Soufisme et confréries en Islam", p. 241.]

le nouvel arrivant. Parfois la surprise était heureuse, parfois non…

M. de Menou passa le service à M. Mengant, et quitta Tougan. Environ un an auparavant, le 28 octobre 1929, il m'avait attribué des notes élogieuses que je me permets de citer ici car elles expliquent peut-être en partie le tour insolite que devaient prendre un peu plus tard les événements :

Amadou Bâ est nettement supérieur à la plupart des auxiliaires de son cadre. Intelligent, honnête, préservé de toute compromission par orgueil de race et de famille, cet expéditionnaire se fera hautement apprécier partout où il servira. Je le propose très fermement pour le grade de commis titulaire de troisième classe. Cote 19.

Le commandant de Menou ne m'avait jamais demandé pourquoi je n'acceptais pas de me laisser compromettre. Fort de l'image qu'il se faisait de moi, il en avait naturellement déduit que je devais ce comportement à ma position de dauphin de la province de Louta. A la vérité, ma ligne de conduite relevait beaucoup plus de mon éducation et de mes convictions religieuses que d'un quelconque orgueil racial ou social. La rectitude morale était en effet l'un des commandements majeurs que m'avait formellement recommandés mon maître Tierno Bokar lorsqu'il m'avait reçu dans la Tidjaniya*,

* [A aucun moment, dans ses écrits, Amadou Hampâté Bâ ne précise à quelle date précise il a été reçu par Tierno Bokar dans la *tariqa* tidjani, et il ne raconte nulle part cet événement. Lorsque, relisant avec lui ses Mémoires, je l'ai questionné sur ce sujet (il avait alors plus de quatre-vingts ans...), il indiqua que cette "réception" avait dû avoir lieu lors de l'un de ses voyages à Bandiagara du temps où il était secrétaire du gouverneur Hesling, avant l'année de ses vacances à Koniakary – donc au cours d'un bref congé en 1925 ou en 1926.]

et je m'étais fixé une fois pour toutes certaines règles de conduite.

Le jour même de sa prise de service, le commandant Mengant me fit appeler dans son bureau. Quel homme était-il ? Quelles allaient être nos relations ?

"Je suis un militaire, me déclara-t-il d'emblée. Je viens d'être démobilisé et versé dans le corps des administrateurs, mais je ne connais rien à l'administration civile. Tougan est mon premier poste, et je serai jugé d'après la manière dont je gérerai cette subdivision. Or elle est réputée difficile, m'a-t-on dit, pour deux raisons : d'une part, la mentalité spéciale des Samos, guerriers-nés et frondeurs par nature, et, d'autre part, l'influence grandissante des Pères blancs fortement soutenus en haut lieu. Mon prédécesseur, M. de Menou, m'a conseillé de te faire entière confiance et de me reposer sur ton expérience professionnelle et ta parfaite connaissance des Samos. J'ai décidé de suivre son conseil. Je te fais donc confiance et te donne carte blanche."

Rassuré par cette première prise de contact, j'éprouvai en même temps une certaine appréhension, car je me sentais engagé jusqu'au cou.

"Mon commandant, lui répondis-je, je suis un peu effrayé de la responsabilité que vous venez de me confier. Je dois d'ailleurs vous détromper sur un point : je ne connais que les Samos de Louta, c'est-à-dire ceux de la tribu mathia, et les Peuls. Or, la subdivision est peuplée également par des Samos des tribus mayaa, mannda, makaa, et par des Marka-djalan.

— Nous étudierons les autres ethnies ensemble, répliqua le commandant. Nous ferons autant de sorties qu'il en faudra pour y parvenir. Ne te gêne pas pour proposer ; moi je disposerai, et tout ira bien."

Ma tâche devait être facilitée par le fait que l'interprète Nétimo Nakro, qui aurait pu jouer une note discordante et tout compromettre, m'était dévoué sans réserve. La préséance que le commandant venait de me donner ne l'offusqua nullement, ce qui était exceptionnel chez les interprètes, qui acceptaient rarement qu'un commis ait le pas sur eux. A mon tour je me promis de ne rien faire qu'en parfait accord avec lui. Il était moins lettré que moi, mais son ancienneté lui valait d'être plus au courant des hommes et des choses de la subdivision où il servait depuis des années. Tout marcha donc à merveille.

En dehors de quelques expéditions avec le commandant, mes fonctions de chef du bureau militaire m'amenaient à effectuer des tournées assez fréquentes à travers les douze cantons de la subdivision. Le commandant m'ayant demandé de reprendre la présentation des registres militaires, je dus recenser tous les jeunes gens en état d'être appelés sous les drapeaux ; j'étais également chargé du contrôle des pensionnés et des réservistes de l'armée territoriale. Cette mission me permit d'entrer en rapport direct non seulement avec les chefs de canton, de village et de quartier, mais aussi avec les chefs de famille. Ceux-ci venaient volontiers me signaler les abus ou irrégularités que leurs chefs commettaient à leurs dépens, et j'étais parfois amené à jouer un rôle d'arbitre. Sans laisser froidement tomber les chefs de canton nommés par l'administration (je n'aurais d'ailleurs pu le faire en raison des instructions formelles du gouvernement central), j'essayai de réparer les choses dans la mesure de mes moyens, le plus souvent à la manière africaine. Si l'on me signalait un abus commis par un chef et dont je savais que cela pouvait le mener devant le tribunal, je lui conseillais d'arranger son affaire avec le ou les plaignants avant que je n'en avise le commandant, afin de s'éviter à lui-même de graves ennuis. La plupart du temps, les choses s'arrangeaient ainsi par accord mutuel. Pour me couvrir, je notais tout dans mon "registre de bord" et rendais fidèlement compte au commandant Mengant, qui approuvait entièrement ma méthode. A la fin du premier semestre, tout heureux, il reçut les félicitations de son commandant de cercle.

Quelque temps après, la situation bascula à nouveau : M. Mengant fut nommé commandant par intérim du cercle de Dédougou. Aucun autre administrateur n'étant disponible sur le moment pour venir à Tougan, il se produisit alors une chose incroyable pour l'époque : M. Mengant demanda que je sois laissé à la tête de la subdivision pendant la période intérimaire. Et plus incroyable encore, sa proposition fut acceptée en haut lieu ! Le gouverneur Fournier, peut-être en raison des notes qui figuraient dans mon dossier, décida que je serais chargé d'administrer la subdivision de Tougan jusqu'à nouvel ordre. Voulait-il tenter une expérience politique d'africanisation avant la lettre ?... C'est ainsi qu'un simple "commis expéditionnaire indigène" devint "chef de poste", c'est-à-dire faisant fonction de chef de subdivision. Jamais on n'avait vu chose semblable en Haute-Volta ! J'étais responsable de l'agence spéciale du Trésor dont les recettes s'élevaient à plusieurs millions de francs, j'avais à ma disposition vingt-cinq gardes de cercle et les soixante goumiers qui assuraient la police, je rendais la justice au premier degré, etc. Plus que jamais, il me fallait, comme on dit chez nous, "garder froid mon cœur". Je refusai d'occuper le bureau du commandant, et tant que dura cette mission, je restai dans le mien.

Ma qualité d'héritier de l'ancien chef de Louta me facilita la tâche, car les Samos trouvaient normal que je sois nommé à ce poste. Durant environ une année, presque tous les conflits furent réglés à la manière africaine, par la palabre et la réconciliation. Au lieu de "jugements" rendus par le tribunal, il y avait des "procès-verbaux de réconciliation". Même l'impôt rentra sans problème.

Comme il est normal, ma popularité ne pouvait plaire à tout le monde, et j'allais me trouver en butte à l'hostilité des prêtres de Toma et de Kouïn. L'incident déclencheur fut une demande de réquisition de jeunes filles pour la crèche.

Pendant que j'assurais ainsi l'intérim du commandant Mengant, le père supérieur de la mission catholique de Toma vint me voir dans mon bureau. Il me présenta une liste de demande de fournitures pour denrées alimentaires, matériaux de construction, manœuvres hommes et femmes pour la réfection des locaux de la mission, et dix jeunes filles pour la crèche. Après avoir parcouru la liste, je déclarai au père supérieur que je pouvais lui fournir tout ce qu'il demandait, à l'exception des jeunes filles pour la crèche ; en effet, ce service ne figurait pas sur la liste officielle des fournitures assurées par la subdivision à la mission catholique. Ne pouvant le satisfaire, je lui conseillai de s'adresser directement aux parents des jeunes filles. Le père supérieur, qui me considérait toujours comme responsable de la conversion de l'interprète Nétimo Nakro, sortit de mon bureau en marmonnant entre ses dents des paroles de mécontentement. Sur le moment je n'y attachai pas d'importance.

Or, nous avions à la maison un jeune domestique, très attaché à mon épouse, qui était un fervent catholique. Il s'appelait Louis Paré, était originaire de Toma et s'y rendait de temps en temps pour visiter ses parents. Le dimanche suivant, il assista à Toma à une messe célébrée par le père supérieur. Après la cérémonie, le père, dans son prêche, tonna contre l'administration qui confiait des postes de responsabilité à des musulmans, lesquels en profitaient pour se mettre en travers de la route de ceux qui avaient mission d'appeler à Jésus-Christ. Il conclut en affirmant que les musulmans seraient condamnés à l'enfer.

Très troublé par cette condamnation, Louis Paré, dès son retour, rapporta les propos du père à mon épouse : "Maman Baya, je ne voudrais pas que toi, mon père Amadou et vos bons enfants vous alliez en enfer. Mon père Amadou a fâché le supérieur de la mission. S'il ne se repent pas, ce sera très, très mauvais !"

A mon retour du bureau, Baya me rapporta toute l'affaire. Je rassurai le jeune homme en lui disant que je verrais le père supérieur et qu'ensuite tout irait pour le mieux.

A la fin du mois, le père revint au bureau pour présenter sa liste de fournitures mensuelles habituelles – laquelle ne faisait plus mention, cette fois-ci, de jeunes filles pour la crèche. J'établis les papiers nécessaires et lui donnai satisfaction. Puis, contrairement à mon habitude, je l'accompagnai à l'extérieur des bureaux. Au moment de le quitter, je me tournai vers lui :

"Mon révérend père, lui dis-je, nous sommes maintenant hors des bureaux officiels. Ce n'est donc pas le chef de subdivision qui va vous parler, mais une simple personne désireuse de recevoir un éclaircissement sur une question religieuse.

— Quelle est cette question ? demanda le père.

— La voici : est-ce que vous, personnellement, vous adorez Dieu dans le seul but d'échapper à l'enfer et d'obtenir le paradis ?

— Où voulez-vous en venir par cette question ?

— J'ai appris que, dernièrement, vous aviez condamné les musulmans à l'enfer. Je tenais à vous dire qu'en ce qui me concerne, le paradis et l'enfer, je ne les nie pas mais ils m'intéressent peu. Le premier ne me donne aucune envie, et le second ne m'inspire aucune peur. Que le Seigneur me mette là où il Lui plaira de me mettre. Je Le célèbre pour Lui-même, et non pour une chose qui n'est point Lui."

Sans ajouter un mot, le père supérieur sauta sur sa moto et s'éloigna en ouvrant grandement les gaz, comme pour me prévenir sans paroles que ma réflexion imprudente m'attirerait plus tard beaucoup d'empoisonnements... Et en effet, la mission n'eut de cesse qu'elle ne réussisse à me faire partir de Tougan, ce qui arrivera vers la fin de l'année 1931. Certes, il ne faudrait pas généraliser à partir d'un cas particulier, mais il reste qu'à cette époque l'Eglise n'avait pas encore modifié sa position à l'égard de l'Islam ; elle le considérait comme une fausse religion, ennemie du Christianisme et qu'il fallait combattre par tous les moyens. La conversion de Nétimo Nakro, mon refus de réquisitionner les jeunes filles pour la crèche, ma réflexion imprudente qui fut considérée comme une déclaration de guerre, et plus tard un nouvel incident dont je parlerai plus loin, firent de moi l'ennemi numéro un de l'Eglise dans la région. Le bruit fut lancé jusque dans les hautes sphères de l'administration coloniale que ma présence à la tête de la subdivision paralysait les conversions au Christianisme…

"Boule d'épines"

Pendant que je me débattais à Tougan contre cette campagne sourde mais puissante, l'administrateur Taillebourg, surnommé "Boule d'épines", fut affecté au cercle de Dédougou dont M. Mengant assurait jusqu'alors l'intérim. "Boule d'épines" était un ancien capitaine d'infanterie coloniale. Grand blessé de guerre, amputé du pied droit, souffrant de séquelles de ses blessures et réformé à cent pour cent, il était titulaire de la médaille militaire, de la Croix de guerre 1914-1918 avec trois palmes, et chevalier de la Légion d'honneur à titre militaire – pour ne citer que quelques-unes de ses dix décorations…

D'un tempérament on ne peut plus nerveux, pour un oui ou pour un non il piquait une crise, braillait comme un âne et ne se taisait qu'en tombant en syncope comme un épileptique. Il était loin le temps où seuls des Blancs parfaits sous toutes les coutures pouvaient rester à la colonie, et où les malades et les anormaux étaient immédiatement rapatriés !… "Boule d'épines" fut versé dans le corps des administrateurs avec le grade de "première classe". Aucun adjoint ne put le supporter plus de deux mois ! Pour apporter une dernière touche au portrait de cet homme à la fois grande gueule, fou d'honneur, bizarre, cultivé, sentimental et courageux, je rapporterai ce que l'inspecteur des colonies Dulac écrira plus tard sur lui après avoir inspecté le cercle de Dédougou et plus particulièrement les subdivisions de Tougan et de Boromo : "La présence de M. l'administrateur de première classe des colonies Taillebourg dans un cercle est plus néfaste qu'une invasion d'acridiens." Le comportement de "Boule d'épines" ne surprendra donc personne…

Quand il fut nommé commandant du cercle de Dédougou, l'administrateur Taillebourg se garda de signaler à qui que ce soit le jour de son départ pour ce poste. Le cabinet du gouverneur ne put donc prévenir le commandant Mengant, et ce dernier ne prit aucune disposition pour recevoir dignement son chef et successeur.

Un beau jour, une voiture arriva à Dédougou. Taillebourg, tout excité, s'en sortit en s'appuyant sur sa béquille et, clopinant aussi vite qu'il le pouvait, avança vers la véranda en criant : "Où est le petit Mengant ? Il ose me refuser les honneurs qui me sont dus en tant que commandant de cercle ? Ça ne se passera pas comme ça ! Vous allez voir de quel bois se chauffe le commandant Taillebourg !"

M. Mengant, affolé, sortit de son bureau. Taillebourg ne lui laissa pas le temps de placer une parole : "Pourquoi n'avez-vous pas donné ordre aux passeurs du bac de se trouver sur la rive de Koudougou par où je devais arriver, au lieu de rester plantés comme des piquets sur la rive de Dédougou ? Vous m'avez obligé à attendre ! Or je ne veux pas que, dans *mon* cercle, *mon* subordonné et *mes* administrés me fassent attendre ! Vous auriez dû vous trouver à l'entrée du cercle pour me recevoir et me rendre les honneurs qui me sont dus. Et vous ne l'avez pas fait !

— Monsieur l'administrateur, parvint à placer Mengant, vous auriez dû m'envoyer un télégramme pour m'annoncer votre arrivée. Je serais allé vous attendre à la frontière du cercle.

— C'était à vous, Monsieur Mengant, à vous, de vous informer nuit et jour sur mes déplacements, et cela à partir du moment où l'on vous a informé que j'étais votre nouveau commandant de cercle et vous mon adjoint. Vos excuses ne sont pas valables, surtout de la part d'un ancien lieutenant de l'infanterie coloniale ! Bon ! Maintenant que je suis là, montrez-moi mon logement."

M. Mengant occupait encore le logement du commandant de cercle. Il y conduisit le commandant Taillebourg, tout couvert de la poussière de la route. Mme Mengant, croyant à l'arrivée d'un étranger de passage, sortit et alla à leur rencontre, un sourire aimable sur le visage. Avant que son mari ait eu le temps de dire un mot, le nouveau commandant se présenta lui-même : "Administrateur Taillebourg, commandant du cercle de Dédougou !" Et sans attendre une invitation, devant Mme Mengant stupéfaite il clopina vers le salon et alla s'affaler dans le premier fauteuil qui se trouvait à sa portée. "Vite, cria-t-il, qu'on me donne une chaise pour poser ma jambe !" Il lui fallait en effet une chaise pour sa jambe de bois, et, paradoxalement, une seconde chaise pour son bidon, car il avalait toutes les dix minutes une gorgée d'eau pour humecter sa gorge aussi sèche qu'une dune du Sahel.

M. Mengant fit venir au pas de course une équipe de prisonniers et leur donna ordre de transférer en un temps record ses propres affaires dans le bâtiment réservé à l'adjoint au commandant. Une heure plus tard, "Boule d'épines" avait fini de se laver et ses bagages étaient à la porte de son logement.

Le nouveau commandant était accompagné d'un cuisinier et d'un boy qu'il emmenait partout avec lui. "Mon cuisinier est le seul homme qui pourrait m'empoisonner, mais qui ne le fera jamais", disait-il. Ce cuisinier, qui ne manquait pas de sagesse, expliqua à

M. Mengant comment se comporter pour vivre en paix avec le commandant Taillebourg.

"Le commandant a une voix de lion, lui dit-il, mais un cœur tendre de jeune fille. Il ne faut pas tenir compte de ses cris et de ses jurons. Aussi étourdi qu'un poulet, il oublie très rapidement ce qu'il a dit, et aussi ce qu'on lui a dit.

"Partout où il va, il faut toujours prévoir trois chaises : une pour lui, une pour son pied de bois et une pour son bidon. Il souffre énormément de ses blessures de guerre, et surtout de sa jambe amputée. Toutes les quinze ou vingt minutes, il crie comme pour faire sortir sa douleur, et il prend alors une gorgée d'eau pour mouiller sa gorge qui s'assèche très rapidement.

"Quand une crise le prend, il peut crier si longtemps et si fort qu'il en tombe en syncope. Quand cela arrive, il ne faut pas se troubler. Il suffit d'attendre tranquillement deux ou trois minutes, et il revient à lui comme si de rien n'était. Sa syncope peut parfois durer cinq minutes, mais rarement plus.

"Quand il parle, il ne faut pas l'interrompre par des questions, ce serait la meilleure manière de l'irriter.

"Enfin, chaque fois qu'il entre ou sort et chaque fois qu'on le croise, même sous la véranda, il faut le saluer à la façon des militaires."

La passation de service ne se déroula pas vraiment dans les règles, mais elle fut rapide. Le commandant Taillebourg était distrait comme un page et bavard comme une pie. Il ne laissait pas M. Mengant placer un mot. Il connaissait tout et se hâtait de signer ce qui, en principe, n'aurait dû l'être qu'après lecture et vérification.

Quand ils en arrivèrent aux subdivisions, M. Mengant parla de Boromo et de Tougan, en soulignant que Tougan était provisoirement dirigé par un commis expéditionnaire indigène. A ces mots, le commandant fit un saut sur sa chaise : "Comment ? Quelle idée a-t-on eue de confier à un nègre une subdivision comme celle de Tougan, qui a presque l'importance d'un cercle !" Sans laisser à M. Mengant la possibilité de s'expliquer, il cria pendant une bonne dizaine de minutes, puis annonça : "J'irai inspecter Tougan, et je promets de ramener votre chef de subdivision nègre la corde au cou !"

Dès que le commandant s'éloigna des bureaux, M. Mengant se précipita sur le téléphone pour m'appeler à Tougan. Il me raconta en détail tout ce qui s'était passé et me prévint que le commandant avait l'intention de débarquer à l'improviste à Tougan. Il me fit part de ses menaces et me rapporta fidèlement tout ce que le cuisinier lui avait dit : "Un homme prévenu en vaut deux, conclut-il. Tiens-toi bien, cela m'embêterait que Taillebourg te fasse le moindre mal.

— Mon commandant ! Voudriez-vous me rendre un service ? lui demandai-je.

— Certainement.

— Etant donné ce que vous m'avez expliqué, je pense que le commandant ne préviendra personne de son départ pour Tougan. Aussi, je vous demande de poster un cycliste au bord de la Volta. Dès que le commandant traversera la rivière, le cycliste viendra vous le dire et vous pourrez me téléphoner pour m'avertir de son arrivée.

— D'accord !" fit M. Mengant, tout heureux de pouvoir déjouer les astuces de "Boule d'épines".

En attendant l'événement, je fis venir à Tougan tous les anciens militaires des villages environnants. Dans le village de Diouroum, situé à neuf kilomètres de Tougan en venant de Dédougou, je fis élever un arc de triomphe tressé en feuilles de palmier. J'installai sur les deux côtés de la route des chasseurs armés de fusils à pierre. Je donnai ordre à toute la ville de Tougan de pavoiser et de tenir prêts tam-tams et instruments de musique afin de faire le plus de bruit possible quand retentirait le clairon de Brahima Guindo annonçant l'arrivée du nouveau commandant.

En deux jours, j'avais rassemblé à Tougan tout ce qui m'était nécessaire pour recevoir cet ancien militaire couvert de médailles, qui tenait aux honneurs comme à la prunelle de ses yeux.

Le troisième jour, "Boule d'épines", sans prévenir personne, prit la route de Tougan. Dès qu'il traversa la Volta, le cycliste posté au bord de la rivière pédala à toutes jambes pour aller prévenir M. Mengant, lequel me téléphona aussitôt. C'était donc le jour J ! J'avais encore trois bonnes heures devant moi avant que la voiture du commandant n'arrive à Tougan.

Je fis installer une grande table sous la véranda, ainsi que trois chaises : pour le commandant, son pied et son bidon. Je disposai les anciens tirailleurs en deux colonnes placées vis-à-vis, de manière à former une haie d'honneur. Juste à l'entrée, au premier rang, je fis asseoir sur deux chaises deux anciens tirailleurs grands mutilés de guerre. Curieusement, ils étaient eux aussi décorés de la Légion d'honneur à titre militaire, de la médaille militaire et de la Croix de guerre 1914-1918 avec plusieurs palmes, amputés d'une jambe et réformés à cent pour cent ! Après eux venaient les médaillés militaires, les titulaires de la Croix de guerre, et enfin les autres retraités et réformés. Au total, près de deux cents anciens tirailleurs formaient la haie. Je donnai à chacun un fanion tricolore bleu blanc rouge, avec ordre de l'agiter à l'arrivée du commandant en criant : "Vive la France ! Vive le capitaine commandant de cercle Taillebourg !"

Par l'entremise de Diké Drabo, chef du canton de Diouroum, je fis donner l'ordre aux griots de chanter le refrain d'un chant bambara ancien, que je venais d'adapter à la circonstance en y ajoutant le nom de Taillebourg. Ses paroles étaient des plus banales, mais il était chantant, bien rythmé, et parfaitement adapté au rythme des tam-tams et des coups de fusil :

Ndarann ndarann ka kenndé !
ndara toubabouw ka kenndé !
kouman'ndan Taillebourg ka kenndé !

Ce qui signifiait :

Saint-Louis, Saint-Louis se porte bien !
Les toubabs (les Blancs) de Saint-Louis se portent bien !
Et le commandant Taillebourg se porte bien !

En peu de temps le refrain sortit de toutes les bouches. Ceux qui n'avaient pas de tam-tam tapaient sur des calebasses retournées, les autres tapaient dans leurs mains ; des femmes et des enfants sortaient dans les rues, dansant et chantant au rythme du petit refrain. Tout le monde s'amusait. Une fête est toujours bonne à prendre…

Il était temps de gagner Diouroum. Je réunis un peloton de dix gardes de cercle et de dix goumiers, tous à cheval et en grande tenue ; je montai moi-même un bel alezan aux quatre pieds "lavés" et au front étoilé, orné d'un cercle blanc. Comme les Européens, j'étais coiffé d'un béret de cavalier et portais une vareuse bleu marine sur une chemise blanche, des culottes de cheval également blanches et de belles bottes de cavalier. A mon signal, notre petite troupe partit au galop. A Diouroum, l'arc de triomphe avait été pavoisé aux couleurs françaises et couvert de fleurs aquatiques. Je fis aligner les gardes et les goumiers sur deux rangs face à face. Les chasseurs postés sur les deux côtés de la route chargèrent leurs fusils à blanc ; ils n'attendaient que le son du clairon de Brahima Guindo pour tirer les salves de bienvenue.

L'attente ne fut pas longue. Bientôt nous vîmes déboucher le véhicule transportant le commandant Taillebourg et son garde de cercle. Dès qu'il fut à huit cents mètres environ de l'arc de triomphe, Brahima Guindo emboucha son clairon et, sur mon ordre, entonna la sonnerie "Le général". Aussitôt, les chasseurs tirèrent une première salve. La voiture du commandant stoppa devant l'arc de triomphe. Je sautai de mon cheval et, dans un garde-à-vous impeccable, saluai le commandant Taillebourg dans le plus pur style militaire. Immédiatement, je commandai aux gardes : "Présenteeez… armes !" Ils tirèrent leurs sabres au clair, tandis que, dans un même mouvement, les goumiers présentaient leurs grandes lances ornées d'un fanion tricolore.

Le commandant sortit de sa voiture. Je me présentai : "Amadou Bâ, commis expéditionnaire de troisième classe, chargé de la subdivision de Tougan.

— Bonjour mon gars, bonjour mon petit !" répondit Taillebourg. Il voulut ajouter quelque chose, mais sa voix se noya dans l'émotion, tant il était saisi par cette réception imprévue. Quelques larmes apparurent dans ses yeux. Il salua la foule de la main puis se tourna vers moi : "Venez prendre place à mes côtés dans ma voiture."

Je me mis au garde-à-vous, la main à la hauteur de ma tempe, et m'inclinai : "Merci mon commandant. Mais je dois escorter mon commandant, et non être dans la même voiture que lui. Je demande à mon commandant de m'autoriser à monter sur mon cheval afin de conduire mes hommes.

— Agissez comme il vous plaira, mon petit. Vous faites si bien les choses que personne n'a de leçon à vous donner." Contrairement à la tradition coloniale qui voulait que tout Blanc tutoie n'importe quel Noir, il ne me tutoyait pas.

Je sautai en selle et criai : "Peloton ! A mon commandement… marche !" Gardes et goumiers manœuvrèrent pour venir encadrer la voiture du commandant, qui démarra vers Tougan. La deuxième salve fut tirée par les chasseurs. Nous galopions aux côtés de la voiture, qui avançait à bonne allure. A trois kilomètres de la ville, on entendait déjà résonner les sons profonds des tam-tams et des calebasses retournées, auxquels se mêlait le son aigu des flûtes et des clochettes et le roulement plus sec des tambours d'aisselle. Bientôt l'on distingua le chant *ndarann ndarann ka kenndé* où se détachait nettement le nom de *kouman'ndan Taillebourg*. Les femmes et les enfants qui chantaient dans les rues se portèrent vers les bureaux de la subdivision où attendaient patiemment, dans une discipline impeccable, les anciens tirailleurs aux poitrines bardées de médailles.

A quelques mètres des bureaux, je commandai : "Halte !" Le convoi s'arrêta. Descendant de mon cheval, je courus ouvrir la portière de la voiture, me mis au garde-à-vous et saluai à nouveau militairement le commandant. Appuyé sur le simple bâton qui lui servait de béquille, boitillant, il traversa la haie formée par les anciens tirailleurs. Quand il arriva aux deux grands mutilés arborant la médaille de la Légion d'honneur, il les salua chaleureusement et se mit à pleurer. Puis il se tourna vers moi : "Merci, mon petit, pour ce que vous avez fait ! Merci pour ces deux grands héros qui ont risqué leur vie pour la France et qui y ont laissé leur jambe !"

Arrivé sur la véranda, il contourna la grande table et trouva les trois chaises qui l'attendaient. Un flux de joie baigna son visage. "C'est la plus grande réception qui m'ait jamais été faite, me dit-il. Rien n'a manqué, pas même les trois chaises dont j'ai toujours besoin."

Il s'installa confortablement sur la première chaise, plaça son pied de bois sur la deuxième et suspendit lui-même son bidon au dossier de la troisième. Puis, relayé par l'interprète, il parla à la foule pendant un long moment. Il remercia les habitants civils et militaires de Tougan de leur accueil et termina son discours par ces mots inattendus : "La mère de votre chef de subdivision a mis au monde un enfant comme bien des dames européennes voudraient en avoir." Puis il se leva et salua militairement la foule, laquelle entonna spontanément *ndarann ndarann ka kenndé*, soutenue par le rythme des tam-tams. La réception prit fin et la foule, chantant et dansant, dévala vers le village.

Une fois le calme rétabli, le commandant, toujours flanqué de ses trois chaises, s'installa dans mon bureau pour une réunion de travail avec l'interprète Nétimo Nakro et moi-même. Je lui fis un compte rendu sur la situation politique et économique du pays samo, puis lui présentai les registres de la subdivision. Il les examina en grand connaisseur, et déclara qu'il lirait mon "registre-journal" pendant les heures de sieste. Il visita ensuite la poste, gérée par Panama Dembélé, l'un des meilleurs postiers indigènes de la Haute-Volta, qui fut mon ami avant de devenir mon confrère dans la Voie tidjani. Le commandant inspecta son bureau et trouva sa gestion parfaite.

Il visita ensuite l'école que dirigeait Mahamane Touré, un instituteur originaire de Tombouctou ; puis l'infirmerie, tenue par Amadou Dicko. Celui-ci, quoique illettré, avait acquis dans l'armée, en servant auprès de très bons médecins militaires, une expérience médicale qui dépassait parfois de loin celle de certains infirmiers européens ou aides-médecins frais émoulus de l'Ecole de médecine de Dakar. Pour finir, le commandant visita la prison. Il était largement midi passé quand il rejoignit la résidence, où la chambre dite "du gouverneur" avait été préparée pour lui. Il déjeuna seul, l'époque n'étant pas encore, à part de très rares exceptions, celle où des chefs blancs pouvaient manger en compagnie de nègres, comme cela se produira après 1936.

Après son déjeuner, le commandant se plongea dans la lecture de mon journal de poste. Tout fonctionnaire en déplacement ou chargé d'une responsabilité devait tenir ce type de journal. J'avais personnellement pris l'habitude d'y noter de façon très détaillée tous les événements au fur et à mesure de leur déroulement. C'était à la fois un aide-mémoire et une excellente garantie en cas de litige. Je conserverai cette habitude toute ma vie, et bien m'en prendra beaucoup plus tard, en des heures politiques difficiles où il me faudra prouver mon emploi du temps… Une table des matières permettait de retrouver rapidement ce qu'on y cherchait. Le commandant prit ainsi connaissance de ce qui s'était passé entre le père supérieur de la mission de Toma et moi, et des termes de notre conversation.

Vers seize heures, je me présentai pour lui demander son programme. "J'inspecterai la caisse cet après-midi, répondit-il, et demain je voudrais avoir une entrevue avec les pères des missions de Toma et Kouïn. Il faut les inviter à venir me voir demain à partir de quinze heures." J'envoyai mon chauffeur prévenir les intéressés ; le lendemain le père supérieur et son adjoint étaient exacts au rendez-vous.

Prévenu de leur arrivée, le commandant semblait tout ragaillardi : "Je m'en vais remettre ces Messieurs à leur place, annonça-t-il. Je ne fourre jamais mon nez dans les affaires de l'Eglise, mais j'entends que de leur côté les prêtres se tiennent à l'écart des questions administratives. Le seul fait d'être des Français ne leur donne pas le droit de chercher à orienter l'administration du pays." J'eus le pressentiment que M. Taillebourg allait s'échauffer contre les pères, ce qui n'était guère indiqué en la circonstance. Mais comment faire pour contenir cet étalon fougueux, prompt à prendre son mors entre les dents et à foncer contre tout et même contre rien ? Je demeurai silencieux et soucieux. Le commandant s'en aperçut.

"Pourquoi manifestez-vous une inquiétude que vous n'avez pas montrée jusqu'ici, pas même au moment de la vérification de votre caisse ?

— J'ai peur, mon commandant, que votre entrevue avec les prêtres ne tourne mal, et qu'ensuite ils ne pensent que je vous ai indisposé contre eux.

— Mon ami, vous n'avez fait que votre devoir. Que les prêtres fassent le leur en se confinant aux choses religieuses, et pas plus. A chacun son métier et les vaches seront bien gardées !"

Je compris que "Boule d'épines", qui depuis deux jours n'avait pas éclaté une seule fois, avait une folle envie de le faire. Et pour rien au monde il n'allait manquer l'occasion qui s'offrait à lui. Avant d'introduire les prêtres, je fis une tentative pour me tenir à l'écart : "Mon commandant, je préférerais ne point assister à votre audience avec les pères ; il serait mal vu en haut lieu que vous ayez fait des remontrances à des Français en présence d'un indigène.

— En tant que chef de subdivision, vous êtes tenu d'assister aux conversations que j'entretiens avec vos administrés. Pour moi, vous n'êtes pas un indigène, mais l'un de mes chefs de subdivision. Allez, faites entrer ces Messieurs !"

Je me dis à moi-même : "Pauvre petit œuf qui vas te trouver dans une situation où de grosses pierres vont se cogner ! Quoi que tu fasses, tu seras réduit en miettes !" J'introduisis les deux prêtres auprès du commandant. Celui-ci les salua rapidement, les pria de prendre place et me fit signe de m'asseoir auprès de lui. Sans autre préambule, il entra dans le vif du sujet :

"Mes révérends pères, sachez que nous avons des instructions pour veiller à votre sécurité, mais qu'il n'entre dans nos attributions ni de vous aider ni de vous entraver dans l'exercice de votre mission. Par contre, l'administration est responsable de la tranquillité publique du pays. Sur ce point elle est seule souveraine et n'entend partager ses droits avec qui que ce soit, encore moins avec des chefs religieux de n'importe quelle confession. Or, j'ai constaté avec surprise que les missions catholiques s'immiscent parfois un peu trop dans la politique du cercle de Dédougou. J'ai relevé leurs traces, de nombreuses traces, dans des affaires qui relèvent directement et strictement de l'administration. Le fait ne concerne pas une seule circonscription, mais les trois qui constituent le cercle de Dédougou.

"Ce que je tiens à vous dire, c'est ceci : en dépit du respect que je dois à la soutane, si je devais retrouver les traces d'un prêtre, fût-il le supérieur d'une mission, dans les affaires intérieures du pays relevant de mon autorité administrative, j'userais des droits que me confère ma qualité d'officier de police judiciaire pour décerner un mandat d'arrêt contre le coupable. Est-ce clair ?

— Très clair, répondit le père supérieur de la mission de Toma. Mais qu'avez-vous à nous reprocher qui nous vaille cette grave menace ?

— Notre entretien est terminé. Quant à ce que j'ai à vous reprocher, je vous le dirai avec force détails si un jour vous retombez dans la même faute. Pour le moment, il ne saurait être question que je vous dise quoi que ce soit, sinon au revoir."

Sur ce dernier mot, le commandant Taillebourg se leva et tendit la main au père supérieur. Les deux prêtres, également indignés et comme mus par un ressort commun, se levèrent d'un seul mouvement, s'inclinèrent en tenant chacun de la main droite son pendentif sacerdotal pour l'empêcher de traîner sur la table du commandant, et sortirent sans serrer la main à personne. Le commandant resta debout, la main tendue dans le vide, les yeux et la bouche grands ouverts. Tout à coup, sans aucune transition, il tomba en syncope. Heureusement que j'avais été prévenu du phénomène par M. Mengant ! Je ne m'affolai donc pas, restai assis et attendis tranquillement qu'il revienne à lui. Il reprit ses sens tout aussi brusquement qu'il les avait perdus. Après une profonde inspiration, il se mit sur-le-champ à rédiger une longue lettre confidentielle à l'intention du gouverneur, dans laquelle il racontait tout ce qui s'était passé entre lui et les deux prêtres. Il me la fit poster à Tougan le jour même.

Sa visite d'inspection arrivant à son terme, il reprit la route de Dédougou, plein d'éloges pour mes collaborateurs et pour moi-même, mais bourré de ressentiments contre l'Eglise et ses représentants. Tout compte fait, “Boule d’épines” avait été pour moi un vrai bouquet de fleurs, mais nous devions tous deux laisser des plumes dans cette affaire, qui n’en resta pas là. En effet, Mgr Thévenoud – qui n’avait pas oublié l’affaire de la coopérative des petits fonctionnaires indigènes de Ouagadougou – se livra contre nous en haut lieu à une offensive discrète mais efficace. Et il faisait mouche chaque fois qu’il tirait…

Le cercle de Dédougou, et plus particulièrement les subdivisions de Tougan et de Boromo, firent l’objet d’une mission d’inspection menée par l’inspecteur des colonies Dulac, dont j’ai parlé précédemment. L’appréciation qu’il porta sur le malheureux commandant, qu’il compara à une invasion d’acridiens, valut à celui-ci un rapatriement anticipé pour raisons de santé. M. Mengant fut réaffecté à Tougan. Quant à moi, au lieu d’être maintenu auprès de lui comme je m’y attendais, je fus muté pour Ouahigouya où un scandale de détournement de fonds par le responsable indigène des Postes venait d’éclater. C’était le premier en treize ans d’existence de la colonie. Il fallait, paraît-il, enquêter sur des complicités possibles, balayer et purger le cercle, y placer des fonctionnaires irréprochables… J’ignore quelle fut la raison exacte de ma mutation ; si j’en crois les bruits qui me furent rapportés, elle eut surtout pour objet d’apaiser les deux missions catholiques de la subdivision et de satisfaire le vœu de la haute hiérarchie religieuse. Face à de telles forces, que pouvait peser un modeste petit “sujet français” ?

M. Mengant me recommanda lui-même à mon nouveau commandant de cercle, M. Courtaud.

VI

OUAHIGOUYA, DERNIÈRE ÉTAPE

Le cercle de Ouahigouya était l'un des plus importants de la Haute-Volta. La ville, capitale du royaume mossi du Yatenga, avait été fondée par le souverain mossi Naba Kango, qui régna de 1754 à 1787. Il avait choisi pour s'installer un lieu nommé Gossa, et y avait construit une sorte de forteresse. Il nomma l'endroit *Ouayougouya*, ce qui signifie "venir saluer", car il exigeait que tous ses chefs de province, quel que soit leur éloignement, viennent périodiquement le saluer et s'entretenir avec lui. Par la suite, *Ouayougouya* se prononcera "Ouahigouya".

Le "grand interprète" Moro Sidibé, dont j'avais fait la connaissance lors de mon voyage initial en 1922, s'occupa de me trouver un logement à ses côtés.

Nous étions au début de l'année 1932 Jusqu'à cette date, Baya et moi étions restés extrêmement minces et élancés, et j'avais la silhouette typique, plutôt maigrelette, de la plupart des Peuls. C'est à Ouahigouya, pays de lait et de bonne viande, que ma femme et moi, débarrassés des soucis que nous valait ma position ambiguë de commandement à Tougan, commençâmes à nous étoffer un peu.

Au secrétariat du commandant Courtaud, je remplaçai mon cousin Youssouf Babali Bâ, fils du vieux Babali

Hawoli Bâ de Ouagadougou qui, dix ans auparavant, m'avait guidé dans mes études islamiques et donné tant de bons conseils.

Détournement de fonds publics

A mon arrivée dans le cercle, je tombai en pleine enquête sur deux affaires. Sans être de même nature, elles étaient également graves. La première portait sur un détournement de soixante mille francs par le receveur des Postes indigène ; elle était délicate à plus d'un titre, entre autres parce que le receveur, Payébédé O., était le neveu de l'un des plus grands chefs de province mossi du cercle. La seconde était d'ordre religieux : elle concernait un marabout marka, le Cheikh Abdoulaye Doukouré, que l'on accusait de vouloir fonder un "foyer hamalliste" dans la région du Djelgodji, qui dépendait du cercle.

Quand le commandant Courtaud me mit au courant des développements de l'affaire dite "de Payébédé", cela me rappela l'histoire du chef dogon Tchikendé Ouermé, lui aussi accusé d'avoir détourné soixante mille francs…

En treize années, depuis la création de la colonie de la Haute-Volta en 1919, Payébédé était le premier fonctionnaire à être accusé d'un détournement de fonds publics, crime impensable, à l'époque, aussi bien pour les fonctionnaires français que pour les indigènes.

C'est en procédant à la vérification annuelle de la caisse du receveur des Postes que le commandant Courtaud avait découvert un "trou" de soixante mille francs. Il en rendit compte aux autorités supérieures de Ouagadougou, lesquelles lui donnèrent l'ordre d'interroger le coupable et, le cas échéant, de l'inculper et de le juger, comme l'y autorisaient ses fonctions de président du tribunal du second degré. L'enquête ne traîna point. Payébédé reconnut facilement son délit, mais refusa de dire ce qu'était devenue la somme manquante.

Lors de ses recherches, le commandant Courtaud fut informé que Payébédé donnait de fortes sommes d'argent à un certain Karamoko Mounirou Tall, qui se trouvait être un petit-fils d'El Hadj Omar (son père, Mounirou Tall, avait été roi de Bandiagara de 1888 à 1891). Interrogé, Karamoko reconnut avoir emprunté régulièrement de l'argent chez Payébédé et lui devoir encore quelques dizaines de milliers de francs. Sans chercher plus loin, le commandant Courtaud l'inculpa immédiatement de complicité et le fit incarcérer en vue d'être déféré devant le tribunal en même temps que Payébédé.

Il se trouvait que Karamoko avait demandé en mariage l'une des filles du grand interprète Moro Sidibé, et qu'il avait dépensé beaucoup d'argent à cet effet, en cadeaux et autres dépenses traditionnelles. De fil en aiguille, le commandant en vint à soupçonner que l'argent emprunté par Karamoko était passé en partie dans la poche de son "grand interprète". Au cours d'un entretien avec ce dernier dans son bureau, il laissa entendre que Karamoko Mounirou Tall et tous ceux qui, d'une façon ou d'une autre, auraient reçu de l'argent de lui risquaient de passer devant le tribunal pour complicité de détournement de deniers publics. Il ne se doutait point que, ce faisant, il jetait un pavé dans une mare boueuse et que bien des gens risquaient de s'en trouver éclaboussés, à commencer par lui-même.

Moro Sidibé n'était point homme à se laisser faire. La pente était glissante sous ses pieds : il suffisait de ne point s'y engager et de brouiller savamment les pistes.

Pour en savoir davantage, il se livra à une enquête personnelle. Il découvrit ainsi qu'une institutrice française, Mme A., directrice de l'école régionale de Ouahigouya, passait beaucoup de commandes en France, livrables à Ouahigouya "contre remboursement" ; mais lorsque Payébédé lui remettait ses paquets, elle ne lui réglait pas le paiement dû à la livraison. Elle avait demandé à Payébédé de patienter, de lui faire confiance, l'assurant qu'elle lui paierait tout ce qu'elle lui devait… mais elle ne payait jamais rien. Sa dette ne faisait que croître et embellir. Payébédé, petit fonctionnaire indigène, n'imaginait point qu'il puisse exister un moyen de recours quelconque contre une dame blanche de cette qualité. Il préféra se taire.

Moro Sidibé, sous prétexte de donner au commandant un supplément d'information sur l'affaire, évoqua un bruit qui courait en ville, selon lequel Mme A. ne payait jamais ses commandes à Payébédé et qu'elle lui devait beaucoup d'argent. Cette information n'était pas pour plaire au commandant Courtaud, car il entretenait avec Mme A. des relations intimes, et ce vieux renard de Moro Sidibé le savait parfaitement. Le commandant comprit que si son "grand interprète" était impliqué dans l'affaire, il dévoilerait le pot aux roses ; le personnage devenait donc dangereux et pour l'honneur de la dame, et pour sa propre réputation. A l'époque, certains pensèrent que le commandant avait demandé confidentiellement la mutation de Moro Sidibé afin de l'éloigner du théâtre de l'"affaire Payébédé". Toujours est-il que plus tard Moro Sidibé sera muté pour la seconde fois de son existence à Bobo Dioulasso, ville où il avait connu jadis tant d'aventures et de mésaventures avec Wangrin et où, cette fois-ci, il verra s'éteindre son vieil adversaire…

Après avoir déféré Payébédé et Karamoko Mounirou Tall devant le tribunal dont il était lui-même le président, le commandant condamna Payébédé à vingt ans de travaux forcés, dix ans d'interdiction de séjour en Haute-Volta, plus le remboursement intégral de la somme détournée ; quant à Karamoko, il écopa de cinq ans de prison, avec expulsion de la Haute-Volta à l'expiration de sa peine. Ce jugement, hâtif et excessif, devait être cassé ultérieurement par la Cour de cassation pour vice de forme et renvoyé à Ouahigouya pour complément d'information ; mais, entre-temps, le commandant Courtaud fut muté et quitta le territoire.

On désigna pour le remplacer l'administrateur adjoint Baumester, un homme incorruptible et intraitable, et qui n'avait peur de rien. A Sélibabi, en Mauritanie, il avait réussi, contre vents et marées et malgré les puissantes recommandations qui le protégeaient, à faire condamner un interprète intouchable, protégé du député Blaise Diagne et qui profitait de ses protections pour extorquer des fonds à la population. L'administration supérieure avait tout fait pour étouffer l'affaire. Le gouverneur de Mauritanie avait reçu l'ordre de classer le dossier et d'arrêter les poursuites, Baumester fut soumis à des pressions… Rien n'y fit ! Il saisit du dossier le procureur général de la République de Dakar, et comme en ce temps-là il existait de grands avocats africains comme les Lamine Gueye et autres, qui étaient citoyens français, l'affaire s'ébruita. On muta l'interprète à Dakar, croyant ainsi le soustraire à l'action de Baumester. Peine perdue… Fort de son dossier, et estimant que nul ne devait échapper à la loi, Baumester inculpa l'interprète et demanda son transfert judiciaire à Sélibabi, où il le jugea et condamna bel et bien !

La haute administration coloniale ne réagit pas sur le moment. Mais quelques mois plus tard, Baumester se trouva muté en Haute-Volta, territoire éloigné qui était alors considéré comme une colonie de punition mais où, paradoxalement, tous les administrateurs voulaient ensuite revenir, tant il y faisait bon vivre… Le cercle de Ouahigouya était alors aux prises avec plusieurs affaires délicates : le détournement de fonds publics, la déclaration d'un foyer de "Hamallistes" dans le Djelgodji, et une difficile succession du Moro Naba local ; sans doute pensa-t-on que l'une de ces affaires éclaterait dans les mains de l'administrateur Baumester, et que l'on pourrait ainsi lui faire payer son indiscipline passée…

Toujours est-il que l'administrateur Baumester arriva à Ouahigouya précédé d'une solide réputation d'empêcheur de danser en rond.

Le commandant Courtaud passa le service à son successeur. Il lui parla des deux grandes affaires en cours et lui remit les dossiers, signalant que le jugement de Payébédé avait été envoyé à la Cour de cassation pour homologation. Il fit vaguement allusion à Mme A., qui partait d'ailleurs de Ouahigouya en même temps que lui pour un "congé de convalescence".

A peine le commandant Courtaud était-il parti que je découvris un matin, dans le "courrier à l'arrivée" dont j'étais chargé, la décision de la Cour de cassation concernant Payébédé et Karamoko Mounirou Tall. Le jugement du commandant Courtaud était tout simplement considéré comme nul et non avenu pour vice de forme. "Je dois reprendre l'enquête sur l'affaire de Payébédé, me dit le commandant Baumester. Le jugement qui a été rendu précédemment manquait de clarté et les attendus laissaient beaucoup à désirer. La Cour de cassation a eu raison de le casser. Nous sommes tous les deux nouveaux ici, et n'avons trempé ni directement ni indirectement dans cette affaire. C'est donc avec toi que je referai l'enquête."

J'allais donc, une fois encore, me trouver mêlé à une enquête portant sur un détournement de soixante mille francs ! "Je compte sur tes suggestions personnelles et sur ton expérience en ce domaine", me dit le commandant. C'est en ce temps-là qu'il me raconta en détail toute l'affaire de Sélibabi, dont je n'ai donné plus haut qu'un bref aperçu. Je compris que l'administrateur Baumester n'était pas homme à lâcher prise une fois lancé sur une piste, et cela quelle que soit la grosseur du gibier !

Dès le lendemain, il me demanda de l'accompagner à la poste pour y commencer nos investigations. Il nous fallait procéder à un examen minutieux des livres de recettes (vente des timbres, frais d'expédition des lettres recommandées, paquets et colis, émissions des mandats et mandats-cartes, etc.), des livres de dépenses, et relever tous les versements effectués à l'agence spéciale du Trésor par Payébédé. Il existait en effet un règlement fixant une somme maximum pour les fonds détenus en caisse, et le receveur devait verser régulièrement son excédent à l'agence.

Il apparut que, certains jours, Payébédé n'avait pas effectué le versement de son excédent de caisse. Curieusement, un certain Souleymane O., qui ne figurait ni sur la liste des commerçants ni sur celle des notables du cercle, envoyait régulièrement des sommes importantes à un grand marabout de Nara, et cela chaque fois que Payébédé aurait dû verser au Trésor un excédent de caisse et ne l'avait pas fait. Le commandant fit envoyer une commission rogatoire au commandant de cercle de Nara l'habilitant à interroger le marabout en vue de savoir qui était son correspondant Souleymane O. La réponse nous révéla que Souleymane O. était le nom musulman du receveur des PTT Payébédé O.

Au total, l'enquête dura trois mois. Il nous fut possible d'établir, presque jour par jour, comment Payébédé soustrayait des fonds de sa caisse. Nous avions également relevé tous les paquets et colis expédiés contre remboursement à Mme A. et qu'elle n'avait point réglés : sa signature était bien apposée dans les registres de livraison, mais aucun talon de reçu pour paiement de colis ne figurait nulle part.

Placé devant les faits, Payébédé ne les récusa pas. Il confirma même leur exactitude, mais se refusa à fournir aucun autre renseignement. Le détournement de fonds s'étant poursuivi durant deux ans et demi, la conclusion de l'enquête fut que ou bien Payébédé avait bénéficié de complicités au niveau de l'apurement comptable à la direction des Postes, ou bien les contrôleurs de la direction n'avaient pas fait leur métier.

Le commandant Baumester fit venir l'affaire devant le tribunal du deuxième degré dont il était le président. Il condamna Payébédé à huit ans de prison et cinq ans d'interdiction de séjour – c'était lourd, mais moins que les vingt ans de travaux forcés et dix ans d'interdiction de séjour du commandant Courtaud ! Avant le jugement, le commandant Baumester avait écrit au gouvernement de Ouagadougou pour faire savoir que Karamoko Mounirou Tall ne saurait être considéré comme complice de Payébédé si Mme A. ne l'était pas également. Je ne sais quelle réponse lui fut faite, mais toujours est-il qu'il acquitta purement et simplement Karamoko Mounirou Tall. Quant aux autres implications possibles de l'affaire, notamment au niveau adminisratif, ne pouvant être prouvées il n'en fut pas question sur le plan judiciaire. S'il en fut question ailleurs, je n'en eus pas connaissance...

Telle fut la première grande affaire administrative à laquelle j'ai été amené à prendre part à Ouahigouya.

Une "poudrière" qui ne saute pas

La deuxième affaire, qui mettait toute l'administration coloniale en état d'ébullition avancée, concernait l'expansion en Haute-Volta, notamment dans la région du Djelgodji, d'une branche de l'ordre tidjani baptisée "Hamallisme*" par les autorités coloniales, lesquelles y voyaient une dangereuse entreprise de subversion antifrançaise. J'ai raconté ailleurs toute la genèse de cette triste histoire, fondée en grande partie, hélas, sur des malentendus**.

Depuis les incidents survenus deux ans auparavant à Kaédi, en Mauritanie (et dont le Cheikh Hamallah, bien que se trouvant à mille kilomètres de là, fut estimé

* Du nom de son grand maître : le Cheikh Ahmed Hamahoullah, ou "Hamallah".

** [Sur la tragique histoire du Cheikh Hamallah, qui passa une grande partie de sa vie en déportation loin de sa famille et qui mourut en France en janvier 1943, cf. *Vie et enseignement de Tierno Bokar*, de A. H. Bâ (p. 53 et suiv.), et *Cheikh Hamahoullah, homme de foi et résistant*, d'Alioune Traoré, Maisonneuve & Larose, Paris, 1983. Les documents et témoignages mis au jour, dans ce dernier ouvrage comme dans deux thèses actuellement en préparation (par MM. Seïdinâ Dicko, du Mali, et Bakari Savadogo, de Côte-d'Ivoire), permettent de lever enfin les accusations non fondées dont fut victime le Cheikh Hamallah.]

responsable et puni de déportation), toute progression locale du "Hamallisme" suscitait l'affolement de la haute administration.

Abdoulaye Doukouré était venu se fixer dans le Djelgodji bien avant son rattachement à l'obédience du Cheikh Hamallah. Déjà dignitaire de l'ordre tidjani, marabout réputé vivant non de subsides mais de ses propres activités commerciales, il s'était créé une bonne réputation et était devenu très populaire dans tout le pays. Lorsqu'il entendit parler de la réputation de sainteté du Cheikh Hamallah (que l'on appelait aussi "Chérif Hamallah", en raison de ses ascendances chérifiennes*), il voulut le rencontrer et se rendit auprès de lui dans la ville de "Nioro du Sahel" (Mali). Comme le fera plus tard, en 1937, mon maître Tierno Bokar, il reconnut la suprématie spirituelle du Chérif et sollicita de lui, selon un usage en cours dans les confréries soufies, le renouvellement de son *wird* tidjani** – autrement

* Le Cheikh Hamallah appartenait à une tribu de "chérifs", ou descendants du Prophète Mohammad.

** Le *wird*, ensemble des oraisons surérogatoires spécifiques à chaque confrérie (litt. *tariqa* : "Voie"), ne modifie en rien les rites fondamentaux de l'Islam ; il ne fait que s'y surajouter [cf. *Vie et enseignement...* p. 229 et suiv., 240 et suiv.]. Transmis rituellement au néophyte par un *moqaddem* (dignitaire habilité à recevoir dans la *tariqa* et à en transmettre les enseignements) ou par un *cheikh* (grade supérieur), le *wird*, indépendamment de ses vertus propres, est censé véhiculer la *baraka* attachée à une chaîne de transmission remontant jusqu'au Saint fondateur et, à travers lui, jusqu'au Prophète Mohammad. La pratique du "renouvellement du wird" (sorte de confirmation) par un autre *cheikh* de la même confrérie est courante et ne constitue en rien une "sortie" de la confrérie ; elle vise, en général, à se relier à une *baraka* supplémentaire, que l'on choisisse ou non ce nouveau *cheikh* comme guide spirituel. Avant de faire "renouveler" dit il se rattachait à son obédience, devenant du même coup un dangereux suspect aux yeux des autorités coloniales.

Elevé par le Chérif Hamallah à la dignité de Cheikh, Abdoulaye Doukouré revint dans le Djelgodji. Dès son retour, sa présence agit comme un aimant et les gens se rattachèrent en masse à l'obédience du Chérif, y compris certains grands dignitaires religieux locaux. Dès lors, le "Hamallisme" accomplit, dans la région, une progression spectaculaire qui n'était pas pour plaire à tout le monde. Pour l'administration française, en tout cas, le cercle de Ouahigouya était devenu un "foyer hamalliste" très actif, autant dire une poudrière qu'il fallait surveiller nuit et jour pour l'empêcher de sauter !

A l'époque, je ne connaissais pas grand-chose du "Hamallisme", dont je n'avais entendu parler qu'incidemment. Je découvris, à Ouahigouya, qu'une vaste opération avait été déclenchée à son encontre. Des instructions émanant du gouvernement général ordonnaient de perquisitionner les demeures des marabouts

son *wird* tidjani par le Chérif Hamallah, Tierno Bokar, par exemple, l'avait déjà reçu de plusieurs chaînes de transmission différentes... En l'occurrence, demander le "renouvellement" de son *wird* tidjani au Cheikh Hamallah n'était dangereux qu'en raison de la position de l'administration française à son égard et de l'hostilité de certaines autres branches de la Tidjaniya, proches des autorités.

“hamallistes” partout où ils se trouvaient sur le territoire de l’Afrique occidentale française, de dresser un inventaire détaillé de leurs bibliothèques et de confisquer séance tenante tous les livres à caractère “révolutionnaire” ou traitant des “sciences secrètes” qui pourraient se trouver entre leurs mains. Le commandant Baumester, chargé à son niveau d’appliquer ces instructions, entreprit une enquête.

Le plus grand suspect du cercle était alors Ould Dannan, un marabout maure installé à Ouahigouya où il pratiquait un important commerce de livres arabes – activité jugée des plus suspectes ! Il avait été signalé comme étant un “Hamalliste dangereux” et un agent de propagande subversive contre l’autorité française. Ordre fut donné de le neutraliser à tout prix, au besoin de le poursuivre en justice et de le condamner sévèrement.

Le commandant Baumester n’était pas homme à humilier des gens sans défense pour le simple plaisir d’éprouver son pouvoir, et il ne cachait pas sa réprobation pour ce genre de méthode. “Je suis prêt à punir sévèrement un coupable, disait-il, mais je préférerais rendre mon tablier plutôt que de sévir contre un innocent !” Il me demanda quelle serait, à mon avis, la manière la moins humiliante pour la population, et particulièrement pour le marabout Ould Dannan, de mener notre mission.

“S’il en est ainsi, mon commandant, lui répondis-je, je crois que le procédé le plus convenable serait d’appeler d’abord Ould Dannan à votre bureau pour l’interroger, avant de vous rendre chez lui pour une perquisition.”

Le commandant fit alors convoquer Ould Dannan, non pas par un garde de cercle mais par l’intermédiaire du représentant d’un haut dignitaire mossi, le Baloum

Naba. Il lui posa de nombreuses questions. Ould Dannan répondit avec la clarté et la simplicité d'un homme qui n'avait rien à cacher, et qui était plutôt soulagé de pouvoir s'expliquer sur ses activités réelles.

Le commandant lui posa alors la question piège à laquelle bien des marabouts se laissaient prendre : "Fais-tu venir des livres arabes pour les revendre ?" Presque invariablement, les marabouts répondaient : "Non mon commandant, je n'en fais venir que pour mon usage personnel." Ould Dannan, lui, répondit franchement :

"Oui mon commandant. Je vis du commerce de livres arabes. J'en fais venir de partout : d'Algérie, du Maroc, d'Egypte et même de Syrie par l'intermédiaire de Syriens musulmans.

— As-tu une bibliothèque ?

— Certes oui, et une bibliothèque bien garnie !

— Combien de volumes possèdes-tu ?

— Je ne sais pas exactement, mais il n'y en a pas moins de mille.

— Je voudrais dresser un inventaire de ta bibliothèque. Veux-tu la transporter ici, ou préfères-tu que j'aille chez toi pour le faire ?

— Que le commandant lui-même choisisse ce qu'il voudra, je le voudrai aussi. Mais si le commandant choisit d'aller chez moi, il évitera d'encombrer son bureau et sa présence sous mon toit m'honorera. C'est à lui de décider."

Le commandant était manifestement surpris de trouver en face de lui non le fanatique sournois, cachotier et xénophobe qu'on lui avait annoncé, mais un homme ouvert, droit et direct. L'interrogatoire dura trois heures. Ould Dannan donna les noms et adresses de tous ses clients, en précisant l'obédience religieuse de chacun d'eux. Le lendemain, le commandant me demanda de l'accompagner au domicile du marabout pour procéder à l'inventaire de sa bibliothèque. Ce dernier avait déjà fait établir un inventaire complet de ses livres ; il suffisait de le vérifier.

A partir de la liste fournie par Ould Dannan, le commandant put joindre sans difficulté tous les marabouts du cercle de Ouahigouya. Cela permit de mettre à jour le registre très incomplet du cercle, en remplaçant les observations laconiques et souvent malveillantes qui y étaient portées par des renseignements objectifs plus conformes à la réalité. Alors que, dans presque tous les cercles de la Haute-Volta, on se livrait à la chasse aux "Hamallistes" sans réussir à les joindre, ni même à les dénombrer exactement, le cercle de Ouahigouya avait pu procéder à un recensement complet, et sans engager aucune poursuite. Les marabouts et *moqaddem** "hamallistes", assurés de trouver auprès du commandant Baumester une oreille attentive et bienveillante et un sens de la justice auquel ils n'étaient plus habitués depuis 1924-1925, venaient d'eux-mêmes se déclarer, heureux de pouvoir enfin prouver leur bonne foi.

C'est à cette époque, grâce à mes fonctions à Ouahigouya auprès du commandant Baumester, que je découvris l'ampleur des dispositions draconiennes prises par le gouvernement général de Dakar pour lutter contre le Hamallisme dans tous les territoires de l'Afrique occidentale française. Rien ne me permettait d'imaginer que plusieurs années plus tard, à l'exemple de mon maître Tierno Bokar, je rejoindrais à mon tour, à mes risques et périls, l'obédience spirituelle du Chérif Hamallah, ni du rôle indirect que je serais amené à jouer après la Seconde Guerre mondiale dans la libération du Cheikh

* [Voir la seconde note p. 422.]

Abdoulaye Doucouré, après qu'il eut accompli dix-huit années d'internement et d'exil !

A propos de Wangrin

La longue période que je passai auprès de Moro Sidibé, le grand interprète du commandant, me permit de recueillir de sa bouche non seulement tous les détails cachés de "l'affaire Payébédé", mais sa propre version des événements qui, des années auparavant, l'avaient opposé à Wangrin. A cette époque, Moro Sidibé était encore très "monté" contre celui qui avait jadis pris sa place à Ouahigouya et qui par la suite, chaque fois qu'il avait essayé de lui tendre un piège pour se venger, lui avait constamment filé entre les doigts avec une pirouette malicieuse. C'est lui, bien sûr, qui me conta sa version de l'épisode où, à Bobo Dioulasso, il avait tenté, sur ordre du commandant de l'époque, d'arrêter Wangrin avec un peloton de quinze gardes de cercle, et comment celui-ci l'avait ridiculisé une fois de plus en s'échappant sous son nez dans sa torpédo toute neuve.

Il avait appris, depuis, la ruine de son vieil adversaire. Il ne pouvait se douter que dans un avenir pas très éloigné, quand Wangrin disparaîtrait de ce monde à Bobo Dioulasso, il prononcerait lui-même, en tant que doyen de ses compatriotes de Bougouni présents sur les lieux, un discours de funérailles qui arracherait des larmes à toute l'assistance – discours qui me sera rapporté ultérieurement à Bamako par Diêli Maadi, le griot de Wangrin.

"*Quand on n'a plus en face de soi un partenaire de taille,* dira-t-il, *le combat perd ses attraits et cesse d'être viril. Tel sera désormais mon cas, car mon par-*

tenaire valeureux, que je cognais toujours et qui ne tombait jamais, c'était Wangrin. (...) Ne l'ayant plus pour m'escrimer, je vais m'ankyloser, en attendant d'aller le rejoindre dans l'infini du devenir des êtres... C'est pourquoi je déclare, devant Dieu et les mânes de nos ancêtres, que je pardonne à feu Wangrin tout ce qu'il avait pu penser ou faire contre moi. Je lui pardonne de cœur et d'esprit. Par ailleurs, devant Dieu et devant vous tous, mes frères, je demande à la mémoire de Wangrin de me pardonner à mon tour tout ce que j'ai pu fomenter ou songer à fomenter contre lui.”*

Une telle attitude, tout à l'honneur de Moro Sidibé, peut paraître étonnante pour les Européens ; en réalité elle était conforme à une antique tradition qui voulait que *“la mort efface toute querelle et tout différend”*.

Un autre trait de la mentalité africaine peut paraître plus étonnant encore : en effet, c'est le propre fils de Moro Sidibé, “Doumouma”, qui me conta par le menu tout l'épisode du “viol de la belle Pougoubila” dont il s'était rendu coupable et que j'ai raconté dans mon ouvrage**. Non seulement il ne m'en cacha aucun détail, ne cherchant nullement à camoufler ses fautes ou à se trouver des justifications, mais il déclara que Wangrin avait eu bien raison de le faire emprisonner ! Dans l'Afrique de jadis, le fait d'avouer une mauvaise action n'avait rien de honteux ; au contraire, on admirait celui qui avait le courage de dire la vérité. Ce qui était honteux, incongru, voire jugé répugnant, c'était de se vanter de ses propres bonnes actions ou de parler de soi en bien, car, disait-on, *“l'homme n'est pas*

* [*L'Etrange Destin de Wangrin*, p. 425.]
** [*Ibid.*, p. 151 et suiv.]

bon dans sa propre bouche" – autrement dit, il est laid de parler de soi en bien, c'est aux autres de le faire ; les griots et les amis sont là pour cela.

C'était là l'une des raisons qui, dans l'Afrique de jadis, rendaient la plupart des récits crédibles. A cela s'ajoutait le fait que la mémoire africaine ancienne, typique des sociétés à culture orale, enregistrait une scène dans tous ses détails et la restituait ensuite telle quelle, sans la résumer, comme un film qui se déroule.

Mes notes sur l'histoire de Wangrin commençaient à prendre de l'épaisseur. Mais elles n'étaient pas les seules...

Funérailles d'un grand chef mossi

Lors de mon séjour à Ouahigouya, il me fut également donné d'enrichir ma documentation sur les traditions mossis, commencée dès le début de mon séjour en Haute-Volta. Grâce, entre autres, à mes liens de parenté avec mon grand-oncle Babali Hawoli Bâ, beau-frère du grand Moro Naba de Ouagadougou, j'avais toujours bénéficié de relations privilégiées avec les dignitaires mossis ; c'est ce qui m'avait valu de pouvoir assister à certaines cérémonies impériales traditionnelles.

A Ouahigouya, où je bénéficiais des mêmes avantages, il me fut accordé de suivre différentes phases des funérailles rituelles du Togo Naba, l'un des grands ministres du Royaume.

Ces funérailles se divisaient en cinq phases. La première, qui comportait les cérémonies liées à l'annonce du décès, me fut rapportée par le griot Amadou Sakké, ami du défunt ; j'ai assisté personnellement aux quatre autres. Il y eut d'abord les cérémonies liées à la levée du corps et à son acheminement jusqu'au lieu choisi pour l'inhumation, puis la fête d'adieu qui fut célébrée sur place. Au cours de cette fête, des cavaliers venus des villages voisins réalisèrent une fantasia qui souleva mon admiration. Groupés à environ deux cents mètres du corps, ils s'élancèrent trois par trois, serrés les uns contre les autres, galopant à toute bride vers le corps du défunt ; chacun d'eux tenait haut dans la main droite une lance ou un bâton dirigé vers ce dernier, comme s'il voulait le transpercer. Lancés à toute vitesse, à un mètre du corps le cavalier de droite décrochait brusquement vers la droite, celui de gauche vers la gauche, tandis que celui du milieu faisait cabrer son cheval. Ils retournaient au galop vers leur point de départ, tandis que chaque groupe de trois cavaliers se livrait à la même performance. La course se poursuivit ainsi durant plus d'une demi-heure. C'était superbe ! Les cavaliers mossis n'avaient pas usurpé leur réputation...

Le corps fut ensuite conduit au "lieu du sacrifice" où, entre autres rites, le sacrificateur immola une chèvre tachetée de blanc, offerte par un chef de village. Une fois de plus le corps fut levé et ramené vers le sépulcre. C'était la dernière phase de la cérémonie. La foule, conduite par les sœurs du défunt, accomplit trois fois le tour de la tombe avant que le cercueil y soit descendu. Le sacrificateur prononça des paroles incompréhensibles pour moi, puis déposa des objets dans la tombe. Des serviteurs la comblèrent de terre.

Les cavaliers et la foule revinrent vers la *soukala*, demeure du défunt, dont ils firent trois fois le tour. Alors seulement commencèrent les plaintes, les cris et les gémissements exprimant la douleur des proches, et cela jusqu'à la fin du jour. Quand l'horizon eut avalé les derniers rayons du soleil couchant, un calme impressionnant s'étendit sur la *soukala*. Elle entrait alors réellement dans son deuil, que vint recouvrir le sombre manteau de la nuit*.

Coup de tonnerre sur la Haute-Volta

Au cours des années précédentes, lors d'un séjour à Bandiagara ma femme avait donné le jour à un garçon que nous avions baptisé "Tierno Bokar" ; hélas, peu après sa naissance il avait quitté ce monde entre les mains mêmes de son homonyme. A Tougan, en 1930, nous avions eu un fils, auquel j'avais donné le nom de Hammadoun en l'honneur de mon oncle maternel Hammadoun Pâté ; sa santé nous avait donné récemment de grandes inquiétudes, heureusement sans lendemain. A Ouahigouya, en 1932, ma femme mit au monde un nouveau garçon ; je lui donnai à lui aussi le nom de Tierno Bokar, en espérant qu'il pourrait le porter longtemps.

Cette année à Ouahigouya, partagée entre ma vie familiale, mon travail et mes recherches personnelles,

* [Le 8 octobre 1958, dans le cadre des émissions de la SORAFOM, Amadou Hampâté Bâ fit passer sur les ondes de Radio Soudan, à Bamako, un reportage intitulé "Une cérémonie à la Cour du Mogho Naba *(autre orthographe du nom, dans sa transcription linguistique)*, empereur des Mossis". Grâce à ses relations anciennes avec la Cour du Moro Naba, il avait été autorisé à effectuer un reportage sur place afin d'enregistrer les musiques traditionnelles accompagnant les différentes étapes de cette cérémonie. C'est ce reportage musical, accompagné de ses commentaires et précédé d'une brève évocation de la fondation de l'empire, qui passa à Radio Soudan. Le texte écrit de cette émission figure dans ses archives, ainsi que la description des funérailles rituelles dont il est question ici.]

fut particulièrement bien remplie, et finalement agréable. Je trouvai même le temps de me perfectionner en langue arabe grâce aux cours de L'Ecole universelle par correspondance, de Paris, à laquelle je m'étais inscrit. Cette situation se serait sans doute prolongée davantage si un coup de tonnerre n'était venu ébranler les fondements mêmes de la colonie de la Haute-Volta, et ne l'avait fait voler en éclats…

Le 5 septembre 1932, un décret pris à Paris décida la suppression administrative de la colonie, qui avait été créée en mars 1919. Son territoire (qui, avant 1919, faisait partie de l'ensemble appelé "Haut-Sénégal-Niger") fut réparti entre trois colonies : la zone nord-est, comprenant les cercles de Dori et de Fada N'Gourma, allait au Niger, qui avait déjà hérité en 1928 des cercles de Téra et de Say ; la zone ouest, comprenant les cercles de Ouahigouya, Tougan et Nouna, allait au Soudan français ; la Côte-d'Ivoire héritait du reste, c'est-à-dire de toute la zone située au sud-ouest, dite "Haute Côte-d'Ivoire". La "Haute-Volta" n'avait donc vécu qu'un peu plus de treize ans. Elle ne réapparaîtra que quinze ans plus tard, quand le décret du 4 septembre 1947 abrogera le décret précédent et rétablira la colonie de la Haute-Volta, sauf les cercles de Téra et de Say qui resteront nigériens*.

Le cercle de Ouahigouya se trouvait rattaché au Soudan français, c'est-à-dire mon pays d'origine. Dans l'attente du sort qui me serait réservé, je demandai à bénéficier d'un congé de longue durée. Une décision

* [C'est dans ces limites territoriales, définies par le décret de 1947, que la Haute-Volta (qui prendra plus tard le nom de Burkina-Faso, "le pays des hommes intègres") accédera au statut de République en 1958 dans le cadre de la Communauté française, puis proclamera son indépendance le 5 août 1960.]

du gouverneur du Soudan en date du 17 février 1933 m'accorda un congé de six mois que je décidai de passer à Bandiagara, auprès de mes parents et de mon maître Tierno Bokar. Je télégraphiai à ce dernier pour l'aviser de mon arrivée.

Accompagné de Baya, de mes enfants et d'un convoi de porteurs, je quittai Ouahigouya dans les premiers jours de mars 1933. Notre convoi reprit la route de l'ouest par laquelle j'étais arrivé onze ans plus tôt, et que je n'avais plus empruntée depuis mes vacances de 1927.

Une grosse malle contenait l'ensemble des registres et cahiers sur lesquels j'avais noté, depuis mon départ de Koulikoro en décembre 1921, toutes les traditions orales recueillies au fil des jours auprès des diverses ethnies rencontrées. En plus de ma documentation sur les Mossis, j'avais récolté, lors de mon séjour à Dori, beaucoup de renseignements sur les Peuls de la région, qui étaient islamisés depuis très longtemps, et sur les Touaregs. A Tougan, je m'étais documenté sur les tribus Samos et avais pu compléter mes informations sur les Toucouleurs – je devais beaucoup au vieux Markadjalan que j'avais rencontré au campement de Louta et aux vieillards de la région avec lesquels il m'avait mis en contact. J'avais aussi recueilli des données sur les Doforobés. Mes fonctions de secrétaire de divers commandants, d'interprète occasionnel et surtout de secrétaire du tribunal, qui me mettaient en contact avec beaucoup de monde, avaient facilité mes recherches, d'autant que mon intérêt pour les récits traditionnels de tous ordres avait fini par être connu de tous. Les populations au milieu desquelles il m'avait été donné de vivre m'avaient toujours réservé un bon accueil : les Peuls, bien sûr, mais aussi les Touaregs, généreux et hospitaliers ; les Mossis, peuple droit, discipliné et travailleur, héritier d'une tradition sociale et culturelle séculaire et qui m'avait ouvert ses portes avec confiance ; sans oublier les Samos, frondeurs et turbulents, indomptables mais sentimentaux, qui accueillirent avec sympathie "l'héritier présomptif du royaume toucouleur de Louta" alors que, vers 1903, ils avaient assiégé dans son palais le roi son père…

Au fil des premiers jours de mon voyage, les onze années que j'avais passées en Haute-Volta défilèrent devant ma mémoire, depuis l'arrivée du petit "écrivain temporaire à titre essentiellement précaire et révocable", naïvement fier de son casque colonial, de son costume européen et de ses chaussures craquantes Robéro jaune London… jusqu'au "commis expéditionnaire titulaire de deuxième classe" (depuis le mois de juillet précédent), en passant par le chef de poste, intérimaire il est vrai, de Tougan ! J'avais connu des hauts et des bas, mon sort n'avait parfois tenu qu'à un fil… mais j'avais beaucoup appris sur la vie, sur les hommes et sur moi-même, et je portais un regard un peu plus averti sur le monde qui m'environnait.

Du "commerce muet" à la colonisation économique

Sans en saisir encore tous les aspects, je commençais à me faire une idée sur le fonctionnement du système colonial et sur les différentes phases qu'il avait connues au cours des temps.

Avant les grandes explorations, il y avait d'abord eu la période du "commerce muet", celle où les Européens, arrivés en bateau sur les côtes africaines, déposaient leurs objets et marchandises sur une plage, allumaient un grand feu et retournaient sur leurs bateaux ; les Africains, qui voyaient la fumée de loin, sortaient alors des forêts riveraines, venaient prendre les objets européens et déposaient en échange leurs propres richesses sur la plage. Nous connaissions cette époque à travers la légende qui en était née : les populations côtières avaient cru les Européens "fils de l'eau", servis par les esprits des océans...

Plus tard, après les grandes explorations, était venue la période de la conquête (approximativement de 1848 à 1892) qui permit l'installation de comptoirs commerciaux ; puis celle de l'occupation militaire (de 1893 à 1904 selon les lieux). Dans les régions du Mali que j'ai connues personnellement, l'administration militaire, bien que très dure, était néanmoins assez juste et ne pratiquait pas encore l'exploitation systématique des populations. Les militaires étaient des hommes fiers, parfois fantaisistes, mais généralement ils tenaient leur parole et se souciaient surtout de servir l'honneur de la France. Plutôt que des amasseurs de fortune, c'étaient des idéalistes à leur manière. Ils aimaient commander, mais ils ne pillaient pas. Lors de leur pénétration dans le pays, bien des peuples africains les considérèrent comme une armée à l'égal d'une autre, et plusieurs passèrent même alliance avec eux pour mieux lutter contre leurs propres ennemis. A cette époque, les Africains n'avaient aucune idée de ce qui les attendait.

Les choses changèrent avec la phase suivante, qui vit la mise en place de l'administration civile (entre 1895 et 1905 selon les pays). Le réseau administratif se ramifiait selon une hiérarchie descendante : au sommet, il y avait le Gouverneur général ; ses instructions, inspirées de Paris, étaient transmises aux différents gouverneurs des territoires, qui les répercutaient à leur tour aux administrateurs civils des colonies, appelés "commandants de cercle", pour exécution sur le terrain. L'administration coloniale, qui avait commencé par s'appuyer sur les chefferies traditionnelles, les évinça peu à peu ou les absorba en en faisant des "chefs de canton" soumis à son autorité ; le roi Aguibou Tall, par exemple, installé par le colonel Archinard à Bandiagara en 1893, fut destitué en 1902. La première mission de l'administration fut de recruter de gré ou de force tous les fils de chefs pour les envoyer à l'école française et les doter d'une instruction élémentaire, afin d'en faire de futurs employés subalternes de l'administration ou des maisons commerciales, et, surtout, de fidèles serviteurs de la France, sevrés de leurs traditions ancestrales ; c'est ce type de formation scolaire que j'avais connu. L'accès à un enseignement plus poussé n'apparaîtra que plus tard.

Puis vint le règne des chambres de commerce (celle du Haut-Sénégal-Niger fut fondée en 1913 à Bamako). Alors seulement apparut l'exploitation systématique des populations sur une grande échelle, l'instauration des cultures obligatoires, l'achat des récoltes à bas prix, et surtout le travail forcé pour réaliser les grands travaux destinés à faciliter l'exploitation des ressources naturelles et l'acheminement des marchandises. Le commerce européen s'empara des marchés : les chambres de commerce de Bordeaux et de Marseille établirent des succursales en Afrique ; des maisons spécialisées s'installèrent dans les principales villes du pays. C'est à cette époque que débuta ce que l'on peut appeler la "colonisation économique", servie par l'infrastructure administrative qui, de bon ou de mauvais gré, devait faire exécuter les ordres venus de plus haut. Certains commandants de cercle, en effet, rejetons de la vieille noblesse française ou épris d'un idéal "civilisateur", ne voyaient pas d'un bon œil l'empire grandissant des chambres de commerce locales et répugnaient à servir leurs ambitions ; mais qu'il s'agisse de la levée des impôts ou des récoltes obligatoires, force leur fut de s'incliner.

Mes différentes fonctions, au secrétariat du gouverneur comme dans les cercles de brousse, me permirent de découvrir peu à peu l'organisation du système d'exploitation agricole, qui me fut également exposé par Wangrin*. Le schéma était le suivant.

Selon les besoins des industries métropolitaines (industries textiles, oléagineuses ou autres), le ministre des Colonies, saisi par les chambres de commerce françaises, transmettait les desiderata de ces dernières au Gouverneur général de l'AOF (Afrique occidentale française) ou de l'AEF (Afrique équatoriale française). En concertation avec les gouverneurs locaux, une répartition des matières premières à livrer était établie entre les différents territoires, puis entre les cercles ; au bout du circuit, les chefs de canton recevaient de leur commandant de cercle l'ordre de fournir, selon les régions concernées, tant de tonnes d'arachides, de kapok, de coton ou de latex, ordre qu'ils répercutaient eux-mêmes aux chefs de village. Les paysans devaient livrer les quantités demandées, quitte à négliger gravement leurs propres cultures vivrières.

Pour faciliter les livraisons, on créa le système des "foires périodiques". Les paysans devaient y amener leurs produits souvent de fort loin, à leurs frais, la plupart du temps à dos d'homme, et pour un prix d'achat dérisoire. Ce prix était en effet fixé par les chambres de

* [Cf. *L'Etrange Destin de Wangrin*, p. 271.]

commerce locales, qui fixaient également les prix de vente des produits manufacturés… Il fallut rien moins que l'astuce et l'audace d'un Wangrin, à Bobo Dioulasso, pour réussir à s'introduire clandestinement dans ce circuit, à en fausser les données au détriment des gros commerçants européens de la place et à réaliser, au nez et à la barbe des pontes de la chambre de commerce, des profits substantiels qui furent le point de départ de sa fabuleuse fortune*.

Avant mon départ de Ouahigouya, j'avais entendu dire que le démembrement récent de la Haute-Volta répondait beaucoup plus à un besoin d'aménagement de l'exploitation des ressources naturelles et à la pression des grandes chambres de commerce sur le gouvernement de Paris qu'à une réelle nécessité administrative… Avec d'autres, je prenais peu à peu conscience des faiblesses ou des abus de l'organisation coloniale dans laquelle nous étions nés ; mais, à l'époque, nous n'imaginions même pas qu'elle puisse disparaître un jour. Nous espérions seulement qu'elle s'améliorerait avec le temps…

Depuis, les situations se sont modifiées, mais, hélas, les règles qui président aux échanges internationaux restent les mêmes dans leurs grandes lignes : acheter le moins cher possible les matières premières, et revendre le plus cher possible les produits manufacturés. La colonisation économique n'a fait que prendre un autre visage. Tant que l'on ne se suffit pas à soi-même, on reste nécessairement l'esclave de son approvisionneur.

* [*Ibid.*, p. 275 et suiv.]

Face nocturne et face diurne...

Certes, la colonisation a existé de tout temps et sous tous les cieux, et il est peu de peuples, petits ou grands, qui soient totalement innocents en ce domaine – même les fourmis colonisent les pucerons et les font travailler pour elles dans leur empire souterrain !... Cela ne la justifie pas pour autant, et le principe en reste haïssable. Il n'est pas bon qu'un peuple en domine d'autres. L'Humanité, si elle veut évoluer, se doit de dépasser ce stade. Cela dit, quand on réclame à cor et à cri la justice pour soi, l'honnêteté réclame qu'on la rende à son tour aux autres. Il faut accepter de reconnaître que l'époque coloniale a pu aussi laisser des apports positifs, ne serait-ce, entre autres, que l'héritage d'une langue de communication universelle grâce à laquelle nous pouvons échanger avec des ethnies voisines comme avec les nations du monde... A nous d'en faire le meilleur usage et de veiller à ce que nos propres langues, nos propres cultures, ne soient pas balayées au passage.

Comme le dit le conte peul *Kaïdara*, toute chose existante comporte deux faces : une face nocturne, néfaste, et une face diurne, favorable ; la tradition enseigne en effet qu'il y a toujours un grain de mal dans le bien et un grain de bien dans le mal, une partie de nuit dans le jour et une partie de jour dans la nuit*...

Sur le terrain, la colonisation, c'étaient avant tout des hommes, et parmi eux il y avait le meilleur et le pire. Au cours de ma carrière, j'ai rencontré des administrateurs inhumains, mais j'en ai connu aussi qui distribuaient aux déshérités de leur circonscription tout ce

* [Cf. *Njeddo Dewal mère de la calamité*, p. 90, et *Contes initiatiques peuls*, p. 111. Voir page "Du même auteur".]

qu'ils gagnaient et qui risquaient même leur carrière pour les défendre. Je me souviens d'un administrateur commandant de cercle à qui le gouverneur avait donné ordre de faire rentrer l'impôt à tout prix. Or, la région avait connu une année de sécheresse et de famine, et les paysans n'avaient plus rien. L'administrateur envoya au gouverneur un télégramme ainsi rédigé : "Là où il n'y a plus rien, même le roi perd ses droits." Inutile de dire qu'il fut considéré comme "excentrique" et rapidement rapatrié.

Serait-il juste de frapper du même bâton des professeurs honnêtes, des médecins ou des religieuses dévoués, de hardis et savants ingénieurs, et d'un autre côté quelques petits commandants mégalomanes et neurasthéniques qui, pour calmer leurs nerfs ou compenser leur médiocrité, ne savaient rien faire d'autre qu'asticoter, amender et emprisonner les pauvres "sujets français" et leur infliger des punitions à tour de bras ? Quelque abominable qu'ait pu être la douleur infligée à tant de victimes innocentes, ou le coût terrible en vies humaines des grands travaux dits d'"utilité publique", cela ne doit pas nous conduire à nier le dévouement d'un professeur formant les instituteurs ou les médecins de demain.

Les populations africaines, si rapides à épingler les travers ou les qualités d'un homme à travers un surnom, savaient bien faire la différence.

C'est ainsi que j'ai connu le commandant *Touk-toïga*, "Porte-baobab", qui ne se privait pas de faire transporter des baobabs à tête d'homme sur des dizaines de kilomètres ; les commandants "Diable boiteux" ou "Boule d'épines", qu'il était risqué d'approcher sans précautions, ou *Kounflen-ti*, "Brise-crânes"... Mais, il faut le dire, ils étaient souvent aidés dans leurs actions inhumaines ou malhonnêtes par de bien méchants blancs-noirs : le commandant *Koursi boo*, "Déculotte-toi" (sous-entendu "pour recevoir cinquante coups de cravache sur les fesses"), était assisté par le brigadier des gardes *Wolo boosi*, ou "Dépouille-peau" ; le commandant "Porte-baobab" avait un garde au nom évocateur : *Kankari*, "Casse-cous" ; le commandant *Yiya maaya*, "Voir et mourir", avait son ordonnance *Makari baana*, "Finie la compassion". Et le commandant *Boo doum*, "Mange tes excréments", dont la triste spécialité s'exerçait à l'encontre des prisonniers dans leur cellule, était flanqué d'un garde de cercle *Nyegene min*, "Avale tes urines". J'en ai connu plusieurs personnellement. Beaucoup plus tard, curieux de savoir ce qu'ils étaient devenus, j'en ai visité certains en France. Bizarrement, leur fin de vie fut souvent très pénible, et leur sort, dans des hôpitaux ou des asiles, à peine plus enviable que celui de leurs victimes (je pense en particulier aux commandants "Brise-crânes" et "Mange tes excréments").

Mais il y avait aussi les commandants *Fa nyouman*, "Bon papa" ; *Fana te son*, "Calomniateur n'ose" ; *Ndoungou lobbo*, "Heureux hivernage" ; *Lourral maayi*, "La mésentente est morte" ; et *Alla-ya-nya*, "Dieu l'a lustré". Sans parler du docteur *Maayde woumi*, "La mort est aveuglée" ; de l'instituteur *Anndal rimi*, "Le savoir a fructifié" ; et de l'ingénieur *Tiali kersi*, "Les cours d'eau sont mécontents" car il les aménageait...

En règle générale, les tout-puissants administrateurs coloniaux, "dieux de la brousse" incontestés, présidents des tribunaux et qui pouvaient infliger sans jugement des peines dites "mineures" mais renouvelables, inspiraient une telle crainte que, bons ou méchants, en leur présence l'expression conjuratoire "Oui mon commandant" sortait de la bouche des sujets français comme l'urine d'une vessie malade.

Mais, derrière cette expression devenue rituelle, l'humour, cette grande arme des Africains "noirs-noirs", gardait tous ses droits. Une anecdote, entre bien d'autres, en témoigne.

O imbécillité drue !

Un jour, un commandant de cercle décida d'accomplir une tournée dans la région. Or, on était à la saison des pluies, et la route longeait un terrain argileux encaissé entre deux rivières. Il appela le chef de canton : "Il faut me faire damer cette route par tes villageois pour la durcir et la tenir au sec. Je ne veux pas que ma voiture s'enfonce !" – "Oui mon commandant !", dit le chef de canton, qui ne pouvait dire autre chose. Alors il appela les habitants de plusieurs villages, leur dit de prendre leurs outils à damer*, sortes de tapettes en bois en forme de pelles aplaties dont on frappait le sol pour le compacter et le durcir, et les envoya sur la route. Jadis, toutes les routes de l'Afrique, sur des milliers de kilomètres, ont été ainsi damées à main d'homme.

Et voilà les villageois, hommes, femmes et enfants, qui se mettent à taper dans le sol humide et bourbeux. Ils tapent, ils tapent à tour de bras, au rythme d'un chant qu'ils ont composé pour la circonstance. Et tout en tapant, ils chantent et ils rient. J'ai entendu leur chant. En voici quelques passages :

> *Imbécillité, ô imbécillité drue !*
> *Elle nous ordonne de dépouiller,*

* [Du nom de l'outil des paveurs français : "hie", ou "dame".]

de dépouiller la peau d'un moustique
pour en faire un tapis,
un tapis pour le Roi.
Ma-coumandan *veut que sa voiture passe.*
Il ressemble à l'homme qui veut faire sa prière
sur une peau de moustique
étendue sur le sol.

Sur l'eau le chef veut s'asseoir,
s'asseoir pour boire sa bière.
Certes, le chef est le chef,
mais l'eau est comme une reine,
et la reine avale toutes choses.
Ma-coumandan *ne sait pas*
que l'eau avale tout.
Elle avalera même ma-coumandan *!*

Tapons ! Tapons docilement.
Tapons fort dans la boue,
dans la boue détrempée.
Ma-coumandan *nous croit idiots,*
mais c'est lui qui est imbécile
pour tenter de faire une route sèche
dans de la boue humide.

Si la voiture de ma-coumandan *s'enfonce,*
il nous défoncera les côtes.
Gare à nos côtes, gare à nos côtes !
Tapons fort, tapons sans peur,
sans peur des éclaboussures de boue.
La pluie de Dieu est là,
elle tombe, elle mouille,
elle lavera même notre sueur.
Tapons, tapons fort, tapons dur,
tapons dans la boue humide !...

Le commandant, accompagné de son interprète et de son commis, vint visiter le chantier. Les frappeurs chantèrent et rirent de plus belle. Le commandant, tout réjoui, se tourna vers l'interprète : "Mais ils ont l'air très contents !" s'exclama-t-il. Il y avait des secrets que ni les interprètes, ni les commis, ni les gardes, ne pouvaient trahir. "Oui mon commandant !" répondit l'interprète...

*

Au fur et à mesure que les terres de la Haute-Volta s'éloignaient derrière nous, mes pensées se tournaient davantage vers Bandiagara et vers Tierno Bokar, que je n'avais pas revu depuis presque cinq ans.

Depuis la "nuit de ma conversion" en 1922, nous n'avions jamais cessé de communiquer par lettres. Presque chaque mois, une caravane dont faisaient partie certains de ses grands élèves – c'est-à-dire des élèves très anciens, des "disciples" si l'on veut – venait en Haute-Volta. Il leur confiait pour moi des messages, écrits ou oraux, que les voyageurs me faisaient parvenir d'une façon ou d'une autre. Il dictait ses missives au jeune instituteur Mamadou Sissoko, qui lui lisait mes réponses. Ses lettres – qui tenaient une bonne place dans ma "malle à papiers" – contenaient toujours des conseils de morale ou de comportement : "Ne fais pas ceci, ne fais pas cela !" Mais il répondait aussi à mes questions. Il me parlait de religion, du *wird* tidjani, des enseignements des grands maîtres soufis... En fait, il n'avait cessé de me suivre dans mon cheminement, et jusque dans mes rêves que je lui racontais !

Onze ans auparavant, jeune homme insouciant, lors de mon passage à Bandiagara pour rejoindre la

Haute-Volta j'étais resté quelques jours à me distraire avec mes amis avant d'aller saluer Tierno.

Cette fois-ci, j'avais décidé de me diriger droit sur sa maison dès mon entrée dans la ville. Mon premier salut serait pour lui.

VII

RETOUR AUX SOURCES

Un bonnet béni

Après six jours de route, vers la fin du jour notre petit convoi atteignit Kanikombolé. Le lendemain matin nous partîmes assez tôt, de manière à arriver à Bandiagara vers quinze ou seize heures, lorsque le soleil serait encore assez haut dans le ciel, comme le voulait la coutume.

Quelques kilomètres après Diombolo, dernier village avant Bandiagara, je trouvai une bonne trentaine de cavaliers venus m'attendre pour m'escorter et me faire une entrée triomphale dans ma ville natale. C'étaient tous des compagnons d'enfance, des camarades de mon association d'âge. Cette démarche me remua plus que je ne saurais le dire. J'étais profondément heureux. J'allais retrouver mes parents, mes deux premiers enfants, mes amis, et mon père Tierno Bokar. Je revenais chez moi.

Ma femme et les porteurs prirent le chemin de ma maison paternelle, tandis qu'avec mes compagnons je me dirigeai vers le quartier de Tierno, un peu éloigné du nôtre. Des passants, ébahis, s'arrêtaient pour regarder passer notre petite troupe. Alertés par les pas des chevaux, des gens sortaient des maisons : “Que se passe-t-il ? Où vont-ils ? Qui est-ce ?” La réponse ne se fit pas longtemps attendre. Bientôt on entendit partout : “C'est

Amkoullel ! C'est Amkoullel qui revient !" – "Bâ ! Bâ ! Seyidi Bâ !" criaient les griots.

Quand nous arrivâmes devant la porte de Tierno, il était environ seize heures trente. Il venait de finir la troisième prière du jour, et avait momentanément regagné l'intérieur de sa maison. Un élève courut annoncer mon arrivée. Je descendis de cheval pour pouvoir me jeter dans les bras de mon maître dès qu'il apparaîtrait. Je portais encore ma tenue de voyage : un boubou bleu indigo par-dessus un tourti* blanc, et un casque colonial modèle anglais.

Tierno apparut à la porte de son vestibule. A son habitude, il était tout vêtu de blanc. Son chapelet, accroché à ses deux oreilles, passait sous son menton à la manière des jugulaires servant à retenir les casques. Il se dépêcha vers moi, un large sourire sur le visage, et je courus pour me précipiter dans ses bras bénis qu'il avait largement ouverts. Avant de refermer ses bras sur moi, son premier geste fut d'ôter mon casque et de le poser à terre, personne n'étant assez proche de nous pour le recevoir. Ensuite, il ôta de sa tête le bonnet blanc qu'il portait et posément, sans hâte, il m'en coiffa. Alors seulement il referma ses bras autour de moi et me serra contre sa poitrine. Je sentais battre son cœur, ce cœur prodigieux, ce cœur plein d'amour et de charité pour tous les hommes et toutes les créatures vivantes !

Serré contre lui, je me sentais comme dans un refuge dont Dieu lui-même gardait l'entrée ; j'eus l'impression que jamais plus je ne m'éloignerais du Seigneur. Je ne sais combien de temps dura ce moment. Puis le maître s'écarta et je reçus sa bénédiction.

* *Tourti* : boubou de dessous, plus simple, moins décoré, et le plus souvent blanc.

On connaît, en Afrique traditionnelle, la signification du bonnet… Pour tous les camarades qui m'accompagnaient, en cette fin d'après-midi d'une journée d'avril 1933, alors que le soleil descendait vers le couchant, le maître venait de me désigner sans paroles comme son héritier spirituel.

Après avoir salué les gens de la maison et passé un moment auprès de lui, coiffé de ce bonnet béni qui scellait mon destin, je remontai en selle.

Marié sans le savoir

Toujours accompagné de mon escorte amicale, je me dirigeai vers le palais de Tidjani Aguibou Tall, chef toucouleur de Bandiagara, pour lui rendre une visite de courtoisie. Puis je pris la grande rue qui traversait la ville ; elle nous mena jusqu'à ma concession paternelle. Tous les habitants du quartier s'étaient réunis dans la grande cour ou aux abords de la maison. Les femmes entouraient mon épouse et les hommes attendaient patiemment. Je saluai en premier lieu mon père et ma mère, que je n'avais pas vus depuis cinq ans, puis mon grand frère et tuteur Beydari, son épouse et tous les siens. Après les congratulations habituelles, mes camarades prirent congé de moi en promettant de revenir le lendemain.

Tierno, qui entendait profiter de ma période de congé pour me dispenser une formation intensive, m'avait laissé une semaine pour me consacrer à ma famille et à mes camarades d'enfance. Ce n'était pas de trop ; la maison ne désemplissait pas. De tous les quartiers on m'envoyait des moutons, des quartiers de viande, du lait et des noix de cola, chacun selon ses moyens et le degré de nos relations.

Le lendemain, après être allé me présenter au commandant de cercle et avoir fait viser mes papiers, je revins à la maison où mes camarades m'attendaient. Nous passâmes de longs moments à revivre nos exploits de jeunesse : nos expéditions dans le quartier des Blancs, nos combats, le saccage du jardin du terrible caporal Sinâli, les séances poétiques avec nos Valentines – toutes devenues, depuis, de respectables mères de famille… Chacun rajoutait un détail oublié.

Tout à coup, comme nous étions en train de parler de tout et de rien, l'un de mes anciens camarades d'association, Sory Diafara Soumaré, m'apostropha : "*Amirou !* (Chef !) Nous voudrions disposer de notre mouton de *walîma* pour demain après-midi." Je crus à une plaisanterie, car le mouton de *walîma* est dû à ses camarades d'âge par tout homme qui se marie, pour une sorte de banquet prénuptial.

"Depuis quand viole-t-on ici la loi de la coutume ? répliquai-je en riant. Si mes camarades veulent un mouton rôti demain, je suis prêt à leur en servir un bien gras, mais certainement pas au titre de la *walîma* puisque je n'ai pas pris de seconde épouse. Lorsque mon mariage avec Baya Diallo a été fêté à Ouagadougou il y a dix ans, la *walîma* que je vous devais ne vous a-t-elle pas été offerte en mon nom par Beydari Hampâté ?

— Tais-toi ! s'écria Sory Diafara. Si tu continues à vouloir tricher, au lieu d'un mouton c'est trois que tu devras payer à titre d'amende !" Je ne sus que répondre, car il était visiblement sincère. Voyant mon embarras, mon vieil ami Daouda Maïga, le mieux informé de tous, vint à mon secours. Il se pencha vers moi :

"Mon cher, tu as bel et bien été marié quelque temps avant ton arrivée, et ta femme t'attend.

— Ma femme ? Mais qui est-ce ? Et comment pourrais-je avoir été marié sans que je le sache ?

— Ton père et ta mère ne t'ont-ils pas averti qu'ils avaient décidé de te donner pour seconde épouse ta cousine Banel Thiam, la fille de Bokari Amadou Ali Thiam, frère de ton père Tidjani ?

— Non, ils ne m'ont rien dit.

— Eh bien, ton conseil de famille en a décidé ainsi à l'unanimité moins une voix, celle de Beydari Hampâté qui voulait d'abord obtenir ton accord. Mais ton père et ta mère ont passé outre. Ils ont fait nouer le mariage et ont demandé à Tierno Bokar de le bénir. Les colas et la viande traditionnelles ont déjà été distribuées dans tout Bandiagara*. Il ne reste plus à remplir que la coutume de la *walîma*, qui vient de t'être réclamée. Si tu veux t'en prendre à quelqu'un, va donc t'en prendre à tes parents si tu l'oses ! Mais, ajouta-t-il en riant, tu n'oseras jamais une chose pareille… Donc, fiche-nous la paix et paye-nous notre *walîma*. Sinon, comme la coutume nous en donne le droit – et sauf le respect que nous devons au bonnet dont le maître t'a coiffé – nous t'amènerons à l'abattoir et te badigeonnerons avec le sang des animaux abattus !"

Eberlué par la nouvelle, je promis de m'acquitter de ma *walîma*, mais je demandai à mes amis de reculer la date du banquet ; je voulais attendre que mes parents m'annoncent d'eux-mêmes mon remariage, chose qu'ils n'avaient pas encore faite. Mes camarades rirent à mes dépens, mais ils acceptèrent ma proposition.

Le silence de mes parents m'emplissait de perplexité. Je m'isolai avec Beydari Hampâté pour lui demander

* La distribution des noix de cola et des morceaux provenant d'une ou plusieurs bêtes immolées servait de "publication officielle des bans".

ce qui s'était passé. "Ta mère tenait vaille que vaille à ce que Banel devienne ta femme, m'expliqua-t-il. Elle a plus ou moins forcé la main de ton père, et celui-ci a demandé à Tierno Bokar de bénir cette union sans lui dire que tu n'en savais rien. C'est donc en toute bonne foi que Tierno a béni ton mariage." Il ajouta que ni mon père ni ma mère n'osaient me parler directement de cette affaire, car depuis que Tierno Bokar m'avait coiffé de son bonnet ils ne me considéraient plus comme un enfant sur qui la coutume leur donnait le droit d'user et d'abuser, mais comme une sorte d'assistant du maître.

— Que dois-je faire ? Quel conseil me donnes-tu ?

— Attendre… Attendre jusqu'à ce que tes parents se manifestent d'eux-mêmes d'une manière ou d'une autre. Cela ne saurait plus tarder, car ta nouvelle femme, elle, n'attendra pas indéfiniment."

Le lendemain matin de bonne heure, j'allai comme de coutume souhaiter le bonjour à Tierno Bokar. J'en profitai pour évoquer la question avec lui.

"Ta cousine Banel Thiam, me dit-il, a connu un mariage malheureux, au point que son père Bokari Amadou Ali a dû faire prononcer le divorce aux torts de son mari. Elle est revenue résider à Bandiagara dans sa propre famille, mais hélas son père est décédé peu après, et maintenant elle est là, vivant de soucis au milieu de ses cousines, tantes et sœurs. Ton père et ta mère ont souhaité que tu l'épouses afin qu'elle ne soit plus telle une «feuille volante» dans sa propre famille.

"Pourquoi ta mère Kadidja est-elle très attachée à Banel ? Parce que c'était elle qui, en son temps, avait organisé le mariage entre la mère de Banel et Bokari Amadou Ali ; et aussi parce que, de tous les parents de ton père Tidjani, Bokari Amadou Ali fut le seul à n'avoir jamais combattu Kadidja, et même à l'avoir défendue. Si ta mère s'était trouvée auprès de Bokari Amadou Ali au moment où celui-ci s'apprêtait à quitter ce monde, je suis sûr qu'il lui aurait dit : «Kadidja Pâté, ma sœur, je te confie mon unique fille.» Cela n'a pas eu lieu, mais ta mère, en femme de cœur et de fidélité, s'est sentie responsable de Banel et a pris sur elle de lui trouver un nouveau mari. Ne pouvant en trouver un meilleur que toi, elle a proposé en conseil de famille de vous marier. Ton père Tidjani est venu me demander de bénir cette union, et je l'ai fait selon la loi musulmane. Celle qui t'attend est donc ta femme légitime. Ce que je comprends mal, ajouta-t-il, c'est que ni ton père ni ta mère n'aient osé t'annoncer que, conformément à la tradition, ils t'avaient marié à ta cousine…

— Cela me surprend également, dis-je à Tierno, car mes parents n'ont fait là qu'user de leur droit, et ils savent que je ne suis pas homme à m'insurger contre la coutume des miens. Néanmoins, leur initiative me place devant quelques questions délicates. Je souhaiterais que tu m'aides à les résoudre, afin d'être en paix avec ma conscience. Puis-je te les poser ?

— Parle, dit Tierno.

— Ma première question est la suivante : lorsque le droit traditionnel africain et le droit islamique sont en contradiction dans une affaire, lequel des deux doit-il l'emporter ?

— Quand l'affaire en question concerne les piliers fondamentaux de la religion ou les articles de foi, c'est la loi islamique qui prime. Dans tous les autres cas, on recommande vivement de prendre en considération la pitié et la charité, à cause de la parole du Prophète de Dieu : «Aucun croyant ne doit quitter cette terre sans avoir, au moins une fois dans sa vie, violé la loi *(shari'a)* au nom de la pitié.»

— Merci, Tierno. Voici ma seconde question : est-il recommandé d'épouser une femme dont on ne pourra éventuellement divorcer qu'au risque de provoquer, par le jeu des solidarités familiales, d'autres divorces en chaîne ?"

Ma question plongea Tierno Bokar dans une profonde réflexion. Il me fixa longuement. "Un tel mariage doit être écarté, dit-il enfin, car il peut provoquer des conflits*. Or le Prophète a dit : «La dispute est une bête féroce endormie. Maudit soit celui qui la réveille !»

— Tes réponses, Tierno, m'amènent à deux conclusions. D'abord, l'action de mes parents met en conflit mon droit de musulman majeur, sain de corps et d'esprit, avec leur privilège traditionnel, puisque, selon la loi islamique, un mariage ne peut avoir lieu que si les futurs époux sont consentants. Ensuite, je constate que ma mère a agi sous l'impulsion d'un sentiment généreux, certes, mais aux dépens de la raison ; or, ici la raison aurait dû prévaloir, dans l'intérêt même de la paix entre nos deux familles.

"Banel est une femme que j'ai pour devoir de défendre et de soutenir, mais qu'en raison des circonstances je ne devrais pas épouser. Si mes parents avaient tenu compte de mon droit de musulman et m'avaient demandé mon consentement, je leur aurais proposé une solution infiniment plus favorable pour Banel qu'une union avec moi. En effet, si un divorce doit intervenir un jour entre nous, Banel sera gênée d'user chez moi du droit d'asile que lui donne la coutume en tant que cousine.

* Dans la société africaine traditionnelle, un mariage engage non seulement deux personnes, mais leurs deux familles respectives. Un divorce peut donc entraîner des séparations entre les membres de deux familles précédemment unies, ou, au minimum, des brouilles pénibles.

Il aurait été mieux indiqué que je lui cherche moi-même un mari ; dans le cas d'une mésentente entre eux, elle aurait toujours pu venir se réfugier dans ma maison, qui est la sienne par droit familial. Désormais, la situation sera tout autre pour elle, car si jamais nous venions à divorcer elle perdrait à la fois un mari, un défenseur traditionnel et un lieu de refuge contre l'adversité.

— Dans le cas qui nous occupe, s'écria Tierno Bokar, tes droits de musulman priment sur les droits traditionnels de tes parents. Je vais rompre ton mariage avec Banel et publier ma décision. Ainsi tout rentrera dans l'ordre !

— Non, Tierno ! Pardonne-moi de te contredire, mais tout ne rentrera pas dans l'ordre aussi simplement que tu le penses, du moins pour moi. En effet, si les ennemis de ma famille ou les tiens apprennent que j'ai refusé de consommer un mariage béni par toi, ils déclareront à qui veut l'entendre que je t'ai fait perdre la face. Je sais que leurs paroles ne t'atteindront pas et qu'elles ne feront pas tomber même un poil de ton corps, mais il n'en sera pas de même pour moi. Aux yeux de tous je passerai pour un enfant doublement désobéissant : envers ses parents et envers son maître. Et où irai-je, avec une telle réputation ?"

Mieux que quiconque, Tierno Bokar comprenait la gravité de la situation. N'avait-il pas été lui-même le modèle des fils et des élèves ? Alors qu'il était déjà un marabout si respecté que tout le monde lui cédait le passage dans la rue, n'allait-il pas laver de ses mains, une fois par semaine, le linge de sa mère à la rivière, ce que plus de vingt jeunes filles de son école auraient été heureuses de faire pour lui ?

"Tierno, lui dis-je, je vais me plier à la volonté de mes parents. Chacun verra ainsi que, comme disent les soufis, je suis, entre les mains de ceux qui m'ont donné le jour et de celui qui m'éduque, tel un cadavre entre les mains de son laveur. Pour le reste, je m'en remets à Dieu." Le maître s'inclina devant ma décision.

Si j'ai rapporté ici cet événement, c'est que, mieux que toute autre explication, il illustre ce qu'était, à l'époque, la conception du mariage, fondée sur l'entraide et la solidarité, ainsi que le pouvoir des parents et la soumission des enfants. Même devenus des pères de famille ayant autorité sur leurs propres enfants, les fils demeuraient mineurs tant que vivaient leurs père et mère, comme les adeptes, même âgés, demeuraient "grands élèves" tant que vivait leur maître*.

En sortant de chez Tierno, j'avisai la famille de ma décision et fis envoyer à mes camarades le mouton rôti de la *walîma.* Au grand soulagement de mes parents, la fête traditionnelle de consommation de mariage eut lieu dès le lendemain.

Baya allaitait alors le petit Tierno, notre cinquième enfant. Depuis dix ans, elle était mon unique épouse, et l'idée ne m'était jamais venue de lui en imposer une autre. Etant donné nos traditions, elle s'attendait, bien sûr, à avoir un jour des coépouses, mais pas d'une manière si inattendue et si brutale. Elle manifesta au début une mauvaise humeur et une peine bien concevables, et que je comprenais. Mais elle était forte, et se reprit au bout de quelques jours.

* [Cf. *Amkoullel...*, épisode du divorce de Hampâté, père de A. H. Bâ, prononcé par son ami intime Balewel Diko (p. 47 ; coll. "Babel", p. 59).]

La fin de ma première semaine coïncidait avec la fin des trois jours que, traditionnellement, je devais consacrer à ma seconde épouse. Dès le lendemain matin, je me rendis comme convenu chez Tierno Bokar. Il me fit entrer dans l'ancienne case de sa mère, dont il avait fait sa chambre de prière et de méditation. Il s'assit en tailleur sur sa natte, m'invita à m'asseoir en face de lui et commença à parler :

"Amadou, te souviens-tu de ce que je t'ai dit il y a maintenant onze ans, lorsque je t'ai demandé de te convertir à l'Islam ?

— Oui, Tierno.

— Ce jour-là je t'ai dit : «Amadou, l'or que je possède, je ne vois pas d'oreille où le suspendre mieux qu'à la tienne.» Aujourd'hui, le temps est venu pour moi de suspendre cet or à ton oreille.

"Pour mettre l'Islam et les principes de la religion à la portée de tout le monde, j'ai élaboré un enseignement en langue peule pour tous ceux qui viennent me confier leur formation spirituelle. Cet enseignement est à la fois exotérique et ésotérique, car chacun de ses points peut donner lieu, si la réceptivité de l'élève le permet, à des développements de niveaux variés. J'ai appelé cet enseignement du mot arabe *maddîn* : «Qu'est-ce que la religion ?» ou «Ce qu'est la religion»."

Il m'expliqua alors le système mnémotechnique visuel très simple qu'il avait élaboré, à partir duquel les mêmes notions pouvaient être enseignées aux lettrés comme aux illettrés. Il s'agissait de deux schémas que l'on dessinait sur le sol en traçant avec le doigt une série de points, et dont chaque point évoquait l'un des principes fondamentaux de la religion. C'étaient, en quelque sorte, les diagrammes de base du catéchisme de l'Islam et de la Voie soufie, contenant en puissance des significations de plus en plus profondes, et dont chaque point était fondé sur un verset coranique ou un *hadith* (parole) du Prophète. "Au fur et à mesure de son avancement, expliqua Tierno, le néophyte en découvrira les richesses comme on découvre successivement l'écorce, puis la chair, puis la graine du fruit." Je ne m'étendrai pas davantage ici sur le contenu de cet enseignement, l'ayant fait dans un autre ouvrage*.

Après m'avoir exposé les grandes lignes de son système, Tierno me dit : "Je te donne le titre de *djom maddîn* (c'est-à-dire «maître de Maddîn», ou «dépositaire de Maddîn»). Je vais t'enseigner toutes les clés nécessaires pour pénétrer les aspects ésotériques de cet enseignement, dont tu seras dépositaire. Tu pourras ensuite l'enseigner et le diffuser à ta guise."

Toutes occupations cessantes, et à l'aide des schémas qu'il avait élaborés, il entreprit alors de me transmettre son enseignement oral**. Il me permit de le mettre noir sur blanc sous sa dictée, et m'incita même à le transcrire sous forme poétique, selon mon inspiration.

Levé dès quatre heures du matin, je me rendais d'abord à la mosquée de Bandiagara pour l'y rejoindre,

* [Cf. *Vie et enseignement de Tierno Bokar*, 3e partie : "L'enseignement" (p. 191 à la fin).]

** La grande école du Djelgodji (région de Haute-Volta) dispensait déjà un enseignement islamique oral approfondi appelé *Kabbé*. Pour tout ce qui concernait les données islamiques de base, l'enseignement de Tierno Bokar n'en différait évidemment pas, mais le schéma et la méthode visuelle du *maddîn* étaient sa création personnelle.

ainsi que ses autres "grands élèves" – comme on appelait les élèves des cours supérieurs, ou simplement les anciens. Nous célébrions la prière de l'aube, puis récitions ensemble les oraisons du *wird* tidjani. Tierno restait en prière, ou en méditation, jusqu'à sept heures du matin, puis nous rentrions chez lui où nous attendait le petit déjeuner, invariablement composé de *mboïri*, sorte de bouillie salée et pimentée contenant des petites boules de mil dans du lait caillé ; nous le prenions en commun avec les enfants et les petits élèves qui vivaient dans la maison.

Tierno s'enfermait ensuite avec moi dans sa chambre de prière et me dictait son enseignement durant toute la journée. Nous ne nous interrompions que pour le repas de midi, le petit repos qui suivait, et pour les prières qui rythmaient les grandes heures de la journée : la prière du milieu du jour *(zohor)*, et celle du milieu de l'après-midi *(asr)*.

Pour la prière du couchant *(maghreb)*, nous retournions à la grande mosquée. Tout le long du chemin je me tenais aux côtés de Tierno car il lui arrivait, tout en marchant, de m'expliquer certains points ou de m'interroger sur ce qu'il m'avait dicté. Nous restions à la mosquée jusqu'à la dernière prière, qui se célébrait à la nuit tombée. Parfois Tierno me faisait ensuite revenir chez lui pour continuer de m'enseigner jusqu'à une heure assez tardive ; parfois aussi il me ramenait directement chez moi et venait saluer ma mère et mes deux épouses ; il restait alors environ une demi-heure, puis prenait congé.

Au fil des jours, le maître développait les différents points de son enseignement, tous fondés sur des versets coraniques ou des paroles du Prophète. Il m'en expliquait les parties difficiles, éclairait les passages obscurs, m'ouvrait les portes d'une compréhension plus profonde ;

il s'appuyait, entre autres, sur le symbolisme des lettres et des nombres, science ésotérique islamique classique, particulièrement enseignée dans la Tidjaniya. En cela il ne faisait que se conformer à l'exemple de Cheikh Ahmed Tidjani et des grands maîtres spirituels de l'Islam, qui se fondaient eux-mêmes sur le *hadith* : "Le Coran a un extérieur (*zâhir*, apparent) et un intérieur (*bâtin*, caché), puis un intérieur de l'intérieur, et un intérieur de cet intérieur, ainsi de suite jusqu'à sept fois."

La qualité de *djom maddîn*, "dépositaire de Maddîn", m'apparaissait de jour en jour plus riche, mais aussi plus lourde et chargée de responsabilité. Une telle mission, me semblait-il, exigeait que l'on s'y consacrât tout entier ; j'envisageai donc de démissionner de l'administration et en fis part à Tierno. Il s'y opposa formellement : "Ton travail est ta seule ressource pour entretenir ta nombreuse famille, me dit-il. En outre, il te permet d'intervenir efficacement auprès des chefs blancs en faveur de victimes sans défense, souvent punies ou accusées à tort. Enfin, et c'est pour moi capital, je ne voudrais pas que, plus tard, tu tombes dans la tentation de te faire entretenir par tes élèves. Ce serait vivre de la religion, et non la faire vivre. La religion n'est pas un métier : c'est une ascèse en vue de notre propre purification spirituelle. Tu as un métier qui te permet de rester indépendant, garde-le."

Je me souvins que déjà, lorsque j'étais enfant, il avait interdit à ma mère de me retirer de l'école française, lui recommandant de laisser ma destinée entre les mains de Dieu. Me fiant à son jugement, je renonçai à mon projet.

Pour pouvoir me consacrer tout son temps, Tierno Bokar avait momentanément suspendu les cours supérieurs de ses grands élèves. Il devait les reprendre un peu plus tard et j'y assisterais alors avec les autres élèves, nos séances privées se poursuivant le reste de la journée.

Cette période de travail intensif, si passionnante fût-elle, constituait tout de même une épreuve d'endurance et de patience sur le plan des relations familiales, devenues plus complexes depuis mon remariage. Je quittais en effet mère, épouses et enfants à quatre heures du matin pour ne les revoir que vers vingt heures, quand ce n'était pas plus tard dans la nuit.

Au bout d'un mois et demi environ, je dus effectuer un séjour de deux semaines à Bamako où résidait ma cousine Fanta Hamma, afin de régler un problème de famille.

J'avais appris par ailleurs que M. Fousset, ancien secrétaire général du gouverneur Edouard Hesling à Ouagadougou, avait été nommé gouverneur du Soudan français à Bamako. Il avait fait venir auprès de lui Marius Bellieu, comte de la Romevillière, Cazenave et Valroff, qui avaient tous servi avec lui à Ouagadougou quand il assurait l'intérim du gouverneur Hesling. Marius Bellieu avait été nommé commandant du cercle de Bamako et maire de la ville. Ayant toujours eu avec ce dernier d'excellentes relations, je profitai de mon séjour pour aller le saluer à la mairie. "Je souhaiterais que tu viennes travailler auprès de moi à Bamako, me dit-il. Mais si tu préfères être affecté ailleurs au Soudan, je suis prêt à t'aider. Réfléchis, choisis ton poste et nous verrons. Les demandes de mutation resteront bloquées jusqu'à la rentrée."

Plein d'espoir de pouvoir être affecté à un poste qui me permettrait de rester auprès de mon maître, je rentrai à Bandiagara. Le lendemain même de mon retour,

Tierno et moi reprîmes notre travail en respectant scrupuleusement notre emploi du temps habituel.

Une visite lourde de conséquences

Un matin, alors que personne ne s'y attendait, le crieur public, tapant sur son petit tambour d'aisselle, se mit à parcourir les rues et ruelles de Bandiagara :

"Ohé ! Ecoutez, vous tous ! Le grand commandant de Bandiagara vous salue et vous commande à tous, hommes, femmes et enfants, de préparer vos habits de fête et vos instruments de musique afin de fêter l'arrivée d'un grand marabout, descendant en ligne directe du très grand et très saint El Hadj Omar, fils de Seydou Tall. Il arrivera demain par la voiture personnelle du grand commandant de cercle de Mopti. Une délégation de quarante cavaliers ira l'attendre au proche village de Doukombo. Les marabouts et les notables de toutes les ethnies habitant Bandiagara devront l'attendre en face du palais de Tidjani Aguibou Tall, chef de Bandiagara* ! Vous êtes tous prévenus, et une fois suffit !" Il s'agissait de ce même grand marabout de Dakar auquel j'avais écrit de Tougan, trois années auparavant, pour le féliciter de sa nomination dans l'ordre de la Légion d'honneur.

Le lendemain, quarante chevaux se portèrent au-devant de lui. Il arriva dans la voiture du commandant de cercle de Mopti, battant fanion bleu blanc rouge. En ville, tout le monde l'attendait. Les griots chantaient ses

* Tidjani Aguibou Tall, fils de l'ancien roi Aguibou Tall, restait le chef traditionnel toucouleur de la ville et était respecté comme tel par l'administration.

louanges et celles de sa famille, tandis que des étudiants d'écoles coraniques déclamaient le célèbre poème *Safinat es-sadat*, "La Barque du salut", composé au début du XIXe siècle par El Hadj Omar, grand-père paternel du visiteur.

Je suivis Tierno Bokar jusqu'au palais du chef de Bandiagara, chez qui devait résider le grand marabout. La route qui menait au palais était flanquée des deux côtés de chanteurs et de danseurs. Des descendants des guerriers sofas* de la couronne Tall, revêtus de tenues de combat, mimaient les gestes et les actions de leurs ancêtres lorsqu'ils avaient pris part aux guerres omariennes, depuis Tamba, en Haute-Guinée, jusqu'à Hamdallaye, capitale religieuse et politique de l'empire peul du Macina. Au signal de Djadjé Mamadou Kamara, fils de l'exécuteur des hautes œuvres sous le règne du roi Aguibou Tall, les fils des anciens sofas lançaient très haut leurs fusils, puis les rattrapaient avec un ensemble étonnant et tiraient des salves assourdissantes. Djadjé Mamadou Kamara, vêtu de rouge et l'œil injecté de sang, marchait en tête comme s'il avait à faire face à toute une armée ennemie.

La voiture officielle stoppa devant l'entrée du palais. Tout grand marabout et recommandé spécial des hautes autorités qu'il était, l'hôte illustre, étant moins âgé que son cousin le chef de Bandiagara, lui devait, selon la tradition, respect et obéissance. Dès qu'il sortit de la voiture il se déchaussa, et c'est pieds nus qu'il franchit les quelques mètres qui le séparaient de la porte d'entrée du palais. Les deux cousins se serrèrent dans les bras l'un de l'autre. Le roulement des tam-tams et le bruit des salves cessèrent, comme pour respecter l'échange

* Guerriers d'origine captive.

de salutations qui s'instaura ensuite entre le grand marabout et les notables de la ville.

Les Tall (parmi lesquels Tierno Bokar) furent les premiers à défiler, en respectant l'ordre de primogéniture. Ce fut ensuite le tour du grand imam, du chef des Dogons, et finalement du reste de la population. Le grand marabout était de belle stature, mais une légère gêne du côté gauche se sentait quand il marchait. De teint assez foncé, le visage orné d'une belle barbe poivre et sel, son port lui donnait grand air et forçait le respect. Il portait des vêtements blancs, mais sa tête était ceinte d'un long turban de tissu jaune historié. Plusieurs médailles françaises étaient épinglées sur sa poitrine. Je saluai le grand marabout comme tout le monde, puis allai m'asseoir auprès de Tierno Bokar.

Avant de nous séparer, le chef pria toute personne possédant un cheval de se trouver le lendemain matin à huit heures à la porte du palais, afin d'accompagner le grand marabout à Déguembéré, lieu considéré comme la tombe d'El Hadj Omar*. Le lendemain, nous étions une bonne cinquantaine de cavaliers, sinon plus. J'en faisais partie. Le cortège s'ébranla lentement vers Déguembéré. Tidjani Aguibou Tall, chef de Bandiagara, marchait en tête. Il avait à ses côtés le grand marabout, petit-fils d'El Hadj Omar, et Tierno Bokar, lui-même petit-fils de l'un des frères aînés d'El Hadj Omar, Tierno Bokari Tall, dont il portait le nom.

A Déguembéré, le grand marabout nous tint un discours élégant et d'une hauteur exceptionnelle, qui fit

* En 1864, alors qu'El Hadj Omar se trouvait assiégé avec certains de ses fils et le dernier carré de ses fidèles dans la grotte de Déguembéré, au milieu, pense-t-on, de caisses de munitions, une violente explosion eut lieu. On ne retrouva pas son corps.

verser des larmes à plus d'un assistant. Puis il eut un geste qui me toucha beaucoup. La clé du mausolée bâti sur la tombe d'El Hadj Omar, gardée à l'origine par le chef dogon du village de Déguembéré, avait été retirée à ce dernier par le chef de Bandiagara. Le grand marabout rendit la clé au chef dogon : "Garde cette clé, lui dit-il, c'est une fonction que tu dois à Dieu. Personne – et je m'en excuse auprès de mon aîné le chef toucouleur de Bandiagara – ne doit t'en frustrer." Par ce geste, le grand marabout réparait une injustice flagrante. Il marqua un grand point dans mon estime.

De retour à Bandiagara vers quatorze heures, la foule célébra la deuxième prière de la journée, qui fut suivie d'une visite au panthéon des Tall.

Dès le lendemain, Tierno Bokar et moi reprîmes nos travaux. Le temps nous était compté. Nous ne pouvions nous permettre d'aller faire notre cour au grand marabout en le visitant chaque jour, comme presque tout Bandiagara.

Le grand marabout, à qui rien n'échappait, remarqua vite notre absence. Que Tierno Bokar, chargé d'élèves et de responsabilités, ne puisse venir passer tout son temps auprès de lui, il l'admettait ; mais qu'un fils de Bandiagara en fasse autant, cela, il ne pouvait le tolérer. J'appris qu'il s'était informé sur moi. On lui dit qui j'étais et ce que je faisais. Le grand marabout, qui avait une mémoire d'éléphant, découvrit vite que j'étais ce commis qui, de Tougan, lui avait envoyé une lettre de félicitations à l'occasion de sa promotion dans l'ordre de la Légion d'honneur, à qui il avait répondu en lui conseillant d'être fidèle et obéissant envers les représentants de la France, et qui, depuis, avait coupé court à toute correspondance.

Des pêcheurs en eau trouble se hâtèrent de lui dire que j'étais inconditionnellement l'homme et l'adepte de Tierno Bokar et que, sans être vraiment impoli envers les autres notables ou marabouts Tall de la ville, je n'avais d'yeux, d'oreilles et de pieds que pour voir, écouter et visiter Tierno Bokar, et uniquement Tierno Bokar !... Le grand marabout en prit ombrage. Comment ! Un fils de Bandiagara, foutanké (originaire du Fouta, donc toucouleur*) par sa lignée maternelle, dont le grand-père Pâté Poullo avait été l'un des fidèles et des grands intimes d'El Hadj Omar, et qui était lui-même fonctionnaire – c'est-à-dire quelqu'un à qui lui, le grand marabout, pourrait être utile en raison des exceptionnelles faveurs dont il jouissait auprès du gouverneur général de l'AOF et de toute l'administration coloniale – ce fils de Bandiagara, donc, choisissait de rester auprès d'un pauvre marabout confiné entre les quatre murs de sa modeste demeure plutôt que de venir le visiter, lui ? Il y vit, à tort, une intention offensante, et j'eus des échos de son irritation. Or, sa loi – je l'apprendrai plus tard à mes dépens – était intransigeante : qui n'était pas avec lui était contre lui.

Sans doute décida-t-il de me donner un avant-goût de ce qu'il en coûtait de le négliger... Le lendemain, il convoqua tout Bandiagara pour une visite pieuse dans un lieu clôturé. Se plaçant à l'entrée, il prit sur lui de régler l'ordre d'introduction. Faisant mine de ne pas me

* *Foutanké* signifie, en peul, "originaire du Fouta", plus exactement du Fouta Toro sénégalais qui est également appelé *Tekrour* dans une autre langue. "Toucouleur" (déformation de *tekrouri*) signifie "originaire du Tekrour". C'est donc un synonyme de "Foutanké". [Sur les Peuls et les Toucouleurs, cf. *Amkoullel...*, p. 19-21 ; coll. "Babel", p. 19-25.]

voir, il fit entrer tous les Tall d'abord, puis les marabouts, puis les notables, enfin les autres corporations… La stratégie était évidente : il comptait m'inviter à entrer sinon le dernier, du moins en même temps que les captifs. A l'époque, dans notre société, un tel geste délibéré de la part d'une si haute autorité morale et religieuse, honorée par tous, pouvait me frustrer d'un seul coup de mon rang traditionnel : toute la ville risquait de me considérer comme un étranger, sinon un banni. Il fallait trouver une parade, et vite.

Me montrer vexé aurait été procurer une grande joie au marabout, car il n'agissait visiblement que dans le but de blesser mon amour-propre. Au lieu de cela j'allai me placer de moi-même derrière tout le monde, en bon dernier, et j'attendis mon tour les yeux baissés, pour n'avoir pas à regarder de son côté ni paraître solliciter son indulgence. Il lui fallait reprendre la situation en main : "Amadou Bâ, cria-t-il, pourquoi vas-tu te mettre là-bas derrière tout le monde ?" Avant même de réfléchir la réponse jaillit de mes lèvres :

"Parce que je suis très ambitieux ! J'aspire à être parmi les premiers au jour du jugement dernier, car l'apôtre de Dieu Issa ibn Maryam (Jésus fils de Marie) a enseigné que les premiers seraient les derniers, et les derniers les premiers. Il y a aussi le fait que tout bon berger se met derrière son troupeau ; or je voudrais être un bon berger pour mes concitoyens."

Je regrette aujourd'hui cette réplique hâtive, un peu goguenarde, voire provocante, mais dans la situation difficile où je me trouvais elle fut la première qui me vint à l'esprit. Ce n'était pas la première fois – et ce ne sera pas la dernière – que, sous le coup d'une impulsion, je prononçais trop vite des paroles imprudentes. Toujours est-il que cette réplique déclencha chez le grand marabout une antipathie très vive à mon égard, laquelle, hélas, à partir de 1937, au moment de la crise du "Hamallisme" et devant ma volonté inébranlable de ne pas abandonner Tierno Bokar, se transformera en une haine implacable.

Si un autre s'était trouvé à ma place et qu'il m'eût demandé conseil, je lui aurais certainement suggéré les quelques précautions à prendre pour ménager la susceptibilité d'un homme que son haut rang et ses indéniables qualités avaient habitué à être honoré plus que quiconque. Quelques visites de politesse au grand marabout durant son séjour m'auraient évité bien des désagréments plus tard. Mais l'adage le dit bien : *On ne peut voir tout seul le sommet de son propre crâne* ; on voit clair pour les autres mieux que pour soi-même. Plongés comme nous l'étions dans notre travail, ni Tierno Bokar ni moi-même n'étions à même de déceler les signes annonciateurs d'un orage qui, plus tard, par ses effets directs ou indirects, ferait basculer nos existences. Au moins aurai-je un jour la satisfaction, avant la disparition du grand marabout et alors que je serai moi-même sur le versant de la vieillesse, de me réconcilier avec lui et de lever bien des malentendus qui nous avaient séparés…

Dernier entré dans le lieu de visite, je fus aussi le premier à en sortir. J'attendis au-dehors Tierno Bokar. Dès qu'il apparut, il m'emmena chez lui et reprit son enseignement.

Après une bonne semaine durant laquelle tout Bandiagara fut sur pied pour le servir et l'honorer, le grand marabout, qui ne me portait pas dans son cœur, quitta la ville. Plusieurs de mes amis, qui avaient entendu ses réflexions à mon endroit, vinrent m'avertir de me tenir sur mes gardes, et surtout de ne jamais me trouver sur son chemin. D'aucuns me conseillèrent même de lui envoyer une lettre d'excuses et de lui demander sa protection, insinuant qu'il lui était facile de me faire accomplir une brillante carrière administrative, ou, au contraire, de me briser rien qu'en levant le petit doigt de sa main gauche, tant était grande son influence.

Je remerciai mes informateurs, mais restai sur ma position : "Ecrire au grand marabout pour lui présenter des excuses, leur dis-je, serait prouver que j'ai commis des fautes à son égard. Or ce n'est pas exact. Quant au succès de ma carrière, je préfère le devoir à mon travail plutôt qu'à un «piston» qu'il me faudrait payer par une soumission passive envers mon bienfaiteur, fût-il le grand marabout lui-même.

— S'il en est ainsi, me dit l'un de mes amis, alors cherche trois ceintures solides pour te ceindre la taille, car le jour où le grand marabout donnera le signal de l'attaque, tous les Toucouleurs, les Tall en tête, te combattront, et ceux qui ne le feront pas te fuiront comme la peste."

Je pris bonne note de cet avertissement. Mais il me paraissait bien improbable, à cette époque, qu'un aussi grand personnage, qui avait l'envergure d'un éléphant, puisse vouloir un jour se mesurer au petit singe que j'étais…

L'oisillon tombé du nid

Quelque temps après, Tierno Bokar rouvrit les cours supérieurs avec ses "grands élèves". Son école était alors la plus fréquentée de tout Bandiagara. On lui envoyait des élèves de toutes parts, et parfois de fort loin, voire d'autres écoles, pour des stages de dix jours, de plusieurs mois ou même de plusieurs années. En raison de l'affluence il avait dû cesser d'enseigner luimême le Coran aux jeunes enfants ; de grands élèves s'en chargeaient sous son contrôle.

Considéré comme un excellent pédagogue dans les sciences islamiques classiques, il enseignait le Coran, les *hadith* (paroles et faits du Prophète), le droit islamique, l'histoire et la théologie. Grand arabisant, son éloquence en langue arabe n'avait d'équivalent que son coup de plume, qui en faisait l'égal de n'importe quel calligraphe d'Egypte ou d'Arabie. En plus du peul, sa langue maternelle, il possédait à la perfection les langues bambara et haoussa et en parlait couramment plusieurs autres, notamment le dogon, ce qui lui permettait de se faire comprendre facilement de beaucoup de monde. "Plus on parle de langues, et plus on représente d'êtres humains", disait-il.

Aux matières islamiques classiques, il ajoutait, pour ceux qui s'y intéressaient, la philosophie spirituelle soufie, plus particulièrement à travers l'enseignement de la Tidjaniya. Tout son enseignement était fondé sur l'orthodoxie musulmane et sur les paroles des grands saints et maîtres spirituels de l'Islam, qu'il connaissait parfaitement.

Du fait de sa qualité de *moqaddem* tidjani, fonction habilitant à recevoir les adeptes dans la *tariqa* (voie), à leur transmettre le *wird* symbolisé par le chapelet et à leur dispenser l'enseignement, sa maison était non seulement une école coranique, mais aussi une *zaouïa*, c'est-à-dire un lieu de rencontre, de prière et d'étude pour les adeptes d'une confrérie soufie.

Un jour, un marabout réputé, qui avait entendu vanter les mérites de Tierno Bokar, était venu à Bandiagara pour sonder ses connaissances. Après leur rencontre, quelqu'un lui demanda : "Quel est le savoir de Tierno Bokar par rapport au vôtre ?" – "Si l'on pèse dans les plateaux d'une balance avec des pièces d'or ce que l'un et l'autre nous avons appris, répondit-il, ce que j'ai appris vaut cinq mille francs et ce que Tierno Bokar a appris vaut cinquante francs. Mais si l'on pèse le savoir de Tierno Bokar et le mien, mon savoir pèsera cinquante francs, et son savoir cinq mille francs. Moi, j'ai la science. Tierno Bokar a la Connaissance."

De nombreux élèves vivaient de façon permanente dans sa concession. Pour entretenir cette vaste maisonnée, Tierno n'avait pour toutes ressources que la récolte d'un champ de mil. Nombreux étaient les habitants du cercle de Bandiagara qui, pour l'aider, lui apportaient soit leur *zekkat* (la dîme charitable annuelle due par tout musulman), soit leur *moud* (ration de mil dont chaque fidèle est tenu de faire l'aumône à la fin du mois de ramadan). Sur ces dons, Tierno prélevait juste ce qu'il lui fallait pour entretenir sa famille et ses élèves, et distribuait le reste aux sans-ressources qui venaient d'un peu partout se confier à lui. Il recommandait vivement la pratique de l'agriculture et cultivait lui-même son champ de mil avec ses grands élèves. Pour lui, laisser passer un hivernage sans cultiver était un péché grave aux yeux de Dieu !

Tierno avait fait d'une parole du Prophète sa règle d'or : "Parlez aux gens à la mesure de leur entendement." Aussi chaque élève était-il l'objet d'un traitement spécial : "Certains restent éternellement jeunes, disait-il, et d'autres sont vieux dès leur naissance. Ceux qui restent jeunes, ce sont ceux qui comprennent facilement et qui retiennent tout. Quant aux «vieux de naissance», ce sont ceux qui ont le plus grand mal à retenir et à comprendre. Mais pour chacune de ces sortes de personnes, il existe un moyen de leur parler."

Comme dans l'enseignement traditionnel africain, pour mieux se faire comprendre il puisait ses exemples ou ses illustrations dans les petits événements de la vie courante, dans les phénomènes de la nature, profitant de chaque circonstance pour développer tel ou tel point de son enseignement ou nous faire saisir quelque chose d'essentiel. C'est pourquoi son enseignement prenait souvent la forme de paraboles. "Le grand livre de la nature, nous disait-il, est le seul dont les pages ne se déchirent jamais. Il est toujours là, à votre disposition, attendant d'être déchiffré."

Bien que l'ayant déjà racontée de nombreuses fois, je rappellerai ici une anecdote touchante qui a le double mérite d'illustrer sa méthode et de donner une idée de ce qu'était sa réelle compassion pour tous les êtres vivants, jusqu'aux plus modestes des animaux.

Un jour de cette année 1933, j'écoutais, avec un groupe de grands élèves, la leçon que nous donnait Tierno. Ce jour-là, la leçon portait sur les différentes interprétations ésotériques de l'hexagramme*, forme interne apparaissant à l'intérieur du chapelet tidjani à partir des six petits taquets qui séparent les différents groupes de grains, et débouchait sur des notions de haute théologie ou de spiritualité qui nous transportaient. Emerveillés,

* Figure à six pointes dans laquelle s'inscrivent deux triangles, l'un tourné vers le haut, l'autre vers le bas. Ce symbole universel – que l'on appelle ailleurs "sceau de Salomon" ou "étoile de David" – est également connu des traditions africaines. [Cf. *Contes initiatiques peuls*, de A. H. Bâ, note annexe 3, p. 350.]

nous buvions ses paroles. A l'extérieur, le vent soufflait très fort. Sous le choc d'une bourrasque plus violente que les autres, un nid d'hirondelle, qui se trouvait accroché sous l'avancée du toit, s'ouvrit en deux. Un petit poussin d'hirondelle, déséquilibré, tomba sur le sol, piaillant désespérément : "Tyou ! Tyou ! Tyou !" Fascinés par la leçon, aucun de nous ne s'intéressa à l'oisillon. Le maître déposa le chapelet qu'il tenait à la main, ferma lentement son livre et nous regarda longuement, sans rien dire ; puis il regarda l'oisillon et ramena les yeux vers nous.

"Maître, qu'y a-t-il ? demanda un élève.

— Donnez-moi ce fils d'autrui, que vous abandonnez derrière vous là-bas !"

Quelqu'un lui apporta le poussin d'hirondelle. Il l'examina attentivement, vit qu'il n'était pas blessé et en rendit louanges à Dieu. Il déposa alors l'oisillon, puis alla dans sa chambre dont il revint avec une longue aiguille et du fil. Il demanda à un élève de renverser un gros mortier sur le sol juste sous le nid, et monta dessus. Je revois encore sa silhouette blanche dressée vers le rebord du toit. Là, de ses longs doigts fins de brodeur*, il raccommoda si délicatement et si soigneusement le nid que celui-ci en devint sans doute plus solide qu'il ne l'avait jamais été. A sa demande quelqu'un lui tendit l'oisillon. Il le replaça doucement dans son nid, puis il revint s'asseoir. Comme il ne rouvrait pas son livre, quelqu'un lui demanda :

"Maître, nous continuons la leçon ?

— Non, c'est inutile, répondit Tierno. Il est nécessaire que je vous parle encore de la charité, car je suis

* Dans les milieux poullo-toucouleurs, le seul métier manuel que pouvaient exercer les nobles était celui de tailleur-brodeur, que Tierno Bokar apprit dans son jeune âge.

peiné de voir qu'aucun de vous n'a suffisamment cette vraie bonté du cœur. Si vous aviez un cœur charitable, il vous eût été impossible d'écouter une leçon, portât-elle sur Dieu lui-même, quand un petit être misérable vous appelait au secours. S'il s'était agi du fils de votre mère, vous vous seriez précipités pour l'aider ! Mais celui-là ne parle pas ; il ne sait que crier, il ouvre son bec pour crier au secours. Vous n'avez pas été émus par ce désespoir, votre cœur n'a pas entendu cet appel.

"Eh bien, mes amis, sachez que même si vous apprenez toutes les sciences et toutes les théologies de toutes les religions du monde, si vous n'avez pas de charité dans le cœur, cela ne vous servira absolument à rien ! Celui qui est sans charité, il pourra considérer ses connaissances comme un bagage sans valeur. Nul ne jouira de la rencontre divine s'il n'a pas de charité dans le cœur. Sans elle, ses cinq prières ne seront que des gesticulations sans importance ; sans elle, son pèlerinage sera une villégiature sans profit*."

Ce jour-là, il n'a pas repris sa leçon ; il n'a fait que nous parler d'amour et de charité. Et depuis, aucun de nous ne pouvait plus voir un poussin ou un petit animal errer désemparé sans courir s'en occuper ou lui apporter de l'eau.

* Tierno Bokar, qui ne savait ni lire ni parler le français, ignorait tout des Evangiles et des propos de saint Paul sur la charité dans sa première Epître aux Corinthiens. Il ne savait, de Jésus-Christ, que ce qui en est dit dans les nombreux versets du Coran qui lui sont consacrés, et il ignorait tout de ses apôtres. Il ne faut donc voir ici aucune "influence" extérieure ; ceux qui sont parvenus au sommet de la montagne contemplent le même paysage, et il leur arrive de le décrire avec les mêmes mots... (Je n'avais moi-même à l'époque que quelques notions de l'enseignement évangélique, et je ne connaissais pas les Epîtres de saint Paul.)

Un front qui brille comme un miroir

C'était la première fois que je passais une aussi longue période à ses côtés. Certes j'étais, comme on dit, "né entre ses mains", j'avais fréquenté son école coranique dans mon enfance et je le considérais comme un père, mais à cet âge je pensais surtout à rejoindre mes petits camarades de jeux dès la fin des cours ; il le comprenait d'ailleurs parfaitement. Par la suite, et surtout durant mon séjour en Haute-Volta, à travers nos correspondances ma relation avec lui s'était approfondie ; il était devenu mon vrai guide spirituel. Mais maintenant, c'était autre chose : je partageais presque tous ses instants du matin jusqu'au soir, et je le regardais vivre.

C'était un homme de taille moyenne, au regard clair et expressif, d'un naturel aimable et non dépourvu d'humour. C'est de lui que j'ai hérité cette parole : "Riez, faites rire sainement ! Toujours trop sérieux n'est pas très sérieux !" Plein d'attentions pour tous, il était particulièrement à l'écoute des enfants. Au moment des repas, il ne prenait place que lorsque tous les petits élèves avaient fini de manger. Il assistait à leur repas distribuait par-ci par-là des bonbons, du lait ou de la sauce, calmait ou séparait ceux qui se chamaillaient. Lui qui n'avait pas eu d'enfants était un peu comme le grand-père de tout le monde. Lorsqu'il sortait de sa case, s'il trouvait un groupe d'enfants assis en train de jouer ou de parler, il s'approchait d'eux et les observait. Parfois il s'asseyait à leurs côtés et participait à leur petit jeu jusqu'à ce qu'ils aient fini. Alors seulement il se levait pour aller rejoindre les adultes ou ses grands élèves qui l'attendaient.

Quand il arrivait, tout le monde se levait très vite pour le saluer, mais quoi que l'on fasse il était le plus rapide et le premier à dire *Salaam !* Et lorsqu'un visiteur venait le voir, il était toujours le premier à venir au-devant de lui. A la fin de leur entrevue, il le raccompagnait jusqu'à l'entrée, et il s'arrangeait pour le devancer afin de pouvoir lui présenter ses chaussures*. Il avait cette tendance, naturelle et non affectée, de servir plutôt que d'être servi.

En sa présence, on était heureux, apaisé, comme si le manteau des soucis et des préoccupations tombait de vos épaules. Les gens avaient coutume de dire : "Quand tu vas chez Tierno Bokar Salif**, tous tes soucis restent à la porte de son vestibule, tu ne les retrouves qu'en sortant. Et parfois, certains ont même disparu."

Chose très rare, il était capable de reconnaître ses propres défauts et n'avait pas peur de se critiquer publiquement. Mais il ne mettait non plus aucune fausse honte à dire avec un bon sourire : "Ah ! Aujourd'hui, je suis content de moi !" pour telle ou telle raison.

Ni les jeunes enfants ni les élèves n'avaient peur de lui, car jamais il n'avait été un maître brutal, mais il nous inspirait parfois une sorte de crainte respectueuse. Quand il apparaissait, il nous arrivait d'être comme saisis, sans trop savoir pourquoi. Derrière son sourire et sa bonté, on sentait une grande force, quelque chose de clair et d'inébranlable. Il possédait d'ailleurs une totale maîtrise de lui-même et de ses nerfs : ses gestes étaient

* De même que l'on se déchausse avant d'entrer dans une mosquée, la politesse veut que l'on se déchausse avant d'entrer chez quelqu'un, à la fois par respect et pour ne pas apporter chez lui les souillures du dehors.

** Le nom complet de Tierno était "Tierno Bokar Salif Tall", c'est-à-dire : Tierno Bokar (nom de son grand-père), fils de Salif, du clan Tall.

calmes, mesurés, comme contrôlés par sa volonté ; il était capable de rester immobile pendant très longtemps, sans bouger aucune partie de son corps, et à l'occasion son visage pouvait devenir impassible, comme n'extériorisant plus rien. Il présentait une autre particularité que je n'ai observée nulle part ailleurs : dans la deuxième moitié de l'après-midi, alors que le soleil déclinait vers le couchant, son front se mettait à briller comme un miroir, au point que les gens de Bandiagara disaient : "Quand vient le crépuscule nous n'avons plus besoin de miroir : il suffit d'aller se mirer dans le front de Tierno Bokar Salif..."

Autant que ses paroles, ce qui nous touchait c'était son comportement, et ce qui émanait de lui. Quand il nous disait, par exemple, que nous avions tous quelque chose à apprendre les uns des autres, ce qui nous convainquait c'était sa propre simplicité. Il supportait mal, en effet, d'être appelé "Maître"(*Cheikh* en arabe, ou *Tierno* en peul). "Je ne veux pas de ce titre, protestait-il, c'est vous qui me le faites subir !" Il tolérait "Tierno" en raison de l'ambiguïté du terme, puisque c'était aussi son nom*, mais il préférait "Frère en Dieu", ou "Moniteur". Lui-même ne nous appelait jamais autrement que "mes frères", ou "mes amis".

* Ses parents lui avaient donné comme nom personnel (ce qui correspond plus ou moins au "prénom" occidental) le nom de son grand-père : "*Tierno* (Maître) *Bokari*". Selon la coutume, on s'adressait à lui depuis son enfance en utilisant le titre honorifique de son grand-père (Tierno), comme on appelle "Cheikh" l'enfant qui porte le nom de "Cheikh Ahmed Tidjane". Pour lui, "Tierno" était donc à la fois un titre et un nom usuel.

Très simple lui-même, il avait particulièrement horreur de l'ostentation et des faux-semblants. Un jour, en réponse à une question, il évoqua l'attitude de "l'hypocrite ridicule", "cet individu qui, affublé d'un turban entortillé huit fois autour de la tête, porte ostensiblement autour du cou un chapelet à gros grains, marche appuyé sans nécessité sur l'épaule d'un disciple et sur un bâton plus fétiche que bourdon. Cet homme prononce avec beaucoup plus de bruit que de ferveur la formule de la *Shahada ("Lâ ilâha ill'Allâh")* et prêche avec une ardeur qui n'est motivée que par l'espoir d'un gain immédiat." Or, ce jour-là, j'avais justement mon chapelet autour du cou, et il m'arrivait parfois, quand des élèves moins âgés m'accompagnaient, de m'appuyer sur eux, selon une coutume de chez nous. Il m'avait observé de son coin sans rien dire… De ce jour, je n'ai plus porté mon chapelet autour du cou – sauf parfois dans mon âge avancé, et pour des circonstances particulières – et, autant que possible, ne me suis plus appuyé sur personne.

Mais ce qu'il ne pouvait supporter, c'était la superstition. Jamais il ne voyait une amulette au cou de l'un de ses élèves adolescents sans venir tirer sur sa corde avec force comme s'il voulait l'arracher, tout en maugréant ! C'est dire qu'il ne voyait pas d'un très bon œil les petits marabouts ambulants qui faisaient commerce de la religion en vendant talismans, prières et amulettes…

Il n'aimait point non plus l'attitude appelée *taqlid*, c'est-à-dire l'imitation passive en matière de religion, où l'on s'interdit tout raisonnement et tout effort pour mieux comprendre et où l'on acquiesce à tout ce qui se dit sans autre recherche, par simple conformisme religieux.

Son comportement, inutile de le dire, n'était pas toujours compris, ni sa manière de sortir des sentiers battus.

L'une de ses innovations – qui se généralisa largement plus tard mais qui, sur le moment, fut considérée comme une audace sacrilège – fut d'introduire l'usage de la montre à la mosquée pour déterminer l'heure de la prière. Les marabouts s'indignèrent : "Nos grands-parents n'ont jamais utilisé un engin d'infidèle pour des cérémonies religieuses !

— Si vous ne vouliez suivre que les traditions de vos ancêtres, répliqua Tierno, alors vous ne seriez pas musulmans aujourd'hui. En effet, l'Islam a été importé chez nous de l'extérieur ; et si nos ancêtres l'ont adopté, c'est parce qu'à la lumière de leur intelligence ils ont estimé qu'il était préférable à l'idolâtrie. Pourquoi n'adopterions-nous point l'usage de la montre si cela se révèle utile ?"

Un soir, vers la fin de l'après-midi, alors que l'on se préparait pour aller célébrer à la mosquée la prière de *maghreb* qui suit immédiatement la disparition du soleil derrière l'horizon, le ciel se recouvrit de nuées orageuses et le temps se fit plus sombre qu'à l'accoutumée. Dépourvu de tout repère, le muezzin, estimant le moment venu, appela à la prière du haut du minaret. Quand tout le monde fut réuni et que l'imam se plaça à la tête des fidèles pour commencer la prière, Tierno dit à haute voix : "Imam, vous allez commettre une faute et la faire commettre à tout le monde. Le soleil n'est pas encore couché."

Interloqué, l'imam se retourna. L'un des antagonistes de Tierno l'apostropha : "Comment le sais-tu ? Peux-tu voir ce qui est caché ? Vraiment, tu as trop de prétention !

— Je n'ai nullement la prétention de connaître ce qui est caché, répondit Tierno. J'ai simplement consulté ma montre, qui est toujours très juste."

On entendit des rires étouffés et des chuchotements : "Il a consulté son engin chrétien… Quelle excentricité !" L'imam maugréa contre Tierno et sa montre, leva les mains et commença la prière.

Une coïncidence heureuse se produisit alors. A peine les fidèles avaient-ils fini de prier qu'un faible rayon doré perça la couche de nuages et vint éclairer la mosquée. Tous s'écrièrent : "*Allâhou akbâr !* Dieu est le plus grand !" – comme il est séant de le faire chaque fois qu'un événement dépasse ou contredit l'entendement des hommes. Les amis de Tierno se retournèrent pour l'acclamer, mais il avait déjà disparu.

Le lendemain soir, quand il apparut à la mosquée pour la prière du couchant, certains voulurent lui faire une ovation. Il les arrêta d'un geste : "Il a plu à Dieu de vous ouvrir les yeux pour vous aider à comprendre, mais je suis aussi ignorant que vous. J'ai seulement consulté un guide sûr : ma montre. Je n'y ai aucun mérite ; si mérite il y a, il revient à Dieu et à celui qui a inventé la montre."

Une autre de ses innovations n'était pas du goût de tout le monde. Il avait en effet le souci permanent de mettre l'enseignement religieux à la portée de tous, afin d'affranchir la masse de la tutelle coûteuse des marabouts et, surtout, lui éviter de devoir répéter sans les comprendre des textes religieux inintelligibles pour elle puisqu'elle ne connaissait pas leur sens en arabe : "Pour nous, qui avons le bonheur de posséder une langue capable de reproduire presque tous les mots arabes, c'est une nécessité et un devoir que d'enseigner à tous en notre langue peule la doctrine du Prophète Mohammad. Ce dernier n'a-t-il pas dit : «Parlez aux gens à la mesure de leur entendement» ?"

L'éducation religieuse de la femme et de l'enfant, en particulier, le préoccupait beaucoup. Il enseignait le Coran dans le texte aux enfants, mais il le leur expliquait dans leur langue maternelle. "Si nous attendons que chacun parle l'arabe, disait-il, nous n'arriverons jamais à comprendre notre religion. Or Dieu ne nous impose pas une langue, il nous impose une foi." La connaissance de l'arabe n'était pas, en effet, à la portée de tout le monde, et certains de nos "grands turbans" n'en avaient eux-mêmes, il faut l'avouer sans en rougir, qu'une couche très mince.

L'indépendance d'esprit de Tierno Bokar se manifestait même à l'égard de l'administration coloniale. Ce n'était pas qu'il fût en mauvais termes avec ses représentants, mais il se refusait à leur servir d'auxiliaire sous quelque forme que ce soit, s'estimant étranger aux tâches qu'on lui proposait – comme le fera aussi de son côté, d'ailleurs, le Chérif Hamallah, ce qui sera considéré comme une attitude "antifrançaise" caractérisée ! L'administration de l'époque aurait bien voulu pouvoir exploiter l'influence de Tierno Bokar. Certaines années où l'impôt avait du mal à rentrer, par exemple, on avait essayé de l'envoyer à cheval dans les villages pour recommander aux gens de payer... Tierno s'étonnait : "Vous disposez de la force, vous avez des fusils et des soldats, et vous voulez vous servir d'un pauvre marabout comme moi pour vous faire payer ce qu'on vous doit ?"

Un jour, le commandant de cercle l'avait convoqué pour lui faire une proposition : "Tierno Bokar, un homme probe et droit comme toi se doit d'aider au bon fonctionnement de la justice. Je souhaiterais vivement que tu acceptes d'être nommé assesseur." – "Malheureusement, répondit Tierno avec son bon sourire, à partir du jour où je jugerai mes semblables, je cesserai d'être probe." Et jusqu'au jour où il tomba en disgrâce, il refusa ce poste qu'on lui offrait avec insistance.

J'ai déjà dit que, pour lui, tout était motif d'enseignement. Comme je m'étais laissé aller en sa présence à critiquer l'administration coloniale, il me laissa parler jusqu'au bout, puis il me tança :

"Que ce soit la dernière fois que tu tombes dans ce travers ! Le besoin de critiquer est comme une maladie, et une maladie contagieuse. Prends dans l'administration ce qu'elle a de bon, et ce que tu crois ne pas être bon, laisse-le-lui ; ce sera toujours bon pour elle, pour des raisons que tu ne connais pas. Cela vaut aussi pour les individus : considère leurs qualités, prends en eux ce qu'ils ont de bon, et quant à leurs défauts, laisse-les-leur. C'est leur affaire et non la tienne.

"Et surtout, Amadou, ne crois pas que le commandement, quel qu'il soit, ait jamais passé une nuit entière aux côtés de la vérité et de la justice. Ils ne peuvent demeurer ensemble, parce que la justice tue le commandement. Quand le commandement, ou le gouvernement, fait rendre la justice, c'est que cette justice ne lui gâche rien. Bien entendu, il arrive que le commandement revête le manteau de la religion, mais alors, attention ! Ce n'est plus de la religion, c'est du «commandement par la religion», ou de la «religion domestiquée»" – il nous invitait d'ailleurs souvent à établir une distinction entre l'Islam essentiel, l'Islam des origines, et ce qu'il pouvait devenir au cours des temps entre les mains des princes ou des puissants de ce monde…

"Amadou, conclut-il, la justice est divine, elle n'est pas humaine. Vois, même au sein des familles, vous ne parvenez pas toujours à être justes entre vos différents enfants : il y a des préférences, des moments où vous êtes dans l'embarras… Souviens-toi bien de cela : le commandement est une chose, la justice en est une autre."

L'affranchissement du vieux captif

Vers le quatrième mois, Tierno Bokar en vint, dans son enseignement, à traiter des qualités spirituelles propres aux différents prophètes mentionnés dans le Coran, depuis les grands "Envoyés de Dieu" Adam, Abraham, Moïse et Jésus, en passant par tous les prophètes intermédiaires, pour finir par le prophète de l'Islam. Quand il en arriva à ce dernier, je fus particulièrement touché par ses qualités de générosité et de magnanimité, et particulièrement par deux de ses actions : le pardon qu'il accorda, lorsqu'il revint dans la ville de La Mecque, à tous ses anciens ennemis vaincus qui l'avaient pourtant jadis si cruellement traité, lui et les siens ; et, d'autre part, l'affranchissement de la totalité des "captifs" attachés à sa famille lorsque, en 633, il sentit venir la mort. Aucun d'eux, du vivant du Prophète, n'avait accepté de le quitter ; mais il voulait garantir leur avenir après son départ, et quitter ce bas monde les mains vides.

Désireux d'imiter l'attitude du Prophète, je décidai d'affranchir officiellement un homme que, de toute façon, je ne pouvais considérer comme un captif, et moins encore comme "mon" captif : je veux parler de Beydari Hampâté, élevé par mon père Hampâté comme un fils et désigné par lui sur son lit de mort comme gérant de ses biens et tuteur de ses enfants, et qui, depuis, avait toujours été pour moi le plus affectueux des grands frères, et pour toute ma famille un soutien fidèle. Certes, à l'époque et dans notre milieu, le terme de "captif" était plutôt devenu un terme d'usage et ne recouvrait plus une réelle condition de servitude – en tout cas pas à mes yeux – mais c'était tout de même un statut, et je souhaitais en libérer Beydari. Je fis part de mon projet à Tierno Bokar.

"La libération ou le rachat des captifs est l'un des actes qui furent le plus appréciés par Dieu et son Prophète", me dit-il ; et il attira mon attention sur le fait que, dans un grand verset du Coran qui résume les fondements de la foi et du comportement conseillé aux hommes, cette libération est incluse dans les charités accomplies "pour l'amour de Dieu" et citée avant même la prière, l'acquittement de la dîme aumônière *(zakkat)*, la droiture et la patience*.

"Mais, ajouta-t-il, as-tu de quoi doter Beydari ? On ne libère pas un captif en lui laissant les mains vides ; ce serait le pousser vers la misère, qui est une autre forme de captivité grave. Je sais que Beydari a un métier**, mais ceci n'entre pas en ligne de compte.

* Coran, sourate 2, v. 177.

** Beydari était boucher. Il avait appris ce métier auprès du vieil Alamodio, qui avait recueilli mon père Hampâté lorsque celui-ci vivait caché à Bandiagara. [Cf. *Amkoullel...*, p. 30 et suiv. ; coll. "Babel", p. 36 et suiv.]

— Mon cheval Thiadjel, qui a été premier prix classé aux courses de Tougan et de Ouahigouya et qui vaut en ce moment dix têtes de bétail, représente-t-il une dotation suffisante ? Si oui, je le léguerai à Beydari. Il pourra ainsi se constituer le début d'un troupeau – ce qui ne l'empêchera nullement de rester dans la maison familiale et d'y vivre comme auparavant, mais en homme libre.

— Là où une vache laitière suffit, dit Tierno, il est hors de doute que dix têtes donneront dix fois satisfaction."

Le lendemain, il convoqua Beydari et, en ma présence, lui fit part de mon intention. Après un moment de stupéfaction, tout à coup le vieux captif fondit en larmes. Quand il put se reprendre, c'est d'une voix tremblotante, entrecoupée de plaintes, qu'il nous dit sa peine :

"O Tierno ! Le jour où mon père Hampâté m'a arraché des mains du bourreau qu'était le griot Amfarba, j'ai versé des larmes de joie. Avec mon père Hampâté, je n'ai jamais senti que j'étais un captif. Jamais il ne m'a frappé, jamais il ne m'a fait manger des restes de repas, jamais il ne m'a tenu à l'écart. Au contraire, il me faisait manger avec lui, et je dormais dans une pièce contiguë à la sienne. Il commandait mes vêtements dans la boutique même où le roi Aguibou Tall faisait faire les costumes de ses enfants, et m'habillait à leur image. Mais aujourd'hui, les larmes qu'Amadou Hampâté me fait verser sont le contraire de celles que m'a fait verser son père il y a près de trente-neuf ans !

"Hampâté avait fait de moi son propre fils. Il ne s'était pas contenté de me placer à la tête des six captifs de sa maison, qu'il avait tous recueillis, il alla jusqu'à me léguer en mourant la gestion de tous ses biens et même la garde de ses deux fils, Hammadoun et Amadou, qu'il disait être mes petits frères.

“Quand Hammadoun est décédé dans la fleur de l’âge, je n’ai plus eu de petit frère qu’Amadou ici présent. Je pensais que lui et moi serions unis pour la vie, car je ne me connais aucun autre parent que lui. Et voilà qu’il décide de me rejeter ! Il dit qu’il veut me libérer, mais cela revient à me rayer de la maison de Hampâté où celui-ci m’avait admis avec tant de cœur et de charité. Comment pourrais-je ne pas pleurer à en épuiser toutes mes larmes, à en pleurer mon propre sang !”

Le pauvre homme était écrasé de chagrin.

Tierno se pencha vers lui : “Beydari Hampâté, détrompe-toi ! Plus que Hampâté lui-même, c’est Amadou qui, aujourd’hui, fait de toi un membre de la maison Hampâté à part entière. Avant ton affranchissement, selon notre loi tu étais «héritable» au même titre que tous les autres biens transmissibles de la famille ; tandis que maintenant, tu deviens l’héritier légal des biens de cette famille en l’absence des enfants et petits-enfants, dont tu cesses d’être le «captif» pour devenir juridiquement l’oncle paternel.”

Au fur et à mesure que Tierno parlait, les traits de Beydari se détendaient et son visage s’éclairait. A la fin, ses pleurs se changèrent en rire. “Dieu m’en est témoin, s’écria-t-il, je préférerais mille fois un esclavage qui m’attacherait à Amadou plutôt qu’une liberté qui m’en séparerait !”

La cause était entendue. Tierno Bokar, devant deux témoins, son neveu Mamadou Amadou Tall et mon oncle Samba Hammadi Bâ, déclara mon intention de libérer Beydari Hampâté en le dotant d’un coursier classé, et l’acceptation de Beydari de cesser d’être captif pour devenir membre ayant droit de la famille Hampâté. Tierno Bokar rédigea en arabe l’acte de libération qui fut signé par lui-même, les deux témoins, le libéré et le libérateur. Conformément à l'usage, je devais donner au libéré un nouveau nom qui remplacerait son nom de captif. Je choisis "Zeydi", nom du premier affranchi du Prophète Mohammad. Beydari signa l'acte de son nouveau nom : "Zeydi Hampâté", sous lequel, depuis, il resta connu dans le pays.

Un morceau d'or pur dans un chiffon sale

Dans la nuit du jeudi ou du vendredi, les anciens avaient coutume de réciter des poèmes religieux. C'est ainsi que je découvris les grandes odes mystiques de Maabal, qui était considéré comme l'un des plus grands poètes peuls de l'époque. On l'appelait "le plus ivre des élèves de Tierno", car ivre, au cours de sa brève existence, il l'avait été dans les deux sens du mot : au sens matériel, d'abord, puis au sens spirituel. Son histoire extraordinaire me fut racontée par Tierno Bokar lui-même et par quelques anciens de la maison.

On ne connaissait de lui que son nom personnel, Bahamma, et son surnom, Maabal. Son nom de clan est resté ignoré. Né avant la fin du siècle, il appartenait à la caste des tisserands et vivait à Mopti, avec sa mère qui était potière. Il menait alors une vie dissolue, passait ses nuits dans les bouges à chanter et à boire, était presque toujours ivre et fréquentait les mauvais garçons. Les gens de Mopti l'appelaient "ce voyou de Maabal". Mais il avait une qualité : chaque soir, avant d'aller s'enivrer avec ses compagnons, il prenait le panier de sa mère et allait chercher pour elle au bord du fleuve de la terre à poterie. Il ramassait un beau paquet de terre, le malaxait comme il faut, le mettait dans son panier et le ramenait à sa mère. “Je te demande la paix, et la permission de sortir…” lui disait-il. Et il partait.

Tierno Bokar, lui, ne quittait presque jamais Bandiagara. Dans toute sa vie, il n'a fait que deux grands voyages : l'un à Say (ville du Niger proche de la frontière voltaïque) et l'autre à Nioro, en 1937, pour y rencontrer le Chérif Hamallah. Mais une ou deux fois par an, surtout avant les grandes fêtes, il se rendait à cheval à Mopti, à environ soixante-dix kilomètres de Bandiagara, pour s'y approvisionner. Tous les bateaux venant de Bamako et les pirogues venant de Tombouctou s'arrêtaient en effet au port de Mopti, qui desservait les villages environnants.

Auparavant, Tierno avait coutume d'arriver à Mopti en plein jour ; mais un grand nombre de Toucouleurs, employés ou gérants de maisons de commerce européennes, fermaient alors boutique pour venir le saluer, à telle enseigne que, pour leurs patrons, l'arrivée de Tierno Bokar était une véritable catastrophe. Depuis, pour empêcher les employés de quitter leur travail avant l'heure de fermeture, Tierno s'arrangeait pour arriver en ville en fin d'après-midi, et il se rendait directement chez son logeur.

Ce soir-là, Maabal, qui revenait du fleuve, l'aperçut. Il le suivit jusque dans la cour de son logeur, l'aida à descendre de cheval, dessella l'animal et le prit pour aller le laver au bord du Niger. Après l'avoir bouchonné et pansé comme il faut, il le ramena dans la cour, lui donna à manger une botte d'herbe qu'il avait ramassée en route et vint s'installer non loin de Tierno. Celui-ci, qui était assis sur une natte en peau, lui offrit une place à sa droite.

Pendant ce temps, la nouvelle de l'arrivée de Tierno Bokar s'était répandue en ville. Ses élèves, partisans et amis arrivèrent en masse pour le saluer. Dès leur entrée dans la cour, ils virent "ce voyou de Maabal", dont ils connaissaient parfaitement la réputation, assis à la droite de Tierno. Des exclamations fusèrent :

"Comment, Tierno ! Tu acceptes que ce Maabal, ce voyou qui passe toute la journée à boire et qui est le garçon le plus dévergondé de tout Mopti, s'asseye là, à ta droite* ? Ah ! Si nous avions été là, jamais il ne serait rentré !"

Tierno les regarda. Maabal, lui, n'avait eu aucune réaction ; il était là, impassible, comme s'il s'agissait de quelqu'un d'autre.

"Mes amis, dit Tierno, permettez-moi de vous dire que vous faites erreur. Cet homme qui est là, je ne le vois pas comme vous. Pour moi, Maabal est un morceau d'or pur enveloppé dans un chiffon sale qui a été jeté sur un tas d'ordures. Ni ce qui enveloppe l'or ni le lieu où il se trouve ne peuvent diminuer sa valeur, car ce sont des éléments extérieurs à lui-même."

Tout le monde savait que Tierno ne parlait jamais en vain ; s'il disait quelque chose, c'est qu'il y avait une raison. Les visiteurs ravalèrent leurs protestations, mais prirent le parti d'ignorer Maabal. Assis dans la cour autour de Tierno, ils parlèrent de choses et d'autres avec lui.

La parole de Tierno n'était pas tombée dans l'oreille d'un sourd. Maabal en avait été profondément remué. Le soir, il dit à sa mère : "Mère, j'ai vu Tierno Bokar le marabout de Bandiagara. Il m'a fait une impression que je ne peux pas décrire..." Les choses en restèrent là, et Tierno Bokar rentra à Bandiagara.

La mère de Maabal vit que son fils sortait de moins en moins. Il restait davantage à la maison. Au bout

* La place à droite est toujours une place d'honneur.

d'une semaine, il vint la trouver : "Maman, depuis que j'ai vu Tierno Bokar, je lutte avec moi-même. Une partie de moi veut que j'aille à Bandiagara vivre auprès de lui. Mais mon autre partie me dit : «Ta mère va rester seule. Et qui lui servira la terre dont elle a besoin pour faire sa poterie ?» Je suis si déchiré par cette préoccupation qu'elle me distrait de tout ce que je faisais auparavant."

Sa mère l'apaisa : "Mon fils, ne crains pas de me laisser seule, car ton projet de partir chez le marabout me rend très heureuse. Au fond de mon cœur, c'est une chance comme celle-là que j'espérais pour toi, et j'ai prié Dieu de la réaliser.

— Mais, maman, et ta terre à poterie ?

— Ne t'inquiète pas pour cela. Pour le prix modique de quarante cauris, je trouverai toujours quelqu'un qui ira chaque jour me chercher de la terre. Alors aie le cœur tranquille, et va en paix."

Soulagé, Maabal demanda à sa mère de le bénir, puis il partit pour Bandiagara.

Il arriva chez Tierno un soir, vers seize heures trente, après la prière du milieu de l'après-midi. Le Maître était dans son vestibule, entouré de ses élèves, en train d'enseigner. Après l'échange des salutations d'usage, Tierno lui sourit : "Hé, Maabal ! Sois le bienvenu ! Et merci encore d'avoir si bien soigné mon cheval l'autre jour !

— Tierno, je suis venu te voir avec une intention bien précise. Je ne voudrais plus vivre là où tu n'es pas. Je veux vivre à tes côtés, être avec toi constamment. Parce que seul l'homme dont l'œil a su discerner le morceau d'or pur sous un chiffon sale jeté sur un tas d'ordures aura la main capable de déchirer le chiffon et de faire apparaître l'or. C'est pour cela que je suis venu à toi.

— J'en suis heureux, mon fils, et j'accepte. Sois le bienvenu ! Nous vivrons donc ensemble. Toutefois, ce n'est pas moi qui ferai le travail : c'est à Dieu de déchirer le chiffon pour que l'or apparaisse. Je sais seulement qu'il y a de l'or, mais pour qu'il apparaisse, c'est une question de temps. As-tu un métier traditionnel ?

— Oui, je suis tisserand, et même un bon tisserand."

Tierno envoya quelqu'un chercher un métier à tisser composé des trente-trois pièces traditionnelles, ce métier dont on enseigne qu'il symbolise, lorsqu'il est actionné par le tisserand installé en son centre, tout le mystère de la Création se déployant à chaque instant dans le temps et dans l'espace*. Il fit installer le métier dans la cour, contre le mur qui faisait face à sa propre case de prière où il se tenait pour travailler, méditer et prier. Sa case était tournée vers l'est, direction de la prière, et le fil de chaîne étendu devant le métier venait jusqu'à sa porte ; de telle sorte que chaque fois que Maabal levait la tête, il voyait Tierno, et chaque fois que Tierno levait la tête, il voyait Maabal.

Trois mois passèrent. Maabal travaillait à son métier, priait, regardait Tierno et l'écoutait enseigner…

Et un matin, Maabal l'illettré, Maabal qui n'avait même jamais fait l'école coranique, Maabal qui n'avait

* [Cf. "La tradition vivante", étude de A. H. Bâ in *Histoire générale de l'Afrique*, éd. Jeune Afrique / Unesco (texte intégral), t. I, chap. 8, p. 206 et suiv., et "Parole africaine", in *le Courrier de l'Unesco*, numéro de septembre 1993.]

jamais rien lu, se mit à chanter et ne s'arrêta plus. Visité par l'inspiration, il improvisait de longs poèmes mystiques en peul dont la splendeur poétique et l'élévation de pensée stupéfièrent tous ceux qui les entendaient, à commencer par les marabouts de Bandiagara. Car ses poèmes, sitôt chantés, étaient repris et colportés à travers la ville.

Une nouvelle ivresse s'était emparée de lui, celle de l'amour de Dieu :

> *L'amour de Dieu a pénétré en moi.*
> *Il est allé loger jusqu'à l'intérieur de mes os*
> *et en a tari la moelle,*
> *si bien que je suis devenu*
> *aussi léger qu'une feuille*
> *que le vent balance entre terre et ciel.*

De ce jour il n'a plus cessé de composer. Il était devenu sans transition l'un des plus grands poètes peuls de son temps. Il a laissé des odes célèbres, entre autres sur le Prophète, sur Cheikh Tidjane et sur El Hadj Omar.

Comme il chantait devant Tierno et ses élèves son ode consacrée à El Hadj Omar, il en vint à ces vers :

> *Si des "contestateurs" se lèvent,*
> *nous sommes prêts à nous battre.*

A cet endroit, Tierno l'arrêta : "Non, il ne faut pas se battre." Et il ajouta : "Un peu avant, à propos de ceux qui sont sauvés, tu as employé le «nous» peul exclusif. C'est un «nous» égoïste, qui ne s'applique qu'à celui qui parle et à ceux qui l'entourent ; il vaudrait mieux utiliser le «nous» inclusif, car lui, il englobe tout le monde." Maabal a repris son couplet en utilisant le «nous» inclusif, et il a changé son dernier vers. Sur des centaines de poèmes, c'est le seul endroit où Tierno l'a repris*.

Maabal a également chanté son maître dans un poème dont j'extrais ces quelques vers :

Un sourire comme un ciel qu'illumine un éclair,
un visage rayonnant,
un haut front qui brille comme un miroir,
voilà ce qui s'est réuni
pour donner au visage de Tierno Bokar
une majesté qui ne peut venir que de la sainteté !

Mais la plus célèbre de ses œuvres est la longue ode mystique intitulée *Sorsoreewel* : "Celui qui cherche" (ou "Le Fouinard"), véritable chant d'amour pour Dieu et son prophète qu'il aspirait à rejoindre. Théodore Monod, alors qu'il était encore directeur de l'IFAN à Dakar, en a publié le texte dans une brochure intitulée *Sorsoreewel, un poème mystique soudanais***.

La transformation fulgurante de Maabal et les hautes connaissances spirituelles dont témoignaient ses poèmes

* Dans la *zaouïa* de Tierno Bokar, on étudiait surtout d'El Hadj Omar ses écrits spirituels, notamment le plus connu d'entre eux : *Er-Rimah*, "Les Lances" (publié en arabe au Caire), dont l'inspiration générale procède du soufisme et se réfère aux enseignements de Cheikh Ahmed Tidjane.

** A la fin de cette brochure, Théodore Monod conclut ainsi sa présentation : "En faisant connaître (ce poème) à des âmes matériellement, et sans doute mentalement aussi, fort éloignées de l'Islam peul soudanais, je n'ai désiré, une fois encore, qu'une chose : en plaçant des chrétiens en face d'un phénomène religieux différent de ceux qui leur sont familiers, mais en fait identique, leur fournir un motif de plus de croire à l'Unité, en Dieu comme dans les hommes, et d'accueillir comme un message de consolation et d'espérance le beau mot – encore peu employé – de : convergences."

emplissaient les marabouts d'étonnement : comment un homme qui n'avait jamais étudié pouvait-il connaître, ou pressentir, de telles réalités d'ordre supérieur ? En réalité, il faisait mieux que les pressentir ; comme disent les soufis, il les "goûtait" *(dhawq)*. Quelqu'un demanda à Tierno quel était le *hal* (l'état, ou le niveau spirituel) de Maabal. Utilisant une autre image soufie, Tierno répondit :

"Entre celui qui a entendu parler du fleuve et qui connaît tout de lui mais seulement par ouï-dire, celui qui est venu s'asseoir sur la berge pour contempler les eaux du fleuve, et celui qu'on a pris et jeté au milieu de l'eau du fleuve, qui connaît le mieux le fleuve ? C'est celui qui a été jeté dans l'eau et qui s'y est fondu. Maabal a été jeté dans le fleuve de l'amour."

En moins de trois années*, Maabal avait été si consumé de l'intérieur que toute enveloppe matérielle était devenue pour lui transparente. Couché dans sa case, à travers la toiture il voyait l'état du ciel ; il voyait les gens approcher comme si les murs n'existaient pas. Devenu "aussi léger qu'une feuille que le vent balance entre terre et ciel", une partie de lui-même était déjà hors de notre monde. Tierno s'attendait à son départ. Un jour, alors que Maabal se trouvait dans un état d'extase, son âme rompit les dernières amarres et ne revint pas.

Depuis, les récitants religieux de Bandiagara intégrèrent les poèmes de Maabal parmi les grands poèmes mystiques, peuls ou arabes, que leur chœur récitait chaque nuit de jeudi à vendredi, parfois jusqu'à une heure du matin. Au jour où j'écris cette page, en 1978, il reste encore quelques vieux récitants qui sont les derniers survivants de ce chœur. Mais il est à craindre

* [A. H. Bâ n'a pas daté l'événement.]

qu'avec leur disparition ces poèmes magnifiques ne sombrent eux aussi dans l'oubli*.

Les trois vérités et les croissants de lune

En dehors de mon bref voyage à Bamako, j'avais dû interrompre mon enseignement pendant deux semaines, ayant accepté de travailler bénévolement auprès du commandant de cercle de Bandiagara pour remplacer son secrétaire parti en congé ; mais je rejoignais Tierno à la mosquée pour la prière du matin et le retrouvais le soir après ma journée de travail.

Je dus l'interrompre également en raison d'un deuil familial : pas plus que son aîné, notre deuxième petit "Tierno Bokar" ne voulut demeurer avec nous en ce bas monde. Lui aussi ferma les yeux à Bandiagara entre les mains de son homonyme.

"Voyez donc ! s'exclamèrent nos antagonistes de Bandiagara. Il donne le nom de Tierno Bokar à l'un de ses fils, il meurt ! Il le donne à un deuxième, il meurt ! Jusqu'où ira-t-il comme cela ?" Averti de ces propos, je fis connaître ma réponse :

"Même si je dois remplir un cimetière de petits «Tierno», tant que Dieu m'enverra des enfants je leur donnerai ce nom jusqu'à ce que l'un d'entre eux vive. A partir de maintenant, tout enfant qui naîtra chez moi, garçon ou fille, je l'appellerai «Tierno Bokar» !" Le premier enfant qui vint à nouveau au monde dans ma

* [Le poème de Maabal *Sorsoreewel* ainsi que de nombreux autres, mystiques ou non, des maîtres du "grand parler" peul figurent dans les archives de A. H. Bâ, le plus souvent avec transcription du texte peul, traduction juxtalinéaire et premier essai de traduction plus élaborée.]

famille fut celui de Banel, né en 1934 C'était un fils Je lui donnai le nom de mon maître et, Dieu merci, il resta parmi nous. Aujourd'hui encore, il vit auprès de moi à Abidjan.

Mon congé allait vers sa fin. Puisque Tierno m'avait déconseillé de démissionner, force m'était de me préoccuper de ma future affectation. Souhaitant rester auprès de lui, je décidai d'écrire au commandant Marius Bellieu, comte de la Romevillière, que j'avais choisi de servir au cercle de Bandiagara ; mais avant même que j'aie commencé à rédiger ma lettre, une intrigue émanant de certains collègues vint m'obliger, malgré moi, à demander mon affectation pour Bamako.

Deux collègues africains qui étaient en fonctions à Bamako, dont un natif de Bandiagara – je préfère ne pas citer de noms –, m'envoyèrent une lettre dans laquelle ils m'informaient confidentiellement d'une démarche du commandant Marius Bellieu : celui-ci leur aurait demandé en privé d'essayer de me convaincre de venir servir auprès de lui à Bamako, mais à condition de ne pas révéler sa démarche car il tenait à me laisser libre de ma décision. Après concertation, ils avaient estimé préférable de me prévenir, afin que je sache combien le comte serait heureux de m'avoir dans ses services. "C'est le plus grand plaisir, disaient-ils, que je pourrais lui faire." Je montrai la lettre à Tierno Bokar.

"Je flaire une intrigue, me dit-il. Il m'a en effet été rapporté que le fils unique de l'un des deux signataires, un fonctionnaire comme toi, a demandé à son père d'entreprendre des démarches en vue de le faire affecter à Bandiagara. Il souhaite y revenir afin de pouvoir restaurer leur maison familiale tombée en ruine faute de soins. Cette lettre n'est donc pas sincère. Dans la crainte que tu ne choisisses Bandiagara, on t'entortille pour te faire choisir Bamako. Etant donné l'état de délabrement de sa concession, je comprends que ton collègue de Bamako veuille favoriser l'installation de son fils à Bandiagara, mais il aurait pu te le demander amicalement sans recourir à une machination cousue de fil blanc.

"Dans l'état actuel des choses, si tu maintiens ta demande pour Bandiagara tu vas te créer à Bamako des ennemis qui risquent de te nuire auprès de tes supérieurs, et le conflit n'aura pas de fin, là-bas comme ici. Tu ne seras même pas sûr de pouvoir être maintenu à ton poste dans l'avenir. Laisse donc le fils de ton collègue venir à Bandiagara, et toi, va à Bamako auprès d'un chef qui t'apprécie, et à un poste où tu pourras te rendre utile."

Je m'inclinai. Le jour même je télégraphiai au commandant Bellieu pour lui dire que je serais heureux de servir à nouveau sous ses ordres. Quelque temps plus tard ma décision d'affectation me parvint, et le fils du collègue fut affecté à Bandiagara. Tout le monde était content, mais je savais à quoi m'en tenir.

Je profitai du temps qui me restait pour poser à mon maître des questions qui me tenaient à cœur.

"Tierno, est-ce que je peux discuter de questions religieuses avec des gens qui ne sont pas musulmans ?

— Oui, me répondit-il, si tu peux les respecter. Il faut toujours respecter les croyances des autres. Imagine que le père de quelqu'un soit un cochon alors que ton père à toi est un ange. Si tu insultes son père cochon, sa réplique immédiate sera d'insulter ton père ange, parce que pour lui c'est son père cochon qui est le meilleur. Si tu insultes son père, il insultera le tien. Si tu commences par repousser quelqu'un, il te repoussera, c'est une réaction naturelle. Cela se voit dans les mains de l'homme : si tu mimes l'action de frapper, l'autre, automatiquement, lèvera sa main contre toi."

Il ne nous incitait pas seulement à la tolérance, mais à une écoute réelle, attentive de l'autre :

"Si tu n'es pas compris, au lieu de t'exciter et de trouver que ton interlocuteur est un imbécile, ou qu'il a la compréhension dure, il faut, toi, l'écouter et essayer de le comprendre. Quand tu le comprendras, tu sauras pourquoi il ne t'a pas compris ; tu pourras alors ajuster tes propos de manière à être compris de lui. Peut-être as-tu parlé d'une manière trop élevée, ou incompréhensible pour son entendement ou sa vision des choses ? C'est pourquoi il faut savoir écouter. Il faut cesser d'être ce que tu es et oublier ce que tu sais*. Si tu restes tout plein de toi-même et imbu de ton savoir, ton prochain ne trouvera aucune ouverture pour entrer en toi. Il restera lui, et tu resteras toi."

Pour lui, l'ensemble des conflits humains reposait sur quatre causes essentielles : la sexualité, l'appât du gain,

* [Cette parole a parfois été citée par A. H. Bâ (avec des variantes) dans des émissions télévisées ou radiophoniques alors qu'il parlait des initiations africaines traditionnelles. Or, dans plusieurs de ses écrits inédits comme dans des conversations enregistrées (documents d'archives), il la cite comme étant une parole de Tierno Bokar. On peut supposer ou bien qu'il s'agit effectivement d'une parole originale de Tierno Bokar que A. H. Bâ aura parfois utilisée pour illustrer une attitude traditionnelle africaine (comme cela lui est arrivé à plusieurs reprises), ou bien, à l'inverse, qu'il s'agit d'une parole tirée du grand fonds traditionnel africain que Tierno Bokar connaissait parfaitement et qu'il aura utilisée lui-même pour éclairer ses élèves.]

le souci de préséance (“Ote-toi de là que je m’y mette !”) et la mutuelle incompréhension, compagne de l’intolérance. Il voyait dans l’incompréhension et l’intolérance le père et la mère de toutes les divergences humaines : “On se parle, mais on ne se comprend pas, parce que chacun n’écoute que lui-même et croit détenir le monopole de la vérité. Or quand tout le monde revendique la vérité, à la fin personne ne l’aura.”

C’est alors qu’il nous développa son schéma des “trois vérités” et des croissants de lune.

“Il y a trois vérités, nous expliqua-t-il : *ma* vérité, *ta* vérité, et *la* Vérité. *La* Vérité n’appartient à personne : elle est au centre, et n’appartient qu’à Dieu. Elle représente la lumière totale, et c’est pourquoi elle est symbolisée par la pleine lune. Avez-vous remarqué que, pendant les trois jours de pleine lune (les treizième, quatorzième et quinzième jours de chaque mois lunaire), il n’y a pas d’obscurité sur la terre ? Le soleil ne se couche pas avant de voir apparaître le disque lunaire à l’opposé du ciel, et la lune ne disparaît pas avant d’avoir vu le soleil se lever. C’est un spectacle de toute beauté !

“*Ma* vérité, comme *ta* vérité, ne sont que des fractions de *la* Vérité. Ce sont des croissants de lune situés de part et d’autre du cercle parfait de la pleine lune. La plupart du temps, quand nous discutons et que nous n’écoutons que nous-mêmes, nos croissants de lune se tournent le dos ; et plus nous discutons, plus ils s’éloignent de la pleine lune, autrement dit de la Vérité. Il nous faut d’abord nous retourner l’un vers l’autre, prendre conscience que l’autre existe, et commencer à l’écouter. Alors nos deux croissants de lune vont se faire face, se rapprocher peu à peu et peut-être, finalement, se rencontrer dans le grand cercle de *la* Vérité. C'est là, et là seulement, que peut s'opérer la conjonction."

Tout en parlant, il dessinait sur le sol le cercle de la pleine lune et, des deux côtés, les deux croissants d'abord opposés, puis se faisant face, puis se rapprochant jusqu'à se confondre avec le cercle central. Tierno utilisait toujours ce genre d'images pour se faire comprendre. C'était l'une de ses innovations par rapport à l'enseignement maraboutique habituel. Il appelait les croissants opposés "les vérités divergentes", et nous invitait à aller vers "la vérité convergente". "Si vous êtes avec quelqu'un, ne cherchez pas ce qui vous différencie ; cherchez ce que vous avez de commun et bâtissez sur cela."

Pour Tierno Bokar, il n'existait qu'une seule religion, une en son essence, éternelle, immuable dans ses principes fondamentaux, mais qui, au cours des temps, pouvait varier dans ses formes d'expression pour répondre aux conditions de l'époque et du lieu où était descendue chaque grande "révélation". "Il n'y a qu'un seul Dieu, disait-il. De même, il ne peut y avoir qu'une voie pour mener à Lui, une religion dont les diverses manifestations dans le temps sont comparables aux branches déployées d'un arbre unique. Cette religion ne peut s'appeler que Vérité. Ses dogmes ne peuvent être que trois : Amour, Charité, Fraternité."

Juger par soi-même, non par des "on-dit"

Ce fut une grande chance pour moi d'avoir été formé par un maître qui n'était pas un marabout obtus, qui était même audacieux. A l'époque, il fallait en effet un courage extraordinaire pour prendre certaines des positions que Tierno osait prendre.

Je lui avais fait part de mes travaux de collecte sur les différentes traditions orales, et il m'approuvait pleinement. "Elles constituent l'héritage spirituel de ceux qui nous ont précédés et qui n'ont pas encore rompu avec Dieu", disait-il. Lui-même était un assez bon connaisseur des traditions africaines, notamment des peuples dont il parlait parfaitement la langue : Bambaras et Haoussas, entre autres. Il insistait particulièrement sur le trésor que constituaient nos contes traditionnels : "Chaque conte, chaque devinette est comme une galerie dont l'ensemble forme une mine de renseignements que les anciens nous ont légués par région, race, famille, et souvent d'individu à individu*."

Comme mon départ approchait, je lui posai une question délicate que je ne pouvais me permettre de résoudre seul, car je ne voulais rien faire sans son accord : "Tierno, dans la poursuite de mes recherches, si un jour je suis invité par un milieu initiatique traditionnel, puis-je accepter de le visiter ? Puis-je, par exemple, aller voir le Komo des Bambaras pour mieux les connaître ?"

Nombre d'autres marabouts en auraient suffoqué d'indignation ! Lui, à son habitude, commença par me regarder longuement, puis il me dit :

"Avant de te répondre par oui ou par non, je voudrais être certain que tu réunis plusieurs conditions. Avant toute démarche de ce genre, il faut en effet que

* [Sur la fonction des contes dans les sociétés africaines traditionnelles et leurs différents niveaux d'interprétation, cf. les postfaces réunissant des propos de A. H. Bâ sur ces sujets dans *Petit Bodiel* et *Kaïdara* de la "Collection Amadou Hampâté Bâ" (NEI-EDICEF), et les mêmes textes figurant dans les deux volumes des éditions Stock : *Petit Bodiel et autres contes de la savane* et *Contes initiatiques peuls*. Voir page "Du même auteur".]

tu sois sûr d'une chose : c'est que Dieu est, et qu'Il est unique. Mais Il est libre de se manifester comme Il le veut, sinon nous l'enfermerions dans une loi. Or Dieu est au-dessus de toute loi ; c'est nous qui sommes soumis à une loi, non Lui. Tu peux donc aller visiter les autres initiations à condition d'être solidement enraciné dans ta propre foi et ta propre identité (ton «toi-même»), et que rien ne puisse te troubler ni te perturber. Dans le cas contraire, ce serait dangereux Ce n'est pas à conseiller à ceux qui manquent de maturité spirituelle.

"L'autre condition est que tu devras être capable de respecter les croyances et les initiations de tous ceux que tu visiteras, et de ne point les offenser. Critiquer, offenser, insulter, ne sert à rien. Personne n'y gagne quoi que ce soit.

"Enfin, garde-toi toujours d'émettre un jugement, ou une opinion, sur une chose que tu n'auras pas connue par toi-même, en te fiant à de simples «on-dit»."

Cette parole allait être, dans l'avenir, ma règle de conduite. C'est ce qui m'a permis de répondre sans crainte à des invitations de divers horizons spirituels, afin de me faire une opinion par moi-même, et sans jamais en être perturbé*.

* [Contrairement à ce qui a été écrit dans un petit livre plus ou moins romancé consacré à Amadou Hampâté Bâ, on voit dans les présents Mémoires que, durant son séjour en Haute-Volta – pas plus qu'ailleurs, du reste –, celui-ci ne s'est pas livré à une sorte de course aux initiations pour en "*avoir* le plus possible" – ce qui était à l'opposé de son comportement et des conseils qu'il donnera toute sa vie à ses proches – mais à une recherche constante et passionnée de traditions orales en vue de mieux connaître l'histoire, les coutumes et la sagesse des peuples rencontrés, ce qui est tout différent. De même, lorsqu'il

“Ne deviens pas un petit dieu”, ou le mensonge devenu vérité

Une autre des paroles de Tierno Bokar allait avoir une influence déterminante dans la conduite de mon existence. Comme nous étions vers la fin de mon séjour, tout à coup il me dit :

“Amadou, prends bien garde, plus tard, à ce qu’on ne fasse pas de toi un petit dieu.

est arrivé à Ouagadougou, son oncle Babali Hawoli Bâ, marabout musulman réputé, ne lui a pas transmis “les connaissances liées au deuxième degré de l’enseignement traditionnel peul”, mais une formation approfondie en matière islamique. L’initiation peule proprement dite n’existait d’ailleurs déjà plus, à cette époque, que dans les milieux purement pastoraux.

Grâce à l’autorisation donnée par Tierno Bokar, et dans le strict respect des conditions posées par lui, A. H. Bâ aura plus tard une attitude d’ouverture qui lui permettra notamment de recevoir, en 1943, les connaissances relevant de l’initiation pastorale peule. Selon ses propres paroles (troisième tome de ses Mémoires), celles-ci lui seront transmises *“spontanément et sans protocole”*, en raison de sa lignée, par l’un des derniers grands “silatiguis” peuls, Ardo Dembo, rencontré dans le Ferlo sénégalais à l’occasion d’une enquête ethnographique et religieuse effectuée pour le compte de l’IFAN. C’est alors qu’Ardo Dembo lui transmettra le texte de *Koumen*, qu’il publiera plus tard avec G. Dieterlen (cf. page “Du même auteur”).

Quant à ses connaissances sur la grande initiation bambara du Komo (cf. *Amkoullel...*), elles lui seront surtout transmises par d’anciens grands dignitaires du Komo convertis à l’Islam et, dira-t-il (troisième tome des Mémoires), grâce aux amitiés qu’il nouera dans les milieux bambaras et malinkés lorsqu’il sera en fonctions à la mairie de Bamako à partir de 1933. Dans tous ces cas, il s’agira de transmission de connaissances, exempte de pratiques qui eussent été contraires à sa foi et que ses interlocuteurs, par respect pour lui, ne se seraient jamais permis de lui proposer.]

— Que veux-tu dire, Tierno ? Comment pourrais-je devenir un «petit dieu» ?

— J'appelle «petit dieu», répondit-il, ce que tu risques de devenir lorsque tu réuniras des gens autour de toi. L'homme est le plus souvent flatteur, soit parce qu'il aime, soit parce qu'il espère obtenir quelque chose, soit encore parce qu'il a peur. On aime un enfant ? On le flatte. On aime une femme ? On la flatte. Une femme aime un homme ? Elle le flatte.

"Si un jour tu réunis des élèves autour de toi et s'ils t'aiment, ils ne tarderont pas à te dire : «Dieu a ouvert toutes ses portes pour toi ! Tu es un béni, un cheikh, un grand cheikh !» Au début tu t'en défendras ; puis, à force de l'entendre répéter, cela te pénétrera insidieusement, et à la fin tu finiras par y croire, tombant ainsi dans le travers de l'hyène qui s'était trompée elle-même :

"Un jour, une hyène était allée dans un village et elle y avait trouvé un chevreau mort. Tout heureuse, elle le ramassa et l'emporta dans sa tanière. Mais au moment où elle s'apprêtait à le dévorer, elle vit venir au loin un troupeau d'hyènes qui trottait dans sa direction. De peur qu'elles ne lui ravissent une partie de son festin, elle se hâta de bien cacher le chevreau, puis elle vint s'installer sur le bord de la route.

"Là, elle se mit à roter et à bâiller bruyamment : «Bwaah ! Bwaah !» – «Eh bien, sœur Hyène, qu'y a-t-il ?» lui demandèrent les voyageuses. «Courez vite au village, répondit-elle. Tout le bétail est mort, et on a jeté toutes les carcasses sur le tas d'ordures. Je me suis bien régalée, et maintenant je rentre tranquillement dormir chez moi.»

"A cette nouvelle, la troupe d'hyènes fonça vers le village avec une telle ardeur qu'elle souleva sur la route un véritable nuage de poussière. Pensive, l'hyène contempla ce spectacle : «Mon mensonge serait-il devenu vérité ? se demanda-t-elle. Un mensonge à lui seul ne pourrait soulever un tel nuage de poussière… Courons vite ! Mon mensonge est devenu vérité ! Mon mensonge est devenu vérité !» Et laissant là son chevreau, elle fonça à son tour vers le village…

"Toi aussi, Amadou, si un jour les gens te répètent constamment : «Tu es ceci, tu es cela», tu risques de finir par y croire, comme l'hyène a cru à sa propre invention, et à te substituer tout doucement à Dieu. A ce moment-là, bien loin d'être un saint homme ou un guide valable, tu deviendrais un *shaïtan*, un diable déguisé ! Alors, Amadou, méfie-toi beaucoup de cela !"

Ce conseil me marqua si profondément que jusqu'à aujourd'hui, même après avoir été investi des fonctions de *moqaddem*, puis de *cheikh*, dans la Voie tidjani, je n'ai jamais voulu fonder de *zaouïa* ni être entouré d'une façon permanente par un groupe d'élèves*. Et je me suis toujours méfié des "titres", quels qu'ils soient…

* [Ce n'est qu'en 1982, alors qu'âgé de plus de quatre-vingt-deux ans il ne quittait plus Abidjan, qu'Amadou Hampâté Bâ forma le projet de fonder officiellement une *zaouïa* tidjani, ce que rendait possible la réalisation d'une grande salle de prière attenante à son domicile. Mais par la suite il y renonça. La salle servit alors de petite mosquée familiale, où venaient prier les musulmans du quartier qui le désiraient ; elle était également ouverte aux croyants d'autres horizons spirituels ou religieux. Elle servit parfois de salle de réunion pour des délégations de Tidjanis venus d'autres pays africains, ou pour des réunions culturelles. Quelques années auparavant, A. H. Bâ avait également espéré fonder à Sévaré (Mali) un centre œcuménique de rencontres religieuses et culturelles doublé d'une école coranique aux enseignements diversifiés (sciences islamiques, mais aussi mathématiques, alphabétisation, langues, etc.) mais ce projet, pour diverses raisons, ne put se réaliser.]

Mon congé était terminé. J'étais prêt à reprendre la route avec ma famille pour rejoindre Bamako où le comte Marius Bellieu, commandant de cercle et maire de la ville, m'avait affecté aux fonctions de "premier secrétaire de la mairie".

Cette année 1933 devait être, pour ma vie familiale, ma carrière administrative et ma propre évolution spirituelle, un grand tournant dans ma vie. Je revenais au pays après onze années qui avaient constitué la "phase voltaïque" de ma carrière, laquelle, malgré ses hauts et ses bas, s'était finalement terminée plutôt à mon avantage.

Avant l'entrée dans la phase suivante, mon séjour chez Tierno Bokar avait représenté une sorte de plongée dans un monde spirituel d'où j'émergeais comme lavé, et portant sur le monde un regard nouveau. Ce serait une aide précieuse pour affronter la phase suivante de ma vie, dont je ne pouvais savoir qu'après 1937, et jusqu'en 1942, elle serait le temps des difficultés et des épreuves. En 1940 nous aurions d'ailleurs la douleur de perdre Tierno Bokar, victime de l'ignorance et de l'incompréhension des hommes. Seule mon affectation à l'IFAN* de Dakar en 1942, grâce au professeur Théodore Monod dont le service était devenu le refuge de bien des persécutés, me mit moi-même à l'abri de tracasseries policières grandissantes.

Le jour du départ, mes camarades d'association, comme pour mon arrivée, m'escortèrent hors de Bandiagara

* "Institut français d'Afrique noire", fondé et dirigé par le professeur Théodore Monod. Après l'indépendance, cet institut, qui continue de fonctionner à Dakar, a pris le nom d'"Institut fondamental d'Afrique noire".

pendant quelques kilomètres. Mon convoi était chargé de cadeaux et de provisions qu'on nous avait remis de toutes parts.

Je partais avec un trésor, mais ce trésor était en moi. C'étaient toutes les paroles vivantes que Tierno avait semées en moi comme des graines, et qui allaient féconder le reste de ma vie. Elles allaient d'ailleurs si bien devenir partie intégrante de mon être qu'aujourd'hui encore, lorsque je parle, il m'arrive de ne plus très bien savoir si c'est moi qui parle ou Tierno à travers moi...

Je l'ai déjà dit : tout ce que je suis, je le lui dois. C'est lui qui m'a "ouvert les yeux", comme on dit dans les initiations africaines, et qui m'a appris à lire le grand livre de la nature, des hommes et de la vie en ramenant toutes choses à une Unité primordiale. Je lui dois ma formation, ma manière de penser et de me comporter, et cette "écoute de l'autre" qui est peut-être son plus bel héritage, et la meilleure garantie de paix dans les rapports avec autrui.

Cet homme, que Marcel Cardaire appellera plus tard "le saint François d'Assise africain" et Théodore Monod "un homme de Dieu", était, sur bien des points, en avance sur son temps. Il faut rappeler que son appel à la tolérance, à l'amour pour tous les êtres, au dialogue religieux et au respect des particularités – "L'arc-en-ciel doit sa beauté à la variété de ses couleurs" – fut lancé dans la première moitié de ce siècle, au cœur du Mali, au fond d'une modeste concession africaine, à une époque où le moins que l'on puisse dire est que de telles notions n'étaient encore, par-ci par-là, que des balbutiements timides...

Avançant sur cette route qui me menait à Bamako, je ne m'imaginais guère qu'un jour, beaucoup plus tard, d'autres routes me mèneraient sous d'autres cieux, en Afrique d'abord, puis en Europe et à travers le monde, et que j'aurais l'occasion d'y faire connaître, oralement ou par écrit, les paroles de mon père Tierno Bokar, l'humble marabout de Bandiagara.

En attendant, j'étais sûr d'une chose : c'est que sa présence ne me quitterait plus jamais.

Annexe I

GENÈSE ET AUTHENTICITÉ DES OUVRAGES *L'ÉTRANGE DESTIN DE WANGRIN* ET LA SÉRIE DES *MÉMOIRES*

Au cours de différentes rencontres ayant pour thème l'œuvre d'Amadou Hampâté Bâ, en milieux universitaires ou autres, certaines questions sont revenues plus fréquemment que d'autres : Comment a-t-il été amené à écrire *l'Etrange Destin de Wangrin* ? Quand et pourquoi a-t-il commencé son autobiographie ? A-t-il scrupuleusement respecté les faits ou les a-t-il plus ou moins romancés ?

Pour l'information des chercheurs et des étudiants, comme pour les lecteurs qui, d'une façon plus générale, s'intéressent à la naissance d'une œuvre, il me paraît utile de rapporter ici les faits dont j'ai été le témoin.

Je commencerai par *l'Etrange Destin de Wangrin*, ouvrage dont la parution en 1973 a provoqué indirectement, on le verra, la rédaction ultérieure des *Mémoires*. Vers 1971-1972, lors de l'un de ses séjours prolongés à Paris, Amadou Hampâté Bâ me confia un jour qu'il portait en lui le souci d'une promesse faite jadis à un homme, et qu'il n'avait pas encore tenue. C'était d'autant plus grave, me dit-il, que cet homme était mort, et que la promesse due à un mort était chose sacrée. Etonnée, car je connaissais son respect scrupuleux de sa parole, je lui demandai de quoi il s'agissait. Il me raconta alors dans ses grandes lignes l'histoire de "Wangrin", en terminant par son séjour chez lui à Bobo Dioulasso et la promesse qu'il lui avait faite d'écrire un jour son histoire, "pour servir aux hommes à la fois d'enseignement et de divertissement". Sa crainte était de quitter ce monde avant d'avoir pu tenir sa parole.

Curieusement, lui qui passait tout son temps libre à écrire des poèmes en peul* qu'il improvisait en les chantant à la manière des poètes de son pays, à transcrire des textes hérités de la grande tradition orale ou à rédiger des interventions, il n'avait jamais pu commencer à écrire cette histoire : elle lui semblait différente de ce qu'il avait fait jusqu'alors. Je me permis de lui faire remarquer qu'à mes yeux elle ne différait pas tellement des autres récits historiques qu'il avait déjà rapportés : il s'agissait de l'histoire d'un homme qui avait vécu, qui avait laissé une trace, même modeste, dans l'Histoire, et lui-même s'était livré à une enquête pour recueillir des éléments sur sa vie, comme il l'avait fait pour Cheikou Amadou**, El Hadj Omar*** ou tels ou tels autres grands personnages africains. Au lieu de continuer à improviser des poèmes, pourquoi ne pas commencer tout simplement à raconter la vie de Wangrin ? Je déblayai le bureau et installai devant lui une provision de grands blocs de papier et de stylos. Ce simple geste suffit. Il sortit alors de sa valise ses cahiers de notes qui ne le quittaient jamais, et le jour même, tout heureux, il commença son récit…

Le soir, lorsque je rentrais de mon travail, il s'installait dans un fauteuil, me donnait les vingt ou trente feuillets qu'il avait rédigés dans la journée et me demandait de lui en faire la lecture. Il écoutait avec le visage d'un enfant qui entend une histoire pour la première fois, éclatant de rire aux bons

* Toute son œuvre poétique en peul figure dans ses archives, transcrite soit en caractères latins, soit en caractères *adjami* (caractères arabes adaptés à la langue peule). En 1985, il a commencé à me dicter la traduction, avec commentaires, des cinq cents premiers vers de ses cahiers de poèmes mystiques (écrits en *adjami*). Tout le reste est à traduire.

** Fondateur de l'empire peul du Macina au début du XIXe siècle (voir page "Du même auteur").

*** Ouvrages à paraître sur sa vie et celle de ses fils à partir des données de la tradition orale recueillies par A. H. Bâ et figurant dans ses archives.

endroits, oubliant apparemment tout à fait que, ce récit, c'était lui qui venait de l'écrire… Je m'en étonnai. Il me répondit alors que ce n'était pas son écriture qu'il entendait, mais la voix de Wangrin en train de lui raconter son histoire, et qu'il avait l'impression de se retrouver chez lui, à Bobo Dioulasso, tandis que le griot Diêli Maadi jouait doucement de sa guitare.

Une fois rentré en Afrique, il continua d'écrire le livre d'un trait, m'envoyant ses manuscrits au fur et à mesure pour dactylographie. Des amis cherchèrent un éditeur, mais en vain ; à cette époque, nous ne connaissions personne dans ce milieu. C'est finalement Cheikh Hamidou Kane qui lui recommanda Christian Bourgois et sa collection "10-18", où venait d'être réédité son livre *l'Aventure ambiguë*. *L'Etrange Destin de Wangrin* parut en 1973 ; l'année suivante, il obtenait le "grand prix de l'Afrique noire" de l'ADELF*.

Au cours des années qui suivirent, à l'occasion d'interviews ou de conversations privées, on demanda parfois à Amadou Hampâté Bâ s'il s'était inspiré de sa propre vie pour écrire cet ouvrage. Généralement cela le faisait éclater de rire ; car à part le fait d'avoir tous deux grandi dans des milieux de culture traditionnelle, d'avoir servi en Haute-Volta – bien qu'à des époques et dans des corps différents – et rencontré de mêmes personnages, Wangrin et lui différaient sur beaucoup de points et leurs vies personnelles n'avaient rien de comparable. Il concluait presque toujours en s'exclamant : "Ah ! Si je vous racontais la vie de mes parents et la mienne, vous verriez qu'elles sont peut-être encore plus mouvementées que celle de Wangrin !" A la longue, ses proches amis et moi l'incitâmes à passer aux actes, d'autant que, depuis des années, il nous régalait déjà de la plupart des anecdotes savoureuses qui figurent aujourd'hui dans ses *Mémoires*.

Il reprit donc papier et stylo et commença à écrire. C'était, je crois, vers 1975 ou 1976. Comme il était à la veille de repartir en Afrique, il emporta son manuscrit pour le continuer sur

* "Association des écrivains de langue française", présidée par Edmond Jouve.

place, et quelques mois plus tard, de retour à Paris, il me remit le début de ce qu'il avait fait. Selon notre habitude, je le lui relus à haute voix. Ce n'était pas tout à fait ce à quoi je m'étais attendue. Plutôt que d'un récit de vie personnelle, il s'agissait d'une sorte de collection d'anecdotes, sans réel fil conducteur et sans que lui-même s'implique vraiment dans le récit. Le plus souvent, il passait sous silence ses propres sentiments ou réactions devant les événements. En fait, il s'était livré par écrit à un travail de "conteur traditionaliste africain" pour qui se raconter soi-même est plutôt indécent et qui s'efface devant la chose transmise, réserve à laquelle venait s'ajouter la traditionnelle pudeur peule. Chaque anecdote, prise en soi, était un petit bijou, mais tel quel l'ensemble était difficilement publiable.

J'appelai les amis à la rescousse. Au cours d'une conversation on évoqua la nécessité, pour le lecteur moderne (occidental ou africain), de s'identifier à un personnage central dont il puisse épouser les émotions et les réactions, ce qui était d'ailleurs le cas dans *l'Etrange Destin de Wangrin.* Dans le présent récit, ce personnage central, ce ne pouvait être que lui-même…

Je le vois encore, immobile, posant sur nous un regard ouvert, clair, profond, ne cillant presque pas – signes que je connaissais pour être, chez lui, ceux d'une attention extrême. Il ne se contentait pas d'"écouter", il se laissait pénétrer par tout ce que nous lui disions. A la fin il dit : "J'ai compris." Et ce qui est admirable, c'est que cet homme de plus de soixante-quinze ans se remit au travail et recommença tout depuis le début ! En quelques années d'écriture (qu'il interrompit vers 1979 ou 1980, lorsqu'il consacra presque tout son temps à l'alphabétisation des Peuls), cela donna ces merveilleux Mémoires dont la suite reste à publier. Dans cette nouvelle version, l'enfant Amkoullel, puis le jeune homme Amadou Bâ, ont pris vie sous nos yeux, mais l'auteur est tout de même resté fidèle à sa pudeur peule : les confidences s'arrêtent à la porte de son intimité.

Au départ, le texte n'était pas scindé en volumes différents ; seule son importance a imposé cette solution éditoriale. Les deux titres viennent d'Amadou Hampâté Bâ lui-même. Le premier, d'abord imaginé pour l'ensemble du texte, figurait sous une forme plus longue sur ses premiers cahiers : *Amkoullel, ou la vie mouvementée d'un enfant peul* (réduit à la demande de l'éditeur) ; le second avait été choisi ultérieurement par lui. Il y tenait beaucoup et l'avait souvent annoncé dans la presse africaine de l'époque.

L'autre question fréquemment posée portait sur la véracité de son témoignage. A cette question, Amadou Hampâté Bâ a répondu lui-même dans une étude portant sur l'authenticité des traditions orales* : "Ce qui est en cause derrière le témoignage lui-même, c'est bien la valeur de l'homme qui témoigne. (...) Or, c'est dans les sociétés orales que non seulement la fonction de la mémoire est la plus développée, mais que le lien entre l'homme et la parole est le plus fort. Là où l'écrit n'existe pas, l'homme est lié à sa parole, il est engagé par elle. Il *est* sa parole, et sa parole témoigne de ce qu'il est." Et plus loin il cite cette parole d'un enseignement bambara traditionnel : "La langue qui fausse la parole vicie le sang de celui qui ment."

Toute l'éducation et la formation d'Amadou Hampâté Bâ allaient dans ce sens. Un jour de l'année 1977, à Paris, alors qu'il était alité avec une fièvre très élevée, il décida, malgré l'interdiction du médecin – il avait des antécédents cardiaques et pulmonaires sérieux – de se rendre à Lyon pour y donner une conférence annoncée quelques mois auparavant. Comme ses amis et moi insistions, il nous fit cette réponse que je n'ai jamais oubliée : "J'irai parce que je l'ai promis. Si je dois arriver à Lyon et y mourir, eh bien ! ils verront que j'ai tenu ma parole. *Ma parole vaut plus que ma vie...*" Tout se passa d'ailleurs très bien, et une fois arrivé à Lyon où je l'avais conduit en voiture, sa fièvre était tombée comme

* "La tradition vivante", in *Histoire générale de l'Afrique*, éd. Jeune Afrique / Unesco, Paris, 1980, t. I, chap. 8, p. 192

par enchantement. Il aimait à nous rappeler l'adage peul : *Il ne faudrait pas que "demain" nous tue...*

Comme je l'ai dit plus haut, depuis 1966 je connaissais déjà, pour les lui avoir entendu raconter maintes et maintes fois en famille ou dans des cercles d'amis*, la plus grande partie des anecdotes qu'il rapporte dans ses *Mémoires*. Nous connaissions par cœur la vie de son grand-père Pâté Poullo, le destin hors du commun de son père naturel Hampâté, les actes de bravoure de l'intrépide Kadidja... Nous l'avions entendu réciter d'une voix d'enfant sa première leçon à l'école française, chanter "Les trois couleurs de France" avec le capitaine du bateau *Le Mage*, et avions partagé les aventures et les découvertes de sa vie d'adulte ; les commandants "Diable boiteux", "Boule d'épines" et autres n'avaient plus de secrets pour nous, et je l'entends encore imiter l'appel au clairon qui fit venir le vieux caporal, ou lancer le *"Gaaaarde-à-vous !"* qui surprit les anciens tirailleurs – sans parler des récits émouvants concernant son maître Tierno Bokar. La plupart de ces anecdotes figurent dans différentes interviews de presse ou radiophoniques, et il en a même raconté certaines lors de séances à l'Unesco ! Or, au fil des années, elles sont toujours restées les mêmes. A quelques détails ou variantes près (que j'ai éventuellement signalés en note), le fond n'en a jamais varié.

Ce dont je puis témoigner, et ses amis avec moi, c'est que si Amadou Hampâté Bâ a pu, parfois, être trahi par sa mémoire sur tel ou tel point de détail, il était toujours et totalement sincère. "Romancer" un récit appartient d'ailleurs à une technique inconnue de l'Afrique traditionnelle, et pour les hommes relevant de la même formation que lui le premier devoir était le respect sacré de la transmission**. Le

* Particulièrement lors de réunions à Paris chez son vieil ami Jean Sviadoc, alors encore fonctionnaire de l'Unesco, lequel a conservé l'enregistrement de tous ces entretiens.

** En revanche, comme A. H. Bâ l'a lui-même souvent expliqué, la tradition africaine reconnaissait aux maîtres conteurs, comme aux transmetteurs traditionalistes (ou "traditionnistes"), la liberté d'orner désir profond d'Amadou Hampâté Bâ, c'était d'apporter un témoignage authentique non seulement sur sa propre vie, mais, à travers elle, sur la société africaine et les hommes de son temps. Pour lui, inventer, ç'aurait été mentir, et du même coup retirer tout intérêt à son témoignage. Il voulait faire connaître aux autres ce monde dans lequel il avait vécu et qu'il portait en lui, avec ses ombres et ses lumières, et ce tableau n'avait de valeur que s'il était vrai.

Il m'est arrivé d'entendre, dans une émission télévisée, un écrivain déclarer qu'"il n'y a de vraie littérature que dans la fiction" ; ailleurs, un célèbre romancier africain a dit un jour que si un écrivain se contentait de rapporter la réalité, "cela relevait du simple reportage" ; ailleurs encore, un autre Africain, défendant à l'époque la thèse du caractère "romancé" et "imaginaire" de *l'Etrange Destin de Wangrin*, m'avait écrit que si tout y était vrai, alors "ce ne serait plus que de l'ethnographie"... Par son œuvre, véritable pont entre l'oral et l'écrit, Amadou Hampâté Bâ nous apporte la démonstration du contraire : la Vie aussi peut devenir "littérature".

"Lorsque j'écris, c'est de la parole couchée sur le papier", avait-il coutume de dire. Et à Maryse Condé qui l'interviewait un jour sur ses méthodes d'écriture ou les "problèmes" rencontrés à propos de *l'Etrange Destin de Wangrin*, il répondait, après avoir désigné Wangrin comme le véritable "auteur" de l'histoire : "Voyez-vous, je suis un homme sans problèmes. Tant que ça coule j'écris, quand ça ne coule plus je m'arrête..."

Peut-être unique en son genre, ce conteur inégalable a su faire couler au bout de sa plume, dans son œuvre personnelle comme dans les grands textes traditionnels qu'il a contribué à sauver de l'oubli, toute la richesse et l'humour de sa parole.

le récit par des descriptions de paysages ou de personnages, d'y inclure éventuellement des digressions didactiques et de choisir le style, poétique ou non, de leur narration, à la condition expresse de respecter scrupuleusement la trame immuable de l'histoire ainsi que les paroles et les événements qui en formaient l'ossature.

mais aussi toute la beauté, la poésie et la vie du "grand parler" africain. En cela sa place est à part, en cela il échappe sans doute à toutes les classifications littéraires habituelles.

HÉLÈNE HECKMANN,
légataire littéraire d'Amadou Hampâté Bâ.

Annexe II

LA VÉRITABLE IDENTITÉ DE "WANGRIN"

Dans les mois qui suivirent la disparition d'Amadou Hampâté Bâ, une thèse commença à se faire jour selon laquelle son ouvrage *l'Etrange Destin de Wangrin* n'aurait été, en fait, qu'une "autobiographie déguisée" et que derrière le personnage supposé de "Wangrin" se cachait Amadou Hampâté Bâ lui-même. J'ai alors pris contact à Ouagadougou avec Mme Joséphine Vicens, petite-fille de "Wangrin", pour lui demander si, dans ces conditions, les membres de sa famille entendaient maintenir un anonymat souhaité à l'origine dans leur propre intérêt par leur père ou grand-père.

Après avoir contacté ses frères et sœurs, et plus particulièrement sa mère (Mme Veuve Raoul Vicens, née Moussokoro Traoré), Mme Joséphine Vicens, parlant au nom de sa famille, m'a non seulement autorisée à révéler la véritable identité de son grand-père, mais me l'a demandé expressément : "Faites savoir qui il était, m'a-t-elle déclaré*. Nous sommes tous très fiers d'être ses petits-enfants !"

C'est ici pour moi l'occasion de répondre à ce souhait. "L'oncle Wangrin" s'appelait en réalité Samba Traoré. Issu d'une famille de chefs traditionnels bambaras de la région de Bougouni (Mali), il portait plusieurs surnoms : Wangrin, Gongoloma Soké, et surtout Samaké Niambélé, surnom sous lequel il est resté très connu au Burkina, particulièrement à

* Je l'ai fait une première fois dans un numéro spécial de la revue *SEPIA* consacré à Amadou Hampâté Bâ, paru vers la fin 1992 (n° 6, avril-mai-juin 1991).

Bobo Dioulasso. Inutile de dire que personne, au Burkina, ne se pose de questions sur la réalité de son existence... Il est cité dans l'ouvrage de François Equilbecq, *Contes populaires d'Afrique occidentale**, comme rapporteur ou traducteur de nombreux contes recueillis par l'auteur à Bandiagara, mais avec inversion du nom et du surnom ("Samaké Niambélé, dit Samba Traoré").

Des neveux de Samba Traoré vivent toujours à Bamako où l'un de ses frères, Boudja "Nambara" Traoré, était installé. L'un de ses petits-fils, M. Guy Vicens, a été, à une certaine époque, directeur du Bureau du tourisme de la Côte-d'Ivoire en France.

Sa fille, Mme Veuve Raoul Vicens, ancienne institutrice, a elle-même occupé un poste gouvernemental avant la transformation de la Haute-Volta en Burkina-Faso. Lors de l'une de nos rencontres à Abidjan du vivant d'Amadou Hampâté Bâ, elle m'a assuré que tous les événements relatés dans le livre étaient véridiques, sauf les circonstances exactes du décès de "Wangrin" (peut-être mal rapportées par le griot Diêli Maadi à Amadou Hampâté Bâ, ou mal comprises par ce dernier). Son père ne serait pas mort, en effet, dans le ruisseau transformé en petit torrent où il était tombé par une nuit d'orage, mais aurait pu être ramené chez lui où il décéda peu après, entouré des siens.

H. H.

* Réédition Maisonneuve et Larose, Paris, 1972.

Annexe III

APERÇU SOMMAIRE SUR LES DATES A VENIR...

De 1933 à 1942 . en poste à Bamako. A partir de 1937, tracasseries policières et administratives en raison de son appartenance à la branche dite “hamalliste” de la Tidjaniya.

De 1942 à 1958 : affecté à l’IFAN (Institut français d’Afrique noire à Dakar), pour lequel il effectue des travaux de recherche et des enquêtes ethnologiques, historiques et religieuses à travers tous les territoires de l’ex-AOF (Sénégal, Soudan, ex-Haute-Volta, Niger, Guinée, Nord-Côte-d’Ivoire...).

– Au cours d’un an de “congé sabbatique” en 1946-1947 passé en Côte-d’Ivoire, A. H. Bâ rencontre pour la première fois Félix Houphouët-Boigny, qui deviendra son ami. Assiste avec lui au congrès constitutif du RDA à Bamako en 1947.

– Nouvelle interruption pour un séjour libre d’un an en France en 1951, grâce à une bourse d’entretien de l’Unesco ; travaux avec les Africanistes du Musée de l’Homme.

1957 : conseiller culturel auprès de Radio Soudan, section locale de la SORAFOM.

1958 : Autonomie des anciennes colonies au sein de la Communauté française. A. H. Bâ fonde à Bamako l’Institut des Sciences humaines dont il sera nommé directeur.

1960 : Indépendance. En tant que membre de la délégation du Mali à l’Unesco, A. H. Bâ assiste à la première “Conférence générale” à laquelle participent tous les pays africains nouvellement indépendants ; premier appel au sauvetage des traditions orales et lancement de la fameuse “phrase” (“En Afrique, quand un vieillard meurt...”).

De 1962 à 1966 : ambassadeur extraordinaire et ministre plénipotentiaire du Mali en Côte-d'Ivoire, à la demande du Président Houphouët-Boigny et pour aider son pays à conserver la disposition du port d'Abidjan.

De 1962 à 1970 : membre du Conseil exécutif de l'Unesco.

Après 1970 : poursuite de ses travaux personnels.

En dehors des ouvrages mentionnés à la page "Du même auteur", A. H. Bâ n'a cessé, à partir de 1943, de publier des articles et des travaux et de collaborer à de nombreuses émissions radiophoniques ou télévisées. Il a participé à des rencontres internationales sur les civilisations africaines, à des colloques interreligieux ainsi qu'à des congrès scientifiques (historiques, ethnologiques ou linguistiques), dont certains au titre de l'Unesco. Partout il a laissé le souvenir d'un homme de paix, de conciliation et de dialogue, appelant constamment à la "mutuelle compréhension" entre les hommes, et qui avait le don de dénouer les situations les plus tendues en racontant au bon moment tel conte ou telle historiette africaine où chacun pouvait se reconnaître sans en être blessé…

H. H.

TABLE

DU MÊME AUTEUR

KOUMEN, TEXTE INITIATIQUE DES PASTEURS PEULS, avec G. Dieterlen, Mouton, Paris, 1961 *(épuisé)*.

KAÏDARA, RÉCIT INITIATIQUE PEUL, coll. "Classiques africains", Paris, 1969, Les Belles Lettres (version poétique bilingue).

ASPECTS DE LA CIVILISATION AFRICAINE, Présence Africaine, Paris, 1972 (réédité en 1993).

L'ÉTRANGE DESTIN DE WANGRIN, UGE Poche 10-18, Presses de la Cité, Paris, 1973. Grand prix littéraire de l'Afrique noire (ADELF) en 1974.

L'ÉCLAT DE LA GRANDE ÉTOILE, coll. "Classiques africains", Paris, 1976, Les Belles Lettres, Paris (version poétique bilingue).

VIE ET ENSEIGNEMENT DE TIERNO BOKAR, LE SAGE DE BANDIAGARA, Seuil, coll. "Points Sagesses", Paris, 1980.

L'EMPIRE PEUL DU MACINA, avec J. Daget, NEA Abidjan/EHESS Paris, 1984 *(épuisé)*.

AMKOULLEL, L'ENFANT PEUL, MÉMOIRES I, Actes Sud, Arles, 1991, et coll. de poche "Babel", Actes Sud, 1992. Prix Tropiques 1991 (CFD), grand prix littéraire de l'Afrique noire (ADELF) en 1991 pour l'ensemble de l'œuvre.

"Collection *Amadou Hampâté Bâ*", NEI Abidjan/EDICEF Paris :

- *JÉSUS VU PAR UN MUSULMAN*, Abidjan, 1993.
- *PETIT BODIEL*, conte drolatique peul, Abidjan, 1993.
- *LA POIGNÉE DE POUSSIÈRE*, contes et récits du Mali, Abidjan, 1994.
- *NJEDDO DEWAL MÈRE DE LA CALAMITÉ*, Abidjan, 1994.
- *KAÏDARA*, récit initiatique peul (version en prose), Abidjan, 1994.

PETIT BODIEL ET AUTRES CONTES DE LA SAVANE, Stock, Paris, 1994 (en collaboration avec les NEI d'Abidjan).

CONTES INITIATIQUES PEULS : Njeddo Dewal mère de la calamité et *Kaïdara* (en prose), Stock, Paris, 1994 (en collaboration avec les NEI d'Abidjan).

JÉSUS VU PAR UN MUSULMAN, Stock, Paris, 1994 (en collaboration avec les NEI d'Abidjan).

BABEL

Extrait du catalogue

183. EDMOND DE GONCOURT
La Faustin

184. CONRAD DETREZ
Les Plumes du coq

185. NICOLAS VANIER
Transsibérie, le mythe sauvage

186. NINA BERBEROVA
Où il n'est pas question d'amour

187. DANIEL DEFOE
Robinson Crusoé

188. ANTON TCHEKHOV
La Mouette

189. ANTON TCHEKHOV
L'Homme des bois

190. INTERNATIONALE DE L'IMAGINAIRE N° 5
La Scène et la terre

192. ALEXANDER LERNET-HOLENIA
Le Régiment des Deux-Siciles

193. ARISTOPHANE
Les Oiseaux

194. J.-P. FAYE / A.-M. DE VILAINE
La Déraison antisémite et son langage

195. JACQUES POULIN
Les Grandes Marées

196. SIRI HUSTVEDT
Les Yeux bandés

197. ROBERT PENN WARREN
Les Rendez-vous de la clairière

198. JOHN BANVILLE
Le Livre des aveux

199. JOHN MILLINGTON SYNGE
Théâtre

200. ISAAC BABEL
Récits d'Odessa

201. ISAAC BABEL
Chroniques de l'an 18

202. FÉDOR DOSTOÏEVSKI
La Logeuse

203. PACO IGNACIO TAÏBO II
Sentant que le champ de bataille…

204. FRÉDÉRIC JACQUES TEMPLE
Un cimetière indien

205. INTERNATIONALE DE L'IMAGINAIRE N° 6
Le Liban second

206. JOSEPH SHERIDAN LE FANU
Carmilla

207. ANDRÉE CHEDID
La Femme de Job

208. DANIEL ZIMMERMANN
Nouvelles de la zone interdite

209. NAGUIB MAHFOUZ
Le Voleur et les chiens

210. MOHAMMED DIB
Au café

COÉDITION ACTES SUD - LEMÉAC

Ouvrage réalisé
par les Ateliers graphiques Actes Sud.
Achevé d'imprimer
en novembre 1999
par Bussière Camedan Imprimeries
à Saint-Amand-Montrond (Cher)
sur papier des
Papeteries de Jeand'heurs
pour le compte
d'ACTES SUD
Le Méjan
Place Nina-Berberova
13200 Arles.

N° d'éditeur : 2200
Dépôt légal
1re édition : mai 1996
N° impr. : 994982/1